樊锦诗文集

COLLECTED WORKS OF
FAN JINSHI

樊锦诗 ——— 著

敦煌研究院 — 编

文物出版社

◈ 总目录

◈ 下册目录

陆 · 石窟考古与敦煌学

柒 · 洞窟分期与石窟考古报告

捌 · 壁画内容考释

玖 · 考古发掘与出土文物

陆 · 石窟考古与敦煌学

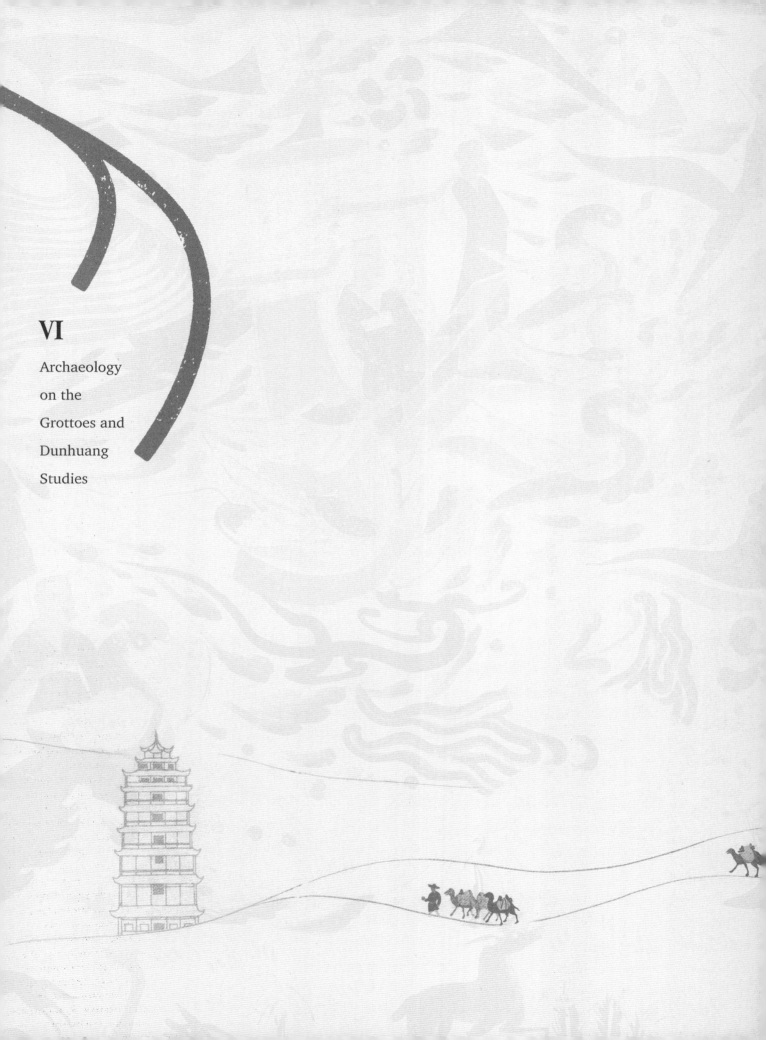

VI

Archaeology
on the
Grottoes and
Dunhuang
Studies

◈ 我国二十世纪敦煌石窟考古研究概述

　　敦煌石窟泛指敦煌地区及其附近的石窟，其中有代表性的敦煌莫高窟、西千佛洞和安西（瓜州）榆林窟，都是中国中古时期的重要佛教文化遗存。它们为中国古代佛教史、文化史和艺术史等研究提供了大量的珍贵资料，一百年来吸引了一代又一代中外学者对之进行研究，涌现了大量有价值的科研成果。

　　对敦煌石窟开展历史考古领域的研究，最早开始于我国清末学者徐松，他在《西域水道记》中关于敦煌莫高窟的兴建问题的论述，便是他研究的成果。

　　1900年藏经洞的发现，引起了西方探险家对敦煌石窟的注意。20世纪前30年，法国伯希和、俄国奥登堡等一些西方学者以现代考古学的方法调查、记录、公布了敦煌石窟的部分照片和资料，但是也伴随着掠夺与破坏。

　　30～40年代初，我国的学术机构和学者多次组织了对敦煌石窟的考察，进行了开拓性的研究。1944年，在敦煌莫高窟成立了国立敦煌艺术研究所（敦煌文物研究所的前身），这是我国成立最早的研究敦煌学的机构，为全面研究敦煌石窟创造了条件。当时在极其艰苦的条件下，开始对敦煌石窟进行清理、调查、编号与研究，做了大量资料整理工作，并刊布了部分成果。

　　50～60年代，敦煌文物研究所在对壁画和彩塑长期临摹和调查的基础上，又做了进一步校勘、增补，对石窟内容和时代有了新的认识、新的发现，公布了新的研究成果。在此期间，敦煌文物研究所成立了专门从事石窟研究的考古组，北京大学历史系考古专业宿白教授讲授了《敦煌七讲》，为敦煌石窟考古工作的全面展开在理论和方法上奠定了基础。石窟考古工作在前人研究的基础上，进一步拓宽了工作领域。"文化大革命"期间，研究工作被迫停顿。

　　进入80年代，中国迎来了科学的春天，全国成立了一批敦煌学研究机构，创办了一些研究刊物，涌现了一批青年研究人才，石窟考古工作得到前所未有的发展，取得了丰硕的研究成果。

纵观近一个世纪以来敦煌石窟考古研究的成果，可以概括为以下六个方面。

一、石窟编号和内容调查、登录

最早对敦煌石窟编号和内容调查登录的是法国学者伯希和与俄国学者奥登堡。1925年陈万里的《西行日记》是中国学者对敦煌石窟的第一次科学考察的记录。20世纪40年代张大千的《莫高窟记》，中央研究院历史语言研究所《莫高窟形》，李浴、史岩、谢稚柳等先后完成的《莫高窟内容之调查》(未刊[1])、《敦煌石室画像题识》、《敦煌艺术叙录》等，是对敦煌石窟多次编号和内容著录的成果。每一次编号和记录都会加深对洞窟的认识，使洞窟编号趋于合理、科学，内容著录亦不断完善、准确。为了避免研究工作中因窟号不统一而引起的混乱，敦煌文物研究所和一些学者数次公布了《莫高窟各家编号对照表》。上述成果为学术研究提供了有力工具。

20世纪五六十年代，敦煌文物研究所进一步对洞窟内容、时代做了全面调查，对供养人题记做了校录，并做了大量扎实的资料整理工作。70～90年代，在前辈学者数十年研究的基础上，敦煌研究院再次复查、校勘、增补，凝结了几代人心血的重要研究成果《敦煌莫高窟供养人题记》《敦煌莫高窟内容总录》《敦煌石窟内容总录》终于问世，为学术界研究敦煌石窟提供了最为权威和实用的基础资料。

二、敦煌石窟的考古报告

敦煌石窟是重要的佛教文化遗迹，为了永久地保存这些珍贵的资料和历史的文化信息，有计划地做好敦煌石窟考古报告工作，具有十分重要的意义。在这方面，学者们也做了一些有益的工作。

20世纪初，随着外国探险者对敦煌石窟的调查，这项工作就已开始。1908年，伯希和对莫高窟进行了石窟描述，对石窟年代和壁画做了考订，对题识进行了记录。1914年，俄国学者奥登堡除了详细描述洞窟外，还逐窟进行了详细的测绘，绘制了洞窟平面图、立面图和位置示意图，最后拼合出了总平面图和总立面图。遗憾的是，这些成果直到近年才被逐渐整理发表。但这些工作还多半着重于对艺术的描述。

1942年，中央研究院历史语言研究所对敦煌莫高窟的测绘、摄影、文字记录取得了可喜的

1　当时未刊，后收入中国西北文献丛书续编编撰委员会《中国西北文献丛书续编·敦煌学文献卷》第十九册，兰州：甘肃文化出版社，1999年。

成果（见《莫高窟形》）。1962年，宿白在敦煌文物研究所作的学术报告《敦煌七讲》，总结出一套科学的石窟考古方法和程序，即运用类型学和地层学的方法来调查、测绘、记录（包括文字、照片和墨拓）石窟的全部内容，成为敦煌石窟考古报告工作的理论指导，此后在多年的实际工作中进行了实践，为敦煌石窟考古的全面展开奠定了理论和方法的基础。

石窟考古报告工作必须对每个洞窟的建筑、彩塑、壁画，以及附着的题记、碑刻、铭记等全部资料，采用测量、绘图、照相、文字等记录手段，进行全面、系统、科学的收集整理，并对洞窟的创建、改建和年代，彩塑和壁画的布局、题材、内容、特点、制作及其内在关系等进行探讨。这是一项十分重要的基础研究工作，也是一项艰巨浩繁的系统工程。为了全面、系统、科学地保存敦煌石窟的资料，推动敦煌石窟全方位深入的研究，满足国内外学术机构和学者对敦煌石窟资料的需求，敦煌研究院根据敦煌石窟洞窟的分布排列及石窟形成过程的复杂因素，以洞窟建造的时代前后序列为脉络，结合洞窟布局形成的现状，拟定了编辑出版多卷本《敦煌石窟全集》的长远规划。现已组织研究和技术人员，对敦煌莫高窟北朝时期的几组洞窟进行了测量、绘图、照相、文字记录，编写了记录性的考古报告，并探讨了洞窟的时代和特点，为下一步考古研究做了准备。

三、石窟遗址和洞窟的清理发掘

在敦煌石窟遗址和洞窟的清理发掘方面，敦煌研究院对莫高窟南区窟前殿堂遗址和北区洞窟进行了多年的大规模清理发掘，这是两项重要的敦煌石窟考古工作，为恢复莫高窟的历史面貌和探明它的营建历史提供了宝贵的实物资料。

20世纪60年代初，在莫高窟南区长约380米的区域内清理出了22个窟前殿堂建筑遗址、7个洞窟和小龛。通过清理，根据目前底层洞窟之下发现的3个洞窟，不仅明确了莫高窟崖面的洞窟分布有5层之多，而且揭示了莫高窟创建初期窟前地面高度要低于现地面4米以上的情况，因此修建底层洞窟窟前殿堂建筑，乃唐后期窟前地面升高所致。探明了南区底层洞窟前在五代、宋、西夏、元代曾建有窟前殿堂，形成了前殿后窟的建筑结构格局，建筑结构有包砖台基殿堂式和土石基窟檐式两种。相当于五代、宋的曹氏归义军政权时期的整修，使莫高窟的外观达到了历史上最为宏伟壮观的时期[2]。

1988～1995年，对莫高窟北区长达700米崖面上已暴露和被沙掩埋的全部洞窟进行清理和发掘。通过全面清理，揭开了北区洞窟的神秘面纱，澄清了以往一些混乱的看法，探明该区共有洞

2　潘玉闪、马世长：《莫高窟窟前殿堂遗址》，北京：文物出版社，1985年。

窟248个（含已编号的第461~465窟），基本上弄清了每个（组）洞窟的结构、使用状况、功能和时代。其中有僧众生活的僧房窟、修行的禅窟、仓储的廪窟、葬身的瘗窟等六种，形制不同，功能不同。洞窟的分布大致是，北朝从该区南部开始开凿，隋唐的洞窟分布在中部，西夏之后的洞窟集中于北部。清理中还出土了不少遗物，有汉文和多种少数民族文字文献、回鹘文木活字、钱币、木雕、浮塑以及日常生活用品等。这些遗迹和遗物说明北区是僧众活动的区域[3]。莫高窟南区遗址和北区洞窟的全面清理，既揭示出了莫高窟在漫长的营建过程中外貌景观的变化，也揭示了莫高窟4~14世纪不仅持续不断地修建了众多的礼佛窟，而且还修建了僧众从事修行和生活的石窟。两种不同性质、功能的洞窟既做了分区布局，又组成了统一、完整的石窟寺。这些考古发现有助于进一步探明莫高窟的性质、功能、营建历史。

四、石窟的断代与分期研究

对洞窟的建造年代和总体的分期研究，是石窟研究中最重要的基础性工作之一，经过几代学者持续不断的努力，已经取得了丰硕成果。

20世纪上半叶，中外学者对此曾做过不少有益的探讨。如张大千、史苇湘等依据艺术风格对敦煌石窟时代的判断，对此后的分期断代具有一定的参考意义。进入50年代，我国的石窟考古研究逐步展开。宿白的《参观敦煌第285号窟札记》最早运用考古学方法，以有纪年的莫高窟第285窟为标尺，将敦煌与其他石窟进行比较，对敦煌莫高窟北朝洞窟做了科学的分期断代，是敦煌石窟分期断代开拓性研究的力作，对石窟断代分期研究工作具有一定的指导性意义[4]。

敦煌石窟分期断代研究的成果，表现在两个方面：

一方面，对大量没有纪年的洞窟，采用类型学和层位学的方法，按洞窟形制结构、彩塑和壁画的题材布局、内容等区分为若干不同类别，分类进行型式排比，排出每个类型自身的发展系列；再做不同类型系列的平行比较，从差异变化中找出时间上的先后关系。将类型相同的洞窟进行组合，从相似中找出时间上的相近关系，并以遗迹的叠压层次关系判断洞窟及其彩塑、壁画的相对年代。再以有题记纪年的洞窟作为标尺，结合历史文献断定石窟的绝对时代。采用这种方法，完成了敦煌莫高窟北朝、隋代、唐前期、唐后期、回鹘、西夏等时代洞窟的分期断代，特别是排出了一批北周、回鹘洞窟，同时揭示了莫高窟各个时期洞窟发展演变的规律和时代特征[5]。以

3　彭金章、沙武田：《敦煌莫高窟北区洞窟清理发掘简报》，《文物》1998年第10期。

4　宿白：《参观敦煌第285号窟札记》，《文物》1956年第2期。

5　樊锦诗、马世长、关友惠：《敦煌莫高窟北朝洞窟的分期》，载敦煌文物研究所编《敦煌研究文集》，兰州：甘肃人民出版社，1982年；刘玉权：《敦煌莫高窟、安西榆林窟西夏洞窟分期》，载敦煌文物研究所编《敦煌研究文集》，兰州：甘肃人民出版社，1982年。

同样的方法，对莫高窟北周时期洞窟做更进一步的分期排年，找出这个时期十余个洞窟年代上的先后关系[6]；对莫高窟中心塔柱窟除做分期和年代探讨外，还通过纵向和横向比较，探讨此类洞窟的渊源和性质[7]。

另一方面，依据洞窟的供养人题记、敦煌文书、碑铭，并结合历史文献，做深入细致的探讨，考订出了一批唐、五代、宋、西夏时期洞窟的具体修建年代及其窟主[8]。

敦煌石窟分期排年研究的学术成果，不仅确定了洞窟本身的时代，而且为敦煌石窟各项研究提供了时代的确凿依据，为敦煌石窟各项研究奠定了坚实基础。

五、敦煌石窟内容的研究

石窟内容研究是石窟考古研究中的一个重要组成部分，经过几代学者数十年的研究，已经比较充分地揭示了敦煌石窟的内容及其价值，特别是敦煌石窟壁画内容博大精深，包罗万象，被中外学者誉为"墙壁上的博物馆"。

20世纪初，伯希和对部分壁画内容做了定名，但尚未进行深入的考证和研究。30年代，日本松本荣一依据斯坦因、伯希和、奥登堡从敦煌骗购的藏经洞出土的绢画、纸画以及伯希和在敦煌拍摄的壁画照片，写出图文并茂的巨著《敦煌画的研究》，初版于1937年，再版于1985年，至今仍然是研究敦煌艺术的重要参考书。松本氏的研究着重于画面与经文对照的考释，做出了卓越的贡献，缺点在于未将各类经变画放在中国历史和佛教、美术发展史的长河中进行系统的宏观考察，因而未能揭示出各类经变画产生、发展以及式微的历史规律。

从50年代开始，我国学者开始运用图像学方法研究石窟内容。如周一良《敦煌壁画与佛教》[9]、金维诺《敦煌壁画祇园记图考》[10]和《祇园记图与变文》[11]等文，不是简单地对壁画内容进行考释，而是运用佛经、变文、敦煌文献，对壁画与佛经、佛教和变文的关系做了深入探讨。

此后经过60～80年代的深入调查研究，中国学者基本上查明了敦煌壁画中的本生、佛传、各种经变、佛教东传故事以及中国神话传说；发现了独角仙人本生、须摩提女因缘、微妙比丘尼因缘、贤愚经变、目连经变等一批新题材；对某些壁画题材和内容以及传统观点提出了新的解

6　李崇锋：《敦煌莫高窟北朝晚期洞窟的分期与研究》，载敦煌研究院编《敦煌研究文集：敦煌石窟考古篇》，兰州：甘肃民族出版社，2000年。

7　赵青兰：《莫高窟中心塔柱窟的分期研究》，载敦煌研究院编《敦煌研究文集：敦煌石窟考古篇》，兰州：甘肃民族出版社，2000年。

8　贺世哲：《从敦煌莫高窟供养人题记看部分洞窟的营建年代》，载敦煌研究院编《敦煌研究文集：敦煌石窟考古篇》，兰州：甘肃民族出版社，2000年。

9　周一良：《敦煌壁画与佛教》，《文物参考资料》1951年第4期。

10　金维诺：《敦煌壁画祇园记图考》，《文物》1958年第10期。

11　金维诺：《祇园记图与变文》，《文物》1958年第11期。

释，纠正了以往一些错误的定名。如莫高窟第 321 窟南壁，第 454、456 窟北壁和榆林窟第 32 窟正壁，过去长期定名为《灵鹫山说法图》，后第 321 窟经史苇湘考订为宝雨经变，其他各窟经霍熙亮考订为梵网经变，等等。学者们在考证出新的题材内容的同时，还结合历史、佛教史、画史，对壁画内容与特点也做了探讨。

宏伟灿烂的经变画是敦煌壁画中的精粹，据统计，敦煌壁画和纸画、绢画中的经变画有 30 余种、1300 余幅。大部分经变按专题做了系统整理和研究，尤其是对法华、维摩诘、涅槃、弥勒、阿弥陀等长期盛行的大型经变的深入、全面研究，取得了令人瞩目的成果，不仅对照石窟榜题、佛经、敦煌文献与历史资料和画史，考释清楚了每幅经变画每一品的内容情节，而且探讨了每一类经变不同时期内容情节、艺术形式传承演变的特点，研究了经变产生的历史背景、反映的佛教思想，揭示了敦煌经变产生、发展和演变的规律。在研究内容的同时，还分析探讨了历史上的佛教思想和佛教信仰对开窟的影响，如贺世哲《敦煌莫高窟北朝石窟与禅》[12]、《关于敦煌莫高窟的三世佛与三佛造像》[13]。

在对敦煌石窟内容进行全面、深入探讨的基础上，对莫高窟第 45、61、254、249、285、290、428 窟等，以及榆林窟第 25 窟等一批不同时代的代表洞窟，以洞窟为单位，进行历史、艺术、佛教内容的综合研究[14]。

敦煌石窟是古代文化的宝库，其中蕴藏着众多研究领域极为丰富的珍贵资料。在研究壁画佛教内容的同时，我国不同学科领域的学者数十年来持续不断地对壁画中的服饰、建筑、音乐、舞蹈、交通、科技、民俗、图案等进行了专题研究。如在建筑研究方面，运用大量的资料，从建筑类型入手，系统地研究了敦煌石窟的洞窟形制、敦煌壁画中的建筑布局、成组建筑、单体建筑、建筑构件、建筑彩画，并结合文献材料进行充分的论证，为建筑研究填补了空白[15]。在服饰研究方面，以时代为脉络，分门别类研究敦煌壁画中丰富的服饰资料[16]。在图案研究方面，对敦煌壁画中各时代的图案，进行图案纹样和结构形式的分类系列排比，在细致剖析的基础上，探讨敦煌纹样的结构、内容、风格的演变发展规律及其与中原、西域的关系[17]。

---

12 贺世哲：《敦煌莫高窟北朝石窟与禅》，载敦煌文物研究所编《敦煌研究文集》，兰州：甘肃人民出版社，1982 年。

13 贺世哲：《关于敦煌莫高窟的三世佛与三佛造像》，《敦煌研究》1994 年第 2 期。

14 敦煌研究院、江苏美术出版社：《敦煌石窟艺术》，南京：江苏美术出版社，1933~1998 年；李玉珉：《敦煌 428 窟新图像源流考》，《故宫学术季刊》1993 年第 4 期。

15 萧默：《敦煌建筑研究》，北京：文物出版社，1989 年。

16 段文杰：《莫高窟唐代艺术中的服饰》，载氏著《敦煌石窟艺术研究》，兰州：甘肃人民出版社，2007 年。

17 关友惠：《莫高窟隋代图案初探》，《敦煌研究》1983 年创刊号；薄小莹：《敦煌莫高窟六世纪末至九世纪中叶的装饰图案》，载北京大学中古史中心编《敦煌吐鲁番文献研究论集（第五辑）》，北京：北京大学出版社，1990 年。

　　上述研究成果，为近年开始的佛教类、社会类、艺术类等28个专题研究打下了良好的基础。全方位的敦煌石窟的专题研究，系统汇集了敦煌石窟的全部资料，在佛教文化史、中国文化史、中西文化交流史的大背景下，充分利用前人研究成果，进行全面、系统地整理和分析，揭示出敦煌石窟各个领域的丰富内涵和珍贵史料价值。这些研究成果，将由敦煌研究院和香港商务印书馆合作编辑出版的《敦煌石窟全集・专题篇》[18]中予以陆续刊布。

六、敦煌石窟与历史的研究

　　包括精神活动在内的人类一切活动，都是一种社会历史现象。敦煌石窟的产生、发展、衰落，在社会历史的长河中有其自身的兴衰史。敦煌在历史上地位十分重要，可是正史记载既稀少又简略。一些学者通过对敦煌石窟的调查研究，结合敦煌文书和历史文献，研究石窟的营建历史，探讨了敦煌地区的社会史、佛教史、文化史、民族史等，为敦煌历史研究揭开了新的一页。

　　关于敦煌石窟的营建史，向达的《瓜沙谈往》[19]，利用《李君修佛龛记》，与石窟供养人题记、敦煌文书相结合，考证了莫高窟开窟于苻秦建元二年（366年），在这一研究领域具有开拓性的意义。马德在继承前辈学者数十年研究成果的基础上，对敦煌石窟4～11世纪的营造历史进行了全面考察，写出了总结性报告《敦煌莫高窟史研究》[20]。

　　关于敦煌石窟与敦煌世族的关系，贺昌群《敦煌佛教艺术的系统》[21]一文中首次关注到东阳王的问题。宿白的《东阳王与建平公》[22]、施萍婷的《建平公与莫高窟》[23]，考证了建平公其人在敦煌任职的时间以及建平公与敦煌石窟的关系，判明了建平公所开之窟为莫高窟第428窟。史苇湘《丝绸之路上的敦煌与莫高窟》《世族与石窟》[24]，从总体上剖析敦煌的索、阴、翟、李、张、曹等豪门大姓的族源，以及他们在敦煌地区政治、经济、军事、文化上的重要地位，相互间的姻亲关系，并探讨了绵延有绪的敦煌世家豪族与敦煌莫高窟营造千年不衰的关系。贺世哲《敦煌莫高窟供养人题记校勘》[25]，贺世哲、孙修身《瓜沙曹氏与莫高窟》[26]等，从张氏、曹氏世系及归义军政权每位

18　该书现已出版。敦煌研究院：《敦煌石窟全集》，商务印书馆（香港）有限公司，2002年。

19　向达：《瓜沙谈往》，《国学季刊》1950年第7卷第1期。

20　马德：《敦煌莫高窟史研究》，兰州：甘肃教育出版社，1996年。

21　贺昌群：《敦煌佛教艺术的系统》，《东方杂志》，1931年。

22　宿白：《东阳王与建平公》，载氏著《中国石窟寺研究》，北京：文物出版社，1996年。

23　施萍婷：《建平公与莫高窟》，载敦煌文物研究所编《敦煌研究文集》，兰州：甘肃人民出版社，1982年。

24　史苇湘：《丝绸之路上的敦煌与莫高窟》《世族与石窟》，载敦煌文物研究所编《敦煌研究文集》，兰州：甘肃人民出版社，1982年。

25　贺世哲：《敦煌莫高窟供养人题记校勘》，《中国史研究》1980年第3期。

26　贺世哲、孙修身：《瓜沙曹氏与敦煌莫高窟》，载敦煌文物研究所编《敦煌研究文集》，兰州：甘肃人民出版社，1982年。

执政者的生平和在瓜（安西）、沙（敦煌）的统治，及他们与中原王朝和周边少数民族政权的关系，研究了他们的建窟活动与佛教信仰。

关于敦煌石窟与少数民族的关系，史金波的《西夏佛教史略》[27]、刘玉权的《西夏时期的瓜沙二州》等论著，通过敦煌西夏时期石窟壁画和西夏文材料，探讨了西夏党项羌统治瓜沙的历史，西夏政权的政治、经济、佛教发展，以及与汉族、吐蕃、回鹘的文化交往。张大千的《漠高窟记》、刘玉权的《沙州回鹘史探微》，从敦煌以往判定的西夏石窟中划分出一批回鹘洞窟，探讨了沙州回鹘与宋、辽、金王朝，与瓜沙地区曹氏政权、西夏政权，以及与甘州、西州回鹘错综复杂的关系，探讨了沙州回鹘出现、发展、消亡的历史。

敦煌石窟规模宏大，拥有近800个洞窟、50000平方米壁画、2000余身彩塑，营建时期自4～14世纪长达千年之久，题材广泛，内容丰富。壁画佛教题材就有尊像画，本生、佛传、因缘故事，佛教东传故事，经变画和中国传统神话等五大类，每一类又可细分为十多种到数十种题材不等；社会文化科技内容有民俗、服饰、生产、科技、交通、军事、体育；艺术内容有人物画、动物画、山水、图案、音乐、舞蹈、飞天、建筑等。上述壁画内容为研究中古时期佛教、社会、文化、艺术、科技历史等提供了丰富的形象资料。

一百年来，经过几代学者的不懈努力，敦煌石窟研究经历了资料登录整理、画面解读、内容考证、专题探讨、综合研究等，出版了一大批学术论著，为今后进一步深入研究打下了良好基础。21世纪，敦煌石窟研究拟在以下几个方面有所加强。

（1）进一步做好资料工作。深入的研究要以充分的资料为基础，敦煌石窟已出版了不少图像资料，但都是局部的、片断的。要做深入的专题研究或综合研究，还缺少系统的、全面的资料，这就必须细致地做好石窟资料，尤其是石窟档案的整理。

（2）过去的一个世纪里，敦煌石窟佛教类、社会类、艺术类的各个专题都已开始研究，有的专题已有较深入的研究，成果显著，但总体上看，每个专题的研究还有待进一步加强。每一类专题都材料丰富、时间绵长，都应该作为一部专史来研究。因此，每个专题都必须在现有的研究基础上系统搜集、整理资料，结合文献分析考证，同时联系其他地区的同类资料，进行更深入的研究。只有全方位地深入研究壁画的各个专题，才能全面准确地解读壁画；深入认识敦煌石窟的价值和意义，才能为敦煌石窟的整体研究、综合研究做好准备。这样也能充实和丰富中国佛教史、文化史、科技史的材料及其研究。

（3）每个洞窟都是彩塑、壁画和建筑三者结合成的整体，其内容的组合与布局，都是按照中古时期当地的佛教思想和佛教信仰、艺术审美统一规划制作而成的。过去由于认识的局限，对点

27　史金波：《西夏佛教史略》，银川：宁夏人民出版社，1988年。

和面的研究较多，尽管已开始将洞窟作为整体进行研究，但有的是介绍性的，有的还深度不够。为了加强敦煌石窟的整体研究和综合研究，今后要加强对个体洞窟的基础研究，对每个洞窟进行佛教、艺术、历史的综合研究，探讨每个洞窟或每一组洞窟的题材内容、佛教思想、性质、功能、艺术特点等。

（4）敦煌处于古代中西交通的咽喉之地，是东西文化的交汇地。敦煌东面高度发达的汉唐文化是敦煌和河西走廊文化的根基，同时敦煌又受到印度、西亚、中亚文化的影响，周边又同少数民族有着密切的关系，千年的敦煌石窟就是东西文化及多民族文化持续不断交流、融合、发展的产物。东西文化的交流和融合，渗透到敦煌石窟建筑、彩塑、壁画的各个方面。敦煌文化有着丰富的东西文化交融的形象材料，因此，作为中西文化交流产物的敦煌石窟，必须置于中西文化交流的大背景下进行研究。通过比较研究，找出无论内容上还是形式上所受到的东西文化及多民族文化的具体影响，包括来源、背景、路线、内涵，在中西文化的对比中找出敦煌石窟自身独有的特点和价值。

（5）研究方法和手段更新。由于敦煌石窟内容丰富、涉及学科广泛，为了推动敦煌石窟更深入的研究，必须运用考古学、图像学、文献学等不同的研究方法，而且要多种学科、不同方法结合研究。敦煌石窟是一定历史条件下表现佛教思想的石窟艺术，石窟中的佛教图像是一种表象，要了解它深刻的思想内涵、文化内涵和艺术特质，就必须利用佛教典籍、历史文献、画史资料去分析探讨，因此，敦煌石窟的研究必须将历史、佛教、艺术结合起来进行综合研究。由于研究对象本身很强的多元性与综合性，有效地组织多种形式的合作是非常必要的。只有这样才能去攻克重大研究课题，使石窟研究有新的突破。因为研究者个人的精力、时间、学识是有限的，而新的研究成果不断涌现，新的信息手段不断更新，所以我们应最大限度地使用现代化的科技手段，及时地沟通、交流、吸纳研究的新成果。

（原载于《二十一世纪敦煌文献研究回顾与展望研讨会论文集》，中华自然文化学会，1999年）

◆ 关于敦煌石窟研究的一些思考

从20世纪初发轫至今，敦煌学研究已经走过了百年历程。过去一百年间，敦煌学取得了累累硕果，但同时，学术界也在思考着这样一个问题：敦煌学在20世纪的人文社会科学领域大放异彩，那么在21世纪又将如何发展呢？敦煌石窟（包括敦煌莫高窟、西千佛洞，瓜州榆林窟、东千佛洞，肃北五个庙等石窟群）研究是敦煌学研究的重要组成部分，新世纪有许多研究工作要做，下面仅谈几点个人粗浅的看法。

第一，加强敦煌石窟记录性考古报告的基础工作。20世纪敦煌研究院已出版了《敦煌石窟内容总录》和《敦煌莫高窟供养人题记》，做了所有洞窟的分窟档案，还出版了不少图录，发表了不少洞窟的资料。但它们或是过于简略，或是较为零散，都是片段式的材料，没有一个正规的洞窟记录报告，无法满足学术研究的需要。

早在20世纪60年代初，北京大学宿白教授带领北京大学历史系考古专业学生来敦煌莫高窟实习，为敦煌文物研究所举办了七场讲座，这就是今天文物界广为人知的《敦煌七讲》。宿先生在《敦煌七讲》中首次全面讲述了他建立的中国石窟寺考古学，包括如何以考古学的方法对石窟进行规范记录，还到洞窟中指导学生和敦煌文物研究所的工作人员应用考古学的方法记录洞窟。学术界一直希望我们将宿白先生开创的以考古学方法进行石窟记录的工作继续下去，能有计划、有体系地刊布敦煌石窟的分窟记录性考古报告。但由于工作量大、牵涉面广，缺乏专门的团队，这项工作多年来进展迟缓，直到近几年才得以创造条件组织力量、加大力度，继续进行记录性考古报告工作。宿白先生在《敦煌七讲》中指出，"为了文物保护、科学保管以及科学研究都要进行正规的记录"。宿白先生所说的"正规记录"，就是用考古学方法来全面记录石窟，即通过测绘、照相、文字，全面、客观、科学地记录石窟。具体来说，就是要实测洞窟与洞窟之间连续平面、立面图，分窟的平面图，纵、横剖面图，各壁的立面、壁画原画和后画的实测图，窟顶的实测仰视图，塑像原塑和后塑的正视、侧视实测图，窟前木结构图和遗址实测图，轴测投影图；要将洞窟结构、壁画和彩塑各个部位的尺寸全面登记；对洞窟与洞窟的关系，洞窟的外立面，洞窟结构，各壁立面、壁画、彩塑、窟顶、窟前木结构和遗址全面照相记录；对上述测绘和照相所记录的各个部分以及眼睛所观察到的各种现象进行全面、翔实、客观的文字记录；在实测、登记、照相、文字等客观记录的基础上，对记录内容进行小结，对洞窟与洞窟之间的关系，洞窟的原修与重修、坍塌情况，壁画和彩塑的原修、重修及保存状况进行小结，对洞窟、壁画和彩塑的原修与重修年代进行小结。只有切实地做好石窟全面记录工作，才能真正做到永远保存并为学术研究提供全面、准确、科学的信息，甚至石窟毁坏，也能够根据记录进行复原。我们严格按照上述要求，基本完成了第一卷早期石窟的记录性考古报告，并着手进行第二卷记录性考古报告的各项工作。敦煌石窟记录性考古报告工作是敦煌石窟研究中一项基本的、重要的、长期的任务，需要几代人坚持不懈的努力才能完成。为此，敦煌研究院制订了规划，严格遵照宿白先生构建的石窟寺记录性考古报告的体系，将这项工作作为敦煌研究院的"世纪工程"持续地、不间断地进行下去。

第二，进一步加深敦煌佛教主题内容研究的力度和深度。石窟艺术从本质上讲是以佛教为主题的艺术，石窟艺术从建筑到窟内壁画和塑像都是具体的佛教义理、佛教思想的载体和反映，都是为弘扬佛教教义和开展佛教活动服务的。敦煌石窟经过4～14世纪长达千年延续不断的营建，保存了近800个洞窟、2000多身彩塑、近50000平方米壁画，其内容、题材极其丰富，大多与佛教有关。如宣扬释迦牟尼前生现世事迹的故事画，反映佛教东传历史的佛教史迹画，反映高僧灵异事迹的故事画，描绘佛、菩萨、弟子、天王、力士的尊像画，以及根据佛经内容绘制的经变画。单就经变画而言，在敦煌壁画和藏经洞出土的纸画、绢画中多达30余种、1300余幅。这些经变画依据的佛经，几乎涵盖了中国佛教史上影响最广、时间最久的佛教经典，主要有《弥勒经》类、《法华经》类、《维摩经》类、《涅槃经》类等。这些经变画不仅内容丰富，而且表现形式和思想背景也呈现出多样性和复杂性。就某一主题的经变画而言，从纵向来看，在内容和表现形式上具有一定的传承性和延续性，并且随着时代的发展又呈现出一些变化。如弥勒净土变，在早期只是简单的弥勒菩萨说法图，后来又进一步发展为上生经变、下生经变、弥勒上生与下生相结合的画面。同样，西方净土变在早期只是单幅的无量寿佛说法图，到了唐代则出现大量场面宏大、富丽堂皇的大幅净土变。净土变根据所依据的经典，又可分为阿弥陀经变、无量寿经变和观无量寿经变三种，而且出现"九品往生"的画面。从横向来看，在一个洞窟内，既有弥勒净土变，又有西方净土变、药师净土变、法华经变等等，甚至多达十多铺经变。这些变化，固然与艺术形式有关，但更重要的则是与中国佛教思想和佛教宗派发展的历史有关。敦煌石窟的营建，也处于中国佛教发展历史上最辉煌的时期，各种佛教思想、佛教宗派大多能在经变画面中反映出来。如敦煌石窟净土变的传承与变化正反映了中国净土宗从萌芽到最终形成的历史，反映了唐代及其以后西方净土信仰在中国民间兴盛与流行的历史。

在过去一个世纪的敦煌石窟研究中，经过国内外学者坚持不懈的努力，敦煌石窟中绝大部分壁画的佛教题材已经得到解读，敦煌石窟艺术发展的脉络也已基本理出。但坦诚地讲，我们仅仅只是解决了"是什么"的问题，而对"为什么"的问题，即这些石窟内容所反映的佛教思想、流派、信仰和社会、历史问题，以及它们之间相互关系等深层次问题的研究才刚刚开始，无论深度还是广度都远远不够。如何探索隐藏于纷繁复杂的艺术表象下的思想和历史背景，将是未来敦煌石窟研究面临的重点和难点。除了各个方面的学术积累外，我认为特别要在研究方法和研究思路上有所创新，要突破以往就石窟而石窟、就图像而图像、就佛教而佛教的单一研究思路和格局，综合利用思想史、哲学史、艺术史学的相关研究成果，从专题研究入手，分门别类对反映某一佛教思想宗派或依据某一部佛经绘制的壁画内容进行纵向的深入研究；同时，在横向上注意它与同一个洞窟中其他内容之间，及其反映的思想与同时期其他宗派之间的相互联系与影响的研究。这样，既有个案的深入研究，又有横向的比较研究，才可能在石窟所反映的佛教史和佛教思想研究方面创出一片新天地。

第三，开展与敦煌石窟相关联的中外文化交流的研究。从敦煌石窟现存4～14世纪的洞窟建筑、壁画和彩塑艺术，可以看到印度贵霜王朝时期犍陀罗艺术和秣菟罗艺术的影响，笈多王朝时期笈多艺术的影响，以及晚期波罗王朝艺术的影响；既可以从梵天、帝释天、毗那夜迦等佛教护法诸天形象上看到印度佛教艺术的直接影响，又可从日天、月天、摩醯首罗天等形象及其变化上，溯源至希腊、罗马时代的艺术影响，以及探讨上述艺术元素是如何经西域粟特地区、龟兹地区影响了敦煌。我们还可从壁画更多的艺术形象中感受到强烈的西亚、波斯艺术的影响，如十六国、北朝菩萨装饰上的三珠宝冠，隋代的联珠纹图案，隋唐时期的玻璃器皿等。而壁画中丰富的乐舞场面，则使我们对史书中提到的隋唐长安盛行一时的西域"胡腾舞""柘枝舞""胡旋舞"的美妙舞姿有了最直观的认识。此外，数量最多的净土变中规模宏大的乐队中出现的羯鼓、胡笛、筚篥、琵琶等西域乐器，以及建筑、服饰、杂技、体育等，都形象地展示着历史上西域及周边吐蕃、回鹘、西夏以及蒙古等多民族文化、艺术对敦煌的影响。这些丰富的历史形象充分说明，敦煌石窟是中国文化遗产中少有的中外文化和多民族文化交流和融合的宝库。季羡林先生把敦煌定位于集中国、印度、希腊、伊斯兰这四大文明体系的汇流之地，无疑是十分精辟的。有一千年历史的敦煌石窟缤纷多彩的壁画内容和藏经洞出土的不同宗教、不同语言的丰富文献充分证明了这一点，我们已开展的多项佛教、艺术、社会专题的研究也说明了这一点。对敦煌石窟中外文化和多民族交流的问题虽于20世纪已多有研究，但还远未深入。21世纪要以过去这方面的研究和已开展的多项专题研究为基础，进一步拓宽壁画专题研究领域，从各个专题及各种艺术形象中挖掘中外文化和多民族文化交流与融合的信息，并置于中国和世界历史的大背景中去探索和研究，最终汇成一部各种文化相互对话和交流的历史，从而能够在一定程度上"复原"丝绸之路曾经有过的各种文明交融的精彩历史。诚然，这是一项艰巨的、长期的任务，要达到这一目标，需要扩大视野，走出敦煌，走出国门，加大对印度、中亚和西亚宗教艺术和文化考察研究的力度和深度，注重敦煌石窟与印度、中亚和西亚宗教艺术和文化之间关系的研究，深入探索印度、中亚和西亚石窟的异同与影响，挖掘各种文明相互对话、相互交流的历史信息，从宏观的历史视野和微观的艺术元素两方面，尽可能还原古代四大文明之间相互交流和影响的历史。

第四，既是研究视角，也是研究方法，就是要切实加强敦煌石窟研究与敦煌藏经洞出土文献研究之间的联系，力求以石窟造像结合文献进行深入的综合研究，以便深入探讨当时石窟营造、造像的宗教和历史背景，全面认识敦煌石窟的宗教历史文化功能。关于敦煌石窟研究与敦煌文献研究的结合，学术界多年来一直呼吁，而且一些学者在实际研究中也有一些积极的探索，但总体上似乎仍是"两张皮"，分属两个不同的研究方向。我们知道，藏经洞出土的5万多件文献中，90％以上都与宗教有关，特别是与佛教思想、信仰和仪轨有关。已经有学者关注并利用这些宗教文献来研究敦煌地区的佛教，并由此研究中国佛教思想及其历史。当然，"术业有专攻"，个人的时间和精力毕竟有限，如果把研究佛教文献与通过解读石窟图像来研究佛教信仰及思想的学者联合起来，把两个方向研究的成果结合起来，发挥各自的特长和优势，我相信，无论是对敦煌石窟研究还是对敦煌文献研究来讲，都将有极大的推动作用。

（原载于《中国史研究》2009年第3期）

◆ 敦煌石窟考古研究简述

1900 年，敦煌莫高窟藏经洞被发现，出土了 5 万余件从十六国到北宋时期的经卷和文书，震惊了世界。从此，以整理和研究敦煌文献为发端，形成了一门国际性的学科——敦煌学。也正是由于藏经洞的发现，引起了人们对藏经洞所在地敦煌石窟的关注。继敦煌文献研究之后，中外学者逐渐开始了对敦煌石窟内容、历史、艺术的考察和研究，至今已有 100 多年，其成果成为敦煌学研究不可或缺的重要组成部分。下面拟分四个时期，仅就敦煌石窟考古研究做些简单介绍。

一

第一个时期是 20 世纪初至 20 世纪 40 年代初国立敦煌艺术研究所成立之前。

这个时期是敦煌石窟历史考古研究的发端，主要是对石窟的考察、调查、记录和资料的公布。同时，对石窟进行了一些粗疏的分期，还开始了对石窟内容的考释和研究。

鸦片战争之后，随着西方列强势力不断渗入我国各个领域，他们也开始窥视和掠夺我国的文化遗产。1900 年藏经洞被发现后，很快引来了一些西方学者和探险家对敦煌石窟进行考察和劫掠。他们在考察中以考古学的方法对洞窟做了测绘、照相、文字记录，并陆续公布了敦煌石窟的部分照片和资料。

1907 年、1914 年，斯坦因先后两次到敦煌莫高窟考察。1907 年第一次考察时，除了从王道士手中骗购了藏经洞发现的文献和绢画外，还对莫高窟的洞窟建筑、雕塑、壁画进行了考察，编了 20 个窟号，做了一些测绘、摄影和文字记录。1921 年斯氏《西域考古记》《千佛洞》出版，刊布了莫高窟壁画、绢画等照片和资料以及部分榆林窟壁画照片。斯氏在敦煌期间还对长城遗址进行了掠夺性盗掘[1]。

1908年伯希和到莫高窟调查，又骗购了藏经洞出土文物的精华，同时对大部分石窟做了描述、记录，拍摄了照片，还第一次给莫高窟有壁画的洞窟做了编号，对石窟的年代和壁画内容做了考订，对残存题识进行了记录[2]，这是最早以近代科学的方法对敦煌石窟进行的编号和内容记录。伯氏于1920～1924年编著出版了《敦煌石窟图录》1～6册[3]。

1914～1915年，奥登堡带领俄国第二次考察队到敦煌，在伯希和考察的基础上，对莫高窟做了比较全面、系统、详尽的综合性考察。除了对伯希和的测绘做了补充、修改，又新编、增编了一些洞窟编号外，还逐窟进行了拍摄、测绘和较详细的文字记录，对重点洞窟壁画进行临摹。在测绘出南区洞窟单个洞窟平面图、立面图的基础上，最后拼出了莫高窟总立面图和总平面图，记录了莫高窟当年的真实情况。他的成果直到近年才逐渐整理发表[4]。

西方学者对敦煌石窟的考察，伴随着掠夺与破坏，造成了大量文物的流失和肢解，但同时也带来了西方近代的考古学方法。他们对石窟进行了编号、测绘、照相、记录，公布了石窟照片和壁画摹本，保存了许多珍贵的原始资料和图片，成为很长一段时间里研究敦煌石窟的主要依据。

这一时期，国外一些学者依据斯坦因、伯希和公布的照片和资料对洞窟进行研究。分期研究方面，由日本人小野玄妙于1924年首先开始，此后有1931年巴切豪夫、1933年日本人喜龙仁的研究文章发表。由于掌握的石窟资料有限，他们的分期大都失之偏颇[5]。

20世纪20年代开始，国内的一些学者积极奋起，相继来敦煌石窟考察。1925年，陈万里随美国华尔纳所率哈佛大学考古队第二次赴中国西北考察，对敦煌石窟进行了考古调查，其《西行日记》是我国学者对敦煌石窟的第一次科学考察记录[6]。1941～1943年，张大千对洞窟做了一次清理编号，对洞窟内容做了调查和记录，对年代做了初步判断。后来，出版有张大千的《漠高窟记》[7]、谢稚柳的《敦煌艺术叙录》，后者对敦煌莫高窟、西千佛洞和瓜州榆林窟、水峡口石窟等逐窟做了洞窟结构、塑像、壁画、供养人位置及题记的记录[8]。1942年，中央研究院组织西北史地考察团，向达、劳幹、石璋如等赴敦煌，考察莫高窟、榆林窟，还对敦煌周边古遗址做了调

1　（英）斯坦因：《西域考古记》，牛津：克拉兰顿出版社，1921年；《千佛洞》，伦敦，1912年。

2　（法）伯希和著，耿昇、唐健宾译：《伯希和敦煌石窟笔记》，兰州：甘肃人民出版社，1993年。

3　P. Pelliot: *Les Grottes de Touen-Houang*，Paris，1920－1924。

4　俄罗斯国立艾尔米塔什博物馆、上海古籍出版社：《俄藏敦煌艺术品》，上海：上海古籍出版社，1997年。

5　L. Bachhofer, "Die Raumdarstellung in der chinesischen Malerei des ersten Jahrtausends n. Chr.", *Münchner Jahrbuch der bildenden Kunst*, NF. 8, 1931, pp. 207－208.
　　O. Sirén, *A History of Early Chinese Painting*, London: The Medici Society, 1933, p. 29.

6　陈万里：《西行日记》，北平朴社，1926年。

7　张大千：《漠高窟记》，台北"故宫博物院"，1985年。

8　谢稚柳：《敦煌艺术叙录》，上海：上海古典文学出版社，1957年。

查。1942年考察的主要成果，石璋如整理的三卷本《莫高窟形》，用考古学的方法对莫高窟各个洞窟的窟形做了测量、照相、文字记录[9]。1944～1945年，中央研究院和北京大学组成西北科学考察团，向达、夏鼐、阎文儒等对敦煌莫高窟进行考察，还调查了敦煌的汉长城遗址，发掘了一些古墓葬。向达的两次敦煌考察，登录敦煌石窟大部分洞窟内容，抄录碑文、题记，考证洞窟年代等，并以《瓜沙谈往》为题发表了《西征小记》《两关杂考》《莫高、榆林二窟杂考》《罗叔言〈补唐书张议潮传〉补正》等四篇文章，创立了将敦煌文献研究与实地考察调查、考古调查相结合的科学研究方法[10]。

二

第二个时期是1944年国立敦煌艺术研究所成立至1950年改组为敦煌文物研究所之前。

由于学者、专家和学术团体不断到敦煌石窟考察、调查、临摹、研究，在以向达为代表的社会有识之士的呼吁下[11]，引起了社会各界的广泛关注。在于右任倡导下，经过1943年的筹备，1944年国民政府终于在莫高窟正式成立了国立敦煌艺术研究所，常书鸿任所长。国立敦煌艺术研究所的成立是敦煌石窟研究的一个里程碑，标志着敦煌石窟劫难的结束，标志着敦煌学从单纯的文献研究扩展到包括以敦煌石窟为研究对象的研究阶段的到来。这也是我国成立最早的敦煌学研究机构，为今后全面保护、研究敦煌石窟和弘扬敦煌文化创造了条件。当时的研究所，在人员奇缺、工作和生活条件极其艰苦的条件下，不仅做了许多的保护、临摹、展览工作，而且开始对敦煌石窟进行全面的清理、调查和编号，做了资料整理、刊布工作，取得了可喜的成果。

研究所针对过去历次编号存在的多有遗漏和混乱无序的问题，做了一次全面有序的编号。这次编号虽然也存在一些不足，但较前面的几次编号有了较大的改进，更便于使用和查找，因此使用至今[12]。这一时期洞窟的调查、记录工作成果有：1943年何正璜《敦煌莫高窟现存佛窟概况之调查》，是我国初次公布的莫高窟内容总录[13]。同年史岩调查并完成《敦煌石室画像题识》，是最早的莫高窟供养人题记抄录汇集[14]。1944年李浴完成《莫高窟各窟内容之调查》（未刊），对洞窟的记录

9　石璋如：《莫高窟形》，台北："中央研究院"历史语言研究所，1995年。

10　向达：《唐代长安与西域文明》，北京：生活·读书·新知三联书店，1957年，第337～428页。

11　方回（向达）：《论敦煌千佛洞之管理及其它连带的几个问题》，《新西北月刊》1944年第2、3期合刊。

12　敦煌文物研究所：《敦煌千佛洞（莫高窟）各家窟号对照表》，《文物参考资料》1951年第5期。

13　何正璜：《敦煌莫高窟现存佛窟概况之调查》，《说文月刊》1943年第3期，第10页。

14　史岩：《敦煌石室画像题识》，比较文化研究所、国立敦煌艺术研究所、华西大学博物馆，1947年。

更为详尽。1946年阎文儒完成《安西榆林窟调查报告》，对榆林窟的内容做了调查、登录和研究[15]。敦煌石窟的调查、记录工作不是一般意义的调查和记录，国立敦煌艺术研究所将敦煌石窟内容和供养人题记的调查和记录作为一项长期工作，组织多人反复调查、核对、校勘、修改和补充。一次又一次的调查，一次比一次更为完善，这些调查资料为日后《敦煌石窟内容总录》和《敦煌莫高窟供养人题记》的出版奠定了基础。此外，在对石窟内容和供养人题记进行调查的同时，研究人员开始围绕敦煌石窟对不同领域的资料进行查阅和探索。这些应看作敦煌石窟研究的开端，为日后敦煌研究的发展打下了坚实的基础。

三

第三个时期从1950年改组为敦煌文物研究所至1966年"文化大革命"开始之前。遗憾的是，"文化大革命"期间敦煌石窟的各项工作处于停顿状态。

这个时期是敦煌石窟研究的发展时期，包括考古研究在内的各项研究工作逐步开展起来。过去的石窟内容和供养人题记的调查与记录，在这个时期又做了进一步校勘、增补，使其内容更为完善、准确。在调查过程中对石窟内容和时代也有了新的认识、新的发现。院内外的老一辈学者，利用碑铭、石窟供养人题记等资料与敦煌文书相结合，对莫高窟营建史进行了研究，对壁画中的神怪画、尊像画、佛教故事画、史迹画、经变画的内容做了研究，对敦煌艺术的源流和特点，以及石窟构造、塑像、壁画中的建筑等一些专题也做了研究。

这个时期，我国的一些考古学家探索运用考古学的方法对敦煌石窟进行科学调查、记录，进而探讨排年、分期研究。20世纪50年代初，夏鼐在《漫谈敦煌千佛洞与考古学》一文中，首先谈到了如何将考古学运用到敦煌石窟研究中的问题[16]。1956年，宿白的《参观敦煌第285号窟札记》，初次运用考古类型学的方法，通过对莫高窟第285窟壁画的研究，将莫高窟的北朝洞窟做了分期[17]。1962年，宿白先生带领北京大学历史系考古专业学生在莫高窟进行洞窟实测、记录的实习，并在敦煌文物研究所讲授了以敦煌石窟考古为主题的《敦煌七讲》，为敦煌石窟考古研究在理论和科学方法上奠定了基础[18]。此后，敦煌文物研究所充实了一批年轻的历史、考古研究人员，成立了考古组，开始撰写莫高窟第248窟考古报告（初稿）[19]、进行敦煌莫高窟北朝洞窟分期研究，这是对石窟考古研究的初步实践。

15　阎文儒：《安西榆林窟调查报告》，《历史与考古》1946年第1期。
16　夏鼐：《漫谈敦煌千佛洞与考古学》，《文物参考资料》1951年第3期。
17　宿白：《参观敦煌第285号窟札记》，《文物参考资料》1956年第1期。
18　宿白：《敦煌七讲》，1962年（未刊稿，敦煌文物研究所李永宁、施萍婷、潘玉闪记录整理，张我莎打印）。
19　敦煌文物研究所：《敦煌北魏第248窟报告（稿本）》，载樊锦诗、刘玉权《中国敦煌学百年文库·考古卷》，兰州：甘肃文化出版社，1999年。

这一时期莫高窟窟前遗址发掘取得了很大收获。1963～1966年，配合莫高窟南区危崖加固工程，对莫高窟南区北段和中段长约380米的区域内进行了清理和发掘，共清理出不同时期的22座窟前殿堂遗址、3个洞窟和4个小龛。底层洞窟之下发现的3个洞窟，不仅明确了莫高窟崖面的洞窟分布有5层之多，而且揭示了莫高窟创建初期窟前地面高度要低于现在的地面4米以上，修建现底层洞窟窟前殿堂遗址，乃唐后期窟前地面升高所致。探明了南区底层洞窟在五代、宋、西夏、元时期曾建有窟前殿堂，形成了前殿后窟的建筑空间格局，殿堂的建筑结构有包砖台基的殿堂式建筑和没有包砖台基的土石基窟檐式建筑两种。相当于五代、宋的曹氏归义军政权时期的整修，使莫高窟的外观达到了历史上最为宏伟壮观的时期[20]。

国外的一些学者也对敦煌艺术与中原、西域艺术的关联以及洞窟的排年等进行了探讨。洞窟排年方面具有代表性的作品有1953年日本福山敏男的《敦煌石窟编年试论》[21]，1956年喜龙仁的《中国绘画》[22]，1958年英国索伯（A. C. Soper）的《北凉与北魏时期的甘肃》[23]。

四

第四个时期是"文化大革命"结束至今。

这一时期是敦煌石窟研究的全面发展时期。"文化大革命"结束以后，敦煌文物研究所作为敦煌石窟保护、研究的主体，得到甘肃省人民政府的高度重视和支持，将研究所扩建为敦煌研究院。扩建后的研究院增加了编制，现在的研究院下设17个部门（其中业务部门有12个），拥有500多名员工，其中专业人员有187人，占在编职工总数的71%。30年来，敦煌研究院在敦煌石窟考古、洞窟断代分期、壁画内容考释和解读、壁画图像学研究、石窟艺术研究、壁画临摹和研究，以及利用敦煌文献和壁画的丰富资料对敦煌历史、地理、民族、民俗、宗教、文学、建筑、科技等方面进行的研究，都取得了一批为学术界瞩目的成果。这些成果在我院出版的180多种专著和译著、发表的2600多篇论文中得以观览，在1983～2010年举办的八届大型敦煌学国际学术研讨会上得以展示，在我院1981年试刊、1983年创刊发行的学术期刊《敦煌研究》（至今已发行120多期）中得以体现，敦煌石窟研究工作得到前所未有的发展。下面我就这一时期敦煌研究院的石窟考古研究做些简单介绍。

20 敦煌文物研究所：《敦煌莫高窟窟前建筑遗址发掘简记》，《文物》1978年第12期。

21 （日）福山敏男：《敦煌石窟编年试论》，《佛教艺术》1953年第19期。

22 O. Sirén, *Chinese Painting: Leading Masters and Principles*, New York and London, 1956, p. 64.

23 （英）索伯著，殷光明译，李玉珉校：《北凉和北魏时期的甘肃》，《敦煌研究》1999年第4期。

（一）石窟内容和供养人题记调查、记录和出版

石窟内容和供养人题记调查、记录是石窟研究的基础性工作。至20世纪七八十年代，在前人研究的基础上，经过再次复查、校勘、增补，凝结了几代人心血的重要研究成果——《敦煌莫高窟内容总录》、《敦煌石窟内容总录》（包括敦煌莫高窟、西千佛洞，瓜州榆林窟、东千佛洞，肃北五个庙石窟的内容总录）和《敦煌莫高窟供养人题记》等终于问世，使敦煌石窟的面貌变得条理清楚、脉络分明，每个石窟的内容和供养人题记及其布局详细具体、一目了然，为学术界研究敦煌石窟提供了最权威和实用的基础资料[24]。

（二）石窟遗址和洞窟的清理发掘

1979～1980年，恢复了在20世纪60年代中断的莫高窟南区窟前殿堂遗址发掘。此次在莫高窟南区南段清理出的第130窟窟前下层遗址，是莫高窟窟前规模最大的铺砖殿堂建筑遗址。1985年，整理"文化大革命"前后莫高窟南区窟前殿堂遗址发掘资料并出版了发掘报告[25]。

1999年10～11月，为配合莫高窟窟前环境整修工程，对第96窟（北大像）窟前和窟内进行了清理发掘。窟前发现了民国、清代、元代、西夏及初唐时期的殿堂遗址和遗物，窟内发现了上述时期相应的洞窟地面和遗物。在这次发掘中，首次发现了莫高窟初唐时期的窟前殿堂遗址，恢复了北大像的原有高度，为研究莫高窟南区窟前地貌变迁提供了资料[26]。

1988～1995年，对莫高窟北区洞窟共进行了六次大规模清理发掘，这是又一项重要的考古发掘工作，为揭开莫高窟北区神秘的面纱，了解莫高窟的全貌和营建历史，提供了宝贵的实物资料。通过对莫高窟北区长达700米崖面上已暴露和被沙掩埋的全部洞窟进行清理和发掘，探明该区共有洞窟248个（含已编号的第461～465窟），基本上弄清了每个（组）洞窟的结构、使用状况、功能和年代。其中有僧众生活的僧房窟、修行的禅窟、仓储的廪窟、葬身的瘗窟等六种，形制有别，功能不同。洞窟的分布大致是，北朝洞窟从该区南部开始开凿，隋唐的洞窟分布在中部，西夏之后的洞窟集中于北部。清理中还出土了不少遗物，有钱币类的波斯银币、开元通宝、宋代铜铁钱币、西夏铁币，木质文物的木雕彩绘俑、回鹘文木活字，陶瓷类的脱塔、脱佛、影塑经变，金属类的铜质十字架、铁质削刀，文献类的汉文、西夏文、回鹘文、藏文、蒙文、梵文、八思巴文、叙利亚文等多种民族文字文献以及多民族日常生活用品等。所有这些遗迹和遗物，说

24　敦煌文物研究所：《敦煌莫高窟内容总录》，北京：文物出版社，1982年；敦煌研究院：《敦煌石窟内容总录》，北京：文物出版社，1996年；敦煌研究院：《敦煌莫高窟供养人题记》，北京：文物出版社，1986年。

25　潘玉闪、马世长：《莫高窟窟前殿堂遗址》，北京：文物出版社，1985年。

26　彭金章：《莫高窟第96窟发掘报告》（未刊）。

明北区是僧众活动的区域[27]。

对莫高窟南区遗址和北区洞窟的全面清理，既揭示出了莫高窟在漫长的营建过程中外貌景观的变化，也揭示了莫高窟于4～14世纪既在南区持续修建众多礼佛窟、又在北区修建僧众修行窟和生活窟的事实。两种不同性质、功能的洞窟既有分区布局，又组成了统一、完整的石窟寺。这些重要的考古发现具有很高的学术价值和研究价值，将有助于进一步探明莫高窟的性质、功能和营建历史。

（三）石窟考古报告编撰

敦煌石窟是重要的佛教文化遗存，为了及时记录和永久保存它的珍贵价值和历史信息，为了石窟的深入研究，需要全面、完整、准确地收集、整理每个洞窟的资料并编辑出版，否则保护无从谈起，也无法深入研究。为此，就要做好敦煌石窟分窟的全面、科学的记录工作。做好这项工作，必须对每个洞窟的建筑、彩塑、壁画，以及附着的题记、碑刻、铭记等全部资料，采用测量、绘图、照相、文字等不同的记录手段，进行全面、完整、科学地收集整理，并对洞窟的创建、改建和年代，彩塑和壁画的布局、题材、内容、特点、制作及其内在关系等进行探讨。这种全面、完整、科学的记录，也就是考古学的记录，就是石窟考古报告的编写。这是一项十分重要又十分繁重的基础研究工作，要完成庞大的敦煌石窟所有洞窟的考古报告，更是一项艰巨浩繁的系统工程。

据文物出版社资深编审、敦煌研究院兼职研究员、敦煌莫高窟早期三窟考古报告的责任编辑黄文昆先生介绍，"早在1957年，著名作家、当时主管文物工作的文化部副部长郑振铎，就倡议编辑出版全面记录性的《敦煌石窟全集》（一百卷）"，还成立了由著名历史学家、考古学家、艺术家、文艺理论家等20人组成的编委会，"1958～1959年，先后召开过三次编委会，制订了出版规划纲要、选题计划、编辑提纲和分工办法等文件的草案"。"1962年又一次制订了《敦煌石窟全集》的编辑纲要和计划。此后完成了莫高窟第248、285窟的成套测绘图和第248窟报告的初稿，终因'文化大革命'骤起，一切作罢。"[28]到20世纪80年代，我们又一次组成工作小组，选择莫高窟早期三窟（第268、272、275窟）开始进行测绘和文字记录工作，由于工作的艰难和力量的不足，手工测绘不理想，进展极其缓慢。

为了全面、系统、科学地保存敦煌石窟资料，推动敦煌石窟全方位深入的研究，满足国内

---

27 彭金章、沙武田：《敦煌莫高窟北区洞窟清理发掘报告》，《文物》1998年第10期；彭金章、王建军：《敦煌莫高窟北区洞窟所出多种民族文字文献和回鹘文木活字综述》，《文物》1998年第10期；史金波：《敦煌莫高窟北区出土西夏文文献初探》，《文物》1998年第10期；彭金章、王建军：《敦煌莫高窟北区石窟》，第一至三卷，北京：文物出版社，2000年、2004年。

28 黄文昆：《敦煌莫高窟五卷本出版的前前后后》，载刘进宝主编《百年敦煌学：历史 现状 趋势》，兰州：甘肃人民出版社，2009年。

外学术机构和学者对敦煌石窟资料的需求，20世纪90年代，敦煌研究院根据敦煌石窟洞窟的修建时代、分布排列特点及石窟形成过程的复杂因素，以洞窟建造的时代前后序列为脉络，结合洞窟布局形成的现状，拟定了编辑出版多卷本《敦煌石窟全集》的分卷规划。为了抓好考古报告的编写工作，近年来我们又成立了院内外专家组成的编委会和院内各部门专家组成的工作小组，加强了早期三窟考古报告的专业力量，重新研究早期三窟编写体例，继续修改，完稿后提请《敦煌石窟全集》编委会专家审稿。根据专家提出的修改意见，从2007年至今，我们采用新技术重新测绘，基本完成了早期三窟（共11个窟号，即第266、267、268、269、270、271、272、272A、273、274、275窟）的全部测绘图，并修订文字记录、补充图版。如经专家审稿后无大的修改，莫高窟早期三窟考古报告可望不久后出版。这第一本敦煌石窟考古报告的出版，经过不断的探索与修改，走过了艰难曲折的道路，经受了挫折、枯燥、寂寞的持续考验，也为今后继续编撰敦煌石窟考古报告积累了失败的教训和成功的经验，更为我们继续前进增强了勇气。

（四）石窟的分期与断代研究

历史资料的运用，首先要弄清资料的年代。要研究古代石窟寺，也同样要弄明白洞窟文物的年代。因此，对洞窟分期和建造年代的考证是石窟研究的一项基础性研究工作。这个时期敦煌研究院对洞窟分期断代的研究主要有三个方面：

（1）对大量没有纪年的洞窟，采用考古类型学和层位学的方法，按洞窟形制结构、彩塑和壁画的题材布局、内容等区分为若干不同类别，分类进行型式排比，排出每个类型自身的发展系列；再进行不同类型系列的平行比较，从差异变化中找出时间上的先后关系。将类型相同的洞窟进行组合，从相似中找出时间上的相近关系，并以遗迹的叠压层次关系判断洞窟及其彩塑、壁画的相对年代。再以有题记纪年的洞窟作为标尺，结合历史文献断定洞窟的绝对时代。采用这种方法，不仅完成了敦煌莫高窟北朝、隋代、唐前期、吐蕃时期以及敦煌莫高窟和瓜州榆林窟西夏时期洞窟的分期断代，还揭示出了莫高窟各个时期洞窟发展演变的规律和时代特征[29]，特别是分出了莫高窟北周、回鹘时期的洞窟。以同样的方法，对莫高窟北周时期洞窟做更进一步的分期排年，排出了这个时期十余个洞窟的年代先后关系[30]，对莫高窟中心塔柱窟做了分期和年代探讨[31]。

29 樊锦诗、马世长、关友惠：《敦煌莫高窟北朝洞窟的分期》；樊锦诗、关友惠、刘玉权：《莫高窟隋代石窟的分期》；樊锦诗、刘玉权：《敦煌莫高窟唐前期洞窟分期》；樊锦诗、赵青兰：《吐蕃占领时期莫高窟洞窟的分期研究》；刘玉权：《敦煌莫高窟和安西榆林窟西夏洞窟分期》。以上诸文均载敦煌研究院编《敦煌研究文集·敦煌石窟考古篇》，兰州：甘肃民族出版社，2000年。

30 李崇峰：《敦煌莫高窟北朝晚期洞窟的分期与研究》；刘玉权：《关于沙州回鹘洞窟的分期》。两文均载敦煌研究院编《敦煌研究文集·敦煌石窟考古篇》，兰州：甘肃民族出版社，2000年。

31 赵青兰：《敦煌莫高窟中心塔柱窟的分期研究》，载敦煌研究院编《敦煌研究文集·敦煌石窟考古篇》，兰州：甘肃民族出版社，2000年。

（2）史苇湘认为："编辑整理石窟内容总录，分期断代与内容考证是两个不可分割的关键环节。我们在石窟调查中发现，考证一些壁画的内容常常从壁画的时代得到启发；而判断洞窟的时代早晚，又常以壁画内容作为佐证。"史苇湘结合敦煌文书和石窟资料，主要从佛教艺术史角度对石窟进行了分期研究，与考古分期相比较，两者的分期结果基本一致，如莫高窟北朝洞窟也是分为四期，各期包括的洞窟也完全一致[32]。

（3）依据洞窟的供养人题记、敦煌文书、碑铭，结合历史文献，考订出了一批唐、五代、宋、西夏时期洞窟的具体修建年代及其窟主[33]。根据崖面的使用情况，将洞窟崖面排列顺序与窟内供养人题记、敦煌文书相结合综合研究，断代排年[34]。

运用不同方法对洞窟分期和年代的研究，相互结合，互为补充。在敦煌石窟分期排年研究中取得的学术成果，不仅确定了洞窟本身的时代，而且为敦煌石窟各项研究提供了时代依据，为敦煌石窟的深入研究奠定了基础。

今后，敦煌研究院准备对《敦煌石窟内容总录》和《敦煌莫高窟供养人题记》校勘后合刊再版；按照《敦煌石窟全集》分卷规划的要求，把石窟考古报告编撰作为敦煌研究院的一项根本任务，长期坚持做下去，不断探索，力求越做越好，直到全部完成；敦煌石窟的分期与断代工作也要坚持做下去，直到全部完成。

（本文为2010年8月在敦煌莫高窟举办的"台湾圆光佛学院2010敦煌石窟图像与禅法研究班"上的发言稿）

---

32 史苇湘：《关于敦煌莫高窟内容总录》，载敦煌文物研究所编《敦煌莫高窟内容总录》，北京：文物出版社，1982年。

33 贺世哲：《从供养人题记看莫高窟部分洞窟的营建年代》，载敦煌研究院编《敦煌莫高窟供养人题记》，北京：文物出版社，1986年。

34 马德：《敦煌莫高窟史研究》，兰州：甘肃教育出版社，1996年。

◈ ■ 关于敦煌莫高窟南区洞窟补编窟号的说明

　　1997年初，敦煌研究院与上海古籍出版社协议，合作整理、校对、编辑、出版俄罗斯藏奥登堡考察队敦煌莫高窟考察资料——《俄藏敦煌艺术品》一书[1]，拟在该书第六册增加"敦煌莫高窟各家编号对照表"，以方便读者使用。因此，我们对以往莫高窟各家编号及各家编号对照表进行了详细调查和梳理，重新修订编制莫高窟各家编号对照表。

　　在重订莫高窟各家编号对照表的过程中，我们查阅了相关资料。就目前已经公布和我们掌握的材料来看，在敦煌文物研究所编号之前，先后有斯坦因、伯希和、奥登堡、敦煌官厅、高良佐、张大千、史岩等诸家对莫高窟实地现场进行过程度不同的编号。其中斯坦因编号主号16个，附号4个；伯希和编号主号183个（其中南区主号为171个，附号230多个）；奥登堡编号使用伯氏编号而略有增加；敦煌官厅编号（或周炳南编号）为353个；高良佐编号为207个；张大千编号主号为305个，附号120余个；史岩编号为589个（其中南区为420个，附号42个；北区169个）；敦煌文物研究所编号493个（其中北区5个），敦煌研究院北区编号243个。关于莫高窟各家编号的特点、原则、方法、洞窟数量等详细情况，我们已有专文说明[2]。

　　在莫高窟各家洞窟编号中，到目前为止，仍有少数现存洞窟其他各家有编号而敦煌文物研究所未曾编号，以及敦煌文物研究所有编号而其他各家无编号的情况。有鉴于此，我们对敦煌文物研究所编号中未曾编入的这一部分洞窟进行了补编窟号。

1　俄罗斯国立艾尔米塔什博物馆、上海古籍出版社编：《俄藏敦煌艺术品》，上海：上海古籍出版社，1997～2005年。敦煌研究院参与了该书第3～6卷的整理、校对工作。

2　樊锦诗、蔡伟堂：《重订莫高窟各家编号对照表说明——兼谈莫高窟各家编号及其对照表》，载俄罗斯国立艾尔米塔什博物馆、上海古籍出版社编《俄藏敦煌艺术品Ⅵ》，上海：上海古籍出版社，2005年；后收入《敦煌研究》2005年第6期。

2003年5月，时逢"非典"肆虐全国，前来观光旅游的人数锐减，在窟区工作比较方便，我们在现场确定曾被敦煌文物研究所漏编而现存需要补编的窟龛有33个。这些窟龛，虽然大多数无壁画、无塑像，残破程度不尽相同，学术价值不是最高，但是作为古代遗迹，它们仍有一定的考古学价值，有必要全面、客观地予以编号公布。对这些未曾编号的洞窟进行补编窟号，便于石窟档案记录、石窟保护和石窟考古调查研究。

这次补编窟号，我们在参考各家编号的基础上，最初提出四种拟案：

第一种，接着敦煌文物研究所编号第493窟（号）继续编下去，如494、495、496……

第二种，作为附号编次。这其中又分两种情况：第一，作为主窟之附窟或附龛进行编号，如第22窟甬道南壁附窟编为"22附窟"，第130窟甬道南、北壁二龛分别编为"130附窟一"和"130附窟二"，第220窟甬道南壁附窟编为"220附窟"，以此类推；第二，并非主窟之附窟，但作为就近编号洞窟的附窟给予编号，如第142窟北侧一窟编为"142附窟"，第263窟北侧一窟编为"263附窟"，第206窟北侧一龛编为"206附窟"，以此类推。

第三种，采用前述二者合一的编号法，即是附窟者，编为"附窟"；是独立窟者，另编新窟号。

第四种，参照莫高窟北区编号法新编窟号，并在编号前加大写拉丁字母"N"，表示南区，如N1、N2、N3……

以上四种编号法，有三种均有所不妥：第一种，容易使人们误认为又发现了新的洞窟，实际上这些窟龛早已存在，而且这些窟龛所处位置不集中，分散在窟群的各个区段和层位，查找困难，此法不宜采用；第三种，"附窟"和新编窟号同时并用颇为不便，既不统一，又欠妥当，此法亦不足取；第四种，另谋新法编号，则致窟号混乱，又不易寻找，此法也不便使用。

因此，我们经过再三考虑、反复斟酌，并征求院内有关专家的意见，最后确定取用第二种编号方法，但在原有洞窟编号后不使用"附窟"二字，而是统一采用大写拉丁字母，如251A、452A、452B、365A、365B、365C……相比之下，这种编号易于查找，使用方便。其详情见附录。

需要说明的是：①这种编号法与原敦煌文物研究所的编号法则相悖。敦煌文物研究所编号，逢窟就编，没有附号。②敦煌文物研究所编号虽然不尽如人意，仍有值得商榷之处，但现已通用，约定俗成。此次补编窟号也难免存在同样的问题，譬如无论"附窟"是依附于主窟，还是仅在"附窟"前冠以邻窟编号的方法编次，人们可能都会产生误解，以为它们的时代是相同的，而实际情况则比较复杂，它们或同时开凿，或有先后，或经重修。因此，为避免误会，我们在编号后不使用"附窟"二字，而统一采用拉丁字母，这也是无奈的权宜处理方法。至于补编洞窟的位置、时代等，将在附录一和附录二予以说明。③此次补编的窟龛是敦煌文物研究所编号中未曾编入的少数现存洞窟，在这些洞窟中，其他各家曾经不同程度地有过编号（参见附录二）。

　　这次补编窟号，是对敦煌文物研究所编号的进一步补充和完善。尽管如此，不足和错误之处仍在所难免，敬请方家教正。现将"敦煌莫高窟南区补编洞窟内容总录""敦煌莫高窟南区洞窟补编窟号及各家编号对照表"，一并附录于后。

（本文为樊锦诗、蔡伟堂合著，原载于《敦煌研究》2007 年第 2 期）

附录一：敦煌莫高窟南区补编洞窟内容总录

➢ **第 22A 窟（O.138b　C.122A　S.241^{+27}）**

　　时代：五代

　　形制：覆斗形顶

　　内容：窟顶无画，存泥层白粉壁。南、西、东、北壁无画（南、东壁部分残，露出岩面）。

　　注：此窟位于第 22 窟甬道南壁，坐南朝北。

➢ **第 55A 窟（O.118bis　S.177）**

　　时代：隋（宋重修）

　　形制：顶毁，西壁开一龛

　　内容：西壁内外层圆券龛。龛内西壁下部残存佛座，上部绘佛光、华盖（模糊）。南北壁漫漶。

　　注：此窟位于第 55 窟窟口上方。

➢ **第 96A 窟（O.78a　C.44A　S.73）**

　　时代：不明

　　形制：圆券形浅龛

　　内容：龛壁仅存泥壁，无画。

　　注：此窟位于第 96 窟窟檐第一层南侧岩石前壁。

➢ **第 96B 窟（P.76a　O.76a）**

　　时代：不明

　　形制：斜顶

　　内容：各壁无壁画。

　　注：此窟位于第 96 窟窟檐第一层南侧岩石后。

▷ **第 96C 窟**（P.77a O.77a S.118）

　时代：不明

　形制：平顶

　内容：各壁无壁画。

　注：此窟位于第 96 窟窟檐第四层南侧。

▷ **第 103A 窟**（C.284 耳三 S.78⁺¹⁴）

　时代：唐宋

　形制：券顶

　内容：窟顶与南、东、西、北四壁仅见零星白粉壁。

　注：此窟位于第 103 窟前室南壁东侧，坐南朝北。

▷ **第 130A 窟**（P.16 O.16 C.20 南耳 S.23⁺⁵）

　时代：盛唐（宋重修）

　形制：盝顶帐形龛

　内容：龛内残存佛、菩萨塑像及莲座，马蹄形佛床。南壁浮塑佛光，两侧宋重画（模糊）。东、西壁存宋残画，底层露出盛唐残画。

　注：此窟位于第 130 窟甬道南壁，坐南朝北。

▷ **第 130B 窟**（P.16 O.16 C.20 北耳 S.23⁺⁶）

　时代：盛唐（宋重修）

　形制：盝顶帐形龛

　内容：龛内残存一佛二弟子一菩萨及莲座一部（均经宋重修），马蹄形佛床。龛顶残存盛唐画卷草、宋画棋格团花一部。北壁存宋画花卉一部，底层露出盛唐画弟子（残）。西壁有宋残画，底层露出盛唐画菩萨一身、弟子一部。东壁存宋残画，底层露出盛唐画菩萨一部。

　注：此窟位于第 130 窟甬道北壁，坐北朝南。

▷ **第 130C 窟**

　时代：宋、西夏

　形制：顶毁，设中心佛坛

　内容：中心佛坛上塑像一铺（残）。马蹄形佛床（残）。佛坛西、南、北面壸门内绘画。南、西、北壁上部残，下部绘壸门。

　注：此窟位于第 130 窟上方，2004 年 4 月发现。

➤ **第 142A 窟（O.4a）**

　　时代：不明

　　形制：平顶

　　内容：窟顶与西、南、北壁无画，仅存泥壁。

　　　注：此窟位于第 142 窟北侧。

➤ **第 143A 窟（O.5b）**

　　时代：不明

　　形制：平顶

　　内容：窟顶与西、南、北三壁仅存泥壁。

　　　注：此窟位于第 143 窟窟口上方北侧。

➤ **第 158A 窟（O.19b bis）**

　　时代：不明

　　形制：平顶，西壁开一龛

　　内容：窟顶与西、南、北三壁皆岩体面。

　　　注：此窟位于第 158 窟南侧。似未完成之瘗窟。

➤ **第 158B 窟（O. 19c bis）**

　　时代：不明

　　形制：覆斗形顶，北壁开一龛

　　内容：窟顶与北、西两壁无画，仅窟顶存泥壁。东、南两壁残毁。

　　　注：此窟位于第 158 窟北侧，坐北朝南。

➤ **第 160A 窟（P. 21quat　O.21quat ter　S.66）**

　　时代：不明

　　形制：

　　内容：

　　　注：此窟位于第 160 窟北侧。

➤ **第 206A 窟**

　　时代：五代

形制：浅龛

内容：西壁画禅僧像一身。

　　注：此窟位于第 206 窟北侧。

➤ **第 220A 窟**

　　时代：中唐（晚唐、五代重修）

　　形制：平顶方口龛

　　内容：龛内南壁中唐画说法图一铺（一立佛二弟子二菩萨二飞天）；东壁中唐画说法图一铺（一趺坐佛二菩萨）；西壁中唐画说法图一铺（一倚坐弥勒佛二菩萨），下中唐画吐蕃装男供养人二身、汉装女供养人一身。

　　　　龛上中影塑三佛（残），画一坐佛，两侧中唐各画说法图一铺（东侧一趺坐佛二菩萨，西侧一倚坐佛二菩萨）。

　　　　龛外东侧中唐画男供养人二身。

　　　　龛外西侧中唐画女供养人一身，五代"大唐同光三年（925 年）"翟奉达墨书题记一方。

　　　　龛下晚唐画立佛一身，供养比丘三身，男供养人二身，女供养人三身，晚唐"大中十一年（857 年）"墨书题记一方。

　　注：此窟位于第 220 窟甬道南壁，坐南朝北。1975 年敦煌文物研究所将表层壁画剥离处理，向外移置，露出此窟。

➤ **第 248A 窟**

　　时代：隋（？ 五代重修）

　　形制：平顶

　　内容：西壁残存五代画华盖一部（模糊）。南壁残存五代绘二项光、衣饰画迹。

　　注：此窟位于第 248 窟北侧。

➤ **第 251A 窟（C.249 耳一 S.187）**

　　时代：隋（五代重修）

　　形制：人字披顶，西壁开一龛

　　内容：窟顶东、西披五代各画说法图一铺。西壁圆券龛内残存隋画（模糊）。

　　　　龛外北侧五代画供养菩萨（存一身）。

　　　　北壁五代画说法图一铺，下供养菩萨一排（存一身）。

　　注：此窟位于第 251 窟北侧。

➤ **第 261A 窟**

　　时代：五代

　　形制：覆斗形顶（毁）

内容：窟顶东、北披毁，南披存一角，西披存残画痕迹。西壁画说法图一铺（残存部分）。

南壁存西侧残画一部。

注：此窟位于第 261 窟南侧。

▷ **第 263A 窟（C.238 耳 S.198）**

时代：隋

形制：圆券龛

内容：西壁下部存方形佛座，上部及龛顶绘火焰纹佛光。南、北壁残存胁侍项光（模糊）。

注：此窟位于第 263 窟北侧。

▷ **第 272A 窟（O.118i bis C.234A）**

时代：北魏

形制：圆券龛

内容：龛内塑结跏趺坐禅定像一身。

注：此窟位于第 272 窟外门南侧。

▷ **第 302A 窟**

时代：隋

形制：人字披顶，西壁开一龛

内容：窟顶东披毁，西披存一飞天（模糊）。

西壁龛内、外塑像皆毁，仅存残迹。龛内西壁存佛项光、菩提树残画一部，南壁存花卉部分。

龛外南侧残存火焰龛楣、菩萨、花卉。龛下存残画痕迹。

南壁画千佛，下画女供养人一排存八身。

注：此窟位于第 302 窟南侧。

▷ **第 365A 窟（C.164B）**

时代：隋唐

形制：顶毁，西、北壁设低坛

内容：西、南、北、东壁仅涂白粉，无绘画。

注：此窟位于第 365 窟主室东南角地面以下。

▷ **第 365B 窟**

时代：隋

形制：人字披顶（毁）

内容：窟顶仅存西披。

注：此窟位于第 365 窟主室东壁门北下方，2002 年 7 月发现。2006 年 4 月封堵。

➤ 第 365C 窟

时代：隋

形制：人字披顶（毁）

内容：窟顶仅存西披。

注：此窟位于第 365 窟主室东壁门北上方，2002 年 7 月发现，2006 年 4 月封堵。

➤ 第 365D 窟

时代：隋（？ 宋重修）

形制：人字披顶

内容：窟内各壁抹石灰泥面，无画。南、北两壁西端各开一穿洞（北壁的已封堵，南壁的通往第 365 窟主室）。

注：此窟位于第 365 窟主室北壁东端。

➤ 第 366A 窟（C.165A）

时代：唐宋

形制：覆斗形顶

内容：窟顶与西、南、东三壁皆岩体面。北壁即第 366 窟南壁东侧（系土坯砌筑，部分残毁）。

注：此窟位于第 366 窟南侧。

➤ 第 374A 窟（P. 160e O.160e）

时代：隋（？）

形制：顶毁

内容：窟顶残存部分白地红色椽子图案。西、东壁壁画漫漶。南、北壁皆为穿洞所毁，已封堵。

注：此窟位于第 374 窟南侧。

➤ 第 405A 窟（P. 142c O.142c S.362）

时代：隋（五代重修）

形制：人字披顶，西壁开一龛

内容：窟顶西披存五代画一部。西壁圆券龛内隋画佛光、二弟子。南壁存五代画说法图一铺。

注：此窟位于第 405 窟北侧。

➤ 第 408A 窟（O.140b S.357）

时代：隋

形制：顶毁，西壁开一龛

内容：西壁圆券形龛内存佛、弟子、菩萨、飞天各一身。北壁存千佛一部。

　注：此窟位于第 408 窟南侧。

➤ 第 452A 窟

时代：隋（？）

形制：塌毁，仅存西壁一龛

内容：西壁龛壁残存泥面，壁画无存。余壁均毁。

　注：第 452 窟前室西壁门南、北各有一龛，此为门南一龛。

➤ 第 453A 窟（O. 120k bis）

时代：隋

形制：平顶敞口龛

内容：西壁下部存佛座，壁画无存。南、北壁仅存泥面。

　注：第 453 窟外南、北两侧各有一龛，此为南侧一龛。

➤ 第 453B 窟

时代：隋

形制：顶毁

内容：西壁仅存泥面，壁画剥落。

　注：此窟位于第 453 窟北侧。

附录二：敦煌莫高窟南区洞窟补编窟号及各家编号对照表

序号	敦研院 D.	伯希和 P.	奥登堡 O.	张大千 C.	史岩 S.	时代	备注
1	22A●		138b	122A	241^{+27}	五代	位于 D.22 甬道南壁，坐南朝北
2	55A●	△	118bis		177	隋、宋	位于 D.55 窟口上方
3	96A	△	78a	44A	73	不明	位于 D.96 窟檐第一层南侧岩石前壁
4	96B	76a	76a			不明	位于 D.96 窟檐第一层南侧岩石后
5	96C	77a	77a		118	不明	位于 D.96 窟檐第四层南侧
6	103A		△	284 耳 三	78^{+14}	唐宋	位于 D.103 南侧，坐南朝北
7	130A●	16	16	20 南耳	23^{+5}	盛唐、宋	位于 D.130 甬道南壁，坐南朝北
8	130B●	16	16	20 北耳	23^{+6}	盛唐、宋	位于 D.130 甬道北壁，坐北朝南
9	130C					宋、西夏	位于 D.130 上方，2004 年 4 月发现
10	142A	△	4a		△	不明	位于 D.142 北侧
11	143A		5b			不明	位于 D.143 窟口上方北侧
12	158A		19b bis			不明	位于 D.158 南侧
13	158B		19c bis			不明	位于 D.158 北侧，坐北朝南
14	160A	21quat	21quart ter		66	不明	位于 D.160 北侧
15	206A●		△			五代	位于 D.206 北侧
16	220A●					中唐、晚唐、五代	位于 D.220 甬道南壁，坐南朝北。1975 年，敦煌文物研究所将甬道南、北壁表层宋代壁画剥离搬迁后，露出底层壁画，此龛即当时发现
17	248A					隋	位于 D.248 北侧
18	251A●		△	249 耳 一	187	隋、五代	位于 D.251 北侧
19	261A					五代	位于 D.261 南侧
20	263A		△	238 耳	198	隋	位于 D.263 北侧
21	272A●		118i bis	234A	△	北魏	位于 D.272 南侧
22	302A					隋	位于 D.302 南侧

续表

序号	敦研院 D.	伯希和 P.	奥登堡 O.	张大千 C.	史岩 S.	时代	备注
23	365A		△	164B		隋唐	位于 D.365 主室东南角地面之下
24	365B					隋	位于 D.365 主室东壁门北下方，2002 年 7 月发现
25	365C					隋	位于 D.365 主室东壁门北上方，2002 年 7 月发现
26	365D					隋	位于 D.365 主室北壁东端
27	366A			165A		唐宋	位于 D.366 南侧
28	374A	160e	160e		△	隋	位于 D.374 南侧
29	405A●	142c	142c		362	隋、五代	位于 D.405 北侧
30	408 A●		140b		357	隋	位于 D.408 南侧
31	452A					隋	位于 D.452 门南侧
32	453A		120k bis			隋	位于 D.453 南侧
33	453B					隋	位于 D.453 北侧

注：1. 此编号洞窟未曾编入敦研院编号之列，故予以补编。

2. 补编号附于邻窟敦研院编号之后以"N~A.B.C.……~"表示。

3. "△"表示此家有图无号；"空格"表示此家无图号。"●"表示《总录》有记录。

◈ ■ 敦煌西千佛洞各家编号说明

　　西千佛洞，位于敦煌市西南约35千米党河北岸的崖壁上，坐北向南，东西绵延约2.5千米，现存北魏、西魏、北周、隋、唐、五代、宋、回鹘、西夏、元代洞窟22个。它是敦煌石窟的重要组成部分之一。

　　1941～1943年，张大千在敦煌临摹壁画期间，初次对西千佛洞（包括南湖店洞窟）进行了调查、编号和记录。其中编号自西向东，共编21窟（包括耳洞2个）[1]。1953年，敦煌文物研究所在西千佛洞勘查报告中第一次使用张氏编号，并向外界公布了其中14个洞窟的编号、时代和内容等[2]。

　　1942～1943年，谢稚柳在调查、记录西千佛洞时，使用的就是张大千编号。1957年，由古典文学出版社出版《敦煌艺术叙录》，再次向学界公布了张氏全部编号[3]。本文附表中的张氏编号、时代，皆从谢氏《叙录》。

　　20世纪50年代中后期，敦煌文物研究所对西千佛洞（包括南湖店洞窟）进行了重新编号，从西向东，共编19窟（号）。1982年，敦煌文物研究所保护组在做石窟档案时，就使用了此编号[4]。

1　谢稚柳：《敦煌艺术叙录·概述》，上海：上海古籍出版社，1996年，第31页。

2　参见敦煌文物研究所《西千佛洞的初步勘查》附表"西千佛洞石窟内容初步调查表"（《文物参考资料》1953年第5、6期），表中使用张大千所编3～9号、11～15号以及20个耳洞号。

3　谢稚柳：《敦煌艺术叙录》，上海：古典文学出版社，1957年。

4　参见《敦煌西千佛洞石窟档案》，现藏敦煌研究院保护研究所档案室。

此次编号没有向外界正式公布，仅限于敦煌文物研究所（1984年改为敦煌研究院）内部使用[5]。

1990年，《中国石窟·安西榆林窟》刊载了霍熙亮整理的《西千佛洞内容总录》，文中洞窟编号未使用敦煌文物研究所编号，而采用霍氏自编窟号。霍氏编号亦自西向东编次，共编22窟（号）[6]。

上述各家编号，虽然在不同时期对西千佛洞石窟调查、记录与研究都发挥了一定的作用，但也存在窟号使用的混乱现象。譬如，有的采用张氏编号，也有的使用敦煌文物研究所编号，还有的使用霍氏编号，令人不知所云、莫衷一是。

有鉴于此，为了方便学术界使用西千佛洞编号，改变目前窟号使用中的混乱状况，2003年10月初，我们和西千佛洞石窟管理人员一起协商，顺应目前形势发展，改贴原敦煌文物研究所洞窟编号标示牌，采用《中国石窟·安西榆林窟》已公布通用、影响较大、约定俗成的现行霍氏编号[7]。同时，我们还编制了"敦煌西千佛洞各家编号对照表"，附录于后，以便读者查阅，相互对照。不当之处，就教于方家。

（本文为樊锦诗、蔡伟堂合著，原载于《敦煌研究》2007年第4期）

附录：敦煌西千佛洞各家编号对照表

霍熙亮 H.	敦研所 D.	张大千 C.	时代		备注
			H.	C.	
1		1	五代（回鹘）	魏隋间、西夏	D.石窟档案未编号，未记录
2	1	2	回鹘	西夏	
3	2	3耳二	初唐（回鹘、民国）	初唐	
4	3	3	隋（唐、回鹘、民国）	魏隋间、初唐、宋、回鹘	

5　20世纪90年代以前，敦煌研究院发表的文章或公布的资料凡涉及西千佛洞编号，均使用敦煌文物研究所编号。到目前为止仍有使用此编号者，包括洞窟标号牌在内。

6　敦煌研究院：《中国石窟·安西榆林窟》，北京：文物出版社，东京：平凡社，1997年。

7　西千佛洞窟号标示牌现已由原来的敦煌文物研究所编号全部更换为霍氏编号。

续表

霍熙亮 H.	敦研所 D.	张大千 C.	时代		备注
			H.	C.	
5	4	3耳一	初唐（回鹘）	初唐	
6			隋（晚唐）		此窟现已不存
7	5	4	北魏（西魏、清）	西魏	
8	6	5	北周（隋）	北魏	
9	7	6	西魏（北周、隋、初唐、回鹘、清）	西魏、隋、初唐、西夏	
10	8	7	隋（唐）	隋唐间	
11	9	8	北周（隋、唐、回鹘、民国）	西魏、回鹘	
12	10	9	北周（隋、唐、回鹘、民国）	隋、初唐、宋、回鹘	
13	0	10	北周	魏隋间	D. 石窟档案为 0 号，有记录
14	11	11	初唐（五代）	魏隋间、盛唐	
15	12	12	隋（唐、回鹘）	魏隋间、回鹘	
16	13	13	晚唐（五代、宋、回鹘、民国）	初唐、回鹘	
17	14	14	晚唐	初唐	
18	15	15	中唐（五代）	晚唐、宋	
19	16	16	五代（宋）	五代	
20	19	17	元	吐蕃	窟内壁画于 1991 年连同第 22 窟一起剥离搬迁至莫高窟，2000 年由敦煌研究院保护所复原安置在莫高窟北区。现二窟南北毗连，方向为坐西向东。此窟位于第 22 窟南侧
21	18	18	北朝	魏隋间	
22	17	19	北魏	西魏	此窟情况同上述第 20 窟。位于第 20 窟北侧

◈ 从莫高窟的历史遗迹探讨莫高窟崖体的稳定性

　　早在1951年，宿白先生和赵正之、莫宗江、余鸣谦三位先生专程来敦煌对莫高窟做了全面深入的勘察，并在《文物参考资料》1955年第2期发表了《敦煌石窟勘察报告》（此报告系陈明达先生据赵正之、莫宗江两位先生的调查记录和部分草图而撰写的）。《敦煌石窟勘察报告》对影响莫高窟保护的各种自然环境因素、洞窟本体的各种病害进行了勘察和分析，指出了存在的问题，对崖面原状、洞窟建筑时代和窟檐分别做了研究，最后提出了保护和研究的重要意见。这份报告首次准确地找出了莫高窟保护方面存在的问题，提出了针对性很强的保护和研究意见。前辈们半个世纪前所做的工作至今对莫高窟的保护和研究仍有着重要的指导意义。

　　《敦煌石窟勘察报告》指出："敦煌石窟最严重的问题就是崖层本身崩坍裂缝，益以历代开窟过多，更加重了崖层的脆弱，使得大规模崩坍毁灭的可能随时在威胁着我们。"经过对敦煌莫高窟保护的多年实践，我们逐渐加深了对石窟崖体现状和稳定性的认识。为了加强科学保护，防止崖体进一步坍塌，为人类长久地保存珍贵的历史文化遗产，敦煌研究院的保护工作者和考古工作者密切合作，开展了敦煌莫高窟环境演化与石窟保护研究的课题。本文摘取了课题中探讨崖体变迁历史和崖体稳定性关系的部分，通过调查两段崖体和洞窟的坍塌遗迹现状，复原坍塌的洞窟，试图恢复崖体坍塌前的原貌，分析坍塌的特点、时代，从而找出崖体坍塌的原因，了解崖体未来变化的趋势，提出今后敦煌莫高窟崖体和洞窟保护的建议。

图1

〔图1〕
南区中段立面示意图

〔图2〕
南区中段第五层联合
平面及复原示意图

一、莫高窟南区中段和北段 [1] 洞窟坍塌现状调查

（一）莫高窟南区中段

此段崖体长61米，高22米，崖壁上共开凿五层洞窟 [2]〔图1〕。此段崖体五层洞窟坍塌的遗迹为：

第五层（上层）：自南至北有第448、446、447、445、444窟，位于此段北侧，均为唐代建造。第448、446窟前室、甬道、后室前壁和前部均已塌毁，第448窟后室后部的中心柱和第446窟后室的后龛保存完好。第447窟前室和甬道已塌毁，后室北壁和西壁保存完好。第445窟前室已塌毁，甬道与后室保存完好。第444窟前室、甬道、后室基本保存完好〔图2，表1〕。

第四层（次上层）：位于此段南侧自南至北有第460、459、458窟，此段中部有第450窟，均为唐代建造。位于此段北侧自南至北有第442、441、440、

1　通常将分布于莫高窟1700余米长崖面上的洞窟分为南、北两区。又将南区分为三段：自莫高窟南端的第138窟至第96窟（北大像）作为南区南段；自第96窟至小牌坊即第428窟作为南区中段；自小牌坊至第1窟作为南区北段。本文选择的两段洞窟分别在上述南区中段与南区北段之内，为叙述方便，则以其所在区段代称之，并非实指第96窟至小牌坊及小牌坊至第1窟的两个区段。

2　崖面上的洞窟层次由下到上依次为第一、二、三、四、五层。

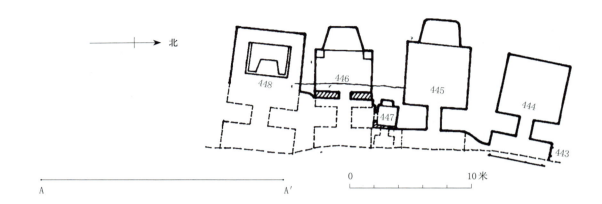

图2

表1　莫高窟南区中段第五层（上层）（自南至北）现状尺寸

窟号	窟形	时代		前室（米）			甬道（米）		后（主）室（米）			
		原建	重修	南壁	北壁	后壁	进深	宽	前壁	南壁	北壁	后壁
448	中心柱	唐	五代							4.80	4.70	**5.60**
446	殿堂窟	唐	五代							3.60	3.50	**4.78**
447	殿堂窟	唐	五代							0.70	**1.70**	**1.70**
445	殿堂窟	唐	五代、西夏				2.18	1.14	5.18	5.24	5.18	5.26
444	殿堂窟	唐	宋	1.38	1.38	5.02	1.69	1.09	5.02	4.99	4.92	4.83

注：黑体数字为实测的完整尺寸，白正体数字为实测的残存尺寸（以下各表同）。清代重修未填入表中。

439、438窟，均为北周建造。第460窟前室稍残，甬道、后室均保存完好。第450窟甬道与后室保存完好，前室已塌毁。第459窟前室塌毁，甬道和后室前壁北侧及北壁大部分已塌毁，后室其余部分保存完好〔图3、表2〕。其余各窟的前室、甬道、后室前壁已塌毁。后室的南北两侧壁也有不同程度的塌毁，仅后壁和后龛保存完好。

　　第三层（中层）：自南至北有第272、275、457、456、455、454、452、451、453、449窟。第272、275窟为北凉建造，两窟外立面窟口两侧保存了北魏第

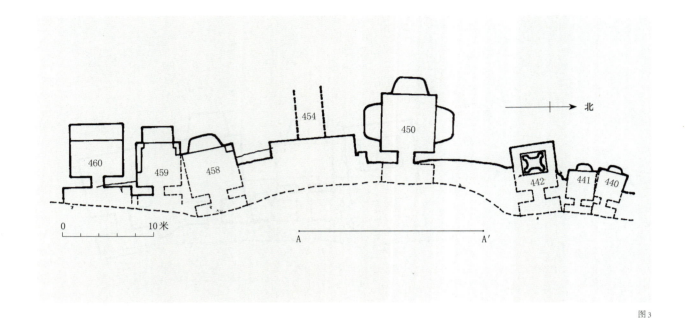

图3

表2　莫高窟南区中段第四层（次上层）（自南至北）现状尺寸

窟号	窟形	时代		前室（米）			甬道（米）		后（主）室（米）			
		原建	重修	南壁	北壁	后壁	进深	宽	前壁	南壁	北壁	后壁
460	佛坛窟	唐	西夏	1.68	0.89	**7.42**	**1.36**	**1.44**	5.82	5.69	5.75	5.55
459	殿堂窟	唐	宋				0.70		1.51	**4.94**	0.98	**5.05**
458	殿堂窟	唐	西夏							3.90	2.03	**5.36**
450	殿堂窟	唐	西夏				**0.93**	**1.63**	5.57	**6.30**	6.13	**5.83**
442	中心柱	北周	宋							2.25	3.60	**4.57**
441	殿堂窟	北周	五代							1.09		**3.12**
440	殿堂窟	北周	五代								1.95	**3.08**
439	殿堂窟	北周								0.67	0.62	**1.80**
438	殿堂窟	北周								1.78	2.52	**2.96**

273窟、隋代第274窟两个小龛，说明第272、275两窟开凿时未建前室；第272窟甬道与主室保存完好，第275窟甬道和后室东壁局部轻微塌毁，其余部分保存完好。第457、456、455、451、453窟及两个未编号的佛龛，均为隋代建造，这些洞窟的前室、甬道和后室前壁已塌毁，后室仅西壁和西龛基本保存完好，其余的南北两侧壁大部分已塌毁。第454、452窟为宋代建造，保存完好，只是第454窟的木构窟檐已毁，第452、449窟原来似未建前室〔图4，表3〕。

〔图3〕
南区中段第四层联合平面及复原示意图

〔图4〕
南区中段第三层联合平面及复原示意图

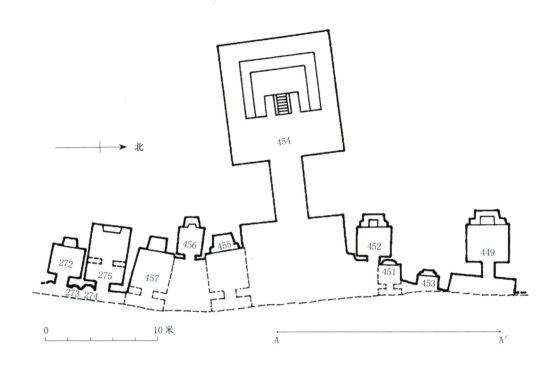

北

0　　　　　　　　10 米

图 4

表3　莫高窟南区中段第三层（中层）（自南至北）现状尺寸

窟号	窟形	时代		前室（米）			甬道（米）		后（主）室（米）			
		原建	重修	南壁	北壁	后壁	进深	宽	前壁	南壁	北壁	后壁
272	殿堂窟	北凉	五代				0.98	0.87	2.97	2.64	2.74	3.10
275	殿堂窟	北凉	宋				1.05	不详	1.10	5.46	5.10	3.36
457	殿堂窟	隋	宋						3.43	0.43		3.60
456	殿堂窟	隋	宋				0.65	0.88	2.18	2.53	2.56	2.14
455	殿堂窟	隋							0.88			3.67
454	佛坛窟	宋		2.28	1.10	10.70	5.97	2.75	10.32	10.76	11.15	9.78
452	殿堂窟	宋					0.90	0.88	2.86	2.60	2.56	2.94
451	殿堂窟	隋	宋								1.40	1.85
451之北残窟	殿堂窟	隋										1.63
453	殿堂窟	隋								1.00	1.33	1.87
449	殿堂窟	唐	宋	1.60	1.00	5.80	1.44	1.02	3.40	3.35	3.40	3.72

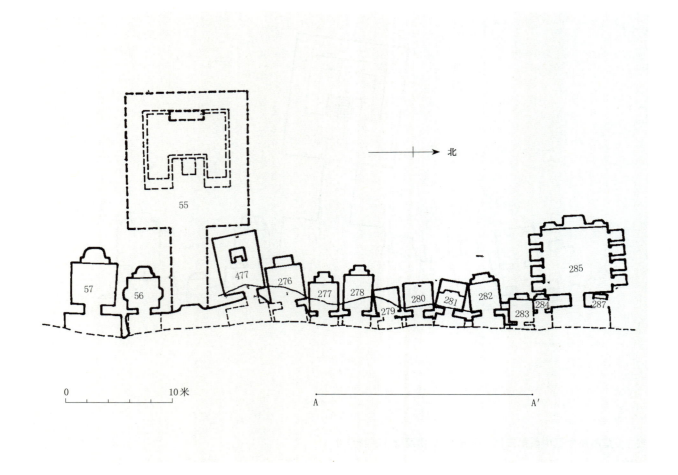

　　第二层（次中层）：自南至北有第57、56、张大千编77号（敦煌研究院未编号）、477、276、277、278、279、280、281、282、283、285窟。其中除第285窟为西魏开凿，第57、283窟为唐代开凿外，其余均为隋代开凿。第57、285窟前室稍有坍塌，甬道、后室保存完好。第281、282窟前室局部塌毁，甬道与后室保存完好。第56、477、277、278、279、280窟均前室已塌，甬道与后室保存完好。第276、283窟前室与甬道已塌毁，后室大部分保存完好〔图5，表4〕。张大千编77号窟仅存西龛。

　　第一层（下层）：自南至北有第482、481、480、479、55、467、54、53、52、51、50、49、48、47、466、46、45窟。除第55窟为宋代开凿，第480、481窟开凿时代不明外，其余各窟均为唐代开凿。几乎所有洞窟的甬道和后室均保存完好。除第54、467窟有无前室不详外，其余各窟前室部分基本保存完好〔图6，表5〕。

表 4　莫高窟南区中段第二层（次中层）（自南至北）现状尺寸

窟号	窟形	时代		前室（米）			甬道（米）		后（主）室（米）			
		原建	重修	南壁	北壁	后壁	进深	宽	前壁	南壁	北壁	后壁
57	殿堂窟	唐		0.74	0.95	5.20	1.07	1.53	3.84	3.83	3.96	4.12
56	殿堂窟	隋					0.38	1.13	2.93	3.03	3.07	3.08
477	殿堂窟	隋	元				0.98	1.02	4.09	5.66	5.66	4.29
276	殿堂窟	隋	西夏						0.85	3.50	3.18	3.23
277	殿堂窟	隋	五代				0.45	1.03	2.61	2.74	2.68	2.72
278	殿堂窟	隋	五代				0.63	1.01	2.58	3.28	3.25	2.60
279	殿堂窟	隋					0.67	1.19	2.15	2.16	2.23	2.13
280	殿堂窟	隋	五代				0.74	0.85	2.49	2.54	2.56	2.48
281	殿堂窟	隋	五代、西夏	0.45	0.22	2.81	0.74	1.21	2.57	2.51	2.61	2.40
282	殿堂窟	隋		0.25	0.70	2.95	0.72	1.13	2.61	2.54	2.56	2.99
283	殿堂窟	唐							0.65	2.42	1.20	2.23
285	佛坛窟	西魏	唐、宋、西夏、元	0.62	0.42	5.40	1.20	1.16	6.47	6.42	6.32	6.29

［图 6］
南区中段第一层联合
平面及复原示意图

表5　莫高窟南区中段第一层（下层）（自南至北）现状尺寸

窟号	窟形	时代		前室（米）			甬道（米）		后（主）室（米）			
		原建	重修	南壁	北壁	后壁	进深	宽	前壁	南壁	北壁	后壁
482	殿堂窟	唐			0.96	0.47	0.70	1.05	2.83	2.88	2.77	2.92
481	殿堂窟	不明		0.40	0.40	0.93	0.20	0.50	0.99	1.06	1.04	1.12
480	殿堂窟	不明		0.54	?	0.27	0.26	?	?	?	?	?
55	佛坛窟	宋	西夏				8.18	3.41	11.39	12.28	12.02	11.10
467	殿堂窟	唐	五代、宋				2.43	1.25	3.31	3.19	3.24	3.62
54	殿堂窟	唐							2.45	2.20	2.15	2.55
53	殿堂窟	唐	五代	1.17	1.83	4.35	0.99	2.31	6.74	6.56	6.40	6.43
52	殿堂窟	唐							1.10	1.11	1.03	1.07
51	殿堂窟	唐	西夏	0.38	0.35	1.20	0.20	0.70	1.21	1.18	1.16	1.24
50	殿堂窟	唐	西夏	0.80	0.60	1.90	0.67	0.97	2.22	2.22	2.17	2.36
49	殿堂窟	唐	五代	2.20	2.20	3.07	1.17	1.16	3.51	3.18	3.19	3.43
48	殿堂窟	唐		0.60	0.60	1.90	0.70	0.87	2.04	2.05	2.05	2.10
47	殿堂窟	唐	五代	0.30	0.40	1.80	0.49	0.77	1.56	1.54	1.38	1.61
466	殿堂窟	唐			0.34	0.88	0.38	0.64	1.17	1.15	1.17	1.18
46	殿堂窟	唐	五代、宋	1.98	1.70	4.98	1.29	1.57	4.45	4.49	4.48	4.33
45	殿堂窟	唐	五代	1.40	1.45	4.46	1.26	1.35	4.48	4.58	4.37	4.71

（二）莫高窟南区北段

　　此段崖体长75米、高26米，崖壁上共开凿三层洞窟〔图7〕。此段崖体三层洞窟坍塌的遗迹为：

　　第三层（上层）：自南至北有第419、418、417、416、415、414、413、412、411、410、409、408、407、406、405、404、403、402窟，均为隋代建造。第417、416、415、414、413、412、411、410窟的前室、甬道、后室前壁均已塌毁不存，甚至后室两侧壁也有不同程度的坍塌，后壁和后龛基本保存完好。第418、409、408、407、406、405、404、403窟前室已塌毁，甬道和后室尚保存完好。此层两端的第419、402窟，其前室、甬道、后室基本保存完好〔图8、表6〕。

　　第二层（中层）：自南至北有第313、314、315、316、317、318、319、320、321、322、323、326、327、328窟。第313～318窟为隋代建造，第319～328窟为唐代建造。第315、316、317、318、319窟前室、甬道、后室前

〔图7〕
南区北段立面图

〔图8〕
南区北段第三层联合平面及复原示意图

图7

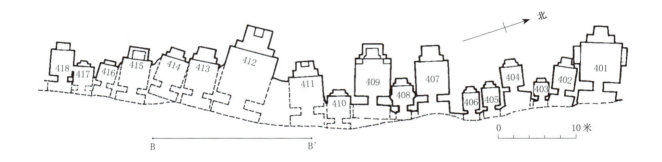

图8

表6　莫高窟南区北段第三层（上层）（自南至北）现状尺寸

窟号	窟形	时代		前室（米）			甬道（米）		后（主）室（米）			
		原建	重修	南壁	北壁	后壁	进深	宽	前壁	南壁	北壁	后壁
419	殿堂窟	隋	西夏	0.96	0.76	3.85	1.22	0.87	3.95	4.34	4.17	3.87
418	殿堂窟	隋	西夏			1.50	0.69	0.91	2.92	3.46	3.52	3.29
417	殿堂窟	隋								2.18	2.05	2.47
416	殿堂窟	隋								1.68	0.22	2.49
415	殿堂窟	隋	西夏							1.42	0.35	3.49
414	殿堂窟	隋								1.71	0.30	3.55
413	殿堂窟	隋	元								0.53	3.75

续表

窟号	窟形	时代		前室（米）			甬道（米）		后（主）室（米）			
		原建	重修	南壁	北壁	后壁	进深	宽	前壁	南壁	北壁	后壁
412	殿堂窟	隋	五代							2.54	2.53	6.33
411	殿堂窟	隋	西夏							0.39	1.51	4.19
410	殿堂窟	隋								1.06	1.34	2.28
409	殿堂窟	隋	五代、回鹘		1.14	3.69	1.21	1.21	4.55	4.84	5.00	4.52
408	殿堂窟	隋	西夏		0.18	1.83	0.79	0.96	2.27	2.45	2.41	2.57
407	殿堂窟	隋	宋	1.21	2.20	4.28	0.96	1.12	4.15	4.44	4.54	4.38
406	殿堂窟	隋	宋				0.59	1.12	2.00	2.38	2.42	1.98
405	殿堂窟	隋	宋				0.65	0.97	2.02	2.38	2.38	2.07
404	殿堂窟	隋		1.19	1.00	3.32	0.75	1.10	2.68	2.73	2.73	2.72
403	殿堂窟	隋					0.56	0.82	1.77	1.81	1.76	1.74
402	殿堂窟	隋	五代	0.91	0.98	3.19	0.69	0.90	2.83	2.96	3.04	2.99

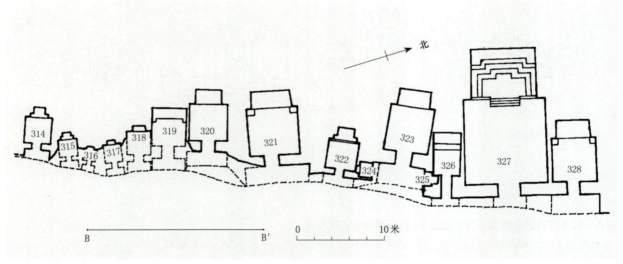

图9

壁已塌毁，第315～318窟后室南北两侧壁坍塌较甚，第319窟后室南北壁前端略有残破，第315～318窟后室的后壁和后龛以及第319窟后室的后壁和佛坛基本保存完好。第313、314、320、321、322、323、326、327、328窟的前室已塌毁或部分塌毁，甬道和后室保存完好〔图9，表7〕。

〔图9〕
南区北段第二层联合平面及复原示意图

〔图10〕
南区北段第一层联合平面及复原示意图

第一层（下层）：自南至北有第25、23、22、21窟。第23、21窟为唐代建造，第22窟为五代建造，第25窟为宋代建造。这四座窟均略有轻微塌毁，甬道和后室基本保存完好〔图10，表8〕。

表7　莫高窟南区北段第二层（中层）（自南至北）现状尺寸

窟号	窟形	时代		前室（米）			甬道（米）		后（主）室（米）			
		原建	重修	南壁	北壁	后壁	进深	宽	前壁	南壁	北壁	后壁
313	殿堂窟	隋	唐、西夏				0.75	0.69	2.23	2.52	2.54	2.22
314	殿堂窟	隋	西夏	0.70	0.99	3.07	0.99	0.89	2.90	3.06	3.07	3.17
315	殿堂窟	隋								0.99	1.00	2.00
316	殿堂窟	隋	元									1.38
317	殿堂窟	隋									0.35	2.03
318	殿堂窟	隋								1.02	0.94	2.66
319	佛坛窟	唐								3.67	3.66	4.10
320	殿堂窟	唐	宋、元				1.43	1.32	4.51	4.25	4.77	4.29
321	殿堂窟	唐	五代		1.29	3.28	1.77	1.51	5.41	5.50	5.60	5.47
322	殿堂窟	唐	五代				0.76	0.77	3.46	3.36	3.35	3.42
323	殿堂窟	唐	五代、西夏	1.58	2.25	5.36	1.78	1.72	5.25	5.39	5.37	5.48
326	殿堂窟	唐	西夏				2.62	1.21	3.14	2.99	2.96	3.01
327	殿堂窟	唐				9.39	1.40	2.30	9.20	10.50	10.00	9.15
328	殿堂窟	唐	五代、西夏		2.25	5.39	1.61	1.31	5.06	4.91	4.90	5.12

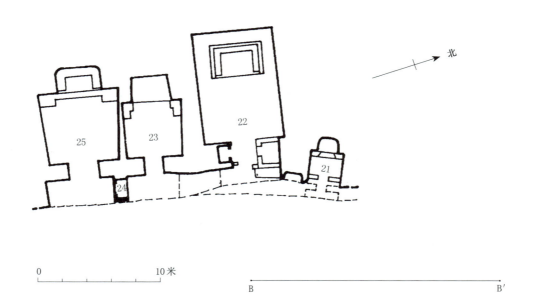

图 10

表8　莫高窟南区北段第一层（下层）（自南至北）现状尺寸

窟号	窟形	时代		前室（米）			甬道（米）		后（主）室（米）			
		原建	重修	南壁	北壁	后壁	进深	宽	前壁	南壁	北壁	后壁
25	殿堂窟	宋		2.30	2.30	5.20	1.30	2.17	6.00	5.50	5.35	6.30
23	殿堂窟	盛唐	中唐、五代	2.40		4.20	1.48	1.46	4.50	4.48	4.43	4.52
22	殿堂窟	五代		0.50	0.60	3.50	2.00	2.00	5.80	9.10	9.12	7.20
21	殿堂窟	中唐	五代、元						2.20	2.40	2.20

二、坍塌洞窟与崖面复原探讨

上述两段莫高窟洞窟坍塌的状况和留存的遗迹，为我们提供了研究莫高窟古代崖面变化的历史信息。今天借助这些遗迹的信息，去复原古代崖面的原貌，探讨崖体坍塌的成因。由于崖面上布满了历代开凿的洞窟，所以坍塌后留存的大量洞窟遗迹也就成为复原古代崖面面貌的一把钥匙。只要有留存洞窟结构特征的遗迹和留存洞窟数据长度的参数，综合二者并参照完好洞窟的结构和数据，便可通过推算大致复原每个洞窟坍塌的原貌，进而通过推算复原所有坍塌洞窟的原貌，找出复原古代崖面原貌的根据。最后再利用崖面的自然形态规律做适当的修正，便可大致确定石窟崖体的原貌。

莫高窟的洞窟结构是有规律可循的，洞窟大都坐西向东，而且与所处崖面基本垂直。遗迹说明北魏时期开凿的洞窟已有前室、甬道和后室（主室），有的洞窟仅有甬道和后室。一般前室为敞口，进深较浅，由后壁（西壁）与左右的南壁、北壁和单面斜坡窟顶组成，在窟口处修土坯檐墙、架设立柱、横梁、斗拱、屋面，并安装窟门。甬道由南壁、北壁和平顶或盝顶组成。殿堂窟的后室（主室）由前壁（东壁）、后壁（西壁）和后龛（西龛）、左右两侧的南北壁与窟顶组成。窟顶的形式大都为四面坡覆斗形，也有少量洞窟窟顶的前半部为两面斜坡的人字披顶，后半部为平顶或全部为人字披顶。中心柱窟的后室（主室）除前、后、南、北壁外，后室中央凿出方柱，上承窟顶，下接地面，方柱四面开龛，窟顶的前部为人字披顶，后部为平顶。佛坛窟的后室（主室）后壁设马蹄形佛坛或在后室中央设方形佛坛，窟顶为覆斗形。上述莫高窟洞窟的结构特征可以作为复原坍塌洞窟前室、甬道和后室结构的依据。

前面介绍的两段崖体完好保存与部分保存的洞窟提供的洞窟前室、甬道、后室各壁面的现状数据〔见表1~8〕可作为复原坍塌洞窟各室和各壁数据的参考依据。此外，木构窟檐尚保存完好的第437、431、427、444窟等，为我们提供了最为可信的复原参数〔表9〕。实例说明，前室进深较浅，其东西进深（或长度）约相当于后室进深（或长度）的1/3或1/4，南北宽度等于或大于后室宽

表9　莫高窟第437、431、427、444窟现状尺寸

窟号	窟形	时代		前室（米）			甬道（米）		后（主）室（米）			
		原建	重修	南壁	北壁	后壁	进深	宽	前壁	南壁	北壁	后壁
437	中心柱	北魏	宋	1.13	1.36	4.80	1.23	1.09	4.40	4.79	4.73	4.37
431	中心柱	隋	唐、宋	1.88	1.39	5.87	1.01	1.33	4.26	4.90	6.06	4.65
427	中心柱	隋	宋	3.49	3.20	4.02	1.41	2.22	6.78	10.62	10.50	7.30
444	中心柱	唐	宋		1.38	5.02	1.69	1.09	5.02	4.99	4.92	4.83

度。由前室通向后室的甬道，除特大窟的甬道的长过3米、宽超2米外（如南区中段下层宋代建造的第55窟），中、小洞窟，包括中等偏大的洞窟，其甬道的长度和宽度一般均为1米左右。后室虽不规则，但大致为方形或长方形，各个壁面的数据虽不同，但比较接近。

从上述莫高窟南区中段和北段中选择的两段洞窟的坍塌状况看，除个别洞窟已全部塌毁，无处寻觅其遗迹外，绝大部分洞窟都留存有残迹，特别是留存有洞窟结构的主要特征，如基本保存完好的后室的后壁和后龛，或后室的后壁和佛坛，或后室和中心柱。可依据留存洞窟的结构遗迹，并参照保存完好的洞窟结构，复原各坍塌洞窟的完整结构。又可依据保存的后室后壁的完整长度数据，并参照完好洞窟的数据，也可推算复原后室坍塌各壁的大致数据。

我们依据留存的洞窟结构遗迹和洞窟数据，并参照完好洞窟的结构和数据，试对上述莫高窟南区中段的五层洞窟和南区北段的三层洞窟中部分坍塌洞窟进行复原[3]，并推算出坍塌洞窟的复原数据〔表10~17〕，制作了坍塌洞窟结构的复原图〔图2~6、8~10〕。又根据各层复原的坍塌洞窟，大致推算复原出莫高窟南区中段和南区北段古代各层崖面的情况：

莫高窟南区中段上层原来崖面，应在现崖面上增厚1.00~6.33米不等；

莫高窟南区中段次上层原来崖面，应在现崖面上增厚1.40~5.17米不等；

莫高窟南区中段中层原来崖面，应在现崖面上增厚0.44~5.47米不等；

莫高窟南区中段次中层原来崖面，应在现崖面上增厚0.10~2.90米不等；

莫高窟南区中段下层原来崖面，应在现崖面上增厚0.50~1.34米不等；

莫高窟南区北段上层原来崖面，应在现崖面上增厚0.46~6.59米不等；

3　一般各坍塌洞窟的后室后壁基本保存完整，故将残留的后室后壁的数据作为复原坍塌洞窟后室其他三壁的依据；坍塌洞窟的前室后壁则依照复原的后室前壁的数据进行复原。复原洞窟较为复杂，涉及洞窟的形制、大小、时代，所以在选择参照洞窟时，不仅要选择那些完好的洞窟，而且尽量选择形制相同、大小相近、时代相同的洞窟作为复原的参数。本文复原洞窟的目的是为了通过复原洞窟去复原坍塌的崖面，从而找出洞窟及其崖面坍塌的原因，以便今后采取切实有效的措施来保护洞窟和崖面，并非是洞窟结构和数据的准确复原，特此说明。

莫高窟南区北段中层原来崖面，应在现崖面上增厚1.00～3.77米不等；

莫高窟南区北段下层原来崖面，应在现崖面上增厚0.10～1.30米不等。

上述坍塌洞窟及崖面的复原数据说明，莫高窟南区中段和南区北段的崖面有较大坍塌。坍塌的状况有以下三个特征。

第一，莫高窟南区中段位于崖体最上方的第五层第448、447窟，第四层南端第459、458窟前室、甬道及后室前半部全部坍塌，而其下方的洞窟则坍塌比较轻微，最下层甚至完好无损。此段的中间部分也呈现上部坍塌多、下部坍塌少的特点。

第二，莫高窟南区中段和南区北段的中间部分坍塌范围较大，呈现中部坍塌多、两端坍塌少的特征，现崖面呈内凹状。

第三，从复原图来看，莫高窟南区北段的原始崖面呈外凸状且悬空，这就导致此段上层洞窟的南侧坍塌严重，北侧坍塌较轻，而全段的中层和下层洞窟遭受的破坏程度较轻甚至无任何破坏。

表10 莫高窟南区中段第五层（上层）（自南至北）推算复原尺寸

窟号	窟形	时代		前室（米）			甬道（米）		后（主）室（米）				推测崖面崩塌厚度（米）
		原建	重修	南壁	北壁	后壁	进深	宽	前壁	南壁	北壁	后壁	
448	中心柱	唐	五代	2.20	2.20	6.06	1.70		6.06	4.80	4.80	**5.60**	6.33
446	殿堂窟	唐	五代	1.50	1.50	4.78	1.40		4.78	4.78	4.78	**4.78**	4.08
447	殿堂窟	唐	五代	0.60	0.60	1.70	0.60		1.70	0.70	**1.70**	**1.70**	1.20
445	殿堂窟	唐	五代、西夏	1.70	1.70	5.18	**2.18**	**1.14**	**5.18**	**5.24**	**5.18**	**5.26**	1.70
444	殿堂窟	唐	宋	**1.38**	**1.38**	**5.02**	**1.69**	**1.09**	**5.02**	**4.99**	**4.92**	**4.83**	

注：白斜体数字为推算复原尺寸（以下各表同）。

表11 莫高窟南区中段第四层（次上层）（自南至北）推算复原尺寸

窟号	窟形	时代		前室（米）			甬道（米）		后（主）室（米）				推测崖面崩塌厚度（米）
		原建	重修	南壁	北壁	后壁	进深	宽	前壁	南壁	北壁	后壁	
460	佛坛窟	唐	西夏	1.68	1.68	**7.42**	**1.36**	**1.44**	5.82	5.69	5.75	5.55	
459	殿堂窟	唐	宋	1.10	1.10	5.05	1.20		5.05	**4.94**	4.94	**5.05**	1.40

续表

窟号	窟形	时代		前室（米）			甬道（米）		后（主）室（米）				推测崖面崩塌厚度（米）
		原建	重修	南壁	北壁	后壁	进深	宽	前壁	南壁	北壁	后壁	
458	殿堂窟	唐	西夏	1.20	1.20	5.36	1.00		5.36	5.00	5.00	**5.36**	5.17
450	殿堂窟	唐	西夏	2.00	2.00	**5.57**	0.93	1.63	5.57	**6.30**	**6.13**	**5.83**	2.47
442	中心柱	北周	宋	1.50	1.50	4.57	1.20		4.57	5.00	5.00	**4.57**	4.10
441	殿堂窟	北周	五代	1.00	1.00	3.12	0.75		3.12	3.12	3.12	**3.12**	3.78
440	殿堂窟	北周	五代	1.00	1.00	3.08	0.75		3.08	3.08	3.08	**3.08**	2.88
439	殿堂窟	北周		0.70	0.70	1.80	0.50		1.80	1.80	1.80	**1.80**	2.33
438	殿堂窟	北周		1.00	1.00	2.96	0.69		2.96	2.96	2.96	**2.96**	2.13

表12　莫高窟南区中段第三层（中层）（自南至北）推算复原尺寸

窟号	窟形	时代		前室（米）			甬道（米）		后（主）室（米）				推测崖面崩塌厚度（米）
		原建	重修	南壁	北壁	后壁	进深	宽	前壁	南壁	北壁	后壁	
272	殿堂窟	北凉	五代				**0.98**	**0.87**	**2.97**	**2.64**	**2.74**	**3.10**	
275	殿堂窟	北凉	宋				**1.05**	不详	3.36	**5.46**	**5.10**	**3.36**	
457	殿堂窟	隋	宋	1.10	1.10	3.60	0.70		3.60	3.60	3.60	**3.60**	1.97
456	殿堂窟	隋	宋				**0.65**	**0.88**	**2.18**	**2.53**	**2.56**	**2.14**	
455	殿堂窟	隋		1.10	1.10	3.67	0.70		3.67	3.67	3.67	3.67	5.47
454	佛坛窟	宋		2.28	2.28	**10.70**	5.97	2.75	10.32	10.76	11.15	9.78	
452	殿堂窟	宋					0.90	**0.88**	**2.86**	**2.60**	**2.56**	**2.94**	
451	殿堂窟	隋	宋	0.60	0.60	1.85	0.40		1.85	1.85	1.85	**1.85**	1.45
451之北残窟	殿堂窟	隋		0.60	0.60		0.55		1.63	1.63	1.63	1.63	2.78
453	殿堂窟	隋		无			无		1.87	1.87	1.87	**1.87**	0.44
449	殿堂窟	唐	宋	1.60	1.60	**5.80**	1.44	1.02	**3.40**	**3.35**	**3.40**	**3.72**	3.72

表13 莫高窟南区中段第二层（次中层）（自南至北）推算复原尺寸

窟号	窟形	时代		前室（米）			甬道（米）		后（主）室（米）				推测崖面崩塌厚度（米）
		原建	重修	南壁	北壁	后壁	进深	宽	前壁	南壁	北壁	后壁	
57	殿堂窟	唐		1.20	1.20	5.20	1.07	1.53	3.84	3.83	3.96	4.12	0.25
56	殿堂窟	隋		1.00	1.00	2.93	0.38	1.13	2.93	3.03	3.07	3.08	1.22
477	殿堂窟	隋	元	1.70	1.70	4.09	1.25	1.02	4.09	5.66	5.66	4.29	1.77
276	殿堂窟	隋	西夏	1.10	1.10	3.23	0.65		3.23	3.50	3.18	3.23	1.75
277	殿堂窟	隋	五代	0.90	0.90	2.61	0.45	1.03	2.61	2.74	2.68	2.72	0.90
278	殿堂窟	隋	五代	1.00	1.00	2.58	0.63	1.01	2.58	3.28	3.25	2.60	1.00
279	殿堂窟	隋		0.80	0.80	2.15	0.67	1.19	2.15	2.16	2.23	2.13	0.80
280	殿堂窟	隋	五代	0.80	0.80	2.49	0.74	0.85	2.49	2.54	2.56	2.48	0.80
281	殿堂窟	隋		0.80	0.80	2.81	0.74	1.21	2.57	2.51	2.61	2.40	0.80
282	殿堂窟	隋		0.80	0.80	2.95	0.72	1.13	2.61	2.54	2.56	2.99	0.80
283	殿堂窟	唐		0.40	0.40	2.23	0.30		2.23	2.42	2.42	2.23	0.10
285	佛坛窟	西魏	唐、宋、西夏、元	2.00	2.00	5.40	1.20	1.16	6.47	6.42	6.32	6.29	1.38

表14 莫高窟南区中段第一层（下层）（自南至北）推算复原尺寸

窟号	窟形	时代		前室（米）			甬道（米）		后（主）室（米）				推测崖面崩塌厚度（米）
		原建	重修	南壁	北壁	后壁	进深	宽	前壁	南壁	北壁	后壁	
482	殿堂窟	唐		0.96	0.96	2.83	0.70	1.05	2.83	2.88	2.77	2.92	
481	殿堂窟	不明		0.40	0.40	0.93	0.20	0.50	0.99	1.06	1.04	1.12	
480	殿堂窟	不明		0.54	0.54	?	0.26	?	?	?	?	?	?
55	佛坛窟	宋	西夏				8.18	3.41	11.39	12.28	12.02	11.10	
467	殿堂窟	唐	五代、宋	1.00	1.00	3.31	2.43	1.25	3.31	3.19	3.24	3.62	1.00
54	殿堂窟	唐		0.70	0.70	2.45	0.60		2.45	2.20	2.15	2.55	1.30
53	殿堂窟	唐	五代	1.83	1.83	4.35	0.99	2.31	6.74	6.56	6.40	6.43	
52	殿堂窟	唐		0.40	0.40	1.10	0.26		1.10	1.11	1.03	1.07	0.66
51	殿堂窟	唐	西夏	0.40	0.40	1.21	0.26	0.70	1.21	1.18	1.16	1.24	0.66
50	殿堂窟	唐	西夏	0.60	0.60	1.90	0.67	0.97	2.22	2.22	2.17	2.36	0.60
49	殿堂窟	唐	五代	1.20	1.20	3.07	1.17	1.16	3.51	3.18	3.19	3.43	1.34
48	殿堂窟	唐		0.60	0.60	1.90	0.70	0.87	2.04	2.05	2.05	2.10	0.60
47	殿堂窟	唐	五代	0.50	0.50	1.80	0.49	0.77	1.56	1.54	1.38	1.61	0.50
466	殿堂窟	唐		0.34	0.34	1.17	0.38	0.64	1.17	1.15	1.17	1.18	
46	殿堂窟	唐	五代、宋	1.98	1.98	4.98	1.29	1.57	4.45	4.49	4.48	4.33	0.84
45	殿堂窟	唐	五代	1.45	1.45	4.46	1.26	1.35	4.48	4.58	4.37	4.71	

表15　莫高窟南区北段第三层（上层）（自南至北）推算复原尺寸

窟号	窟形	时代		前室（米）			甬道（米）		后（主）室（米）				推测崖面崩塌厚度（米）
		原建	重修	南壁	北壁	后壁	进深	宽	前壁	南壁	北壁	后壁	
419	殿堂窟	隋	西夏	**0.96**	**0.76**	**3.85**	**1.22**	**0.87**	**3.95**	**4.34**	**4.17**	**3.87**	
418	殿堂窟	隋	西夏	1.10	1.10	2.92	**0.69**	**0.91**	2.92	**3.46**	**3.52**	**3.29**	1.10
417	殿堂窟	隋		0.80	0.80	2.47	0.60		2.47	**2.18**	2.18	**2.47**	1.40
416	殿堂窟	隋		0.80	0.80	2.49	0.60		2.49	2.49	2.49	**2.49**	2.21
415	殿堂窟	隋	西夏	1.10	1.10	3.49	0.70		3.49	3.49	3.49	**3.49**	3.87
414	殿堂窟	隋		1.10	1.10	3.55	0.70		3.55	3.55	3.55	**3.55**	3.64
413	殿堂窟	隋	元	1.40	1.40	3.75	1.00		3.75	3.75	3.75	**3.75**	5.62
412	殿堂窟	隋	五代	1.60	1.60	6.33	1.20		6.33	6.33	6.33	**6.33**	6.59
411	殿堂窟	隋	西夏	1.30	1.30	4.19	0.96		4.19	4.19	4.19	**4.19**	4.94
410	殿堂窟	隋		0.80	0.80	2.28	0.59		2.28	2.28	2.28	**2.28**	2.33
409	殿堂窟	隋	五代、回鹘	1.60	1.60	4.55	**1.21**	**1.21**	**4.55**	**4.84**	**5.00**	**4.52**	0.46
408	殿堂窟	隋	西夏	0.80	0.80	**1.83**	**0.79**	**0.96**	2.27	**2.45**	**2.41**	**2.57**	0.62
407	殿堂窟	隋	宋	2.20	**2.20**	**4.28**	**0.96**	**1.12**	**4.15**	**4.44**	**4.54**	**4.38**	
406	殿堂窟	隋	宋	0.80	0.80	2.00	**0.59**	**1.12**	**2.00**	**2.38**	**2.42**	**1.98**	0.80
405	殿堂窟	隋	宋	0.80	0.80	2.02	**0.65**	**0.97**	**2.02**	**2.38**	**2.38**	**2.07**	0.80
404	殿堂窟	隋		**1.19**	1.19	**3.32**	**0.75**	**1.10**	**2.68**	**2.73**	**2.73**	**2.72**	
403	殿堂窟	隋		0.80	0.80	1.77	**0.56**	**0.82**	**1.77**	**1.81**	**1.76**	**1.74**	0.80
402	殿堂窟	隋	五代	0.98	**0.98**	**3.19**	**0.69**	**0.90**	**2.83**	**2.96**	**3.04**	**2.99**	

表16　莫高窟南区北段第二层（中层）（自南至北）推算复原尺寸

窟号	窟形	时代		前室（米）			甬道（米）		后（主）室（米）				推测崖面崩塌厚度（米）
		原建	重修	南壁	北壁	后壁	进深	宽	前壁	南壁	北壁	后壁	
313	殿堂窟	隋	唐、西夏	0.80	0.80	2.23	**0.75**	**0.69**	**2.23**	**2.52**	**2.54**	**2.22**	0.80
314	殿堂窟	隋	西夏	0.99	**0.99**	**3.07**	**0.99**	**0.89**	**2.90**	**3.06**	**3.07**	**3.17**	
315	殿堂窟	隋		0.80	0.80	2.00	0.70		2.00	2.00	2.00	**2.00**	2.50
316	殿堂窟	隋	元	0.70	0.70	1.38	0.50			1.38		1.38	2.58
317	殿堂窟	隋		0.80	0.80	2.03	0.70		2.03	2.03	2.03	**2.03**	3.18
318	殿堂窟	隋		0.90	0.90	2.66	0.80		2.66	2.66	2.66	**2.66**	3.34

窟号	窟形	时代		前室（米）			甬道（米）		后（主）室（米）				推测崖面崩塌厚度（米）
		原建	重修	南壁	北壁	后壁	进深	宽	前壁	南壁	北壁	后壁	
319	佛坛窟	唐		1.50	1.50	4.10	1.40		4.10	4.50	4.50	4.10	3.77
320	殿堂窟	唐	宋、元	1.60	1.60	4.51	1.43	1.32	4.51	4.25	4.77	4.29	1.60
321	殿堂窟	唐	五代	1.70	1.70	5.41	1.77	1.51	5.41	5.50	5.60	5.47	1.70
322	殿堂窟	唐	五代	1.10	1.10	3.46	0.76	0.77	3.46	3.36	3.35	3.42	1.10
323	殿堂窟	唐	五代、西夏	2.25	2.25	5.36	1.78	1.72	5.25	5.39	5.37	5.48	
326	殿堂窟	唐	西夏	1.00	1.00	3.14	2.62	1.21	3.14	2.99	2.96	3.01	1.00
327	殿堂窟	唐		1.10	1.10	9.39	1.40	2.30	9.20	10.50	10.00	9.15	1.10
328	殿堂窟	唐	五代、西夏	2.25	2.25	5.39	1.61	1.31	5.06	4.91	4.90	5.12	

表17 莫高窟南区北段第一层（下层）（自南至北）推算复原尺寸

窟号	窟形	时代		前室（米）			甬道（米）		后（主）室（米）				推测崖面崩塌厚度（米）
		原建	重修	南壁	北壁	后壁	进深	宽	前壁	南壁	北壁	后壁	
25	殿堂窟	宋		2.30	2.30	5.20	1.30	2.17	6.00	5.50	5.35	6.30	0.10
23	殿堂窟	盛唐	中唐、五代	2.40	2.40	4.20	1.48	1.46	4.50	4.48	4.43	4.52	
22	殿堂窟	五代		1.00	1.00	3.50	2.00	2.00	5.80	9.10	9.12	7.20	1.00
21	殿堂窟	中唐	五代、元	0.70	0.70	2.50	0.60	0.60	2.50	2.40	2.40	2.20	1.30

三、洞窟坍塌的范围与时代探讨

（一）南区中段坍塌的范围与时代

莫高窟南区中段，根据洞窟修建、崖面和洞窟坍塌，以及坍塌后洞窟重修、重绘的遗迹，可知此段崖面有过前后三次坍塌。

1. 第一次坍塌的范围与时代

第一次坍塌涉及的范围包括：此段偏北的第五层自南至北唐代所建的第448、446窟的前室、甬道、后室前部，第445窟的前室；第四层自南至北北周所建的第442、441、440、439、438窟的前室、甬道、后室前部；第三层的第285窟前室。坍塌的时代为唐末或五代。理由如下：

〔图11〕
第446窟后室北壁与
东壁土墙之叠压关系

（1）盛唐修建的第446窟后室（主室）南壁所绘观无量寿经变与北壁所绘弥勒经变具有盛唐风格[4]，由于变色的缘故，色彩变暗，两壁均仅存西部大半，东端的壁画均已残毁，在残存的南、北壁断茬之内，面对佛龛，建有一道连接南、北壁的土墙，上绘五代壁画。所绘内容为药师经变、马头观音经变、文殊变、普贤变[5]，虽有残损，但色彩明亮〔图11〕。显然，五代重修的土墙与重绘的壁画，是在盛唐第446窟前室、甬道与后室前部坍塌之后增加的。那么，此窟坍塌的时代无疑应早于重修土墙、重绘壁画的时代，最晚相当于重修、重绘的时代。具体而言，约在唐末或五代时坍塌。

（2）第446窟以南的第448窟及以北的第447、445窟，均为盛唐建造，且都有不同程度的塌毁，均经五代重绘[6]，这也说明这几个洞窟是在唐末或五代时坍塌的。

（3）第四层第442、441、440、439、438窟中，除第438、439窟坍塌后未加重修，第442窟为宋代重修外，第441、440窟均为五代重修、重绘[7]，这又可说明坍塌的时代大约为唐末或五代。

2. 第二次坍塌的范围与时代

第二次坍塌涉及的范围包括：第四层第450窟的前室，第三层隋代第457、456、455、451、453窟的前室、甬道和后室前部，第二层第477、276、277、278、279、280、281、282、283、285窟和第一层第467、54、53、52、51、50、49、48、47、466、46窟。除个别洞窟外，大多数洞窟只是前室有少量、局部的坍塌。坍塌的时代在976年之前。第三层的许多隋代洞窟坍塌较甚，而宋代在坍塌后残存的隋代洞窟之间修建了第454、452、449窟等洞窟[8]。位于此层崖

4　敦煌研究院编：《敦煌石窟内容总录》，北京：文物出版社，1996年，第184页。
5　敦煌研究院编：《敦煌石窟内容总录》，北京：文物出版社，1996年，第184页。
6　敦煌研究院编：《敦煌石窟内容总录》，北京：文物出版社，1996年，第184页。
7　敦煌研究院编：《敦煌石窟内容总录》，北京：文物出版社，1996年，第182页。
8　敦煌研究院编：《敦煌石窟内容总录》，北京：文物出版社，1996年，第185～186页。

面最凹陷处的第454窟是个大型洞窟，从此窟前室后壁留存的梁孔残迹〔图12〕看，此窟在凿洞、塑像、绘壁完成后，于前室窟口处建木构窟檐。围绕窟檐的上方与南、北两侧的崖壁上绘满露天壁画，露天壁画还向北侧崖壁延伸，上延到此段第五层的第448窟南侧的崖壁，下延至第四层的第450窟上方的崖壁，还向第450窟北侧崖壁继续延伸。根据第454窟的供养人题记、第444窟窟檐题梁的记载[9]，以及敦煌文献S.3978、P.3660推算，第454窟为曹氏归义军政权的曹延恭及其夫人慕容氏夫妇修建的功德窟，始建于宋开宝九年（976年），由其弟曹延禄在976年之后继续完成[10]。第454窟附近宋代建造的第452、449窟壁画的风格与第454窟的壁画相近，它们修建于976年前后不会有太大的问题。第454窟除木构窟檐被烧毁，前室与甬道留有燃烧的遗迹外，其前、后室与甬道以及第452、449窟均保存完好，第454窟所在的第三层洞窟以下的第二、第一层洞窟无太大的坍塌，说明从976年开始修建第454、452、449窟以后，迄今此段崖面与洞窟无太大的变化，也无太大坍塌。那么此层崖面和洞窟的坍塌时代则最晚应在第454窟始建之前，即976年之前，或许还要早于976年。

第四层的第450窟建于盛唐[11]，其前室已坍塌，此窟窟外崖壁上方留有3个梁孔遗迹，梁孔上方残存有宋代绘制的露天壁画，并与始建于976年的第454窟露天壁画连成一片，说明此窟前室坍塌之后，前室后壁尚存，成为暴露于外的崖壁。此崖壁经凿平修整后曾建过木构窟檐，建窟檐的时代应不晚于其上方绘制露天壁画的时间，也就是不会晚于与其相连的第454窟窟外绘制露天壁画的时代。从此窟前室坍塌后修建窟檐以及绘制露天壁画，并与第454窟露天壁画相连的关系看，此窟大约与第三层的一批隋代洞窟坍塌在同一时期，也即始建第454窟的976年之前，或许更早。

3. 第三次坍塌的范围与时代

第三次崖面与洞窟的坍塌只是局部小范围的坍塌，涉及此段南端第四层的第459窟及其北侧的第458窟，即前者的前室、甬道北侧和后室东壁北侧与北壁前端以及后者的前室、甬道和后室前端〔图13〕。两窟均建于唐代，第459窟未经重修。第458窟后室的后壁后龛龛外北侧壁面重绘的药师佛，及北壁重绘的坐姿菩萨，与划分出的莫高窟沙州回鹘后期洞窟[12]的同类题材十分相似[13]，说明第458窟重绘壁画的时间大致在沙州回鹘后期（1070～1127年）。这个时期，西夏虽已攻占

9　敦煌研究院编：《敦煌莫高窟供养人题记》，北京：文物出版社，1986年，第168页。

10　贺世哲：《从供养人题记看莫高窟部分洞窟的营建年代》，载《敦煌莫高窟供养人题记》，北京：文物出版社，1986年，第194页；荣新江：《归义军史研究——唐宋代敦煌历史考察》，上海：上海古籍出版社，1996年，第30页。

11　敦煌研究院编：《敦煌石窟内容总录》，北京：文物出版社，1996年，第185页。

12　刘玉权：《关于沙州回鹘洞窟的划分》，载敦煌研究院编《敦煌石窟研究国际讨论会文集·石窟考古编》，沈阳：辽宁美术出版社，1990年，第1页。

13　段文杰主编：《中国美术分类全集·中国壁画全集·西夏元》，图版五三、五八、六四，天津：天津人民美术出版社，1996年。

图 12

图 13

[图 12]
第 454 窟前室后壁
留存的梁孔残迹

[图 13]
第 459、458 窟坍塌
状况

了敦煌但还立足未稳，而沙州回鹘在敦煌还留有势力，处于与西夏党项羌相持拉锯的时期，故沙州回鹘在此期间得以继续在莫高窟绘壁画。那么第 458、459 窟坍塌的时代应在沙州回鹘后期重绘第 458 窟之后，即 1127 年之后，最早也早不过 1070 年。

（二）南区北段坍塌的范围和时代

南区北段的坍塌涉及的范围包括上、中、下三层。根据此段崖体和洞窟坍塌的遗迹看，此段崖体和洞窟的坍塌分为南、北两段。南段上层第419窟保存完好，未发现坍塌，第418、417、416、415、414、413、412、411窟有坍塌，除第418窟有轻微坍塌外，其余各窟的前室、甬道和后室的前部均已坍塌，并影响到其下第二层第315、316、317、318、319窟前室、甬道和后室前部的坍塌，以及第320、321窟前室的局部坍塌，第一层第25、23、22窟几乎未受到太大影响。北段上层第410、409、408、407、406、405、404、403、402窟，除第410窟坍塌较多外，其余各窟只是前室的局部有轻微坍塌，影响到其下第二层第321、326、327、328窟前室局部的轻微坍塌。

此段崖体和洞窟坍塌的时代，大约在宋代或西夏前期之后，最早也早不过这个时期。此段上层18个洞窟均为隋代修建。除第417、416、414、410、404、403窟6个洞窟无重修遗迹外，其余12个洞窟历经了五代、宋、回鹘、西夏、元等不同时代的重绘〔表6〕，其中第419、413、412、411、407、406、405、402窟为局部重绘，第418、415、409、408窟为整体重绘[14]。完全未经重绘的洞窟均无确凿证据证明洞窟坍塌的明确时代。唯第418、409窟于沙州回鹘时期整窟重绘之后发生的坍塌及第415、408窟于宋末或西夏前期整窟重绘之后发生的坍塌是可知的。据刘玉权《关于沙州回鹘洞窟的划分》[15]的研究，第418窟重绘的时代在"敦煌北宋式"沙州回鹘洞窟的前期，具体时间为1019～1070年；第409窟重绘的时代在"高昌回鹘式"沙州回鹘洞窟的后期，具体时间为1070～1127年。

据考证，宋代曹氏归义军政权曹贤顺、曹宗寿统治敦煌时期重绘的第130窟壁画和第256窟重修、重绘的壁画，其时代在1002～1014年[16]，西夏统治敦煌的时间为1036～1227年[17]。据刘玉权《敦煌莫高窟、安西榆林窟西夏洞窟分期》[18]《敦煌西夏洞窟分期再议》[19]的研究，第408窟壁画重绘的时代应在西夏前期，具体时间为1036～1139年。关于第415窟壁画重绘的时代说法不一，有宋代说[20]，有西夏说[21]。该窟重绘壁画的幔帷纹、窟顶方格团花纹及菩萨的坐姿、衣饰和画风与第

14　敦煌研究院编：《敦煌石窟内容总录》，北京：文物出版社，1996年，第165～170页。

15　刘玉权：《关于沙州回鹘洞窟的划分》，载《敦煌石窟研究国际讨论会文集·1987石窟考古编》，沈阳：辽宁美术出版社，1990年，第1页。

16　贺世哲：《从供养人题记看莫高窟部分洞窟的营建年代》，载敦煌研究院编《敦煌莫高窟供养人题记》，北京：文物出版社，1986年，第194页；荣新江：《归义军史研究——唐宋时代敦煌历史考察》，上海：上海古籍出版社，1996年，第30页。

17　方诗铭编：《中国历史纪年表》，上海：上海辞书出版社，1982年。

18　刘玉权：《敦煌莫高窟、安西榆林窟西夏洞窟分期》，载敦煌研究院编《敦煌研究文集·敦煌石窟考古篇》，兰州：甘肃民族出版社，2000年，第317页。

19　刘玉权：《敦煌西夏洞窟分期再议》，《敦煌研究》1998年3期。

20　刘玉权经实地考察后认为，第415窟重绘壁画虽有西夏壁画的特征，但还不够典型，仍应定于宋代晚期，其风格与第130、256窟于1002～1014年间重绘的壁画接近。

21　敦煌研究院编：《敦煌石窟内容总录》，北京：文物出版社，1996年，第168页。

130、256窟的重绘壁画，以及定为西夏前期的一批洞窟壁画的幔帷纹、窟顶方格团花纹及菩萨的坐姿、衣饰和画风非常相似。该窟龛内所绘的重瓣蜀葵纹和单瓣蜀葵纹与定为西夏前期的第460、450、326窟的同类纹饰十分相似。那么，第415窟重绘壁画的时代大约可定在宋末至西夏前期，具体时间为1002～1139年。由此推断，莫高窟南区北段上层及受其影响的中、下层洞窟的坍塌时代应在宋末、西夏前期之后，最早也不早于这个时期。

四、崖体坍塌原因分析

（一）莫高窟的工程地质条件

莫高窟开凿于第四纪酒泉砾岩构成的近于直立的陡崖上，这套地层为钙泥质胶结，相对疏松，易于开凿。莫高窟崖体构造由于长期的自然地质作用及开挖洞窟的影响，洞窟崖体中形成了大量的裂隙。莫高窟崖体上的裂隙可分为四类，即卸荷裂隙、构造裂隙、层面裂隙、纵张裂隙。

卸荷裂隙是崖壁形成后岩体在重力的长期作用下向临空方面卸荷回弹，形成与崖壁近于平行的张性裂隙。卸荷裂隙多切过洞窟南北两侧壁、拱顶或底板，走向与崖面基本平行，断断续续，一般有一两条，有时有三条，间距2～5米，倾角60°～90° 不等，倾向崖外，个别在崖面上出露。

构造裂隙是在构造节理的基础上发展而来的，其产状与南部三危山新构造运动产生的逆冲断层产状基本一致。构造裂隙走向NE 40°～60°，倾角60°～85°，与崖面大角度相交，向上至崖顶斜坡地带即被淹没，向窟内2～9米即行闭合。构造裂隙间距较大，一般为5～20米，个别达50米。由于其斜切崖面，且形成时间早，往往成为层面裂隙及平行崖面的卸荷裂隙延伸的侧向终止边界，在此情况下即构成危险岩体的侧向切割面。

层面裂隙是由于砾岩中夹有砂岩透镜体，层面胶结很差而形成的。这类裂隙在南区第96窟第三层到第444窟一线最为典型〔图14〕。该部位有一砂岩夹层，砂岩风化后退形成的明显的地形台坎，高层洞窟窟顶深入此层位时，由于层面裂隙的控制，有可能出现窟顶坍塌。

纵张裂隙系洞窟开挖后窟顶岩体缓慢下沉，在窟口拱顶部位形成的小型张性裂隙。其特征是规模较小，对洞窟稳定性的影响不大。

据有记载的地震资料，敦煌莫高窟地区在历史上很少发生中、强度地震，但1927年古浪地区发生的8级地震虽距敦煌有750千米之遥，但敦煌地区仍感到悬物微动，莫高窟第196窟窟顶顺层面掉下一块带有晚唐壁画的岩体，可见远距离的地震也会影响到莫高窟的稳定。根据研究确定，莫高窟的地震烈度为Ⅶ度。

敦煌地区年降水量较小，多年平均降水量为23.23毫米，且主要集中在6、7、8月份，但有时一次降雨的强度很大，几乎占全年降水量的一半。

〔图 14〕
第 448 窟窟顶崖体上
严重风蚀的砂岩夹层

（二）斜坡岩体破坏理论

斜坡的破坏主要受斜坡的地层岩性、结构构造的控制和其他自然和人为因素的影响。这些影响因素包括地震、大气降水以及人为的开挖活动等。斜坡的破坏是从变形开始的。虽然变形本身还不会造成斜坡的失稳，只是出现某些变形现象，但它却是斜坡趋向破坏的前兆。变形过程为一累进性的破坏过程，逐步发展，破坏面不断扩展，当其互相贯通并与外界相通，使岩体的部分分离出来而发生移动，斜坡岩体就进入了破坏阶段。

崩塌主要发生在 60° 以上的高陡斜坡处。厚层脆性岩体常由于卸荷裂隙的发育而形成陡而深的张性裂缝，经风化其愈益宽大，并与其他结构面组合，逐渐形成连续贯通的分离面，当雨季水流渗入从而增加了空隙水压力或遇到地震时，极易发生崩塌。

斜坡在平面图上的形状可分为内凹形、外凸形及直线形等。内凹形斜坡由于受到走向方向上两侧的支撑作用，坡脚处的应力集中现象会有所减缓，最大剪应力因此而明显降低，且曲率半径愈小，剪应力减缓的趋势也愈加显著，这类斜坡相对较稳定。外凸形斜坡则正好与此相反，甚至在斜坡走向上受到拉力，不利于稳定[22]。直线形斜坡的稳定性介于二者之间。

22　张咸恭：《工程地质学》，下册，北京：地质出版社，1980 年。

（三）坍塌原因分析

根据通过洞窟复原的崖体原貌的结果，并结合莫高窟的地质条件和斜坡稳定性理论，下面对南区中段、南区北段的洞窟及崖体坍塌的原因进行分析。

1. 南区中段

根据对洞窟坍塌的范围和时代的分析，南区中段是分三次坍塌的，主要发生在南区中段上层（第五层）、次上层（第四层）、中层（第三层），而次中层和下层相对保存完整。

第五层第448、447、446、445窟，由于其上部为一砂岩软弱夹层，强烈的风蚀作用使得窟顶接近崖面的部分逐渐变薄，成为薄顶洞窟，再加上洞窟开凿后岩体应力的重新分布使得崖顶的张裂隙进一步扩大，与软弱夹层共同构成破裂面，在重力或地震力以及大气降水的作用下最终造成第445窟前室及第446、448窟甬道、后室前部的坍塌。

第四层第458、450、442、441窟，从现存遗迹看，原来不太可能不布满洞窟，应为连续的一层洞窟，也就是说现在的第454窟上半部在唐代可能还有洞窟。此段崖体受砂岩软弱夹层、平行崖面的卸荷裂隙以及第458窟北侧和第454窟北侧构造裂隙的控制形成一连续的剥离体，洞窟的开凿引起洞窟围岩的应力重新分布，加剧了破裂面的进一步发展，在大气降水和地震等的作用下，这段崖体整体坍塌，影响到第三层的隋代洞窟。由于卸荷裂隙自崖顶往下逐渐尖灭，倾向崖面，越往下越靠近崖面，这样崖体上部洞窟遭到的破坏较严重，而下部洞窟受到的影响较轻微。在次中层的第477、276、277、278、279、280、281、282窟内又有一条卸荷裂隙贯通所有这些洞窟，洞窟南、北两壁的壁画被拉开，这说明崖体又孕育着新的不平衡。

第四层的第459、458窟，从其保存现状来看为局部坍塌。一方面由于窟顶伸入于砂岩夹层中，砂岩夹层极易遭受风蚀而使得窟顶逐渐变薄。砂岩软弱夹层与平行崖面的卸荷裂隙构成连续贯通的破裂面。另一方面由于第458窟北侧的崖体已先期坍塌，使得第458窟北侧失去了支撑，最终在岩体自身重力或地震力的作用下产生坍塌。随着时间的推移，新的卸荷裂隙又出现在斜坡陡坎上方，不稳定因素依然存在。

2. 南区北段

南区北段我们可分两段进行分析。一段为上层（第三层）第418、417、416、415、414、413、412、411窟，中层（第二层）第314、315、316、317、318、319窟，下层（第一层）第25、23、22、21窟。从此段洞窟的复原图来看，该段崖体外凸且呈悬空状。外凸的崖体，由于曲率半径大，斜坡在走向方向上的两侧几乎无任何支撑作用，在此方向上受拉力，极易形成卸荷裂隙，不利于斜坡的稳定。从第418、411窟的残存形态来看，此段洞窟崖体受第418、411窟附近构造裂隙和上述卸荷裂隙的控制，破裂面从南端的第418窟和北端的第411窟北侧伸出崖面，形成贯通的破裂面。又由于崖体悬空，卸荷裂隙面自上而下到崖面的距离逐渐变小，使得上层洞窟坍塌的范围较大，中层洞窟影响到后室东壁面。而越向下坍塌的范围越小，只影响到甬道。此段岩体的破坏同样受到岩体应力重新分布的影响。该段上层为隋代开凿的洞窟，而中层隋代和唐代洞窟的开凿使崖体下部的岩体被掏空，引起洞窟围岩的应力重新分布，这样就加快了岩体的变形速度，最终在宋末、西夏前期后坍塌。此次坍塌可能与1143年4月的地震有关。据《宋史·夏国传》记载，高宗绍兴十三年（1143年）3月，西夏地震不止，地裂泉涌出黑沙。由此可见，此次地震的强度较大，很有可能波及敦煌。

另一段为上层（第三层）第410、409、408、407、406、405、404、403、402窟。从崖面复原后的形态来看基本呈直线形，除位于前段崖体与此段崖体拐弯处的第410窟遭破坏较严重外，其余洞窟受第407、402窟附近构造裂隙与卸荷裂隙的控制，有轻微坍塌，上层仅前室受到破坏，下层基本保存完好。

综上所述，并结合洞窟和崖体坍塌的范围与时代来看，坍塌主要发生在洞窟较密集的地段，而且是在唐末以后此类坍塌开始出现。这也就是说，洞窟的过密开凿使斜坡岩体原有的平衡结构被破坏，从而引起斜坡岩体应力的重新分布，这就加剧了斜坡和洞窟围岩的变形速度，最终在外力作用下产生破坏。研究表明，莫高窟崖体自然状态下的岩体波速高于开凿有洞窟群的岩体的波速，这就说明开凿洞窟确使斜坡岩体应力发生松弛[23]。由此可见，洞窟的开凿是引起斜坡加速破坏的重要因素，远距离的地震也会影响到开裂的莫高窟所在崖体的坍塌。南区中段第五层第448、447、446、445窟和第四层第459、458窟由于受窟顶砂岩夹层的控制加之其他因素如风蚀、降水入渗的影响，形成薄顶洞窟，进而造成局部坍塌。

五、结论与建议

通过对所选择的莫高窟南区中段和南区北段两段崖体及洞窟的现状调查和坍塌洞窟的复原，并结合莫高窟窟区的工程地质条件和问题的分析，我们可得到以下结论并提出今后保护工作的建议：

第一，以往石窟考古工作者在进行石窟考古时，更多关注的是石窟形制以及它们的始建、改建、现状和时代，对石窟遭到破坏的原因（自然的或人为的）则很少涉及，即使有涉及也对其原因探讨得不深，结果是无法判断造成石窟现状的根本原因。而以往石窟保护工作者更重视的是石窟的现状以及造成现状的地质、地震、降水、洪水等自然因素，对它的开凿历史、使用时代、改建与崩塌的时代则很少关注，结果是对石窟崩塌的历史无法解释清楚。此次石窟考古与石窟保护的结合研究，发挥了各自学科的优势，相互取长补短，从而开辟了敦煌石窟研究的新领域。

23　王旭东等：《敦煌莫高窟洞窟围岩的工程特性》，《岩石力学与工程学报》2001年第1期，第756～761页。

第二，根据完整洞窟的结构特征和坍塌洞窟的遗迹，对坍塌洞窟进行推测复原，并利用崖面形态规律作了适当修正，恢复了崖体被破坏前的原貌。结果表明，这种复原方法是可取的。通过复原可知南区中段崖体上部的原始崖面坍塌最大可达5.47米，北段崖体上部的原始崖面坍塌最大可达6.59米。

第三，通过对坍塌洞窟遗迹的调查和分析，确定了这两段崖体及洞窟的坍塌特征：①受崖体上部砂岩夹层的控制及地震、风蚀、降雨、开凿洞窟等因素的影响，南区中段北端上层洞窟的窟顶变薄，最终引起坍塌，破坏波及后室，坍塌越往下越轻微，仅波及洞窟的甬道、前室，有些底层洞窟完整无损；②南区北段崖体上部无砂岩夹层，上层洞窟的坍塌原因与南区中段有所不同，此段岩体呈凸形斜坡状且上部悬空，整段崖体受构造裂隙和卸荷裂隙的控制，自上而下同时坍塌，但上部坍塌严重，越到下部坍塌越轻微。

第四，根据对这两段崖体上洞窟坍塌时代的分析，我们知道在唐末至五代初之间和宋末、西夏前期之后有过数次坍塌。这说明唐代以后，由于洞窟开凿过密，引起洞窟围岩应力的重新分布，坍塌现象明显增多。

第五，洞窟及崖体坍塌之后达到了一种暂时的平衡，但随着内外地质作用和人为因素的影响，洞窟和崖体又孕育着新的不平衡，因此有必要加强对影响石窟崖体稳定性诸因素的监测研究，如莫高窟地区地震监测、裂隙位移监测、崖面风蚀速度监测等研究，及时发现问题，及时采取相应的有效措施，将坍塌破坏控制在萌芽阶段。

第六，尽管莫高窟的崖体经过20世纪60年代大规模的加固，但由于受当时技术条件的限制和认识上的局限性，加固工程一方面过大地改变了石窟的原貌，另一方面，斜坡上部崖体的风蚀及由此引起的薄顶洞窟的危害和大气降水对崖体稳定性和窟内壁画的威胁依然存在。有必要利用在榆林窟获得成功运用的锚索技术、裂隙灌浆技术与崖面防风化加固技术，以及在莫高窟第460窟运用的薄顶洞窟加固技术，对莫高窟进行加固保护。这样既可解决石窟崖体和洞窟的稳定性问题，又可保持石窟的原貌。

第七，石窟考古工作者应与石窟保护工作者继续合作，对莫高窟崖体和洞窟遗迹进行全面调查、分析和复原，找准影响石窟保护的各种因素，为石窟保护提供完整而准确的依据，以便提出更加完善、科学的保护对策。

（本文为樊锦诗、彭金章、王旭东合著，原载于《宿白先生八秩华诞纪念文集》，下册，文物出版社，2002年，第635～660页）

◈ ■ 敦煌莫高窟北区洞窟及崖面崩塌原因探讨

　　敦煌莫高窟北区洞窟的考古发掘与研究，已取得重要收获，不仅弄清楚了北区崖面现存洞窟的确切数量，而且还根据它们的形制特征以及出土遗物，科学地揭示了北区洞窟的性质、功能、与南区洞窟的关系，并探讨了它们的时代，从而证明北区洞窟是莫高窟石窟群不可缺少的重要组成部分。在北区洞窟出土的大批遗物中，不乏珍品。有的属于古佚书，有的为国内孤本，有的属于海内外所仅存，有的则为敦煌乃至河西地区首次发现，填补了敦煌地区某些考古学领域的空白，因而具有极其重要的学术价值和研究价值。相关研究已先后被列入国家社会科学"九五"规划重点研究课题和教育部人文社会科学重点研究基地 2002～2003 年度重大研究课题，并取得了一批令国内外学术界瞩目的研究成果[1]。

　　莫高窟北区洞窟的考古收获除了以上所述之外，还有一项重要收获值得一提，即在北区洞窟内和崖面上发现了多处洪水和大气降水对洞窟以及洞窟所在崖体造成破坏的遗迹，对这些洪水和大气降水遗迹进行深入分析和系统研究，不仅对敦煌石窟保护有重要意义，而且对整个河西地区石窟保护也至关重要。本文拟以莫高窟北区洞窟及崖面现存洪水和大气降水遗迹为例，探讨洞窟以及洞窟所在崖体遭到破坏的内因和外因，并提出敦煌莫高窟北区洞窟及其崖体保护加固的建议。

1　详见彭金章、王建军著：《敦煌莫高窟北区石窟》第一至三卷，文物出版社，2000、2004 年；彭金章：《敦煌莫高窟北区洞窟的发掘及其意义》，载甘肃省文物局、丝绸之路杂志社《甘肃文物工作五十年》，兰州：甘肃文化出版社，1999 年，第 200 页；彭金章、王建军：《敦煌莫高窟北区洞窟所出多种民族文字文献和回鹘文木活字综述》，《敦煌研究》2000 年第 2 期；史金波：《敦煌莫高窟北区出土西夏文文献初探》，《敦煌研究》2000 年第 3 期；陈国灿：《莫高窟北区 47 窟新出唐告身的复原与研究》，载氏著《敦煌学史事新证》，兰州：甘肃教育出版社，2002 年，第 215～274 页；彭金章：《敦煌莫高窟北区石窟新发现的文献及其学术价值》，载项楚、郑阿财主编《新世纪敦煌学论集》，成都：巴蜀书社，2003 年，第 63 页。

一

　　莫高窟北区崖面现存洞窟248个，依照洞窟开凿于崖面的位置，大致以水平方向从下而上划分为六层。位于崖面最下层的洞窟为第一层，该层洞窟计35个，属于第二层的洞窟计68个，属于第三层的洞窟计42个，属于第四层的洞窟计70个，属于第五层的洞窟计15个，属于第六层的洞窟计18个。由于自然和人为因素，北区洞窟无一例外均遭到不同程度的破坏，有些洞窟遭到的破坏相当严重，甚至仅存洞窟地面或壁面的一部分。其中第一层洞窟在崖面所处位置最低，经常受到大泉河洪水的冲刷、浸泡，故遭到破坏的程度远比未遭洪水和大气降水冲刷的洞窟严重得多。据考古发掘资料得知，北区崖面从下至上第一层洞窟的全部和第二层洞窟的大部分，合计有99个洞窟受到过大泉河洪水的冲刷和浸泡，因而在洞窟内留下了厚薄不等的洪水淤积层，有的洞窟如B92窟、B93窟、B94窟窟内淤积层厚达1米以上，并可细分为稍有差别的淤积小层，表明不是一次洪水所淤积[2]。其中位于崖面第二层的B39窟、B43窟、B44窟、B46窟、B47窟、B48窟、B50窟、B52窟、B56窟、B57窟、B58窟、B59窟、B68窟等13个洞窟内的洪水水位线至今仍清晰可见。甚至在个别洞窟，如B46窟后室、B50窟后室壁面上清晰可见高水位洪水线三条，表明北区洞窟遭遇特大洪水袭击的次数至少在三次以上。经测量得知，B47窟和B48窟窟内壁面现存最高洪水水位线下距该窟窟前现地面高3.5米，是已知北区洞窟所遇历次洪水中最大的一次[3]。虽说大泉河洪水曾无数次地对北区崖面底层洞窟以及洞窟所在崖体进行冲刷，但由于崖体地质结构和崖体所处岩层物理力学性质的差异，以及崖面上所开洞窟有疏有密，洪水对洞窟以及洞窟所在崖体造成的破坏也就不可能相同。现以大泉河洪水对洞窟造成严重破坏的几段崖面为例，探讨洪水对洞窟造成破坏的深层次原因。

（一）B7窟所在崖面段

　　B7窟属于北区崖面从下至上的第一层洞窟，为一多室禅窟，其现状是：后室、南侧室、北侧室保存完整，中室仅存南壁西侧、北壁西侧、顶部西部和地面西部。前室及中室东部已被洪水冲毁。为了解洪水冲刷崖体的情况，在发掘该洞窟时，曾在B7窟窟前沿洞窟所在崖体向下开挖探沟一条，清楚地看到了由于洪水冲刷造成崖体向西呈内凹状〔图1〕[4]。由于B7窟及其所在崖体的崩塌，殃及了该窟附近的B4窟、B5窟、B6窟、B8窟，导致B4窟、B5窟、B6窟、B8窟仅存后

2　彭金章、王建军：《敦煌莫高窟北区石窟（第一卷）》，图版128，北京：文物出版社，2000年。

3　彭金章、王建军：《敦煌莫高窟北区石窟（第一卷）》，图版3.1，北京：文物出版社，2000年。

4　彭金章、王建军：《敦煌莫高窟北区石窟（第一卷）》，北京：文物出版社，2000年，第22页。

室西壁或西壁的一部分。同时也必然造成上层洞窟的崩塌。至于该段崖面崩塌时间已无从考证〔图2〕。

（二）B100窟所在崖面段

在新近出版的《俄藏敦煌艺术品》第Ⅲ册第80页有一幅1914～1915年由俄国人奥登堡所摄北区B100窟崖面外景照片，照片上清楚地显示了该崖面段当年有洞窟11个〔图3〕。B100窟为一多室禅窟，从1914～1915年的照片上可知当年该窟有南侧室2个，北侧室2个，其中东南侧室、西南侧室、西北侧室保存完整，东北侧室仅存一部分。但是到了20世纪80年代末期，当敦煌研究院考古专业人员在对该段崖面上的洞窟进行考古发掘时，崖面上却仅存洞窟9个。B100窟中室东部亦遭到破坏，该窟东南侧室东部仅存三分之一〔图4〕。当年的B101窟后室保存完整，如今则仅存后室一角，其前室及后室的大部分已崩塌。为了解该段洞窟崩塌原因，我们曾对B100窟中室地面沿崖体垂直向下进行了测量，发现崖体向西（内）凹进程度随着崖体高度的变化而变

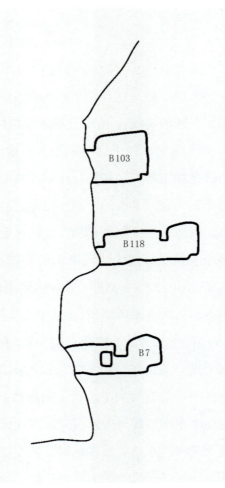

图1

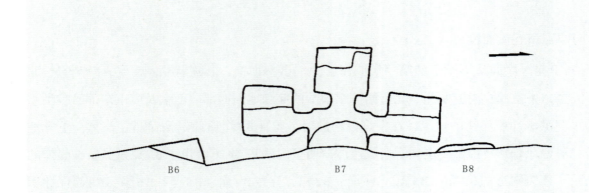

图2

〔图1〕
B7窟断面示意图

〔图2〕
B6、B7、B8窟联合平面示意图

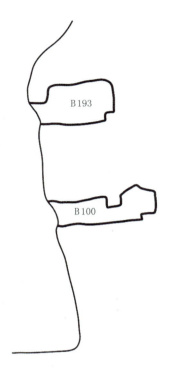

图 3

图 5

图 4

〔图3〕
1914～1915年B100
窟附近的崖面

〔图4〕
B100窟断面示意图

〔图5〕
北区B100窟一带崖
面现状

化，愈接近崖体底部凹进愈深，最深处已达2米〔图5〕。从该段崖体保存现状分析，其底部内凹系洪水冲刷所为。一旦崖体下部被洪水掏空，上部洞窟则处于悬空状态，在重力或地震力作用下崖体上部的洞窟最终会垮塌。从1914年至今尚不足百年，由于大泉河洪水冲刷所形成的崖体悬空，B100窟所在崖面发生了如此大的变化，可见洪水对北区洞窟及洞窟崖体危害之大。

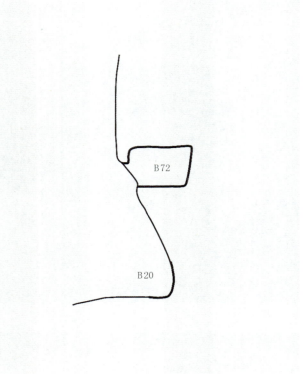

图6

图7

（三）B74窟所在崖面段〔图6〕

在该崖面段有洞窟二层，它们分别属于北区崖面从下至上的第一层洞窟和第二层洞窟。

属于北区崖面第一层的洞窟有B19窟和B20窟。两洞窟均遭到严重破坏，现仅存洞窟西壁及北壁的一部分和少许顶部。其中B20窟西壁南北侧崖体已不存，顶部以上已悬空，同样与洪水有关〔图7〕。

属于北区崖面第二层的洞窟有B71窟、B72窟、B73窟、B74窟、B75窟五个洞窟。保存现状如下〔图8〕：

（1）B71窟后室西壁和北壁保存完整，而后室南壁、东壁、顶部及地面均仅存一部分，前室仅存西壁一角及甬道少许。洞窟顶部以上崖体现处于悬空状态，地面以下崖体内凹〔图9〕。

（2）B72窟后室西壁及顶部保存完整，而后室南壁、北壁、地面大部分保存，后室东壁存少许，前室已无存。该窟上部崖体已悬空〔图7〕。

（3）B73窟后室西壁保存完整，后室南壁、北壁及顶部保存一部分，地面仅存一角。顶部以上崖体已悬空。洞窟地面以下崖内凹深约3米〔图10〕。

〔图6〕
B74窟一带向南

〔图7〕
B20、B72窟断面示意图

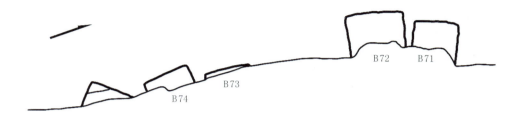

图 8

图 9   图 10

[图 8]　B71～B75窟联合平面示意图　　　　[图 9]　B71窟断面示意图　　　　[图 10]　B73窟断面示意图

（4）B74窟后室西壁保存完整，后室南壁、北壁、地面及顶部仅存一部分。地面以下崖体一部分崩塌，一部分已悬空。

（5）B75窟仅存洞窟西南角，其上崖体已悬空，其下崖体内凹深约3.5米。从B71窟、B72窟出土遗物分析，这两个洞窟在元代还在使用，据此判断，此段崖面由于洪水之故导致洞窟崩塌的具体时间当在元代或元代以后。崖面及崖面上的洞窟至今仍然悬空，随时均有塌毁的危险，亟待加固。

（四）B66窟至B70窟崖面段

在B72窟以北有平行的两条从上至下的卸荷裂隙，第一条裂隙距崖面0.5米，第二条裂隙距第一条约1.7米。该段崖面有洞窟三层，分别属于北区崖面从下至上的第一层、第二层、第四层（在该段则属于第三层）洞窟〔图11〕。

1. 属于第一层的洞窟有B21窟、B22窟、B23窟、B24窟，保存现状如下〔图12〕：

（1）B21窟仅存洞窟西壁和少许南壁，其余部分已无存。

（2）B22窟仅存洞窟西壁及少许北壁和部分顶部。

（3）B23窟仅存洞窟西壁以及北壁、南壁、顶部的一部分。

（4）B24窟仅存部分西壁、部分北壁及少许顶部。

图 12

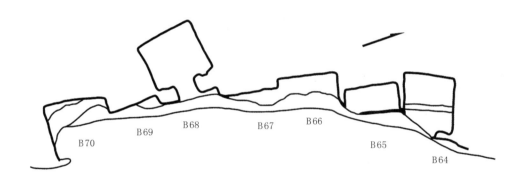

图 13

〔图 12〕
B 21～B 24 窟联合平面
示意图

〔图 13〕
B 64～B 70 窟联合平面
示意图

2．属于第二层的洞窟有 B 64 窟、B 65 窟、B 66 窟、B 67 窟、B 68 窟、B 69 窟、B 70 窟。保存现状如下〔图 13〕：

（1）B 64 窟后室西壁及顶部保存完整，南壁、北壁和地面存大部分，东壁仅存少许。

（2）B 65 窟后室西壁保存完整，北壁和顶部存大部分，南壁和地面存一部分。

（3）B 66 窟仅存洞窟西壁及部分南壁、北壁、顶部。南壁和北壁的大部分、顶部东披及地面已崩塌，现存部分已悬空〔图 14〕。

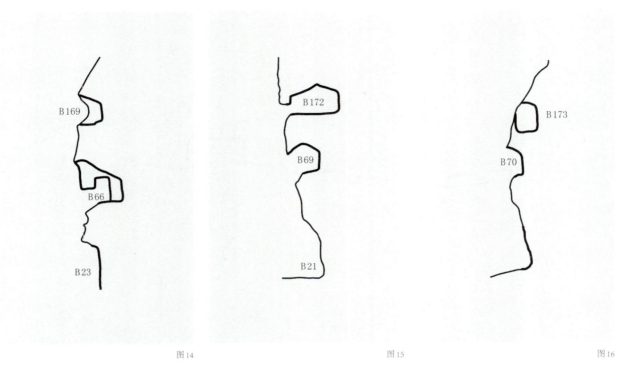

图14   图15   图16

（4）B67窟仅存洞窟西壁及部分南壁、北壁、顶部和地面。南壁和北壁上部及顶部已悬空。

〔图14〕
B66窟断面示意图

（5）B68窟后室保存完整，前室仅存西壁及部分北壁和顶部，地面已无存，部分北壁已悬空。

〔图15〕
B69窟断面示意图

（6）B69窟仅存后室西壁的大部分及部分北壁和顶部，南壁及地面已无存〔图15〕。

〔图16〕
B70窟断面示意图

（7）B70窟后室西壁、南壁、顶部保存完整，东壁仅存南上角，北壁仅存西侧一部分，地面存少许〔图16〕。

3. 属于第四层的洞窟有B169窟、B170窟、B171窟、B172窟、B173窟。保存现状如下〔图17〕：

（1）B169窟仅存后室西壁及部分南壁、北壁、地面及顶部。

（2）B170窟仅存后室西壁、地面西部和顶部的一部分。

（3）B171窟后室保存完整，前室仅存部分西壁、地面和顶部。

（4）B172窟后室保存完整，前室仅存部分西壁、地面及顶部。

（5）B173窟后室保存完整，前室仅存南壁（洞窟北向），其余部分已崩塌。

从该段崖面的洞窟现状分析，由于洪水冲刷之故，造成位于崖面最底层的第一层洞窟崩塌，并导致其上的第二层洞窟也随之遭到破坏，更进一步殃及上

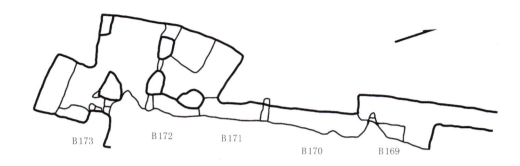

［图17］
B 169~B 173窟联合
平面示意图

层洞窟。从B172窟出土有元代遗物分析，证明此窟在元代还在使用。据此判断，该段崖面遭到破坏的时间当在元代或元代以后。

（五）B25窟所在崖面段

此段崖面有洞窟三层，分别属于北区崖面从下至上的第一层、第二层、第四层（在该段崖面则属于第三层）洞窟。

1. 属于第一层的洞窟有B25窟、B26窟、B27窟。保存现状如下〔图18〕：

（1）B25窟后室西壁和南壁保存完整，北壁、东壁、地面及顶部则仅存一部分，该窟顶部以上崖体及洞窟已悬空〔图19〕。

（2）B26窟后室西壁保存完整，而南壁、顶部则仅存一部分。

（3）B27窟仅存后室西壁、北壁、顶部及地面的一部分。

2. 属于第二层的洞窟有B61窟、B62窟、B63窟。保存现状如下〔图20〕：

（1）B61窟后室西壁、北壁及顶部保存完整，南壁、东壁存一部分，地面保存大部分。

（2）B62窟后室西壁、南壁及顶部保存完整，北壁、东壁及地面则仅存一部分〔图19〕。

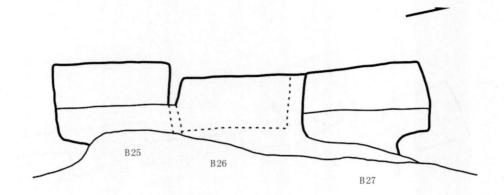

图18

（3）B63窟后室及甬道保存完整，前室仅存西壁，其余部分已无存。

3. 属于第四层（在此段则属于第三层）的洞窟有B166窟、B167窟、B168窟。保存现状如下〔图21〕：

（1）B166窟为一多室禅窟，中室、后室保存完整，前室仅存部分西壁，地面遭到破坏，现状已非原貌。

（2）B167窟后室保存完整，甬道保存大部分，其余部分已无存〔图19〕。

（3）B168窟后室保存完整，前室仅存地面西部和西壁下部，其余部分已无存。

通过对此段崖面现存状况的考察与分析，可以断定此段崖面及崖面上的洞窟遭到破坏的原因是洪水掏蚀崖脚，形成崖体悬空，在重力或地震力的作用下导致多次崩塌。从B166窟、B167窟、B168窟的出土遗物分析，此段崖面最后一次崩塌的时间当在元代或元代以后。

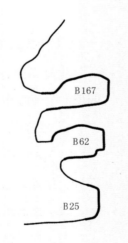

图19

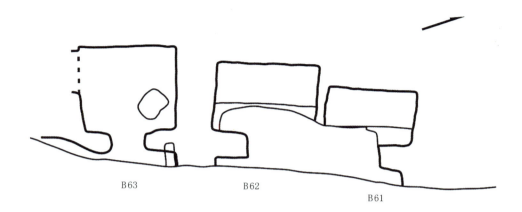

B63　　　　　　B62　　　　　　B61

图 20

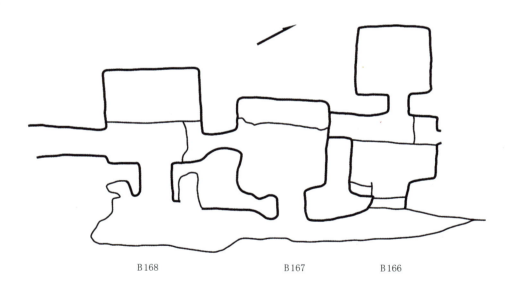

B168　　　　　　B167　　　　　　B166

图 21

[图 18]
B 25 ~ B 27 窟联合平面示意图

[图 19]
B 25 窟断面示意图

[图 20]
B 61 ~ B 63 窟联合平面示意图

[图 21]
B 166 ~ B 168 窟联合平面示意图

二

在北区崖面，除了洪水对洞窟及洞窟所在崖体造成的破坏外，大气降水对洞窟和崖体造成的破坏也相当严重。遭到破坏最为严重的崖面有以下四段：

（一）B104窟、B211窟所在崖面段

此段崖面位于北区崖面南端，呈台阶状。其上有洞窟12个，它们分别属于北区崖面从下至上的第三层和第四层洞窟。

1. 属于北区崖面第三层的洞窟有B104窟和B105窟。保存状况如下：

（1）B104窟仅存洞窟南壁、西壁、北壁和地面的一部分，其余部分已无存，B104窟的时代为唐代，据此推测此段崖面的第一次崩塌当在唐代以后宋代以前〔图22〕。

（2）B105窟仅存南壁、西壁、北壁和地面的一部分，其余部分已无存〔图22〕。B105窟叠压在B104窟之上，表明B105窟是在B104窟崩塌以后才开凿的，B105窟的时代为宋代，故该窟崩塌时间当在宋代或宋代以后。

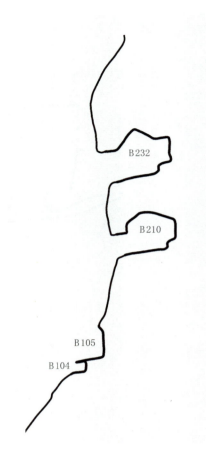

〔图22〕
B105窟断面示意图

2. 属于北区崖面第四层的洞窟有B202窟、B203窟、B204窟、B205窟、B206窟、B207窟、B208窟、B209窟、B210窟、B211窟。保存状况如下〔图23〕：

（1）B202窟仅存地面西部、西壁下部、南壁西部，东壁及顶部已无存。洞窟崩塌时间当在宋代或宋代以后。

（2）B203窟后室地面和西壁保存完整，南壁和北壁仅存西部，顶部已大部塌毁。崩塌时间当在宋代或宋代以后。

（3）B204窟后室西壁保存完整，南壁东部和北壁东部已塌毁，地面保存一大部分，顶部仅存少许。

（4）B205窟后室仅西壁保存完整，地面东部、南壁东部、北壁东部、顶部东部均已塌毁〔图23〕。

（5）B206窟后室西壁南上角、南壁西上角、顶部西南角和东北角、北壁东侧上部、东壁上部均已塌毁，前室已无存，甬道仅存地面西部、南壁西侧下部和北壁西侧下部。

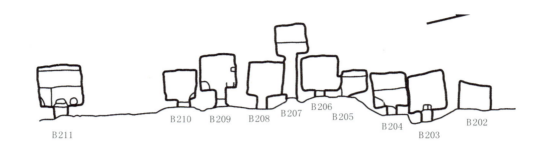

图 23

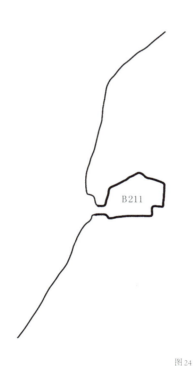

图 24

（6）B 207 窟后室东壁北上角、北壁东上角塌毁一部分，其余部分保存完整。甬道南壁、北壁和地面东部已塌毁。

（7）B 208 窟后室南壁、西壁、东壁、顶部均保存完整，北壁已不存，甬道南壁东部、北壁东部及地面东部已塌毁。从该窟西壁和南壁有多条墨书及朱书西夏文题记分析，该窟在西夏或西夏以后仍在使用，故据此推测该窟崩塌的时间当在西夏或西夏以后。

（8）B 209 窟后室、甬道及前室西壁保存完整，前室存南壁西侧下部、北壁西侧下部，地面仅存西部少许，顶部已不存。

（9）B 210 窟后室保存完整，甬道仅存南壁西部、北壁西部、顶部北部和地面西部，前室已不存。

（10）B 211 窟后室保存完整，甬道仅存南壁西部、北壁西部、顶部西部、地面西部，前室已不存〔图24〕。洞窟崩塌时间不详。经研究得知，B 104 窟的时代为唐代，表明唐代及其以前，此段崖面保存较好，唐代以后至宋代前，崖面遭到第一次大的破坏，导致 B 104 窟仅存洞窟一部分。此后又在 B 104 窟之上的崖面向西开凿了 B 105 窟。已知 B 105 窟的时代为宋代，亦遭到严重破坏，而破坏的时间当在宋代或宋以后。表明该段崖面的第二次大的崩塌是在宋代或宋代以后。由于以上两个洞窟在崖面所处位置较高，未曾遭遇洪水冲刷，故该段崖面上洞窟遭到破坏的原因只能是大气

〔图 23〕
B 202～B 211 窟联合
平面示意图

〔图 24〕
B 211 窟断面示意图

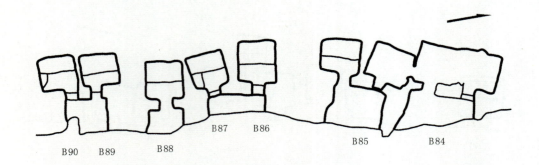

图 25

降水所为。从崖顶现存冲沟分析，崖顶雨水沿崖体下泄时，首先冲刷处于高层的B232窟、B218窟，其次冲刷B104窟〔图21〕，并逐渐沿崖面向南延伸，最后导致B104窟以南一批洞窟相继崩塌。崩塌发生的时间大约在唐代以后宋代以前。而此段崖面的第二次崩塌可能发生在宋代或宋代以后。

（二）B84窟至B90窟所在崖面段〔图24〕

此段崖面有洞窟三层，崖面呈台阶状，其中B84窟至B90窟属于北区崖面从下至上的第二层洞窟，这几个洞窟虽未遭遇大泉河洪水冲刷，但也遭到了严重破坏，经考察同样系大气降水所为。保存状况如下：

1. B84窟后室保存完整，而前室仅存西壁、南壁、北壁及地面的一部分（残存南壁和北壁呈西高东低斜坡状），东壁和顶部已无存。从该窟在宋代仍在使用分析，其崩塌时间当在宋代以后。

2. B85窟保存状况与B84窟大致相同。崩塌时间可能为同一时期。从该窟之上的Bl14窟在西夏时期仍在使用来看，该窟崩塌时间有可能在西夏或西夏以后〔图25〕。

3. B86窟后室和前室西壁保存完整，前室南壁、北壁仅存一部分，呈西

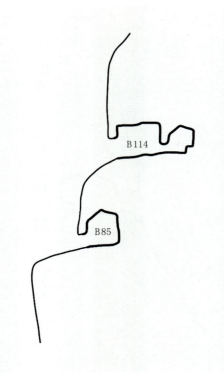

图 26

〔图 25〕
B84~B90窟联合
平面示意图

〔图 26〕
B85窟断面示意图

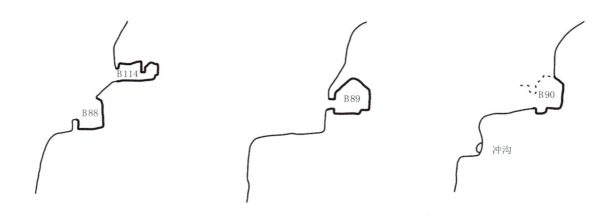

图27　　　　　　　　　图28　　　　　　　　　图29

图30

〔图27、28、29〕
B88、B89、B90窟
断面示意图

〔图30〕
B89、B90窟前室地面
大气降水冲刷情形

高东低斜坡状，地面存大部分，顶部及东壁已无存。该窟时代为盛唐，故洞窟崩塌时间当在盛唐以后。该窟与B85窟相邻，崩塌后的前室现状与B85窟现状相似，B86窟崩塌时间也可能在西夏或西夏以后。

4. B87窟保存状况与B86窟保存状况基本相同。崩塌时间也大致同时。

5. B88窟后室顶部已全无，西壁、南壁、北壁及地面尚保存，东壁上部已塌毁，前室西壁上部已不存，南壁和北壁仅存一部分，呈西高东低斜坡状，地面存大部分。从此窟所在位置以及崖顶冲沟的走向分析，此段崖体遭到破坏的时间当在西夏或西夏以后〔图27〕。

6. B89窟后室西壁、北壁、东壁保存完整，顶部和南壁遭到部分破坏，与B90窟共一前室，前室西壁保存完整，南壁、北壁仅存一部分，呈西高东低斜坡状，地面存大部分，地面东南部沿崖体向下有一条因大气降水冲刷而形成的上小下大呈漏斗状的沟〔图30〕。前室顶部已无存。B89窟的时代为唐代，据此推测B89窟及其所在崖面崩塌时间当在唐代以后〔图28〕。

7. B90窟后室西壁保存完整，东壁、南壁、北壁、顶部及地面均遭到了

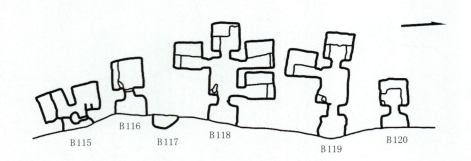

图 31

不同程度的破坏。遭到破坏的时间大约与 B 89 窟遭到破坏的时间相同〔图 29〕。

以上七个洞窟在崖面所处位置较高，未被洪水冲刷，从保存现状分析，得知此段崖面上的洞窟遭到破坏的原因完全系大气降水所为，时至今日，此段崖顶上因降水冲刷而形成的沟痕仍随处可见。从崖顶下泄的降水可能是首先冲刷处于崖面高处的 B 114 窟，其次冲刷 B 84 窟、B 85 窟，并逐渐向南延伸，最后导致 B 89 窟和 B 90 窟亦遭到破坏。

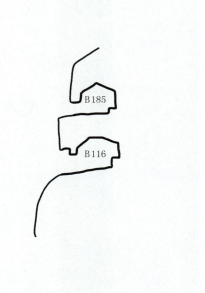

图 32

（三）B 115 窟至 B 120 窟所在崖面〔图 31〕

此段崖面呈台阶状，B 115 窟至 B 120 窟位于台阶上，属于北区崖面从下至上的第三层洞窟，保存状况如下：

1．B 115 窟后室及前室西壁保存完整，前室南壁、北壁及地面仅存一部分，顶部已无存。

2．B 116 窟后室及前室西壁保存完整，前室南壁、北壁及地面仅存一部分，顶部已无存〔图 32〕。

3．B 117 窟塌毁严重，仅存西壁南下角、南壁西下角和地面西南角，其余部分已无存。经考古发掘得知，该窟崩塌后才开凿 B 116 窟，据此可知，此段崖

〔图 31〕
B 115～B 120 窟联合平面示意图

〔图 32〕
B 116 窟断面示意图

面的崩塌至少在二次以上。

4. B118窟为一多室禅窟，中室甬道、中室、南侧室、北侧室、后室及前室西壁保存完整，前室南壁及北壁仅存接近地面处的一部分，地面东部已塌毁，顶部已无存〔图1、图30〕。

5. B119窟为一多室禅窟，中室甬道、中室、后室、南侧室及前室西壁保存完整，前室南壁和北壁仅存下部，呈西高东低斜坡状，地面存一部分，顶部已无存。

6. B120窟后室保存完整，前室西壁稍有破损，前室南壁和北壁仅存下部，呈西高东低斜坡状，地面仅存西部，顶部已无存。

此段崖面上的六个洞窟所处位置较高，因而未遭洪水冲刷，但却受到了从崖顶下泄降水冲刷造成的破坏。从崖体现状分析，此段洞窟遭到破坏的过程应是从B115窟之上崖面开始的，并逐渐向北延伸，最后导致此层洞窟及上层洞窟均遭到不同程度的破坏。从考古发掘得知，此段崖面崩塌至少在二次以上。从此段崖面第四层的B184窟西夏时期仍在使用分析，此段崖面最后一次洞窟崩塌当在西夏或西夏以后。

（四）B176窟至B179窟所在崖面段

此段崖面有4个洞窟〔图33、34〕，均开凿于一条因降水冲刷而形成的大沟内，属于北区崖面从下至上的第四层洞窟。由于受崖顶下泄大气降水的不断冲刷，最后导致四个洞窟均遭到严重破坏。其现状如下：

1. B176窟仅存西壁下部、南壁下部、北壁下部及地面西部，其余部分已无存。从该窟窟前地层可知，洞窟地面以下为厚约7米质地松软的粉沙层，此层土质遇水即崩解。B176窟所处位置较高，未遭洪水冲刷，遭到的破坏只能是大气降水所为。从与之相邻的B175窟在宋代仍在使用分析，据此推测B175窟崩塌时间当在宋代或宋代以后。

2. B177窟仅存洞窟西壁和地面西部，其余部分已崩塌。该窟地面以下地层土质情况与B176窟相同，洞窟崩塌原因系大气降水所为。

3. B178窟西壁保存完整，南壁、北壁和地面仅存西部，顶部仅存一部分。该窟地面以下地层土质情况与B176窟相同，洞窟崩塌原因系大气降水所为。

4. B179窟塌毁严重，仅存南壁、西壁、北壁和地面的一部分，其余部分已崩塌。该窟地面以下地层土质情况与B176窟相同，洞窟崩塌原因系大气降水所为〔图34〕。

此段崖面及崖面上洞窟遭到破坏的原因是强烈的大气降水在崖面上形成的面流冲刷崖体。冲刷首先从崖面上部开始，逐渐向垂直方向和水平方向延伸，最后导致此层的四个洞窟相继崩塌。崩塌时间在宋代或宋代以后。

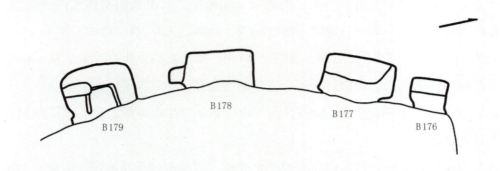

图33

图34

三

　　通过以上论述可知，造成莫高窟北区洞窟及洞窟所在崖面崩塌的自然因素主要是大泉河的洪水和骤降的暴雨，以及重力和地震力的作用。从考古发掘了解到，大泉河洪水的冲刷，是造成下部崖体及崖面底层洞窟崩塌的主要因素，在重力作用下，崖体上即会形成卸荷裂隙，势必殃及上层洞窟也遭到破坏。时至今日所见，北区崖体底部内凹、崖体或洞窟悬空，都是洪水冲刷留下的遗

〔图33〕
B 176～B 179窟联合
平面示意图

〔图34〕
B 179窟一带崖面

迹。在这种状况下，如再遇到地震，业已悬空的洞窟或崖体必然崩塌无疑。而莫高窟地区骤降的暴雨，则是造成崖面中、上层洞窟及洞窟所在崖体遭到破坏的主要原因。如再遇到崖体上有卸荷裂隙、结构裂隙或崖体地层严重风蚀等情况，必将导致崖面上的洞窟及洞窟所在崖体的大面积崩塌。通过考察发现，大气降水对北区洞窟及崖体的破坏特征是：强烈的大气降水在崖面上形成的面流冲刷崖体，在造成崖面上部洞窟或崖面崩塌后，继续向下冲刷，并向一定方向延伸，最后导致崖面中层以上洞窟及洞窟所在崖体的严重崩塌。北区现存几段台阶状崖面，均系骤降暴雨所为，属于崖顶下泄雨水对崖体及洞窟造成破坏所留遗迹。总之，大泉河的洪水从崖体底部对洞窟及洞窟所在崖体进行冲刷，而骤降暴雨则从崖顶对崖面及崖面上的洞窟进行冲刷，大气降水和洪水上下夹攻，才导致了北区洞窟及洞窟所在崖面的严重破坏。

敦煌莫高窟地区气候干燥，多年平均年降雨量为23.23毫米，而年蒸发量为4347.9毫米，年蒸发量是降水量的187倍[5]。也正是由于这种特殊的气候条件，才得以使敦煌莫高窟洞窟内的壁画至今保存得比较好。但是莫高窟的降水有着明显的季节性，大气降水主要集中在6～8月，占年降水量的67%，而有可能出现一次性降雨的强度很大。一旦遇到强降水，就会在崖面上形成面流，冲蚀已遭严重风蚀的崖体，最终导致洞窟的垮塌。据莫高窟唐代碑记记载，当年的莫高窟是"上下云矗，构以飞阁，南北霞连，圣灯照时，一川星悬，前流长河，波映重阁"。"大周圣历之辰，乐僔、法良发其宗，建平、东阳弘其迹，推甲子四百他岁，计窟室一千余龛"[6]。经过一千余年的历史沧桑，开凿于鸣沙山东麓的莫高窟洞窟及洞窟所在的崖体已非原貌，崖面上保存至今的洞窟总数为735个（南区崖面现存洞窟487个，北区崖面现存洞窟248个），比唐代少了200多个，究其原因既有自然因素，又有人为因素，两种因素相比，前者又是主要的。对洞窟及洞窟所在崖体造成破坏的自然因素有洪水、大气降水和地震，种种迹象表明，洪水和大气降水是莫高窟洞窟及洞窟所在崖体遭到破坏的主要元凶。至今仍流淌于莫高窟窟前的大泉河，给窟前绿洲带来灌溉用水，但一旦发生洪水，又是造成崖面底层洞窟遭到破坏的最主要原因。据专家测算，大泉河洪水最大流量为335立方米/秒，如此大的洪水一旦直接冲刷洞窟或洞窟所在崖体，必然给洞窟及崖体造成灾难性的后果。对洞窟及洞窟所在崖体造成巨大破坏的另一元凶是暴雨，莫高窟地区骤降的暴雨，往往给上、中层洞窟及洞窟所在崖面造成毁灭性的破坏。

在干旱的敦煌地区，人们视水如油，因为有了水就有绿色，有了水就有生命。然而，在这一地区对洞窟及洞窟所在崖体造成严重破坏的罪魁祸首也是水——洪水和大气降水。因此，预防洪水和大气降水对洞窟造成的危害，必须引起石窟保护专家和有关部门领导的高度重视，并将其

5　李实、屈建军：《敦煌莫高窟的气候环境特征》，载敦煌研究院编《敦煌研究文集·石窟保护篇》，上册，兰州：甘肃民族出版社，1993年，第70页。
6　李永宁：《敦煌莫高窟碑文录及有关问题（一）》，《敦煌研究》1981年试刊第1期。

纳入石窟保护的长远规划之中，以防患于未然。为此，我们提出如下设想，供有关方面参考：

第一，对莫高窟大泉河左侧防洪大堤进行加固，并适当提高大堤的高度，同时对河道进行整治，对狭窄处河道加宽，对淤积的河道清淤，对严重影响泄洪的大泉河大桥必须进行彻底改造，提高泄洪能力，以抵御大泉河百年不遇的特大洪水。

第二，对北区现已悬空的洞窟和崖体进行加固，以防突发性地震对洞窟及洞窟所在崖面继续造成破坏。

第三，对北区崖顶冲沟进行整治，采取截排水等措施防止暴雨继续对北区洞窟的破坏。

（本文为樊锦诗、彭金章、王旭东合著，原载于《敦煌研究》2004 年第 3 期）

◈ 奥登堡敦煌莫高窟资料的价值

一

　　1914年8月～1915年1月，由奥登堡率领的俄罗斯第二次考察队到敦煌莫高窟考察。他们在莫高窟为期半年的滞留考察活动中，做了不少工作。从摄影、测绘、临摹、榜题抄录和文字记录等方面，对莫高窟进行了比较全面、系统的综合考察，记录了当时莫高窟的状况，获得了第一手的宝贵资料[1]。

　　奥登堡考察队返回俄罗斯之后，考察成果资料遂于搁置，尘积多年，鲜为人知，至今尚未全部公之于世。在事隔80余年后的今天，由上海古籍出版社派人赴俄罗斯收集、拍摄有关资料的照片，敦煌研究院参与合作校核，整理编辑，上海古籍出版社正式出版这批流失在俄罗斯的敦煌文物和奥登堡考察队在莫高窟的各种考察记录。这无疑是敦煌学界的一件大事，对于敦煌学的研究与发展将会起到积极的推动作用。

　　本文简介奥登堡考察队在敦煌莫高窟摄影、测绘、临摹和文字记录等资料，并试论其意义和学术价值。

二

　　奥登堡考察队的敦煌莫高窟资料，大致分为六个部分，即洞窟文字记录、洞窟内外景照片、洞窟平立面测绘图、壁画临摹品、壁画榜题抄录以及莫高窟文物等。其中莫高窟文物已经由上海古籍出版社组织人力，与俄罗斯艾尔米塔什博物馆合作整理、拍摄、编辑出版成册[2]。这里介绍的

1　俄罗斯国立艾尔米塔什博物馆、上海古籍出版社编：《俄藏敦煌艺术品》Ⅰ、Ⅱ，上海：上海古籍出版社，1997年12月，1998年12月。
2　俄罗斯国立艾尔米塔什博物馆、上海古籍出版社编：《俄藏敦煌艺术品》Ⅰ、Ⅱ，上海：上海古籍出版社，1997年12月，1998年12月。

是经过我们核对整理、即将由上海古籍出版社出版的其他各项考察记录资料。现分别概述如下：

（一）莫高窟洞窟内外景照片

按照原来的说法，照片总数约有 2000 张[3]。但是，经实际清点，剔除重复部分，共有 1000 余张。其中洞窟内景照片 900 多张，洞窟外景（包括南北区洞窟外立面、莫高窟地理环境及其附近各种建筑遗迹与文物）和考察队在莫高窟活动照片 160 余张。这些照片，比较全面系统地记录了莫高窟的周边环境、洞窟外立面、窟前建筑遗迹以及 150 余座洞窟的内景壁画、雕塑等。特别是记录了奥登堡的先行者斯坦因、伯希和等人所未记或者记录不详的洞窟崖面、窟前建筑遗迹和一部分洞窟的壁画塑像。

奥登堡考察队的莫高窟照片，较之出版于 1920～1924 年、现在学术界长期广泛使用而且有很大影响的伯希和《敦煌石窟图录》的照片[4]，拍摄时间晚 8 年。二者各有千秋。伯氏详细拍摄的洞窟，奥氏略拍或未拍；伯氏略而未拍的洞窟，奥氏详细拍摄。伯氏《图录》中有 30 余窟的图版不见于奥氏照片，而奥氏亦拍摄了伯氏《图录》中所没有的 80 余窟的照片。伯氏《敦煌石窟图录》刊载图版 380 余幅，奥氏考察队的莫高窟照片 1000 余张，是伯氏《图录》的 2 倍多。如果把伯氏《图录》和即将刊行的奥氏照片参合使用，则可相互补充，互补或缺。奥氏考察队的这些莫高窟照片，是 20 世纪初莫高窟遗迹较为全面的真实记录，应是一部珍贵的历史档案。

（二）莫高窟洞窟测绘图

奥氏考察队的测绘图，包括莫高窟南区洞窟总立面图和分层连续总平面图，是以伯希和测绘的莫高窟平面图和立面图作为工作底图，并对其进行补充修改，详细测绘记录，最后将全部单个洞窟的测绘图分别拼合绘成长达 10 米、高约 6 米的总平面图和总立面图[5]。

奥氏莫高窟测绘图的洞窟编号标注，使用的是伯希和编号。伯氏编号，是自南而北，主号下大多有分号。主号用阿拉伯数字，分号用拉丁字母，如 120、120 a、120 b、120 c……这种编号法与敦煌研究院现行编号法完全不同。敦煌研究院（前身敦煌文物研究所）的编号，是按照洞窟分层排列，从下而上，自北而南，复南向北，再北而南，呈 "S" 形，一律使用阿拉伯数字。奥氏测绘图中标注的洞窟编号主号为 171 个，若将分号计算在内，则有 400 余号。其中少数洞窟编号，奥氏在伯氏编号基础上有所增编，这些增编号，都是主号之分号。另外，奥氏还新发现 3

---

3 俄罗斯国立艾尔米塔什博物馆、上海古籍出版社编：《俄藏敦煌艺术品》Ⅰ、Ⅱ，上海：上海古籍出版社，1997 年 12 月，1998 年 12 月。

4 （法）伯希和：《敦煌石窟图录》，第 1～6 册，巴黎：保罗·格特那书店，1920～1924 年。

5 俄罗斯国立艾尔米塔什博物馆、上海古籍出版社编：《俄藏敦煌艺术品》Ⅰ、Ⅱ，上海：上海古籍出版社，1997 年 12 月，1998 年 12 月。其中Ⅰ之孟列夫 "序言"、府宪展 "序言"。

个洞窟，编号为A（敦136、137）、B（敦133、134、135）、C（敦132）[6]。

奥氏莫高窟南区洞窟平面图，是按洞窟的自然分布大体分为上、中、下三层进行测绘的。第一层（即下层）洞窟连续平面图，从伯16（敦130，即"南大像"）窟开始，到伯167（敦9）窟为止。第二层（即中层）洞窟连续平面图，始于石窟群南端之奥编C（敦132）窟，终于伯139（敦320）窟。第三层（即上层）洞窟连续平面图，自伯120r（敦450）窟开始，至石窟北端伯171c（敦1）窟。另外，还有30余窟无法归属三层中任何一层连续平面图者，或者说三层连续平面图中都难于表现者，则单独测绘，或以一窟为单位，或数窟为一组，视洞窟所在位置的具体情况而定。这类平面图大小计6张。

奥氏莫高窟南区洞窟平面图，有草图和成图。成图是在草图的基础上精细绘制而成的，用粗线、细线、虚线、斜线等和图示，按比例绘制，表现洞窟的不同内容，并标明方向。每一个洞窟的所在位置、窟口方向、规模大小、形制特点、结构布局、窟外附属建筑之地面遗迹等，都在图中一目了然。

奥氏莫高窟南区洞窟总立面图，亦有草图与成图。图中南起奥编C（敦132）窟，北止伯171c（敦1）窟。莫高窟400余座洞窟的分布、诸层各段的近30座木构窟檐、阶梯栈道、梁孔椽眼、修缮补葺之遗迹、部分下层洞窟被积沙堵塞或埋没之状况、崖顶上方耸立的古塔等，都在图中一一得以如实地表现。绘图详细入微，真实地记录和再现了当时莫高窟洞窟的崖面状况、自然地理和人文景观。

奥登堡考察队的莫高窟南区洞窟测绘图，较之伯希和莫高窟测绘图更加完善，更为详细。这是继伯希和之后、迄今为止比较准确而完整的一份莫高窟南区洞窟总立面图和总平面图。莫高窟又经历了80余年的沧桑变迁，自然和人为因素使石窟外部景观发生了巨大变化，奥氏考察队的这份莫高窟测绘图的史料价值和学术价值是不言而喻的。

（三）莫高窟洞窟壁画临摹品

以临摹、速写来记录莫高窟壁画的艺术资料，是奥氏考察队工作的又一项重要成果。这部分艺术资料，有壁画临摹品（覆描图、透描图、影描图）和壁画速写。壁画临摹品，主要由斯米尔诺夫临摹，还有杜金的少量油画；壁画速写笔记，由杜金摹绘记录。这些艺术形象记录的资料，大约500余幅，其中壁画临摹品390多幅，壁画速写摹绘图约190幅，涉及莫高窟上起北魏、下至元代的100多个洞窟，内容有经变画、说法图、故事画、佛像画（佛、菩萨、弟子、天宫伎

6　关于奥登堡编号，请参见樊锦诗、蔡伟堂《重订敦煌莫高窟各家编号对照表》（待刊）。后以《重订莫高窟各家编号对照表说明 —— 兼谈莫高窟各家编号及其对照表》为题，发表于《敦煌研究》2005年第6期，第1~30页。

乐、飞天、千佛、药叉等）、装饰图案（忍冬纹、连珠纹、蔓草花卉纹、莲花纹、团花纹、方胜纹、菱格纹、圭纹、回纹、云纹等边饰）、风景画、禽兽图、供养人等。其中装饰图案居多。每幅画大小不等，都标明所在洞室、壁画位置等。窟号使用伯希和编号。

莫高窟壁画临摹品，有彩色摹本和透描线画。临摹内容，除了少量大幅经变画和说法图之外，大多选择具有一定代表性和具有时代特征的壁画。临摹品既忠实于壁画原作，又经过作者概括提炼，真实形象地反映了各时代的绘画风格、造型特点、表现技法和艺术水平，对于图像学的研究是极其重要的基础材料。其中的彩色临摹品，对色彩学的研究，也具有一定的参考价值。特别是临摹品中还有一部分今天我们已经在洞窟内看不见的或变得模糊不清的壁画。如伯编盛唐70（敦217）窟南壁的法华经变部分画面，伯编元代171a（敦3）南、北、东壁观音图像的部分画面，奥编隋代124c（敦433）西壁睒子本生图等[7]。

莫高窟壁画速写笔记，主要是记录了北魏至元各个时代有一定代表性和时代特点的不同类型的边饰图案。这部分壁画速写，摹绘工整细腻，线条流畅，时代特点鲜明，是帮助判断壁画乃至洞窟时代的最基本的形象参考资料。

奥氏考察队的莫高窟壁画记录的艺术资料，是20世纪初对莫高窟壁画较为全面、系统、典型的形象记录。它和奥氏考察队的莫高窟洞窟照片、莫高窟洞窟测绘图一样，是考察记录莫高窟比较早的形象的历史档案资料。

（四）莫高窟洞窟文字记录

由奥登堡记录，比较详细地记录了莫高窟400多座洞窟的内容和五座佛塔。这部分记录资料，现在已经由上海古籍出版社组织人力翻译成中文，书名为《敦煌千佛洞叙录》，共6卷[8]。

奥登堡使用伯希和的洞窟编号，逐一记录。奥氏又增编和新编了不少窟号，并对洞窟形制、壁画内容、塑像组合、窟外木构建筑等都进行了全面的记录。对壁画内容的记录尤为详细，对部分壁画的构图布局、人物造型、衣冠服饰、姿态、持物、线描、赋色等都做了详细的描述，如说法图、降魔变、观音图（千手千眼观音、如意轮观音、不空羂索观音）、装饰图案等。

奥登堡《敦煌千佛洞叙录》与《伯希和敦煌石窟笔记》相比较[9]：洞窟数量上，《叙录》比《笔记》多记80余座洞窟；洞窟内容上，《叙录》也比《笔记》详细。诚然，奥氏《叙录》和伯氏《笔记》各

---

7 （俄）奥登堡著，季一坤译：《敦煌千佛洞叙录》（待刊）。后以《敦煌千佛洞石窟叙录》为题，发表于俄罗斯国立艾尔米塔什博物馆、上海古籍出版社编《俄藏敦煌艺术品Ⅵ》，上海：上海古籍出版社，2005年，第29~326页。

8 （俄）奥登堡著，季一坤译：《敦煌千佛洞叙录》（待刊）。后以《敦煌千佛洞石窟叙录》为题，发表于俄罗斯国立艾尔米塔什博物馆、上海古籍出版社编《俄藏敦煌艺术品Ⅵ》，上海：上海古籍出版社，2005年，第29~326页。

9 （法）伯希和著，耿昇、唐健宾译：《伯希和敦煌石窟笔记》，兰州：甘肃人民出版社，1993年。

具特点，各有千秋。奥氏《叙录》也有不及伯氏《笔记》之处。如《叙录》对各种大型经变画的记述缺乏《笔记》那种画龙点睛之笔；对供养人题记和壁画榜题记录，《叙录》也不如《笔记》详细等等。对《敦煌千佛洞叙录》，奥登堡曾经这样说过，这份关于千佛洞壁画和塑像的叙录，目的在于尽可能全面地介绍所有壁画和塑像的情况，主要是壁画内容和绘画风格。向那些不能到千佛洞现场进行研究的人们提供我们所有的材料。这份叙录以及所附的彩色绘画、摹本、照片和平面图所提供的材料是足够的、可靠的[10]。奥氏考察队的莫高窟各项记录，包括《叙录》在内，是我们查找莫高窟现存或者已毁洞窟、壁画、塑像的重要线索，也是莫高窟石窟考古研究的重要参考资料。

（五）莫高窟洞窟壁画榜题

奥登堡考察队在莫高窟进行洞窟拍摄、测绘、文字记录和壁画临摹的同时，还抄录了一部分洞窟壁画榜题，集中在伯118f（敦55）、伯117（敦61）、伯106（敦72）、伯84（敦237）、伯140（敦323）、伯167（敦9）窟等。从榜题录文内容来看，主要侧重于经变画榜题、佛传故事画榜题和佛教史迹画榜题。这些洞窟，也是《伯希和敦煌石窟笔记》抄录榜题比较多的洞窟。不过，伯希和抄录的榜题重点是供养人题记。换句话说，伯氏抄录过的榜题，奥氏考察队尽量避免重复，略而未录。有一部分壁画榜题，伯氏、奥氏曾先后都有抄录，但是文字辨识和录文各有优劣，如伯106（敦72）、伯140（敦323）窟的佛教史迹画榜题等。就奥登堡考察队抄录的莫高窟洞窟壁画榜题的整体情况而言，尽管数量上不如伯希和抄录的榜题多，内容没有伯希和抄录得那样全面，但是，奥氏考察队的榜题录文中有许多榜题是伯希和所没有抄录的。二者足可相互补充。奥氏考察队的这份莫高窟洞窟壁画榜题，是延请中国书手抄写的。

奥登堡考察队关于莫高窟的各项记录，是继斯坦因、伯希和之后又一份莫高窟的综合性的现场记录，时间比较早，记录比较全面，内容比较详细，方法比较科学，真实、形象地反映了莫高窟当时的客观状况。从奥氏考察队的各项记录来看，无论是照片资料还是文字记录，都尽量避免与伯希和考察队的记录重复。这说明奥登堡在来敦煌之前，可能曾与伯希和有过接触，双方达成某种默契。也许奥登堡把自己的工作看成是伯希和所做工作的继续。只有这样的理由，才能说明奥登堡的做法是合理的，也使奥氏考察队的各种记录具有其特点和独立的价值[11]。如果把奥登堡考察队的莫高窟各种材料和伯希和考察队的相关考察资料结合起来，就可互补或缺，亦可全面了解20世纪初莫高窟的历史面貌。

10　（俄）奥登堡著，季一坤译：《敦煌千佛洞叙录》（待刊）。后以《敦煌千佛洞石窟叙录》为题，发表于俄罗斯国立艾尔米塔什博物馆、上海古籍出版社编《俄藏敦煌艺术品Ⅵ》，上海：上海古籍出版社，2005年，第29~326页。

11　俄罗斯国立艾尔米塔什博物馆、上海古籍出版社：《俄藏敦煌艺术品》Ⅰ、Ⅱ，上海：上海古籍出版社，1997年12月，1998年12月。其中Ⅰ之孟列夫"序言"、府宪展"序言"。

三

奥登堡考察队的敦煌莫高窟资料的价值是多方面的，这里不能逐项一一列举，仅择其重要者综述如下。

第一，20世纪50年代后，我国政府为保护祖国文化遗产，数次对莫高窟南区洞窟进行了大规模危崖加固，400多座洞窟和整体崖面得到了全面维修，解除了坍塌的险象，并构筑了上下左右的通道，方便了参观和考察。然而，不可避免地又使古代窟外崖面的部分遗迹被工程砌体所遮掩，现在已经无法看到历史的原貌，要了解和研究莫高窟古代洞窟崖面的变迁，各窟之间的交通设施、相互关系，历代对洞窟的改建、重妆、利用，木构窟檐的修建，以及根据窟外崖面梁孔椽眼的位置、形状、大小、排列情况和对应关系等遗迹，复原古代窟前建筑及其崖面旧状，就必须求诸维修加固以前的各种记录。翔实全面、记录时间又比较早者，当推奥登堡考察队的莫高窟资料中的洞窟外景照片、南区洞窟测绘图和文字记录，这是最有价值的。譬如奥氏考察队的莫高窟南区洞窟外景照片，是根据洞窟所在位置的具体情况，视窟前树木的疏密与遮挡程度而分段分层拍摄的，取景范围，或二三窟为一组，或四五窟为一区，或数十窟为一景，如此外景照片拼接起来，即是莫高窟南区洞窟的外立面的全景。它全面真实地再现了各个洞窟的位置、窟外崖面梁孔椽眼等建筑遗迹、各窟之间交通栈道以及洞窟前室的壁画、塑像和窟外木构建筑等。再如奥氏考察队的莫高窟测绘图，按比例测绘了南区400多座洞窟，详细描绘了洞窟分布、崖面原建和重修建筑的遗迹、各窟之间交通设施、窟檐间架结构、柱穴地线位置、细部建筑构件，乃至匾额题字等。又如奥登堡的莫高窟洞窟笔记，比较详尽地描述了各窟的外貌和窟前建筑等。它与洞窟外景照片、洞窟测绘图相辅相成。这些资料，对于了解和研究莫高窟洞窟崖面的变迁和唐宋以后窟前建筑，以及佐证敦煌文献中有关洞窟的记录，都具有一定的参考价值。

另外，奥氏考察队的莫高窟北区洞窟外景照片，是分段大面积兼小区域连续拍摄的，除北端崖面有几个洞窟未予特写拍照之外，其他窟龛都无一遗漏，这是北区240余座洞窟外立面全景的真实写照。像这样详细而全面拍摄北区洞窟外景，重视崖面各种遗迹，奥氏考察队尚属首次。莫高窟北区洞窟与南区洞窟的情况有所不同。虽然北区洞窟崖面未经现代维修加固，窟外崖面上历代梁孔椽眼诸建筑遗迹基本保持原貌，完全暴露。但是，在经历80余年后的今天，洞窟崖面也因风沙侵蚀，日晒雨淋，洪水冲刷，加之人为因素，现已发生了不小的变化。奥氏考察队的北区洞窟外景照片，记录了变化之前的状况。近年，莫高窟北区进行洞窟清理、报告编写和专题研究，奥氏考察队的北区洞窟照片及其他相关记录资料的刊行面世，必将有其积极作用。

第二，奥氏考察队在莫高窟进行各项考察记录之后，莫高窟的造像与重修等佛事活动仍在继续进行。对于判断莫高窟一部分洞窟的造像和窟外建筑，这是一个时代标尺。譬如奥氏考察队离开莫高窟之后，在许多洞窟中出现了相当一批塑像。这些塑像，有增补的，有改塑的，有重妆的，如伯30（敦122）、伯31（敦171）、伯33（敦172）、伯97（敦246）、伯125（敦39）、伯135e（敦29）、伯137b（敦303）、伯137g（敦310）、伯137h（敦311）、伯137k（敦313）、伯137e（敦314）、伯138（敦25）、伯139a（敦321）、伯170（敦4）窟。这些窟的作品，总的来说，塑造技艺拙劣。过去将这类雕塑统称为清塑，现在看来，实际上有一部分塑像应是民国时期所塑的。据奥氏考察队的洞窟内景照片和《敦煌千佛洞叙录》中的相关记录可判定。又如伯78（敦96）窟，俗称九层楼，现为莫高窟的标志性建筑，这是于民国十七至二十四年（1928～1935年）修建的。据敦煌文献、莫高窟碑碣及洞窟题记，此窟创建于唐初，窟内雕造大佛像，窟外修建四层阁；晚唐重修，增至五层；宋、清再修，维持五层[12]。奥氏考察队的莫高窟南区洞窟外景照片和测绘图中，此窟外观均为五层建筑，奥登堡《敦煌千佛洞叙录》对此也做了详细记录。这说明现存九层楼乃民国时期所建。

第三，奥登堡考察队的莫高窟南区洞窟测绘图和洞窟外景照片，记录了历代窟前建筑近30座以及部分崖面栈道，为我们研究莫高窟古代窟前建筑与洞窟之间交通设施等，提供了难得的形象资料。这些窟外木构建筑，都是唐代以后陆续修建的。其中一部分不合理且时代较晚的建筑在20世纪60年代初的莫高窟洞窟崖面维修加固时拆除，还有些建筑不知何时被毁坏，崖面仅留各种建筑遗迹。现存窟外木构建筑10余座，时代较早的有唐宋时期修建的窟檐5座，即伯63（敦196）、伯120A（敦444）、伯123a（敦437）、伯130（敦431）、伄136（敦427）窟。清代及其以前莫高窟崖面建筑遗迹的情况，奥氏考察队的记录最为详细。

第四，奥氏考察队的莫高窟洞窟内景照片和壁画临摹品中，记录了今天我们已经在洞窟内看不到或变得模糊不清的一部分壁画。譬如奥124c（敦433）窟的睒子本生故事画。此画已被揭取，流失国外。在剥离揭取之前，奥氏考察队曾临摹了整幅画，并做了文字记录，原壁画现藏于俄罗斯艾尔米塔什博物馆[13]。对于这幅睒子本生图所在洞窟，长期以来颇多臆测，莫衷一是。此次我们在整理奥氏考察队莫高窟资料时，终于查明它所在的洞窟和窟内位置。根据奥登堡《敦煌千佛洞叙录》的记录和此画的临摹品、原画尺寸，我们在洞窟现场查实，确认这幅睒子本生图绘于隋代奥124c（敦433）窟主室西壁龛下座沿。

又如伯70（敦217）窟南壁法华经变，奥氏考察队进行了整铺临摹。特别指出的是，这幅经变画的下部画面今已漫漶磨损，模糊不清。奥氏考察队的临摹品则画面完整，形象清晰。伯

12　宿白：《莫高窟记跋》，载氏著《中国石窟寺研究》，北京：文物出版社，1996年；李永宁：《敦煌莫高窟碑文录及有关问题（二）》，《敦煌研究》1982年试刊第2期。

13　俄罗斯国立艾尔米塔什博物馆、上海古籍出版社编：《俄藏敦煌艺术品》Ⅰ、Ⅱ，上海：上海古籍出版社，1997年、1998年。

171 p（敦 3）窟东壁门两侧的观音画像，现存下部画面因酥碱剥蚀而模糊，奥氏考察队的此画临摹品却完整无缺。

再如伯 181（敦 464）窟主室西、南、北壁的观音普门品变和前室南、北壁的善财童子五十三参变，今多处画面被毁，形象难辨，这些被毁画面，奥氏考察队完整地拍摄并记录下来。类似这种情况的洞窟还有伯 120 n（敦 285）北壁西侧发愿文题记，伯 139（敦 320）窟南壁中央弟子、菩萨像，伯 139 a（敦 321）窟南壁宝雨经变中部菩萨像，伯 140（敦 323）窟南壁佛教史迹画部分画面，伯 149（敦 335）窟南壁阿弥陀经变中的供养天女，伯 124（敦 435）窟北壁东侧说法图中的菩萨，伯 182（敦 465）窟北壁西侧曼陀罗的部分画面等等，这些在奥氏考察队的照片和临摹品中都能看到完整的形象，据此可以了解窟内原来壁画的整体情况，其价值弥足珍贵。

第五，奥氏考察队记录了一部分下层洞窟的变迁情况，如第 470（伯 81 a、奥 82 d）、第 471（伯 81 b、奥 82 c）、第 477（奥 119 a）、第 478（伯 118 e）、第 484（奥 117 c）窟等，这些洞窟在奥氏考察队来莫高窟时尚存，尔后被积沙埋没，直至 20 世纪 50 年代初，又重新被发现，并予以编号。这部分洞窟，现已破坏严重，窟内塑像皆失，大部分壁画磨损剥落，漫漶不清。奥登堡《敦煌千佛洞叙录》中，对当时洞窟的情况记录得比较详细。它不仅有助于我们今天了解这类洞窟在几十年来的变迁情况，而且对其他洞窟采取保护措施，提供了值得借鉴与研究的资料。

第六，奥氏考察队的莫高窟壁画榜题抄录资料，如前所述，虽然数量十分有限，而且每个洞窟的榜题又并非全部迻录，但是它毕竟是有别于其他同类资料的第一手的洞窟实录。如果我们把奥氏考察队的榜题录文与现在洞窟壁画榜题相互对照，就不难看出变化情况。奥氏考察队录文中完整无损的榜题，而现今的实际状况则是：或者字迹褪变，隐约可见；或者模糊不清，难于辨识；更有甚者，漫漶剥蚀，荡然无存。此外，还有一些榜题，迄今未有抄录。因此，奥氏考察队的这份壁画榜题资料，不仅有其独特的价值，而且对同一榜题的数家不同录文，具有校勘与互补的意义。

第七，奥氏考察队的莫高窟资料，记录了一部分洞窟的壁画、塑像等被劫掠的情况。有关奥氏考察队掠去莫高窟壁画与塑像的实例，如第 433（伯 124 c）窟的睒子本生故事画，这是考察队在临摹、文字记录之后揭取的。再如第 321（伯 139 a）窟的两尊雕塑护法兽，这也是在拍摄记录之后搬走的。这两尊护法兽，考察队照片上是完好无缺的，现藏于俄罗斯艾尔米塔什博物馆，无疑这照片是考察队拍摄后掠去的一个力证。类似情况的还有第 111（伯 48）窟的三尊塑像、第 435（伯 124）窟的塑像等。关于先拍照记录、然后劫取文物这一点，奥登堡在《敦煌千佛洞叙录》中记录第 464（伯 181、奥氏称"回鹘窟"）窟时写道："为了割下此窟的一部分上有回鹘文字的水彩壁画，按照我们通常的惯例，首先要拍照。"这就是说，奥氏考察队在切割揭取壁画或搬走塑像之前，都要先进行拍照记录。他们不仅在第 464 窟"割了些小画像"，而且还在窟内清理出土并掠走一些文物，其中有塑像背光和梵文、龟兹文、回鹘文、吐蕃文、西夏文、汉文的手书残片、木刻残片以及 130

块"刻有回鹘文字的木块（即木活字）"[14]。此外，奥氏考察队也间接地记录了一部分洞窟壁画被粘揭或被切割以前的情况，如第 320（伯 139）、第 321（伯 139a）、第 323（伯 140）、第 335（伯 149）、第 285（伯 120n）、第 464（伯 181、奥氏"回鹘窟"）窟等的局部画面，其中一部分是被华尔纳粘揭的，有些不知毁于何时。总而言之，现在我们可凭借奥氏考察队的资料，去了解这些洞窟壁画的完整画面。同时，它为探索追寻莫高窟部分文物的流失情况，也提供了线索。

第八，奥氏考察队的敦煌莫高窟资料，不仅有洞窟内外景的记录，而且有莫高窟地理环境及其周围佛塔建筑等的记录，这主要是照片与文字记录，特别值得一提的是，奥登堡《敦煌千佛洞叙录》首次比较详细地记录了莫高窟洞窟崖顶上的两座佛塔和宕泉河东岸的三座佛塔。这五座佛塔内，原来均有塑像和彩绘壁画。现在塑像皆毁，壁画保存尚好，就其绘画技法与艺术风格来说，与洞窟画风完全一致，一脉相承，当系宋代以后所建造。继奥登堡之后，谢稚柳于 20 世纪 40 年代对宕泉河东岸的三座佛塔和洞窟崖顶上的一座佛塔进行了记录。后来刊载于《敦煌艺术叙录》中[15]。这些记录，反映了不同时期佛塔的保存状况。它对于研究莫高窟窟区佛塔的建造时代、形制特点以及佛塔与洞窟的关系等，都有一定的史料意义。

第九，奥登堡考察队的莫高窟全部资料，使用的洞窟编号是伯希和编号。而伯氏编号，就其本身而言，存在不少问题[16]。尤其是主号之下的分号，拉丁文字母的使用也没有一定之法，而且石窟笔记中的编号与测绘图标注号往往不符。它还是后来编制的各家窟号对照表产生混乱的主要根源。使用伯氏石窟资料时，往往令人感到十分不便。奥氏考察队的洞窟笔记与测绘图，在使用伯氏编号记录洞窟内容和给测绘图标号时，比较统一，比较规范，因而也就比较准确。这对于订正伯希和部分洞窟编号和其后编制的莫高窟各家窟号对照表，都具有一定的参考价值。

总而言之，奥登堡考察队的敦煌莫高窟资料，是运用多种手段和方法，从不同的角度记录了 80 多年前莫高窟的实际状况。随着时间的推移和各种自然的、历史的因素，莫高窟发生了很大的变化，因而这些考察资料，对于我们今天的洞窟研究和保护，对于探索敦煌文物的流失与来源等，都有着重要的科学价值与学术价值。在国际敦煌学长足发展并取得重大研究成果的今天，我们要以科学的态度去认真地分析、研究和很好地利用这批资料，充分发挥其积极的作用。

（原载于敦煌研究院编《2000 年敦煌学国际学术讨论会文集——纪念敦煌藏经洞发现暨敦煌学百年·石窟考古卷》，甘肃民族出版社，2003 年）

---

14 （俄）奥登堡著，季一坤译：《敦煌千佛洞叙录》（待刊）。后以《敦煌千佛洞石窟叙录》为题，发表于俄罗斯国立艾尔米塔什博物馆、上海古籍出版社编《俄藏敦煌艺术品Ⅵ》，上海：上海古籍出版社，2005 年，第 29~326 页。

15 谢稚柳：《敦煌艺术叙录》，上海：上海古籍出版社，1996 年。

16 （法）伯希和著，耿昇、唐健宾译：《伯希和敦煌石窟笔记》，兰州：甘肃人民出版社，1993 年。

◆ 敦煌石窟研究百年回顾与瞻望

敦煌石窟泛指敦煌地区及其附近的石窟，其中有代表性的是敦煌莫高窟、西千佛洞和瓜州榆林窟，是中国中古时期的重要佛教文化遗存。1900 年敦煌莫高窟藏经洞的发现，出土了 5 万余件从十六国到北宋时期的经卷和文书，不论从数量还是从文化内涵来看，都可以说是 20 世纪我国最重要的文化发现。从此，以整理和研究敦煌文献为发端，形成了一门国际性的学科——敦煌学。也正是由于藏经洞的发现引导人们重新认识和发现了敦煌石窟。

在敦煌石窟中，除了以石窟为主体保存有大量的壁画、雕塑外，藏经洞还出土了一批木版画、绢画、麻布画、粉本、丝织品、剪纸等美术品，这样大量的文化遗存、遗物，是研究佛教艺术及其反映的各种文化影响的重要依据，成为人们探讨中古时期东西方物质文化和精神文化的形象资料。近一个世纪以来，历代研究人员，含辛茹苦，辛勤采撷，索微探幽，在敦煌石窟研究中取得了丰硕成果。从 20 世纪开始敦煌石窟研究主要经历了以下几个时期。

一

第一个时期是敦煌石窟研究的发端。主要工作是对石窟的调查、著录和资料的公布。同时，对石窟进行了一些粗疏的分期，对石窟内容进行了一些初步考释和研究。这一时期可分为两个阶段。

（一）第一个阶段，从 20 世纪初至 30 年代

从现代意义的历史学来说，将敦煌石窟作为实物对象，开展历史考古领域的研究，应当追溯到清朝末年的西北舆地之学。随着清朝多次出征新疆和鸦片战争，以及西方殖民主义对中国的瓜

分，边疆问题日益突出，一些清代的文人士子开始探讨边疆问题或亲自到边疆考察。作为进入西域的门户——敦煌，是必经之地和考察对象。清末学者徐松于道光年间撰成《西域水道记》，陶保廉于光绪年间所著《辛卯侍行记》，在他们沿途的亲历考察中，对所经地域的城镇沿革、人物风俗、名胜古迹、碑铭资料都做了翔实记述，其中关于敦煌史地和莫高窟的材料，便是对敦煌石窟考察的记载。另外，敦煌的石窟也见录于清修地方志中。只是当时中国的考古学还没有起步，他们的考察记录仅是记述性的。

19世纪下半叶，随着我国逐渐成为半封建半殖民地社会，西方列强对清政府的政治、经济、文化不断渗透，西方列强也开始对我国文化遗存进行大肆掠夺。1900年藏经洞的发现，引起了西方探险家对敦煌石窟的注意。20世纪前30年，英国的斯坦因、法国的伯希和、俄国的奥登堡等一些西方学者和探险家，开始以现代考古学的方法调查、记录、公布了敦煌石窟的部分照片和资料。

1900～1916年，斯坦因先后三次到新疆等地考察。1907年到敦煌莫高窟考察时，除了从王道士手中骗购了藏经洞发现的写卷和绢画外，还对莫高窟的建筑、雕塑、壁画进行了考察和记录，这也是第一次对莫高窟艺术进行的记录。1921年出版了《西域考古图记》《千佛洞》，刊布了莫高窟壁画、绢画等照片和资料以及部分榆林窟壁画照片。斯氏在敦煌期间还对长城遗址进行了掠夺性盗掘[1]。

1908年，伯希和到莫高窟进行调查，又骗购了藏经洞的精华，也对大部分石窟做了描述、记录，拍摄了照片，还第一次给莫高窟有壁画洞窟编了号，对石窟的年代和壁画内容做了一些考订，对残存题识进行了记录，这是最早以近代科学的方法对敦煌石窟进行的编号和内容著录。伯氏于1920～1924年编著出版了《敦煌石窟图录》1～6册。

1914～1915年，奥登堡带领俄国第二次考察队到敦煌，在伯希和考察的基础上，对莫高窟做了比较全面、系统、详尽的综合性考察。除补充修改了伯希和的测绘，新编、增编了一些洞窟编号外，还逐窟进行了拍摄、测绘和记录，对重点洞窟做了临摹。在测绘出南区洞窟单个洞窟平、立面图基础上，最后拼合出了总平面图和总立面图，形象地记录了莫高窟当年的真实情况。遗憾的是，他的这些成果直到近年才被逐渐整理发表[2]。

西方学者对敦煌石窟的考察，伴随着掠夺与破坏，造成了大量文物的肢解和流失。同时也带来了西方近代的考古方法，对石窟进行了编号和内容登录，公布了部分石窟照片和壁画摹本，为我们保存了许多珍贵的原始资料和图片，成为很长一段时间里人们研究敦煌石窟的主要依据。

---

1 （英）斯坦因：《西域考古记》（4），牛津：克拉兰顿出版社，1921年；《千佛洞》（1～3），伦敦，1912年。
2 现已出版。发表于俄罗斯国立艾尔米塔什博物馆、上海古籍出版社《俄藏敦煌艺术品》，上海：上海古籍出版社，1997～2005年。

　　这一阶段国外一些学者依据伯希和、斯坦因公布的照片和资料，对洞窟进行了研究。在分期研究方面，日本人小野玄妙于1924年即已开始，此后有1931年巴切豪夫（L. Bachhofer）、1933年喜龙仁（Osvald Sirén）的文章，由于掌握的石窟资料有限，他们的分期大都失之偏颇[3]。美国的华尔纳《万佛峡——一所九世纪石窟佛教壁画研究》，对榆林窟五窟（今编第25窟）的壁画内容做了专题研究[4]。值得一提的是日本学者松本荣一。1937年松氏依据斯坦因、伯希和从敦煌骗购的藏经洞出土的绢画、纸画以及在敦煌拍摄的壁画照片，写出了图文并茂的巨著《敦煌画的研究》，初版于1937年，再版于1985年，至今仍然是研究敦煌艺术的重要参考书。松本氏的研究，着重于画面与经文对照的考释，做出了很大贡献；缺点在于未将各类经变画放在中国历史和佛教、美术发展史的长河中进行系统的宏观考察，因而未能提示出各类经变画产生、发展以及式微的历史规律。他们对壁画内容的研究主要是侧重于艺术的描述。

　　这一时期，国内的一些学者积极奋起，做了许多石窟的调查和记录工作。1925年，陈万里随福格博物馆第二次中国西北考察对敦煌石窟进行了考察，他的《西行日记》是我国学者对敦煌石窟的第一次科学考察记录[5]。1931年，贺昌群《敦煌佛教艺术的系统》是中国学者关于敦煌石窟艺术的第一篇专论[6]。此后，建筑学家梁思成初次对敦煌壁画所绘建筑与内地的古建筑进行了比较研究[7]。总之，这一阶段国外集中于对敦煌石窟的资料和照片公布，我国有关敦煌石窟研究的专论文章较少，主要是侧重于敦煌遗书的研究，石窟内容只是连带论及，到20世纪40年代我国对石窟的研究才真正开始兴起。

（二）从20世纪40年代开始，敦煌石窟研究工作开始全面兴起

　　这主要表现在两个方面。

　　一是我国的一些学术机构和学者们，开始自己组织考察团对敦煌石窟进行调查和研究。20世纪40年代初，张大千、吴作人、关山月、黎雄才等先后到莫高窟和榆林窟临摹壁画，对宣传和推动敦煌石窟的研究起了积极作用。1941年历史学家向达，受中央研究院历史研究所邀请，到敦煌进行考察。同年教育部组织以王子云为团长，画家何正璜、卢善群等为成员的文物艺术考察团到敦煌，与中央摄影社合作，对莫高窟进行了调查和拍照。1942年的西北史地考察团和

3　L. Bachhofer, "Die Raumdarstellung in der chinesischen Malerei des ersten Jahrtausends n. Chr.", *Münchner Jahrbuch der bildenden Kunst*, NF. 8, 1931, pp. 207–208.
　　O. Sirén, *A History of Early Chinese Painting*. London: The Medici Society, 1933, p. 29.

4　（美）华尔纳：《万佛峡——一所九世纪石窟佛教壁画研究》，坎布里奇：哈佛大学出版社，1938年。

5　陈万里：《西行日记》，北平朴社，1926年。

6　贺昌群：《敦煌佛教艺术之系统》，《东方杂志》1931年第28卷第17期。

7　梁思成：《伯希和先生关于敦煌建筑的一封信》，《中国营造学社汇刊》第3卷第4期。

1944～1945年的西北考察团，向达、夏鼐、劳幹、石璋如、阎文儒等先后到敦煌进行考古调查，对大部分石窟登录内容，抄录碑文、题记，考证洞窟年代等。向达、夏鼐和阎文儒等率领的考古组不仅对敦煌石窟进行了考察，还调查了敦煌的汉长城遗址，发掘了一些古墓葬，为敦煌石窟的研究提供了许多历史背景资料[8]。尤其是这些考察资料，不仅在这一时期进行了研究、公布，有些资料经他们带回内地整理后，又于五六十年代发表了一系列重要的研究成果。

另一个就是国立敦煌艺术研究所的成立。由于一些学者、专家和学术团体不断地到敦煌调查、临摹、研究，引起了社会各界的广泛关注。在社会有识之士的呼吁下，在于右任大力倡导下，于1944年终于在莫高窟正式成立了国立敦煌艺术研究所，常书鸿任所长。敦煌艺术研究所的成立，这是敦煌石窟研究的一个里程碑，标志着敦煌石窟劫难的结束，敦煌学从单纯的文献研究扩展到以敦煌石窟为研究对象的开始。这也是我国成立最早的研究敦煌学的机构。当时在极其艰苦的条件下，不仅做了大量的保护、临摹工作，并且开始对敦煌石窟做了一次全面的清理、调查和编号，做了大量资料整理工作，并刊布了部分资料，取得了很大的成绩，为敦煌石窟研究的全面发展奠定了基础。

这一时期洞窟的调查、登录取得了可喜的成果。1940～1942年，张大千对洞窟做了一次清理编号，对洞窟年代做了初步判断，以后出版了《漠高窟记》[9]。1943年，何正璜《敦煌莫高窟现存佛窟概况调查》，是我国初次公布的莫高窟内容总录[10]。1944年，李浴完成了《莫高窟各窟内容之调查》（未刊），对洞窟的记录更为详尽。石璋如的《莫高窟形》，收录了许多窟形、照片资料[11]。1943年，史岩调查完成的《敦煌石室画像题识》，是最早的莫高窟供养人题记[12]。1946年，阎文儒《安西榆林窟调查报告》，对榆林窟的内容做了调查、登录和研究[13]。一次又一次对石窟的调查、登录，一次比一次更完善，有些是许多人先后多次调查的结果。虽然，其中有些资料一直没有刊布，有些近年才整理出版，但这些资料为以后敦煌石窟内容总录和供养人题记等一批研究成果的出版奠定了基础。

同时还有一批研究和介绍敦煌石窟的文章，如傅振伦《敦煌艺术论略》、李子青（李浴）《莫高窟艺术志》是对敦煌艺术的总论文章，较为全面地探讨了敦煌的绘画、彩塑、建筑、音乐以

8　夏鼐：《敦煌考古漫记》，《考古》1955年第1～3期。
9　张大千：《漠高窟记》，台北"故宫博物院"，1985年。
10　何正璜：《敦煌莫高窟现存佛窟概况之调查》，《说文月刊》1943年第3卷第10期。
11　石璋如：《莫高窟形》，台北："中央研究院"历史语言研究所，1995年。
12　史岩：《敦煌石室画像题识》，比较文化研究所、敦煌艺术研究所、华西大学博物馆，1947年。
13　阎文儒：《安西榆林窟调查报告》，《历史与考古》1946年第1期。

及各时期的艺术风格等问题[14]。向达《敦煌佛教艺术之渊源及其在中国艺术史上之地位》，系 1944 年在兰州讲演稿的整理，主要讨论了敦煌艺术渊源的问题[15]。宗白华《略谈敦煌艺术的意义和价值》，对敦煌艺术与希腊艺术之异同做了研究[16]。李广平《千佛洞 231 窟释迦舍身故事图人物考证》，是萨埵太子本生故事中的人物种族问题的个案研究[17]。劳贞一《伯希和敦煌图录解说》，对伯希和的图录和一些石窟的时代做了说明[18]。

　　这一阶段，一些专家在敦煌对石窟进行长期的实地调查研究，为我国敦煌石窟的研究打下了坚实的基础，并开始不断地、稳固地向前发展。同时，几乎对敦煌石窟的不同领域都有所探讨，有些还具有开创性的意义。从此，我国的敦煌石窟研究工作开始超越国外，不仅研究工作以我国为主，研究成果也多处于领先地位。

二

　　第二个时期从 1949 年中华人民共和国成立至 1976 年"文化大革命"结束，是敦煌石窟研究的发展时期。敦煌石窟研究的广度和深度都大大地向前迈进了一步。一些老一辈史学家和考古学家在实践中不断地探索和积累经验，开始运用考古学的方法对敦煌石窟进行调查记录和研究，在理论和方法上为敦煌石窟的深入研究奠定了基础。

　　1950 年，敦煌文物研究所成立，标志着敦煌石窟研究进入一个新的阶段。敦煌石窟研究开始走出仅从艺术角度研究的局限，我国的一些考古学者探索运用考古学的方法对石窟进行研究。石窟考古首先要按照考古学的方法进行科学的登录，进而探讨排年、分期和性质，然后才能进一步研讨它的艺术风格和社会意义。20 世纪 50 年代初，夏鼐的《漫谈敦煌千佛洞与考古学》一文，首先谈到了如何将考古学在敦煌石窟研究中运用的问题[19]。1956 年，宿白的《参观敦煌第 285 号窟札记》首次运用考古类型学的方法，通过 285 窟壁画的分类排比，对莫高窟的北魏洞窟做了比较研究[20]。在此期间，敦煌文物研究所充实了一批年青的历史、考古研究人员，成立了研究考古组。1962 年，北京大学历史系考古专业宿白先生讲授了以敦煌石窟考古为内容的《敦煌七讲》（讲

14　傅振伦：《敦煌艺术论略》，《民主与科学》1945 年第 1 卷第 4 期；李子青（李浴）：《莫高窟艺术志》，《河南信阳师范学校校刊》1946 年第 1 期、1947 年第 2 期。

15　向达：《敦煌佛教艺术之渊源及其在中国艺术史上之地位》，《敦煌学辑刊》1981 年第 2 期。

16　宗白华：《略谈敦煌艺术的意义和价值》，《观察》1948 年第 5 卷第 4 期。

17　李广平：《千佛洞 231 窟释迦舍身故事图人物考证》，《力行月刊》1943 年第 9 卷第 5~6 期。

18　劳贞一：《伯希和敦煌图录解说》，《说文月刊》1943 年第 3 卷第 10 期。

19　夏鼐：《漫谈敦煌千佛洞与考古学》，《文物参考资料》1951 年第 3 期。

20　宿白：《参观敦煌第 285 号窟札记》，《文物参考资料》1956 年第 1 期，第 16~21 页。

稿），并选择典型洞窟进行实测、记录，为敦煌石窟考古研究在理论和方法上奠定了基础。敦煌文物研究所组织撰写了第248窟的考古研究报告，就是对新的石窟考古研究方法的实践。[21] 从此敦煌石窟的研究工作在前人研究的基础上，进一步拓宽了工作领域。这些石窟考古的理论和方法，在我国石窟寺考古研究中具有普遍的指导意义。

进入20世纪五六十年代，一些研究人员经过长期临摹和调查，对过去的石窟调查、登录做了进一步校勘、增补，对石窟内容和时代有了新的认识、新的发现。谢稚柳的《敦煌艺术叙录》[22]等，对敦煌石窟又进行了编号和登录。每一次编号和记录都会对洞窟内容的认识加深，洞窟编号趋于合理、科学，内容登录不断完善、准确。

这一时期，我国学者也开始运用图像学方法研究石窟内容，如周一良《敦煌壁画与佛教》、金维诺《敦煌壁画祇园记图考》《祇园记图与变文》、潘絜兹《敦煌莫高窟艺术》[23]等文，他们不是简单地对壁画内容进行考释，而是运用佛经、变文、敦煌文献，对壁画与佛经和变文的关系等做了深入探讨。

利用碑铭、供养人题记等石窟资料与敦煌文书相结合，对莫高窟营建史的研究。向达《瓜沙谈往》，考证认为莫高窟开窟于前秦建元二年（366年）[24]。宿白的《莫高窟记跋》，考证了莫高窟的始建年、窟数及一些窟像的建造年代[25]。金维诺《敦煌窟龛名数考》，依据《敦煌石窟腊八燃灯分配窟龛名数》对部分洞窟的名称和建造年代进行了考证[26]。所有这些，在这一研究领域都具有开拓性的意义。

本时期对敦煌石窟艺术的源流进行了更加深入的探讨。敦煌为丝路之咽喉、中西交通之枢纽，是东西方文化交流的见证者。因而，敦煌艺术与东西方艺术的关系也就成为学术界探讨的焦点之一。这一问题的讨论从20世纪三四十年代就已开始，首倡"东来说"的是贺昌群，他认为西来佛教艺术首先传入云冈，然后从东传入敦煌[27]。向达则持"西来说"，认为敦煌艺术渊源于印度，然后向东传播，影响了中原诸石窟，对此在《敦煌艺术概论》《莫高、榆林二窟杂考》二文中，又做了更加全面、深入的论证[28]。常书鸿《敦煌艺术的源流和内容》又持"东西交融说"[29]，等

21　敦煌文物研究所：《敦煌北魏248窟报告（稿本）》，载樊锦诗、刘玉权编《中国敦煌学百年文库·考古卷》，兰州：甘肃文化出版社，1999年。

22　谢稚柳：《敦煌艺术叙录》，上海：上海古典文学出版社，1957年。

23　周一良：《敦煌壁画与佛教》，《文物参考资料》1951年第1期；金维诺《敦煌壁画祇园记图考》，《文物参考资料》1958年第10期；《祇园记图与变文》，《文物参考资料》1958年第11期；潘絜兹：《敦煌莫高窟艺术》，上海：上海人民出版社，1957年。

24　向达：《瓜沙谈往》，《国学季刊》1950年第7卷第1期。

25　宿白：《莫高窟记跋》，《文物参考资料》1955年第2期。

26　金维诺：《敦煌窟龛名数考》，《文物》，1959年第5期。

27　贺昌群：《敦煌佛教艺术的系统》，《东方杂志》第28卷第17期，1931年。

28　向达：《敦煌艺术概论》，《文物参考资料》1951年第4期；《莫高、榆林二窟杂考》，《文物参考资料》1951年第5期。

29　常书鸿：《敦煌艺术的源流和内容》，《文物参考资料》1951年第4期。

等。学者们对敦煌艺术的源流观点不尽相同，说明中外文化交融下敦煌的艺术成分十分复杂，这一问题也成为学术界一个长期争论的课题。

金维诺有关祇园记图（劳度叉斗圣变）的经变画研究以及《敦煌壁画维摩变的发展》《敦煌晚期的维摩变》等文章，较为系统地论述了敦煌壁画中某一经变的源流、演变过程和艺术成就。这种对一种经变进行专题性研究的方法，对深入地研究敦煌经变画具有一定的启发意义，但是，对这些经变在敦煌出现并发展的原因和时代背景分析不够，影响了文章的深度[30]。

另外，阎文儒的《莫高窟的石窟构造及其塑像》、梁思成的《敦煌壁画中所见的中国古代建筑》、宿白的《敦煌莫高窟中的〈五台山图〉》，对洞窟的构造、石窟的营建、壁画中的建筑等问题做了考察和分析[31]。金维诺《敦煌壁画中的中国佛教故事》，首次对敦煌壁画中的中国佛教史迹画做了研究[32]。孙作云《敦煌壁画中的神怪画》，对敦煌石窟中的中国神话传说题材进行了专题性探讨[33]。本时期的一系列论文，在石窟内容的不同方面都有较深入的研究。

这一时期窟前遗址的发掘也有很大收获。1963～1966年，对莫高窟南区北段和中段长约380米的区域内进行了清理和发掘，共清理出22个窟前殿堂建筑遗址、7个洞窟和小龛。由目前底层洞窟之下发现的3个洞窟，不仅搞清了莫高窟崖面的洞窟分布有五层之多，而且揭示了莫高窟创建初期窟前地面高度，要低于现在的地面4米以上。修建现底层洞窟窟前殿堂遗址，乃唐后期窟前地面升高后所致。探明了南区底层洞窟前在五代、宋、西夏、元时期曾建有窟前殿堂，形成了前殿后窟的建筑结构格局，殿堂的建筑结构有包砖台基殿堂式和土石基窟檐式两种。相当于五代、宋的曹氏归义军政权时期的整修，使莫高窟的外观达到了历史上最为宏伟壮观的时期。这次发掘和整理研究工作于"文化大革命"期间被迫停顿[34]。

另外，劳幹、苏莹辉也对壁画、塑像、建筑以及敦煌壁画与中国绘画的关系等做了专题论述[35]。国外的一些学者对敦煌艺术与中原、西域艺术的联系、洞窟的排年等进行了探讨，洞窟排年具有代表性的作品有1953年日本福山敏南的《敦煌石窟编年试论》[36]，1956年喜龙仁的《中国绘画》（ Chinese Painting: Leading Masters and Principles ）[37]，1958年英国索伯（ A. C. Soper ）的《北凉与北魏

30　金维诺：《敦煌壁画维摩变的发展》，《文物》1959年第2期；《敦煌晚期的维摩变》，《文物》1959年第4期。

31　阎文儒：《莫高窟的石窟构造及其塑像》，《文物参考资料》1951年第4期；梁思成：《敦煌壁画中所见的中国古代建筑》，《文物参考资料》1951年第5期；宿白：《敦煌莫高窟中的〈五台山图〉》，《文物参考资料》1951年第2卷第5期。

32　金维诺：《敦煌壁画中的中国佛教故事》，《美术研究》1958年第1期。

33　孙作云：《敦煌壁画中的神怪画》，《考古》1960年第6期。

34　敦煌文物研究所：《敦煌莫高窟窟前建筑遗址发掘简记》，《文物》1978年第12期。

35　劳幹：《敦煌艺术》，台北：中华丛书编审委员会出版，1958年；苏莹辉《敦煌学概要》，台北：中华丛书编审委员会出版，1981年。

36　（日）福山敏南：《敦煌石窟编年试论》，《佛教艺术》1953年第19期。

37　O. Sirén, Chinese Painting, Leading Masters and Principles, New York and London, 1956, p. 64.

时期的甘肃 》(*Northern Liang and Northern Wei in Kansu*)[38]。这一时期是敦煌石窟研究的深入发展时期。研究的范围大大拓宽，深度也大大地向前迈进了一步，说明敦煌石窟的研究已逐渐向专题性和深层次发展。尤其是敦煌石窟的考古研究工作逐渐展开，对一些石窟用考古类型学方法进行了排年分期。发掘了一些重要石窟的窟前遗址，为恢复一些洞窟的历史面貌增加了新资料。

三

这一时期是敦煌石窟研究的全面发展阶段，研究成果目不暇接，学术观点日新月异。尤其是敦煌研究院作为敦煌石窟研究的主体，取得了引人注目的成果。"文化大革命"结束后，在国家的重视和支持下，1982 年《敦煌研究》创刊，1983 年开始定期举行学术研讨会，1984 年将敦煌文物研究所扩建为敦煌研究院，段文杰任院长，一批又一批的青年历史、考古研究人员来到敦煌，献身于敦煌事业，敦煌石窟研究工作得到前所未有的发展。通过细致深入的调查、整理、考证、研究，使敦煌石窟蕴含的丰富内涵、悠久历史、艺术价值逐渐得以揭示、说明、解读。所取得的重要成果，发表在 150 多种图书与 2000 多篇论文中，这些研究成具基本上反映了这一时期敦煌石窟研究的情况。由于篇幅所限，我就以敦煌研究院为主，对这一时期在石窟研究中取得的一些主要成果做一简单介绍。

（一）石窟内容调查、登录和石窟报告工作

石窟内容调查、登录和石窟报告工作撰写是石窟研究的基础性工作。至 20 世纪七八十年代，在前人研究的基础上，经过再次复查、校勘、增补，凝结了几代人心血的重要研究成果——《敦煌莫高窟内容总录》《敦煌石窟内容总录》《敦煌莫高窟供养人题记》等终于问世。这些著作，使敦煌石窟变得条理清楚、脉络分明，每个石窟的内容和布局详细具体、一目了然，为学术界研究敦煌石窟提供了最权威和实用的基础资料[39]。

这一时期国内外又出版了一批图文并茂的学术成果，既向研究者提供了资料，又做了相当有深度的研究，如敦煌研究院的《敦煌莫高窟》《敦煌石窟艺术》等。国外则将斯坦因、伯希和在敦煌骗购的藏经洞版画、绢画、麻布画、粉本、丝织品、剪纸等一些美术精品，选印出版，成为

38　（英）索伯著，殷光明译，李玉珉校：《北凉和北魏时期的甘肃》，《敦煌研究》1999 年第 4 期。

39　敦煌文物研究所：《敦煌莫高窟内容总录》，北京：文物出版社，1982 年；敦煌研究院：《敦煌石窟内容总录》，北京：文物出版社，1996 年；敦煌研究院：《敦煌莫高窟供养人题记》，北京：文物出版社，1986 年。

研究敦煌艺术的重要资料集[40]。

敦煌石窟是重要的佛教文化遗迹，为了永久地保存这些珍贵的资料和历史的文化信息，必须有计划地做好敦煌石窟考古报告工作。这项工作必须对每个洞窟的建筑、彩塑、壁画，以及附着的题记、碑刻、铭记等全部资料，采用测量、绘图、照相、文字等记录手段，进行全面、系统、科学的收集整理，并对洞窟的创建、改建和年代，彩塑和壁画的布局、题材、内容、特点、制作及其内在关系等进行探讨。这是一项十分重要的基础研究工作，也是一项艰巨浩繁的系统工程。为了全面、系统、科学地保存敦煌石窟资料，推动敦煌石窟全方位深入的研究，满足国内外学术机构和学者对敦煌石窟资料的需求，敦煌研究院根据敦煌石窟洞窟分布排列及石窟形成过程的复杂因素，以洞窟建造的时代前后序列为脉络，结合洞窟布局形成的现状，拟定了编辑出版多卷本《敦煌石窟全集》的长远规划。现在已组织研究和技术人员，对敦煌莫高窟北朝时期的几组洞窟，进行了测量、绘图、照相、文字记录，编写了记录性考古报告，并探讨了洞窟的时代和特点，为下一步石窟研究做了准备。

（二）石窟遗址和洞窟的清理发掘

1979～1980年，恢复了20世纪60年代中断的莫高窟南区窟前殿堂遗址发掘。此次在莫高窟南区南段的窟前发掘，清理出的第130窟窟前下层遗址，是莫高窟窟前规模最大的铺砖殿堂建筑遗址。此后将几次的发掘整理出版了发掘报告[41]。1988～1995年，对北区洞窟的大规模清理发掘，是又一重要的考古发掘工作，为揭示莫高窟的全貌和营建历史提供了宝贵的实物资料。通过对莫高窟北区长达700米崖面上已暴露和被沙掩埋的全部洞窟进行清理和发掘，探明该区共有洞窟248个（含已编号的第461～465窟），基本上弄清了每个（组）洞窟的结构、使用状况、功能和年代。其中，有僧众生活的僧房窟、修行的禅窟、仓储的廪窟、葬身的瘗窟等六种，形制有别，功能不同。洞窟的分布大致是，北朝从该区南部开始开凿，隋唐的洞窟分布在中部，西夏之后的洞窟集中于北部。清理中还出土了不少遗物，有汉文和多种少数民族文字文献，回鹘文木活字、钱币、木雕、浮塑以及日常生活用品等。遗迹和遗物说明北区是僧众活动的区域[42]。

莫高窟南区遗址和北区洞窟的全面清理，既揭示出了莫高窟在漫长的营建过程中外貌景观的

40　敦煌文物研究所：《中国石窟·敦煌莫高窟》，一至五册，北京：文物出版社、东京：平凡社，1982～1987年；敦煌研究院、江苏美术出版社：《敦煌石窟艺术》（1～22册），南京：江苏美术出版社，1993～1998年；（英）韦陀、（日）上野阿吉：《西域美术》（1～3册），英国博物馆、日本讲谈社，1982～1984年；（法）吉埃、（日）秋山光和：《西域美术》（1～2卷），法国集美博物馆、日本讲谈社，1994～1995年。

41　潘玉闪、马世长：《莫高窟窟前殿堂遗址》，北京：文物出版社，1985年。

42　彭金章、沙武田：《敦煌莫高窟北区洞窟清理发掘报告》，《文物》1998年第10期；彭金章、王建军：《敦煌莫高窟北区洞窟所出多种民族文字文献和回鹘文木活字综述》，《文物》1998年第10期；史金波：《敦煌莫高窟北区出土西夏文文献初探》，《文物》1998年第10期。

变化，也揭示了莫高窟4～14世纪不仅持续不断地修建了众多的礼佛窟，而且还修建了僧众从事修行和生活的石窟。两种不同性质、功能的洞窟既做了分区布局，又组成了统一、完整的石窟寺。这些考古发现将有助于进一步探明莫高窟的性质、功能和营建历史。

（三）石窟的断代与分期研究

搞清洞窟的建造年代、分期也是石窟研究的一项基础性工作，一些中外的专家、学者曾为此做过一些有益的探讨。在前人研究的基础上，敦煌研究院对洞窟分期断代的研究成果主要表现在三个方面。一方面，采用考古类型学和层位学的方法，把大量没有纪年的洞窟形制结构、彩塑和壁画的题材布局、内容等区分为若干不同类别，分类进行型式排比，排出每个类型自身的发展系列；对不同类型系列做平行比较，从差异变化中找出时间上的先后关系。将类型相同的洞窟进行组合，从雷同相似中找出时间上的相近关系，并以遗迹的叠压层次关系，判断洞窟及其彩塑、壁画的相对年代。然后，再以有题记纪年的洞窟作为标尺，结合历史文献断定洞窟的绝对时代。我们采用这种方法，不仅完成了敦煌莫高窟北朝、隋代、唐前期、唐后期、回鹘、西夏等时代洞窟的分期断代，特别是排出了一批北周、回鹘洞窟；同时揭示出了莫高窟各个时期洞窟发展演变的规律和时代特征[43]。以同样的方法，对莫高窟北周时期洞窟做更进一步的分期排年，再找出这个时期十余个洞窟年代上的先后关系[44]。对莫高窟中心塔柱窟除做分期和年代探讨外，还透过纵向和横向比较，探讨此类洞窟的渊源和性质，对石窟考古做出了重要贡献[45]。

另一方面，"我们在石窟调查中发现，考证一些壁画的内容常常从壁画的时代得到启发；而判断洞窟的时代早晚，又常以壁画内容作为佐证"。有的学者结合敦煌文书和石窟资料主要从佛教艺术史角度，对石窟进行了分期研究，与考古分期相比较，两者的分期结果基本上一致，如莫高窟北朝洞窟也是分为四期，各期包括的洞窟编号完全一致[46]。

另外，依靠洞窟的供养人题记、敦煌文书、碑铭，并结合历史文献，做了深入细致的探讨，考订出了一批唐、五代、宋、西夏时期洞窟的具体修建年代及其窟主[47]。在此基础上，根据崖面

43　樊锦诗、马世长、关友惠：《敦煌莫高窟北朝洞窟的分期》，载《中国石窟·敦煌莫高窟（一）》，北京：文物出版社、东京：平凡社，1981年；樊锦诗、关友惠、刘玉权：《莫高窟隋代石窟分期》，载《中国石窟·敦煌莫高窟（二）》，北京：文物出版社、东京：平凡社，1984年；刘玉权：《敦煌莫高窟、安西榆林窟西夏洞窟的分期》，载敦煌文物研究所编《敦煌研究文集》，兰州：甘肃人民出版社，1982年。

44　李崇峰：《敦煌莫高窟北朝晚期洞窟的分期与研究》，载敦煌研究院编《敦煌研究文集：敦煌石窟考古篇》，兰州：甘肃民族出版社，2000年。

45　赵青兰：《莫高窟中心塔柱窟的分期研究》，载敦煌研究院编《敦煌研究文集：敦煌石窟考古篇》，兰州：甘肃民族出版社，2000年；《塔庙窟的窟形式演变及其性质》，载国家图书馆善本特藏部、敦煌吐鲁番学资料研究中心编《1990年敦煌学国际研讨会文集》，沈阳：辽宁美术出版社，1995年。

46　史苇湘：《关于敦煌莫高窟内容总录》，载敦煌文物研究所编《敦煌莫高窟内容总录》，北京：文物出版社，1982年。

47　贺世哲：《从敦煌莫高窟供养人题记看部分洞窟的营建年代》，载敦煌研究院编《敦煌莫高窟供养人题记》，北京：文物出版社，1986年。

的使用情况，将洞窟崖面排列顺序与窟内供养人题记、敦煌文书相结合综合研究，断代排年[48]。

运用不同的方法对洞窟分期和年代的研究，相互结合，互为补充，取得敦煌石窟分期排年研究成果，不仅确定了洞窟本身的时代，为敦煌石窟各项研究提供了时代的确凿依据，还为敦煌石窟的深入研究奠定了坚实的基础。

（四）敦煌石窟内容的研究

敦煌石窟壁画内容博大精深，包罗万象，被中外学者誉为"墙壁上的博物院"。经过几代学者对敦煌石窟内容进行社会历史的、佛教史的和艺术史的研究，已经比较充分地揭示出了敦煌石窟的内容及其价值。

经过20世纪60～80年代的深入调查研究，基本上查明了敦煌壁画中的本生、佛传、各种经变、佛教东传故事以及中国神话传说。发现了独角仙人本生、须摩提女因缘、微妙比丘尼因缘、贤愚经变、福田经变、目连经变等一批新题材[49]。对某些壁画题材和内容以及传统观点提出了新的解释，纠正了以往一些错误的定名。如莫高窟第321窟南壁，第454、456窟北壁和榆林窟第32窟正壁，过去长期定名为"灵鹫山说法图"，后经史苇湘考订，第321窟为宝雨经变，其他各窟经霍熙亮考订为梵网经变等等[50]。学者们在考证出新的题材内容的同时，还结合历史、佛教史、画史，对壁画内容与特点也有进一步的阐发，或从新的角度进行了深入的探讨。

宏伟灿烂的经变画是敦煌壁画中最辉煌的精粹，据统计，敦煌壁画和纸画、绢画中的经变画有30余种1300余幅。大部分经变分别按专题做了系统整理和研究，尤其是法华、维摩诘、涅槃、弥勒、阿弥陀等长期盛行的大型经变的深入、全面研究，取得了令人瞩目的成果，不仅对照石窟榜题、佛经、敦煌文献与历史资料和画史、考释清楚了每幅经变画每一品的内容情节，而且探讨了每一类经变不同时期内容情节、艺术形式传承演变的特点，研究了经变产生的历史背景、反映的佛教思想，揭示了敦煌经变产生、发展和演变的规律。在研究洞窟内容的同时，还分析探讨了历史上的佛教思想和佛教信仰对开窟的影响。日本的秋山光和、百桥明穗等外国学者在经变画的

48　马德：《敦煌莫高窟史研究》，兰州：甘肃教育出版社，1996年。

49　樊锦诗、马世长：《莫高窟北朝洞窟本生、因缘故事画补考》，《敦煌研究》1986年第1期；史苇湘：《敦煌莫高窟中的福田经变》，《文物》1980年第9期；樊锦诗、梅林：《榆林窟第19窟目连变相考释》，载敦煌研究院《段文杰敦煌研究五十年纪念文集》，北京：世界图书出版公司北京公司，1990年。

50　史苇湘：《敦煌莫高窟的宝雨经变》，载《1983年全国学术讨论会文集·石窟艺术编》（上），兰州：甘肃人民出版社，1985年；霍熙亮：《敦煌石窟的梵网经变》，载敦煌研究院编《1987年敦煌石窟国际讨论会论文集·石窟考古编》，沈阳：辽宁美术出版社，1992年。

研究和粉本的考释上，也有许多研究成果[51]。

敦煌石窟中佛教图像繁多，种类复杂，内容丰富。有显教图像，也有密教图像。对这些图像必须进行佛教图像学的辨识，对其所依据的佛典以及每类图像的佛教内涵和义理深入探究，进而揭示出一些信仰的发展和变迁，如对交脚造像、千佛图像、三身绀合像等。对它们的定名、蕴含的佛教义理、出现的缘由以及发展流变的深入研究，可以增进对我国大乘菩萨思想传播、弥勒信仰发展、净土思想兴衰的理解等等。[52]一些台湾地区和外国学者在此研究上也有很大贡献，如中国台湾的李玉珉，美国的阿部贤次、巫鸿等。[53]

敦煌石窟中保存的密教图像是敦煌艺术中的重要组成部分，"15世纪以前的藏传密迹，西藏地区保存甚少，现知保存较多且具系统的地点是莫高、榆林两窟。两窟藏传密迹又直接与所存唐密遗迹相衔接，因而又是探索唐密、藏密关系的极为难得的形象资料"[54]。据统计，敦煌石窟保存的密教经变和造像有数百铺，时代从盛唐至元代连绵不断。因此，其密迹图像数量之多、延续时间之长居我国石窟之冠。"无论研讨汉地唐密，抑或考察藏传密教，皆应重视敦煌、安西（瓜州）的遗迹，尤其是莫高窟遗迹。"[55]长期以来，这一研究很少有人涉足，但在这一时期，宿白、阎文儒等一些学者进行了探索，我院也发表了一批研究成果[56]。

对石窟中神话传说题材的进一步探讨。敦煌石窟艺术中的中国神话传说题材主要集中在西魏第249、285窟窟顶四披。如第285窟窟顶东披的伏羲、女娲，一说是"西魏至初唐时期，由中国传统文化与外来佛教文化相互融合而产生的一种混合创世说，已从中原传播到敦煌，西魏时期，以图像的形式进行了严谨优美的表现。"这是以中国神话传说题材表现佛教内容，伏羲即宝应声

51 （日）秋山光和：《牢度叉斗圣变白描粉本和敦煌壁画》，载《东京大学文学部文化交流研究施设研究纪要》第3卷第2期，1979年；《说话中的说话原文、画面构成及问题——从〈变文〉及绘画关系如手》，载《国际交流美术史研究会第八回·说话美术》，1989年。（日）百桥明穗：《敦煌的法华经变》，载神户大学文学部《神户大学文学部纪要》1986年第13期。
52 贺世哲：《敦煌莫高窟北朝石窟与禅》，载敦煌文物研究所编《敦煌研究文集》，兰州：甘肃人民出版社，1982年；《关于北朝石窟千佛图像诸问题》，《敦煌研究》1989年第3期；《关于敦煌莫高窟的三世佛与三佛造像》，《敦煌研究》1994年第2期；张学荣、何静珍：《论莫高窟和麦积山等处早期洞窟中的交脚菩萨》，载敦煌研究院编《1987年敦煌石窟国际讨论会论文集·石窟考古编》，沈阳：辽宁美术出版社，1992年。
53 李玉珉：《敦煌428窟新图像源流考》，《故宫学术季刊》1993年第4期；Stanly K. Abe, "Art and Practicing Fifth-Century Chinese Buddhist Cave Temple", Art Orientals, Vol.20 (1990), pp.1~31；巫鸿：《什么是变相——兼谈敦煌叙事画及敦煌叙事文学之关系》，载敦煌研究院《段文杰敦煌研究五十年纪念文集》，北京：世界图书出版公司北京公司，1996年。
54 宿白：《中国石窟寺研究》，"前言"，北京：文物出版社，1996年，第15页。
55 宿白：《中国石窟寺研究》，北京：文物出版社，1996年，第310页。
56 刘玉权：《榆林窟第3窟"千手经变"研究》，《敦煌研究》1987年第4期；彭金章：《莫高窟第76窟十一面观音考》，《敦煌研究》1994年第3期；《千眼照见千眼护持》，《敦煌研究》1996年第1期；《敦煌石窟十一面观音经变研究》，载敦煌研究院《段文杰敦煌研究五十年纪念文集》，北京：世界图书出版公司北京公司，1996年；《敦煌石窟不空羂索观音经变研究》，《敦煌研究》1999年第1期；王惠民：《武则天时期的密教造像》，载中山大学艺术学研究中心编《艺术史研究》，广州：中山大学出版社，1999年。

菩萨、女娲即宝吉祥菩萨[57]。另一说认为，伏羲、女娲图是来自中国的道家，象征日月，这是佛道思想互相结合在壁画上的表现[58]。在对中国神话传说题材的探讨中，各家百家争鸣，这实际上是对中国文化史和佛教民族化的研究具有重要意义。

对佛教史迹画的研究也有了很大发展。20世纪50年代，我国一些学者也开始对佛教史迹画进行了考证，如宿白的《敦煌莫高窟中的"五台山图"》、金维诺的《敦煌壁画中的中国佛教故事画》[59]。这一时期不仅有一画、一壁的局部研究，还有总体性探讨，如马世长的《莫高窟第323窟佛教感应故事画》、史苇湘的《刘萨诃与敦煌莫高窟》、孙修身的《莫高窟的佛教史迹画》等一系列文章[60]，不仅对敦煌的佛教史迹画的故事内容进行全面介绍，还从中西交通、佛教发展历史的角度做了详尽的考释。

在艺术方面，段文杰发表了《早期的莫高窟艺术》《唐代前期的莫高窟艺术》《莫高窟晚期的艺术》等一系列论文，探讨了敦煌艺术源流、各时期艺术成就、风格演变和特色以及雕塑、绘画技法，让我们对敦煌艺术有了一个宏观、系统的认识[61]。佛教石窟艺术本是一门宗教艺术，"宗教艺术首先是特定时代阶级的宗教宣传品，它们是信仰、崇拜，而不是单纯观赏的对象。它们的美的理想和审美形式是为其宗教服务的"[62]。史苇湘的《信仰与审美》《形象思惟与法性》《再论产生敦煌佛教艺术审美的社会因素》等论文，从美学高度研究阐释敦煌艺术，阐发了敦煌艺术的社会根源、美学特征和思想内涵[63]。英国的韦陀（Roderick Whitfield）、玛丽琳·丽艾（Marilyn M. Rhie）等国外学者，也对敦煌艺术的风格做了颇有见得的研究[64]。

敦煌石窟是古代文化的宝库，其中蕴藏着众多研究领域极为丰富的珍贵资料。在研究壁画佛教内容的同时，我国不同学科领域的学者十年来坚持对壁画中的服饰、建筑、音乐、舞蹈、交通、科技、民俗、图案等进行专题研究。如在建筑研究方面，从建筑类型入手，系统地研究了敦煌石窟洞窟形制和敦煌壁画中的建筑布局、成组建筑、单体建筑、建筑构件、建筑彩画，并结

57　贺世哲：《关于285窟之宝应声菩萨与宝吉祥菩萨》，《敦煌研究》1985年第3期；《莫高窟第285窟窟顶天象图考论》，《敦煌研究》1987年第3期；《石窟札记》，《敦煌研究》1999年第4期。

58　段文杰：《十六国、北朝时期的敦煌石窟艺术》，载氏著《段文杰敦煌艺术论文集》，兰州：甘肃人民出版社，1994年。

59　宿白：《敦煌莫高窟中的〈五台山图〉》，《文物参考资料》1951年第5期；金维诺：《敦煌壁画中的中国佛教故事画》，《美术研究》1958年第1期。

60　马世长：《莫高窟第323窟佛教感应故事画》，《敦煌研究》1982年试刊号；史苇湘：《刘萨诃与敦煌莫高窟》，《文物》1983年第6期；孙修身：《莫高窟的佛教史迹画》，载《中国石窟·敦煌莫高窟（四）》，北京：文物出版社、东京：平凡社，1987年。

61　《段文杰敦煌艺术论文集》，兰州：甘肃人民出版社，1994年。

62　李泽厚：《美的历程》，北京：文物出版社，1981年，第107页。

63　史苇湘：《信仰与审美》，《敦煌研究》1987年第1期；《形象思惟与法性》，《敦煌研究》1987年第4期；《再论产生敦煌佛教艺术审美的社会因素》，《敦煌研究》1989年第1期。

64　Roderick Whitfield: *The Art to Central Asia; the Stein Collection in the British Museum*，Tokyo: Ko-dansho Internationnal Ld., 1982～1985, Vol.1, pp.21～36；（美）玛丽琳·丽艾著、台建群译《公元618～642年敦煌石窟初唐佛教塑像和风格形成》，载敦煌研究院编《1987年敦煌石窟国际讨论会论文集·石窟艺术编》，沈阳：辽宁美术出版社，1992年。

合文献材料进行充分的论证，为建筑研究填补了空白[65]。在服饰方面，以时代为脉络，对敦煌壁画中丰富的服饰资料进行了分门别类的专题研究[66]。在图案研究方面，对敦煌壁画中各个时代的图案，进行图案纹样和结构形式的系列排比，在细致剖析的基础上，探讨了敦煌图案的结构、内容、风格的演变发展规律及其与中原、与西域的关系[67]。

佛教石窟艺术不是单纯的观赏对象，每个石窟中的一尊像、一铺壁画，将其精心组合布局，安排在同一个空间里，都有其特定的宗教含义和功能，不同时代又有不同的题材组合。因此，必须对每一洞窟的内容和艺术进行整体研究，了解这些作品在同一洞窟中主题组合的关系和佛教义理，以及将它们组合在一个洞窟内的社会历史原因。一些专家、学者在对敦煌石窟内容全面、深入探讨的基础上，对莫高窟第45、61、254、249、285、290、428窟等，榆林窟第25窟等一批不同时代的代表洞窟，以洞窟为单位，进行历史、艺术、佛教内容的综合研究[68]。一些台湾地区的专家、学者也成绩斐然[69]。

上述佛教内容与不同专题的研究成果，为近年开始的佛教类、社会类、艺术类的28个专题分门别类的研究打下了良好的基础。全方位的敦煌石窟专题研究，系统地汇集了敦煌石窟各专题的全部资料，并进行了全面、系统的整理和分析，揭示出敦煌石窟各个领域的丰富内涵和珍贵史料价值。这项研究成果，在新的世纪已由敦煌研究院和香港商务印书馆合作编辑出版的《敦煌石窟全集·专题篇》陆续出版。

（五）敦煌石窟与历史的研究

包括精神活动在内的人类一切活动，都是一种社会历史现象。敦煌石窟的产生、发展、衰亡，在社会历史的长河中有其自身的兴衰史。敦煌在历史上地位十分重要，可是正史记载既稀少又简略。一些学者通过对敦煌石窟的调查研究，结合敦煌文书和历史文献，研究石窟的营建历史，探讨了敦煌地区的社会史、佛教史、文化史、民族史、中西交流等，为研究敦煌历史增添了新的一页。

关于敦煌石窟的营建史，向达、宿白、金维诺、贺世哲等曾在不同时期，利用史籍、遗书、供养人题记、窟前发掘资料等，先后对莫高窟的建窟起源、洞窟营建、崖面使用和一些洞窟建造

65　萧默：《敦煌建筑研究》，北京：文物出版社，1989年。

66　段文杰：《敦煌壁画中的衣冠服饰》《莫高窟唐代艺术中的服饰》，载氏著《段文杰敦煌艺术论文集》，兰州：甘肃人民出版社，1994年。

67　关友惠：《敦煌莫高窟早期图案纹饰》，《兰州大学学报》1980年第1期；《莫高窟隋代图案初探》《敦煌研究》1983年（创刊号）；《莫高窟唐代图案结构分析》，载《1983年全国学术讨论会文集·石窟艺术编》，上册，兰州：甘肃人民出版社，1985年。

68　敦煌研究院、江苏美术出版社：《敦煌石窟艺术》（1～22册），南京：江苏美术出版社，1993～1998年。

69　李玉珉：《敦煌莫高窟259窟之研究》，载敦煌文物研究所编《台湾大学美术史研究集刊》1995年第2期；叶佳玫：《敦煌莫高窟隋代420窟研究》，台湾大学艺术史研究所，1996年。

的具体年代与窟主等问题，以及各个时期莫高窟营建的历史背景和营建活动等，都进行过分析和探讨。马德在继承前辈学者研究成果的基础上，对敦煌石窟4～11世纪的营建历史进行了全面考察，系统地叙述了莫高窟的创建、营造和发展的历史过程，写出了总结性的专著《敦煌莫高窟史研究》[70]。

关于敦煌石窟与敦煌世族的关系研究。4～11世纪，敦煌各个时期的各级统治集团、官宦、高僧、世族、民间社团、庶民家族、过往行客等各个阶层的各类人物都参与了莫高窟的营建。通过他们在各个时期对莫高窟的营建活动，可以深入理解他们之间以及与敦煌石窟的相互关系。如施萍婷的《建平公与莫高窟》，考证了建平公其人在敦煌的任职期间与敦煌石窟之间的关系，判明了建平公所开之窟为莫高窟第428窟[71]。史苇湘的《丝绸之路上的敦煌与莫高窟》《世族与石窟》，从总体上剖析了敦煌的索、阴、翟、李、张、曹等豪门大姓的族源，以及他们在政治、经济、军事、文化上的重要地位和相互姻亲关系，并探讨了绵延有绪的敦煌世家豪族与敦煌石窟营建千年不衰的关系[72]。贺世哲的《敦煌莫高窟供养人题记校勘》，贺世哲、孙修身的《瓜沙曹氏与莫高窟》等，从张氏、曹氏世系及归义军政权每位执政者的生平和在瓜（瓜州）、沙（敦煌）的统治入手，研究了他们的建窟活动与佛教信仰[73]。

关于敦煌石窟与少数民族的关系研究。通过对归义军时期张氏、曹氏世系及每位执政者在瓜（瓜州）、沙（敦煌）建窟活动的研究，揭示了他们与中原王朝和周边少数民族政权的关系。并通过西夏石窟壁画和西夏文材料，探讨了西夏党项羌统治瓜沙的历史状况，西夏政权的政治、经济、佛教，以及他们与汉族、吐蕃、回鹘的文化交往。从敦煌石窟划分出的一批回鹘洞窟[74]和出土的回鹘文书研究[75]，看到沙州回鹘为保存发展自身力量，东与中原、宋、辽、金王朝，瓜沙地区与曹氏政权、西夏政权，内部与甘州、西州回鹘的错综复杂关系，勾画了沙州回鹘的出现、发展、消亡的历史面貌。探讨了沙州回鹘的佛教和文化。并从历史、宗教民族等方面进行探讨分析，这对研究少数民族语言文字、敦煌石窟建造与少数民族的关系，研究吐蕃、回鹘、党项羌、蒙古等少数民族在敦煌的活动，以及各民族交往与关系、中西文化交流等都有重要意义。

此外，还对敦煌壁画中的出征仪仗制度、家具等进行了研究。敦煌石窟规模宏大，拥有800

70　马德：《敦煌莫高窟史研究》，兰州：甘肃教育出版社，1996年。

71　施萍婷：《建平公与莫高窟》，载敦煌文物研究所编《敦煌研究文集》，兰州：甘肃人民出版社，1982年。

72　史苇湘：《丝绸之路上的敦煌与莫高窟》《世族与石窟》，载敦煌文物研究所编《敦煌研究文集》，兰州：甘肃人民出版社，1982年。

73　贺世哲：《敦煌莫高窟供养人题记校勘》，《中国史研究》1980第3期；贺世哲、孙修身：《瓜沙曹氏与莫高窟》，载敦煌文物研究所编《敦煌研究文集》，兰州：甘肃人民出版社，1982年。

74　刘玉权：《瓜沙西夏石窟概论》，载《中国石窟·敦煌莫高窟（五）》，北京：文物出版社，1987年；《关于沙州回鹘洞窟的划分》，载敦煌研究院编《1987年敦煌石窟国际讨论会论文集·石窟考古编》，沈阳：辽宁美术出版社，1992年；《敦煌西夏洞窟分期再议》，《敦煌研究》1998年第3期。

75　杨富学、牛汝极：《沙州回鹘及其文献》，兰州：甘肃文化出版社，1995年。

余个洞窟，5万余平方米壁画，2000余身彩塑，营建期长达千年之久（4～14世纪），内容丰富，题材广泛。壁画佛教题材就有尊像画，本生、佛传、因缘故事，佛教东传故事，经变画和中国传统神话等五大类，每一类又可细分为十多种大小题材；社会文化科技内容有民俗、服饰、生产、科技交通、军事、体育；艺术内容有人物画、动物画、山水、图案、音乐、舞蹈、飞天、建筑等。上述壁画内容，为研究中古时期佛教、社会、文化、艺术、科技历史等提供了丰富的形象资料。

四

百年来，经过几代学者的不断努力，经历了资料登录整理、画面解读、内容考证、专题探讨、综合研究等，出版了一大批学术论著，为今后进一步深入研究打下了良好基础。21世纪的敦煌石窟研究拟在以下几个方面有待于加强。

第一，进一步做好资料工作。深入的研究要以占有充分的资料为基础，敦煌石窟已出版了不少图像资料，但是，都是局部的、片段的，要做深入、系统的专题研究或综合研究，还缺少系统的、全面的资料，这就必须细致地、系统地做好石窟资料的整理，尤其做好石窟档案。

第二，在20世纪敦煌石窟的佛教类、社会类、艺术类的各个专题都已开始研究，有的专题已有较深入的研究，成果显著。但总体上单个专题的研究还有待进一步加强。每一类专题的内容莫不材料丰富，时间绵长，都应该作为一部专史来研究。因此，每个专题都必须在现有的研究基础上，系统搜集、整理资料，综合文献分析考证，联系其他地区的同类资料，才能全面准确地解读壁画；深入认识敦煌石窟的价值和意义，也才能为敦煌石窟的整体研究、综合研究做好准备。这样才能充实和丰富中国佛教史、文化史、科技史的材料及其研究。

第三，每个洞窟都是由彩塑、壁画和建筑三者结合成的整体，其内容的组合与布局，都是按照中古时期当地的佛教思想和佛教信仰、艺术审美统一规划制作而成的。过去由于历史的和认识的局限，对点和面的研究较多，尽管已开始将洞窟作为整体进行研究，但这些研究有些是介绍性的，有的还深度不够。为了加强敦煌石窟的整体研究和综合研究，今后要加强对个体洞窟的基础研究，对每个洞窟进行佛教、艺术、历史的综合研究，探讨每个洞窟或每一组洞窟的题材内容、佛教思想、性质、功能、艺术特点等。

第四，敦煌处于古代中西交通咽喉之地，是东西文化的集散地，敦煌高度发达的汉唐文化是敦煌和河西走廊文化的根基；同时，敦煌又受到西面印度、西亚、中亚、西域文化的影响，周围又同少数民族有着密切的联系，千年的敦煌石窟就是东西方文化及多民族文化持续不断交流、融合、发展的产物。东西文化的交流和融合，渗透到敦煌石窟的建筑、彩塑、壁画的各个方面。敦煌文化有着丰富的东西文化交融形象材料，因此，作为中西文化交流产物的敦煌石窟，必须置于中西文化交流的大背景下进行研究。通过比较研究，找出内容和型式各个方面所受到的东西文化及多民族文化的具体影响，影响的具体来源、背景、路线、内涵，在中西文化的对比中，找出敦煌石窟自身独有的特点和价值。

第五，研究方法和手段要更新。由于敦煌石窟内容丰富、涉及学科广泛，为了推动敦煌石窟深入的研究，必须运用考古学、图像学、文献学等不同的研究方法进行研究，而且要多种学科、不同方法结合研究。敦煌石窟是一定历史条件下表现佛教思想的石窟艺术，石窟中的佛教图像是一种表象，要了解它深刻的思想内涵、文化内涵和艺术特质，就必须利用佛教典籍、历史文献、画史资料去分析探讨，因此，敦煌石窟的研究必须使历史、佛教、艺术结合起来进行综合研究。由于研究对象本身很强的多元性与综合性，有效地组织多种形式的合作，是非常必要的。只有这样才能去攻克重大研究课题，使石窟研究有新的突破。通常研究者个人的精力、时间、学识是有限的。现在研究成果不断大量涌现，现代的信息手段不断更新，为我们的研究工作提供了先进的手段，我们应最大限度地使用现代化的科技手段及时地沟通、交流、吸纳研究的新成果。

（原载于《敦煌研究》2000年第2期；又收录于《佛教艺术：2000年敦煌学百年特集》，日本每日新闻社，2000年）

回眸百年敦煌学，再创千年新辉煌

100年前，在中国敦煌地区，发生了一件人类文化史上的大事，这就是莫高窟藏经洞的发现。由于这一发现，在世界范围内形成了一门新的国际显学——敦煌学。斗转星移，岁月流逝，值此世纪之交的2000年，正逢敦煌藏经洞发现100周年，敦煌学已将走过百年历程，全世界敦煌学者和关心敦煌的人士都在关注着这一具有历史意义的时刻。回顾百年敦煌学历程，展望新世纪敦煌学的未来，是十分必要的。

1900年6月22日（清光绪二十六年五月二十六日），敦煌莫高窟下寺道士王圆箓，在清理今编第16窟的积沙时，于无意间发现了藏经洞（今编第17窟），出土了4~11世纪的佛教经卷、社会文书、刺绣、绢画、法器等文物5万余件。这是20世纪文化史上的一个重大发现。然而，在晚清政府腐败无能、西方列强侵略中国的特定历史背景下，藏经洞文物发现后不久，英国人斯坦因、法国人伯希和、日本人橘瑞超、俄国人奥登堡等外国探险家接踵而至，以不公正手段，从王道士手中骗取大量藏经洞文物，致使藏经洞文物惨遭劫掠，绝大部分不幸流散，分藏于英、法、俄、日等国的众多公私收藏机构，仅有少部分保存于国内，造成中国文化史上的空前浩劫。史学大师陈寅恪因此而慨叹："敦煌者，吾国学术之伤心史也！"

一、敦煌学的缘起

敦煌是古丝绸之路的咽喉，也是中西文化交流的主通道。季羡林先生指出："世界上历史悠久，地域广阔，自成体系，影响深远的文化体系只有四个，中国、印度、希腊、伊斯兰。而这四个文化体系汇流的地方只有一个，这就是中国的敦煌和新疆地区。"藏经洞文献的发现，使我们能够清楚地看到这几种文化的汇流及其产生的影响，从而使中国文化融入世界文化之中。中国古代文化的价值由于敦煌文献的发现而凸显出来，敦煌文献映射的博大精深的中国古代文明引起世界各国的广泛关注，在世界范围内产生了巨大影响。

藏经洞文献的发现，对20世纪学术研究的发展，意义更为重大。敦煌藏经洞出土文献，几乎包括了中国古代历史文化的各方面，称得上是百科全书式的文献。敦煌文献中所存早期禅宗文献，古佚经疏、疑伪经典、净土教及三阶教文献，是世所罕见的佛教典籍，不仅为佛教研究增添了新的内容，而且为佛教经典和佛教史的研究打开了新的门径。敦煌文献中摩尼教、景教文献的发现，为我们了解古代中西文化交流提供了重要历史证据。敦煌文献中的历史、地理著作，公私文书等，是我们研究中古社会的第一手资料。敦煌文献中保存的官私文书，也使敦煌地区晚唐、五代、宋初悄然淹没了近二百年的历史，再度为世人所知；同时，这些官私文书，都是当时人记当时之事，未加任何雕琢，完全保存原貌，使人们对中古社会的细节有了更深入的了解，对研究中古历史至关重要。敦煌文献中保存的大量古典文学资料更是引人注目。尤其值得一提的是，变文作为一种新的文学体裁，过去竟不为世人所知，幸赖敦煌变文的发现，才使这一问题水落石出，从而解决了中国文学史上许多悬而未决的问题。敦煌文献中的经、史、子、集四部书中，有不少是宋代以后佚失无存的孤本，这些佚书重见天日，对中国历史文化研究的意义自不待言。敦煌文献中的科技史料，则是中国科技史上的一朵奇葩，它不仅使我们体会到古代中国科学技术跻身世界先进行列，且敦煌文献本身就是一部完整的纸谱，标志着中国造纸术的发展历程。敦煌文献还保存了一些音乐、舞蹈资料，如琴谱、乐谱、曲谱、舞谱等，它不仅使我们有可能恢复唐代音乐与舞蹈的本来面目，而且将进一步推动中国音乐史、舞蹈史的研究。敦煌文献始于十六国，终于五代宋初，历时近七个世纪，因此，敦煌写本也是研究中国书法的活资料。敦煌文献中除大量汉文文献外，还有相当数量的非汉文文献，如古藏文、回鹘文、于阗文、粟特文、龟兹文、梵文、突厥文等这些多民族语言文献的发现，对研究古代西域中亚历史和中西文化交流有不可估量的作用。

敦煌文献的丰富内涵和珍贵价值，不仅受到中国学者的极大重视，而且吸引了世界许多国家的众多学者竞相致力于对它的研究，遂在20世纪形成了一门国际显学——敦煌学，在20世纪人文社会科学领域内大放异彩。

敦煌学是一门以地名命名的学科。最早使用"敦煌学"这个名词的是史学大师陈寅恪，1930年他在为陈垣《敦煌劫余录》一书所写的序中称，"敦煌学者，今日世界学术之新潮流也"。这一名称从此沿用下来，成为约定俗成的专用名词，为全世界所通用。敦煌学最初的研究对象，主要集中在新发现的文献及相关问题上，随着研究范围的扩大，凡与藏经洞文献以及敦煌石窟建筑、壁画、雕塑以至敦煌的历史文化等有关的，都成为敦煌学的研究对象。敦煌学是一门综合性的学科。

二、敦煌学的发展与繁荣

中国学者是敦煌学的开创者，早在1910年前后，罗振玉、王国维等著名学者就出版了第一批敦煌学著作，为条件所限，这一时期我国的敦煌学研究主要是收集、刊布敦煌学资料，罗振玉、王国维、陈寅恪、刘师培写了许多跋文，判断出许多写本的归属和价值，对归义军史研究和敦煌俗文学研究，也做了许多开创性的工作。从20世纪20年代开始，我国学者刘复、向达、王重民、姜亮夫、于道泉、王庆菽等人先后亲赴伦敦、巴黎抄录和拍摄敦煌文献，后来陆续出版以刘复《敦煌掇琐》为代表的一批敦煌学资料。在我国拥有敦煌文献的缩微胶片以前，这些资料是我国学者研究敦煌学的主要资料来源。这一时期，北京图书馆所藏敦煌文献也开始得到利用，出版了陈垣《敦煌劫余录》和许国霖《敦煌石室写经题记与敦煌杂录》。由于资料的增加，我国学者的研究也由原来简单的题写跋文、考证内容，变为利用新资料采用多种方法进行多种研究，涌现出一批有价值的研究成果。如王重民《金山国坠事零拾》、向达《罗叔言〈补唐书张议潮传〉补正》、郑振铎《中国俗文学史》等。

1944年，在于右任的建议下，国民政府成立了以常书鸿为所长的国立敦煌艺术研究所，它标志着中国敦煌学研究从文献整理研究扩展到敦煌石窟艺术研究。国立敦煌艺术研究所成立之后，随即开始了对莫高窟的保护工作。

中华人民共和国成立后，我国敦煌学研究条件得到进一步改善。1950年，中央政府将原敦煌艺术研究所改组为敦煌文物研究所，由文化部直接领导，使敦煌莫高窟得到了妥善保护。20世纪60年代初，通过国际交流，得到了英国所藏敦煌文献的缩微胶片，改善了研究条件，从而使我国的敦煌学研究取得了丰硕成果，尤其是敦煌石窟艺术的研究、壁画临摹及敦煌文学研究等方面，更是走在世界前列。尤其值得一提的是由王重民、刘铭恕等合编的《敦煌遗书总目索引》（1962年），这部索引包括了北京图书馆所藏敦煌遗书简目、斯坦因劫经录、伯希和劫经录、敦煌遗书散录四部目录，是我国学者所编的一部较完全、较准确的工具书，反映了半个多世纪敦煌文献研究的成绩，至今仍是敦煌学研究者必备的工具书。"文化大革命"期间，我国敦煌学研究初步发展的势头被迫中断。

1977年以后，我国的敦煌学研究获得了新生，特别是改革开放20余年来，以中国敦煌吐鲁番学会会长季羡林和敦煌研究院名誉院长段文杰为代表的中国学者，不懈努力，开拓进取，中国敦煌学研究出现了空前繁荣的景象。1984年1月经中共甘肃省委批准，决定在原文物研究所的基础上，扩大编制，增加经费，成立敦煌研究院。目前敦煌研究院已成为世界上最大的敦煌学研究实体。经过20多年的努力，中国敦煌学的研究队伍日益壮大，形成了老中青三结合的研究队伍，中青年专家正成为敦煌学研究的主力军。我国学者不断开拓敦煌学研究的领域，可以说，几乎人文社会科学领域的各个学科都有学者研究，诸如历史、地理、宗教、经济、民族、语言、文学、艺术等。敦煌学研究的范围还进一步扩大到自然科学领域，如数学、物理、化学、天文学、造纸术和印刷术、医学、交通等。我国敦煌学研究形成了领域广阔、结构庞杂、功能多样、个性独特的学科群。其中一些研究领域形成了完整的体系，并在敦煌石窟考古、敦煌石窟艺术、敦煌文学、归义军史、敦煌历史地理、敦煌社会史等方面的研究，明显处于世界领先水平。

1983 年以来，中国敦煌吐鲁番学会学术交流日益频繁，先后举办了 6 次敦煌学国际学术讨论会，敦煌研究院也先后举办了 5 次敦煌学国际学术讨论会。这些大型的学术研讨会，对推动我国敦煌学的研究起了十分重要的作用。除大型的学术研讨会外，其他形式的研讨会则更为活跃。中国敦煌学者多次去国外进行学术交流和艺术展览，英、法、日、俄、印等国家的学者也来我国进行敦煌学的研究和交流，外国学者的研究成果也大量翻译介绍到中国。

我国的香港、台湾地区也活跃着一支敦煌学研究队伍。港台地区近十多年来还举办了几次有影响的敦煌学国际学术研究会，进一步推动了港台敦煌学的研究。

国际敦煌学的研究始于 20 世纪初，法国在欧美国家中一直居领先地位。1920～1924 年，伯希和发表了六卷本《敦煌石窟》图册。第二次世界大战后，法国敦煌学研究有了进一步发展，研究成果大量出现。戴密微《吐蕃僧诤记》、谢和耐的《中国五—十世纪的寺院经济》，则是这一时期法国敦煌学的两大代表作品。对敦煌文献中少数民族文献的研究，是法国敦煌研究的一大特色。目前，以"敦煌文献研究组"为代表的法国敦煌学研究机构和学者，仍在继续进行敦煌文献的整理刊布与研究工作。

英国也是敦煌文献和文物收集的重要地方，因而也有一批学者在研究。近年来，英国不列颠图书馆、伦敦大学亚非学院和中国社会科学院历史研究所、中国敦煌吐鲁番学会合作，在中国大陆出版了《英藏敦煌文献·汉文佛经以外部分》，收录了不列颠图书馆、印度事务部图书馆和英国博物馆所藏全部汉文社会文书及绢纸绘画上的汉文题记。

苏联有计划地开展敦煌学研究，是从 1957 年在列宁格勒东方学研究所设立敦煌学研究组开始的。近年来，俄罗斯方面与上海古籍出版社达成协议，在中国大陆陆续出版《俄藏敦煌文献》，奥登堡早年考察敦煌的笔记也即将由上海古籍出版社出版，这将更进一步推动国际敦煌学研究。

日本的敦煌学研究始于 1909 年。当时，罗振玉把在北京看到的伯希和所获敦煌写本的情况，函告京都大学教授内藤虎次郎，立刻引起日本东方学界的极大关注。二战以前，日本的敦煌学研究主要是收集、整理和刊布资料，并在一些研究领域取得初步成果。从 20 世纪 50 年代中期开始，因为找到了一度不知去向的大谷文书，又得到伦敦、北京所藏敦煌文献的缩微胶片，日本的敦煌学研究又进入一个高潮。在京都，石滨纯太郎等人组成了西域文化研究会，其研究成果汇编成六卷本的《西域文化研究》，被誉为是包括敦煌学在内的日本中亚研究的金字塔。70 年代以来，在获得更多的文献资料的基础上，日本的敦煌学研究向更深、更广的方面发展，并在佛教研究、社会经济史研究和法制文书研究等方面形成日本敦煌学的特色。1980年开始编纂并陆续出版的13卷本巨著《讲座敦煌》，是一项规模宏大的集体合作研究成果，日本几乎动员了全国的敦煌学家，因而《讲座敦煌》是一部质量上乘、全面综合敦煌学研究成果的著作。

此外，匈牙利、荷兰、挪威、瑞典、意大利、德国、美国、加拿大、澳大利亚、新加坡、韩国、印度等国，都有学者在从事敦煌学研究，在世界范围内形成敦煌学研究热。

三、敦煌学的明天

回眸百年敦煌学历程，敦煌学研究取得了举世瞩目的成就。如果说敦煌学以丰硕的成果为过去的世纪画上了圆满的句号，那么，2000年藏经洞发现百年之际，将是新世纪敦煌学更加辉煌的奠基礼。

展望21世纪敦煌学，我们认为需要做好以下几方面的工作。

第一，要多视角，在更大范围内采取多学科相互交叉、渗透、对比的方法，拓展研究领域，寻找突破口，推动敦煌学研究向纵深发展，这将是新世纪敦煌学的主要任务。

第二，利用先进的科学技术手段，如可以通过电脑，更逼真、更形象地模拟和表现一些成果，如可以利用3D Max、Photoshop、Authorware等工具或软件将莫高窟遗址变迁、第61窟"五台山图"等制成多媒体；还可以利用电脑对破碎的文献进行缀合，而将各种资料制成专用大型数据库，将大大方便研究者调用和信息传输交流。

第三，继续调查、收集藏经洞散失文物，真正搞清藏经洞出土文献的准确数字；系统总结百年来敦煌文献研究成果，出版一批系列专著和系统的著作，以及敦煌社会历史文书大全或汇校本，全面反映多年来研究和识读、校释、注解的成果，为研究者提供一个准确、权威的敦煌文献读本；在一些领域需要加强研究力度，如佛教美术、敦煌音韵、敦煌神秘文化、少数民族语言文献、敦煌社会思想文化、敦煌民俗等。

第四，把敦煌石窟艺术置于整个世界文化传播和发展的大潮流以及佛教文化传播圈大背景下，研究其发生、发展和传播；要联合全国各地的石窟单位和美术史家，从宗教和世俗文化传播的角度，围绕佛教东渐的时代、传播方式、脉络等问题，展开全面、系统的研究，解决敦煌艺术在中国美术史中的地位以及敦煌艺术史研究薄弱的问题，概括出敦煌艺术的特点和由来；要从思想史的高度研究敦煌石窟艺术所体现的各个历史时期人们的心灵轨迹；组织国内外的专家，通过对整个佛教东传路线上一切佛教石窟及其美术的比较研究，揭示艺术发展、变化的脉络和规律。

第五，在敦煌石窟考古研究方面，首先要进一步做好敦煌石窟资料的整理工作，在此基础上，加大专题研究的力度。每个专题都必须在现有的研究基础上，系统搜集、整理资料，结合文献分析考证，联系其他地区的同类资料，才能全面准确地解读壁画，也才能为敦煌石窟的整体研究、综合研究做好准备。为了加强敦煌石窟的整体研究和综合研究，今后要加强对个体洞窟的基础研究，对每个洞窟进行佛教、艺术、历史综合研究，探讨每个洞窟或每一组洞窟的题材内容、佛教思想、性质、功能、艺术特点等。在中西文化交流的大背景下，通过对敦煌石窟的比较研究，找出它从内容到形式各个方面所受到的东西文化及多民族文化的具体影响，找出它自身的特点和价值。

保护好敦煌石窟以及壁画，这是进行深入研究的前提。利用高科技将壁画信息存储于计算机内，不仅能使壁画得到永久保护，避免因褪色和自然损坏而造成无法弥补的损失，而且可以通过网络做到资料共享，使全世界的学者都可以调用壁面信息，进一步推动石窟研究。建立各个洞窟的详细档案，如窟型、内容、时代、病害等，将保护、修复、研究等，纳入更加科学、更加完备、更加严格的轨道。

第六，创造敦煌学新的辉煌，人才是关键。在新世纪，要把人才的培养当作头等大事来抓，做到不断有敦煌学研究的新人才充实到研究队伍里，保持和稳定一批既献身敦煌学研究，又具有高学历、高素质的综合人才。中国作为敦煌学的故乡，还要采取"送出去、请进来"的方法，向世界各地输送敦煌学研究人才。

第七，文化的普及是敦煌学繁荣的基石。近年来，在敦煌文化的普及上做了不少工作，如敦煌文学、艺术的创作，敦煌医学的临床应用，敦煌系列的艺术品、工艺品的创作等，但还远远不够。只有将根深植在大众当中，敦煌学发展繁荣的天地才会越加宽广。今后，应结合旅游，探索出宣传、普及敦煌文化的有效手段和方法，使敦煌学的基础更深厚。

第八，"敦煌在中国，敦煌学在世界。"作为一门世界性的学问，只有各国学者共同努力，才能实现新的突破和发展。为此，世界各地学者间要加强合作与交流，在资料共享、共同承担研究课题、协同攻关、培养人才等方面创造一些合作的机会和条件，互相促进，共同实现学术繁荣。

第九，随着西部大开发的逐步实施，人们对西部的关注会越来越多，西部深厚的文化积淀、神奇的自然景观和人文景观对外界无疑具有非常大的吸引力。在人文社会科学中有着显赫地位的敦煌学要为西部大开发服务，这是敦煌学研究者责无旁贷的任务。

（原载于《群言》2000年第7期）

锐意进取，谱写敦煌学术事业新篇章

盛世修典，盛世兴学。今天，我们聚集在这里，回顾敦煌学百年风雨历程，展望未来美好前景，可谓恰逢其时。提到敦煌学学术发展的历史，我们不能不提到敦煌研究院的发展历史。敦煌研究院的诞生、发展和壮大的历史，在一定程度上讲，是与中国敦煌学发展的历史紧紧联系在一起的。经过几代人筚路蓝缕，矢志不渝地奋斗，它从一个最初只有十几人的机构，发展成一个世界上最大的敦煌文物的专门性的保护和研究机构，以"保护、研究、弘扬"为己任，为敦煌文物的保护事业和敦煌学学术的发展做出了应有的贡献。据不完全统计，仅在敦煌学学术研究方面，截至2001年底，敦煌研究院共出版各类出版物180多种，发表各类文章2600多篇，并且较早创办了国际敦煌学界唯一定期发行的学术刊物《敦煌研究》，举办了四届敦煌学国际学术研讨会，尤其是2000年"纪念藏经洞发现100周年国际学术研讨会"被誉为敦煌学百年的"世纪盛典"。几代敦煌人用自己的智慧和汗水，为中国敦煌学走向世界做出了自己的努力，赢得了海内外大多数有志之士的肯定。敦煌学人所做出的一切，犹如涓涓细流，已汇入百年敦煌学发展的历史长河中，是敦煌学史的宝贵财富。

但是，成绩只能代表过去。在当今知识全球化、信息化的大趋势下，作为世界上最大的敦煌学研究实体，我们敦煌研究院应该如何应对，如何才能创造新的辉煌呢？记得20世纪30年代，陈寅恪先生曾说过："一时代之学术，必有其新材料与新问题。取用此材料，以研求新问题，则为此时代学术之新潮流。""敦煌学者，今日学术之新潮流也。"今天，当我们重温陈先生这些具有远见卓识的话语时，又一次深刻地感受到这位具有世界性视野的学者对于国际敦煌学发展趋势的把握。今天我们来理解，新材料与新问题，指的就是学术资料的信息化和研究方向、研究手段的更新与发展，这也正是21世纪敦煌学学术发展的必然要求。

　　我们深刻地认识到，敦煌学学术事业的发展也应该与时俱进，勇敢地迎接挑战。针对当今国际学术研究发展的新形势，敦煌研究院将在保护文物安全的前提下，把21世纪初研究工作的重点集中到信息化建设、研究手段创新和复合型人才培养等三个方面。

一、大力加强信息化建设

　　21世纪，是高度信息化发展的时代，没有信息化的发展，就谈不上在事业上更上一层楼。在一个新的学术成果层出不穷的时代，完整、可靠、快速地获取学术信息和资料成为未来能否在激烈的竞争中立于不败之地的有力保证。一个面向国际的敦煌研究院必须有一个与之相适应的信息化服务系统。在这种情况下，建立一个可靠而方便的信息交流平台，就显得更为重要。一方面保护和研究须面向世界，追踪世界前沿信息，加强国际交流，吸引更多的机构和学者进行合作研究；另一方面，还要不断公开和展示我们自己的研究成果。所以，一个好的信息服务体系是敦煌研究院真正面向世界，创造新的辉煌的标志。

　　对此，我们从20世纪80年代中期，就开始进行信息化的建设。在21世纪，在总结经验的基础上，敦煌研究院信息工作主要集中在电子资料数据库建设、网络建设、洞窟档案数据化建设三个方面。

　　信息化的时代要求，首先体现在资料信息工作方面。对于学术研究来讲，资料是一切研究工作的基础。院资料中心对文献信息资料的存贮、积累和利用水平不仅反映敦煌学研究和发展总体水平，同时，还是研究院科研创新能力、知识储备能力和信息占用能力的重要标志。

　　传统意义上的资料工作，包括以图书、档案为载体的文字和图片两类。过去，依靠传统手段，在资料的利用上存在许多困难，没有充分发挥图书资料的效益。

　　为了适应新的形势，信息资料工作将是我院工作的重点之一。建立图文数据库、电脑查询系统、电子档案系统、壁画数字化存储系统，包括建立局域网系统等等。目前敦煌研究院资料中心藏书刊10万多册，其中线装书3.5万多册，专业期刊近100多种，其中有大量的孤本、珍本，在敦煌学界享有盛誉。从去年开始，首先对馆藏中文图书进行了数据库建设。经过比较，我们选择了深圳大学图书馆软件系统，经过几个月的奋战，于去年底完成了敦煌研究院院部5万余册中文图书的数据库建设，实现了传统图书馆工作的计算机管理，使传统图书馆的业务工作达到符合国家信息处理标准的计算机管理，大大简化了借阅程序，方便了学者。这个系统并与院内局域网相联，读者可在各部门分散的工作站查询和检索。今年还将完成对兰州分院2万多册中文图书的数据库建设，同时开始中文期刊的数据库建设。我们计划，到2003年12月对全部10万多册馆藏敦煌文献进行主题分析，标引处理，制作网页，建立研究藏经洞发现文献研究资料库，实现网上模拟传统检索方法，利用人工语言进行主题检索。在这方面，我们的最终目标是增加图书和期刊的收藏量。在已有传统资料中心图书、刊物和敦煌学资料整理的基础上，建立现代化的敦煌学电子图书资料信息数据库，实现信息资料的电子阅览和信息共享，使之成为权威的国际性的敦煌学资料信息库之一。不仅满足本院专业人员的需要，还要面向全国，面向世界，对外提供咨询服务。

第二步，建立学术档案数据库，初步构想以著者目录和专题目录为起始。关于著者数据库的建设，我们早在20世纪90年代初就开始了。经过10多年的积累和整理，已经初步建立了一整套完整的学术档案数据库，而且大多数已经电脑化。我们计划在2004年敦煌研究院建院六十周年庆典之际，首先建立起"敦煌研究院学者学术档案"数据库。同时，逐步开始建立专题研究档案数据库，把资料的服务推到一个更高的层次。我们计划在第一阶段的基础上，充分利用局域网的优势，争取实现部分图书的网上查阅。同时，作为未来的发展战略之一，在解决了知识产权等技术问题后，按数字化图书馆的要求，利用扫描及数码摄像等手段建立专题资料数据库及多媒体数据库，逐步建立起全文数据库，实现敦煌学研究文献资料的信息处理。

院信息化建设的第二个重点，就是加强网络建设。敦煌研究院网络化工作起步较早。1993年同兰州大学计算机公司合作建设第一批莫高窟局域网系统，并配置了386、486微机系统。从1995年开始，不断进行升级换代，尤其近两年来，进一步加大了网络和信息化建设投入，现已建成光纤骨干网和快速专线互联网接入，共有60多台电脑。通过引进和合作开发，建立起了石窟档案系统、资料中心图书编目查询系统、敦煌研究院网站等若干信息系统，在信息化的建设上已经迈出了可喜的一大步。面对未来敦煌学发展的深层要求，未来敦煌研究院的网络系统建设还将在以下几个方面进一步深入：①继续进行莫高窟高速骨干网的建设，建成通达院属各部门的光纤骨干数字网；②敦煌研究院信息网站是研究院信息发布、宣传和对外交流的窗口，将来增加宽带网建设，不断充实网站内容，及时更新网站网页，并提供新的服务，使其成为敦煌学研究人员的信息交流的得力平台和宣传敦煌文化的有效手段。

石窟档案是石窟保护、研究的重要信息资料。作为信息化建设的重点之一，早在90年代，通过与甘肃省计算中心的合作，我们已经建立了一个石窟档案信息库，将传统文字、图片档案存入计算机数据库中。通过与国内外合作，石窟档案的数字化正顺利地进行。目前我们通过与浙江大学、美国梅隆基金会、美国西北大学等机构卓有成效的合作，已经做成了约25个洞窟的数字化档案存储数据库，我们还将继续这一工作。同时，实现各类文物档案的数字化管理，建立洞窟文物、馆藏文物与临摹品数据库。使用高新技术，记录、贮存和运用文物资料，把多年积累的图书和底片进行数字化存储和管理，在此基础上建立专门的石窟摄影资料信息库，把敦煌研究院长期以来保存的大量摄影底片资料进行数据库的管理。总之，建立石窟电子档案及摄影图片数字存储系统，其最根本的目的是建立统一的敦煌研究图像信息中心，以便永久保存我院现有的与不断补充的石窟文物图像资料，为我院乃至国内外敦煌学交流提供服务。

要顺利实现上述信息化建设的宏伟蓝图，组织和机构建设是重要的保证之一。为此，我院计划在各方面条件具备的时候，成立敦煌研究院信息中心。

二、积极更新研究方法和手段，走学科交叉之路

虽然经过几代学人的不懈努力，敦煌研究院在石窟内容考证、艺术风格探索和敦煌文献整理与综合研究方面硕果累累，做出了辉煌的成就。但是，敦煌石窟及藏经洞出土文物中所蕴含的古代文化各个领域巨大的历史信息仍需进一步探讨、解读，要求我们必须进行更深层次的研究。这就对拥有敦煌学研究各领域专门人才的敦煌研究院提出了更高的要求。传统研究方法上的单打一或者"画地为牢"式的研究方法，已经无法完成历史赋予我们的光荣使命。在新世纪我们仍然把敦煌石窟的研究作为我院在国际敦煌学术中的主攻方向，能否在敦煌学学术研究上取得更大的辉煌，研究手段的创新是关键。我们将发挥自身优势，在研究方法和手段上进行战略性调整与更新，走学科交叉、文理并举的综合研究之路。具体讲来有两个方面，一是文献研究与石窟研究相结合，二是人文社会科学研究与自然科学相结合。

在过去的敦煌学学术研究中，虽然文献研究与石窟研究这二者并没有截然分开，但我们总是自觉或不自觉地将这两个研究领域划分开来，我是搞文献的，他是搞石窟的；我是搞艺术的，他是搞考古的等等。这种"画地为牢"式的研究方法极大地阻碍着我们对一些重大问题的深入研究和探讨。百年来敦煌学发展的历史证明，只有文献研究与石窟研究相结合才会有较大的突破性成果，即走敦煌文献与敦煌壁画研究相结合的路子，以文献求证壁画，以壁画说明文献。

当然，我们都不可能是全才，而且一个人的生命是有限的，精力是有限的。但是，我们可以通过做课题来进行互补。在制定研究院2000~2005第十个"五年规划"的时候，我们也从这一角度组织课题，不仅将石窟考古、艺术专业的研究人员组织起来，而且吸收文献研究方面的人才，实行联合攻关，发挥各方面的优势。目前我们在洞窟营建史、洞窟分期排年以及敦煌佛教文化的研究上，以及专题研究方面等等，都在有意识地进行这样的工作。今后，我们将更充分发挥自身的优势，通过细致、系统的资料整理和考古图像、文献等多学科，将敦煌石窟研究和敦煌文献研究相结合，形成具有特色的研究领域和方向。正是意识到学科交叉将是未来敦煌学学术发展的一大趋势，所以，作为目标之一，我们将对敦煌研究院的研究机构内部进行调整，打破部门（研究所）界限和专业界限，成立综合性的"研究中心"，整合各方面的研究力量，集中攻克难题、大题。

研究手段更新的另一个重大举措就是将自然科学和社会科学的研究手段结合起来。我院有一支高素质的专门的保护研究队伍，拥有一批学有专长的高学历队伍。我们将充分利用这一优势，

将其引入社会科学研究中来。在这一方面，我们已经开始了工作。在为宿白先生执教纪念论文集撰写的《从莫高窟的历史遗迹探讨莫高窟崖体的稳定性》一文中，我们首次将地质学专业和石窟考古两个方面结合起来，解决了一些长期以来难以用社会科学手段解决的难题，阐明了莫高窟崖面变化的地质原因，用科学的数据提供了很有说服力的证据，在这一方面做出了一些有益的尝试。为此，我们将这种文理结合的研究方法进一步推广开来，准备在国家文物局的重点课题《敦煌石窟的保护和利用》中，将自然科学手段和人文科学手段二者结合起来，走出一条文理结合的道路。在"莫高窟第275窟报告"课题中，我们积极引入高科技手段，不仅尝试用数字化方式再现壁画，还积极吸收化学分析手段对壁画颜料进行分析，以便我们的结论能够建立在科学的基础上。同时，我院也有意识地在这方面开辟课题。例如我院保护研究所和美术研究所合作课题"莫高窟205窟洞窟复原再现"，就是将保护所长期以来的自然科学成果——壁画颜料的化学分析成果与洞窟的美术研究相结合，利用自然科学成果为美术研究服务。

我们希望，通过这两项重大的战略举措，能够对我们的研究事业有一个大的推动，创造新的辉煌。

三、大力培养复合型人才

21世纪的竞争，是人才的竞争。同样，创造敦煌学的新辉煌，人才是关键。作为专门的敦煌学研究机构，敦煌研究院深深地认识到了这一点。学科交叉是未来敦煌学事业发展的一大趋势。机构的调整只是一个方面，上面讲到的两点创新，归根到底都离不开专门的人才，拥有一支高素质的复合型人才队伍是我们事业能够创新的关键。因此，培养既懂文博业务又有现代管理知识的专业管理骨干队伍，既熟悉石窟文物又懂文献的高素质研究人才，就成为我们目前的紧迫任务。为此，我们正在积极开展人才战略，下大力气培养具有国际视野的复合型人才。

首先，努力创造利于优秀人才脱颖而出的良好环境，做到在事业上留住人，在感情上打动人，在生活上关怀人，鼓励多出成果，多出学术精品。积极改善研究人员的生活条件，提高他们的生活待遇，在事业上为他们的发展积极创造条件。通过国际国内合作，提高专业人员的业务水平；鼓励青年专业人员继续攻读硕士、博士学位；创造条件，送到国外专业单位深造等等。

1998年，我院与兰州大学联合申报的敦煌学博士学位授权点获得通过，建立了国家第一个敦煌学博士点，由双方共同出师资；从1999年开始招生，到目前为止，共招收了四届博士生共21人。本专业为博士生建立了一个完整的课程体系和培养方案；采取双导师制度，由来自兰州大学和敦煌研究院两方的专家实行交叉授课。讲授敦煌石窟和文献课程，每年定期到敦煌莫高窟实地考察，并且将有关敦煌石窟艺术的课程放在洞窟中讲授。为了加强敦煌石窟的整体研究和综合研究，在博士的论文选题或课题研究上，一方面，加强对个体洞窟的基础研究，对每个洞窟的内容进行全面、系统、深入的研究，探讨每个洞窟或每一组洞窟的题材内容、佛教思想、性质、功能、艺术特点等，力求客观地提示彼此之间的真实关系。另一方面，将敦煌石窟中同类题材或具有同一思想文化背景的经变、图像，进行佛教、艺术、历史的综合研究，将其放在东西文化交融的背景下和中国历史的长河中进行宏观考察，揭示出敦煌石窟独有的特点和价值。在研究方法上，不仅强调石窟研究与敦煌文献研究相结合，而且，运用考古学、图像学、文献学等多种学科、不同方法结合研究。由双方共同培养的第一届博士已经毕业。1999 年，敦煌研究院与兰州大学联合申报教育部人文社会科学重点研究基地——兰州大学敦煌学研究所。通过双方合作，优势互补，联合承担起了一些大型课题的研究工作。到目前为止，共承担教育部重点研究基地项目四项：敦煌区域史地文献专题研究、俄藏敦煌文献整理与研究、敦煌石窟艺术专题研究、敦煌石窟考古专题研究等课题。集教学、科研为一体，融石窟研究和文献研究为一家，真正培养出敦煌学研究领域的复合型人才。

其次，在院内，进一步强化学术委员会的各项职能，由学术委员会担当各类业务成果质量评价任务，提高学术研究的总体水平；加强国内外学术交流，活跃学术气氛，推动学术研究；对科研成果突出者给予重奖；改进我院中青年优秀成果奖的评选办法，在项目和经费上对中青年科研人员给予倾斜，激励中青年优秀人才脱颖而出；设立出版基金，资助优秀科研成果；确立一批业务骨干和学术带头人；逐步实行评聘分开、职称职务能上能下的灵活的用人机制。我们将要采取以下主要措施：增加投入，培养各级各类人才；争取在 2001～2010 年初步涌现一批在全国乃至国际上较有影响的专家学者和青年学术带头人，为敦煌学事业的持续发展输入新鲜血液和活力。

站在敦煌学学术发展史的又一个新起点上，我们深知，成绩只能代表过去，辉煌却永远属于富有进取心的人们。"路漫漫其修远兮，吾将上下而求索"，我们将继续发扬敦煌学开拓者们艰苦奋斗、无私奉献的光荣传统，在 21 世纪与时俱进，锐意进取，谱写敦煌学学术史上的新篇章。

（本文为 2002 年"国际敦煌学学术史研讨会"提交的文稿）

21世纪敦煌石窟研究的方向

一个世纪来，经过几代学者的不断努力，敦煌石窟研究经历了资料登录整理、画面解读、内容考证、专题探讨、综合研究等，逐渐实现了与现代艺术史、现代考古学和文献学方法的成功结合。出版了一大批学术论著，在敦煌石窟研究中取得了丰硕成果，也为今后进一步深入研究打下了良好基础。陈寅恪先生曾说过："一时代之学术，必有其新材料与新问题。取用此材料，以研求问题，则为此时代学术之新潮流。"在新的世纪，我们所理解的"新材料与新问题"指的就是学术资料的信息化和研究方向、研究手段的更新与发展，这也正是21世纪敦煌石窟研究发展的必然要求。

一、加强基础性资料工作

深入的研究要以占有充分的资料为基础。敦煌石窟已出版了不少图像资料，但是，多是局部的、片段的，要做深入、系统的专题研究或综合研究，还缺少系统的、全面的资料，这就必须细致地、系统地做好石窟资料的整理，尤其要做好石窟纪录档案。这样既对石窟资料做了档案工作，为国家留下完整的档案资料，也为石窟研究提供了全面、系统的资料。

20世纪《敦煌莫高窟内容总录》《敦煌石窟内容总录》《敦煌莫高窟供养人题记》等石窟内容和文字的登录资料，《敦煌莫高窟》《敦煌石窟艺术》等以石窟经典画面为主的图册，成为很长一段时间里人们研究敦煌石窟的主要依据。但是，每个洞窟的形制，洞窟中的一尊塑像、一铺壁画，将其精心组合布局，安排在同一个空间里，都有其特定的宗教意涵和功能。不同时代既有不同的洞窟形制，又有不同的题材组合；同样，石窟中绘塑的每一内容，既有自身的内在含义，又有其共存关系。因此，随着石窟研究的不断深入，现有的登录资料已不能反映一个洞窟的详细内容及相互关系。经典图录也不能全面反映一个洞窟的形制结构、绘塑内容以及它们之间的共存关系，这些资料已不能满足对石窟深入研究的需要。要对每一洞窟的内容和艺术进行整体研究，了解这些作品在同一洞窟中组合的关系和佛教义理，以及将它们组合在一个洞窟内的社会历史原因，每一洞窟的科学纪录性分窟报告，就一直为学术界翘首以盼。

分窟的纪录性石窟报告，是对敦煌石窟基础性、多手段、全信息量的资料工作。这项工作必须对每个洞窟的建筑、彩塑、壁画，以及附着的题记、碑刻、铭记等全部资料，采用测量、绘图、照相、文字等记录手段，进行全面、系统、科学地收集整理，并对洞窟的创建、改建和年代，彩塑和壁画的布局、题材、内容、特点、制作及其内在关系等如实反映和研讨。敦煌石窟是重要的佛教文化遗迹，为了永久地保存和利用这些珍贵的资料和历史文化信息，就必须有计划地做好敦煌石窟考古报告工作。

这是一项十分重要的基础研究工作，也是一项艰巨浩繁的系统工程。莫高窟北区石窟，经过科学的清理发掘和整理研究，系统完整的记录报告已经完成，并付梓出版。为了全面、系统、科学地保存敦煌石窟资料，推动敦煌石窟全方位深入地研究，满足国内外学术机构和学者对敦煌石窟资料的需求，敦煌研究院根据敦煌石窟洞窟分布排列及石窟形成过程的复杂因素，以洞窟建造的时代前后序列为脉络，以重点洞窟为中心，结合洞窟布局形成的现状，拟定了编辑出版多卷本《敦煌石窟全集》的长远规划。现在已组织研究和技术人员，对敦煌莫高窟北朝时期的几组洞窟，进行了测量、绘图、照相、文字记录，开始编写记录性考古报告，探讨洞窟的时代和特点，为下一步石窟研究做准备。

二、石窟内容的研究

（一）综合研究与专题研究

敦煌石窟的研究既要加强广度、深度的综合研究，也要加强其个案和专题研究。每个洞窟都是由彩塑、壁画和建筑三者结合成的整体，其内容的组合与布局，都是按照中古时期当地的佛教思想和佛教信仰、艺术审美统一规划制作而成的。过去由于历史和认识的局限，对点和面的研究较多，尽管已开始将洞窟作为整体进行研究，但这些研究有些是介绍性的，有的还深度不够。为了加强敦煌石窟的整体研究和综合研究，今后要加强对个体洞窟的基础研究，对每个洞窟进行佛教、艺术、历史的综合研究，探讨每个洞窟或每一组洞的题材内容、佛教思想、性质、功能、艺术特点等。

20世纪，通过调查、整理、考证、研究，使敦煌石窟中蕴藏的丰富内容、悠久历史、艺术价值，逐渐得以揭示、说明、解读。众所周知，整体研究和综合研究都是在具体的个案研究的基础上建立起来的，洞窟中绘塑的每一个细小内容，都值得我们做深入、细致的探讨。因为，它们都有出现、形成、发展和演变的过程，在每一过程中又蕴含着必然的条件和背景。在这一方面，一些国外学者，尤其是日本的研究方法值得我们学习和借鉴。20 世纪敦煌石窟的佛教类、社会类、艺术类的各个专题都已开始研究，有的专题已有较深入的研究，成果显著。敦煌研究院与香港商务印书馆合编的《敦煌石窟全集·专题卷》是集大成者。但这仅是一个初步工作，总体上每个专题的研究还有待进一步加强和深入。每一类专题的内容莫不材料丰富，时间绵长，都应该作为一部专史来研究。因此，每个专题都必须在现有研究的基础上，系统搜集、整理资料，综合文献分析考证，联系其他地区的同类资料，才能全面准确地解读壁画，才能深入认识敦煌石窟的价值和意义，才能为敦煌石窟的整体研究、综合研究做好准备，不断充实和丰富中国佛教史、文化史、科技史的材料及其研究。《敦煌净土图像研究》《敦煌壁画艺术与疑伪经——以传统文化为中心》等，都是在《敦煌石窟全集·专题卷》基础上，对一些专题进一步深入研究的成果。

（二）区域石窟及中外石窟研究

敦煌处于古代中西交通咽喉之地，是东西文化的集散地，敦煌高度发达的汉唐文化是敦煌和河西走廊文化的根基；同时，敦煌又受到西面印度、西亚、中亚等文化的影响，东面受中原文化的影响，周围又同少数民族有着密切的联系，千年的敦煌石窟就是东西文化及多民族文化持续不断交流、融合、发展的产物。

敦煌石窟群主要以敦煌莫高窟、西千佛洞和瓜州榆林窟为主，另外还有瓜州东千佛洞、水峡口下洞子石窟，肃北五个庙石窟、一个庙石窟，玉门昌马石窟等。它们分布于今甘肃省西部的敦煌市、瓜州县、肃北蒙古族自治县和玉门市境内。因其主要石窟莫高窟位于古敦煌郡，各石窟的内容和艺术风格又同属一脉，故总称为敦煌石窟。另外，还有相邻的酒泉文殊山石窟，东部的张掖金塔寺、马蹄寺石窟，武威天梯山石窟等中小石窟，与敦煌石窟同处于河西走廊，由于具有共同的地理环境和历史背景，与敦煌石窟的内容和艺术风格都有着天然的、密切的联系。因此，为了在 21 世纪推进敦煌石窟研究，包括公布敦煌石窟在内的河西中小石窟的完整资料也势在必行。

在敦煌石窟考古报告进行的同时，也必须对河西中小石窟资料进行全面、完整的公布，进行测量、绘图、照相、文字记录，编写科学的记录性考古报告。近年由甘肃省文物局组织正在进行的甘肃中小石窟的调查与研究，无疑适逢其时，适应了这一形势的需要。因此，以敦煌石窟艺术为中心的河西佛教石窟寺的区域研究，将会极大地推动敦煌石窟的研究。

同时，东西文化的交流和融合，也渗透到了敦煌石窟的建筑、彩塑、壁画的各个方面。敦煌文化有着丰富的东西文化交融的形象材料，因此，作为中西文化交流产物的敦煌石窟，必须置于中西文化交流的大背景下进行研究。通过比较研究，找出内容和形式各个方面所受到的东西文化及多民族文化的具体影响，影响的具体来源、背景、路线、内涵，在中西文化的对比中，找出敦煌石窟自身独有的特点和价值。既要看到从印度经犍陀罗、新疆等区域石窟佛教艺术东传的影响，又要探讨中原的云冈、龙门、麦积山诸石窟艺术西渐的发展脉络，还要从中西文化的对比中，看到敦煌石窟与其他区域文化的交流和融合，找出自身独有的特点和价值。

三、加强少数民族洞窟的研究

由于敦煌"华戎所交"的特殊地理条件，前后有十数个民族曾在此居留和活动，在敦煌石窟留存有他们创造的丰富的文化遗存，研究敦煌石窟建造与少数民族的关系，对吐蕃、回鹘、党项羌、蒙古等少数民族在敦煌的活动、民族交往与民族关系、中西文化交流等都有重要意义。但是，现在对一些少数民族洞窟的研究还比较薄弱。

唐朝安史之乱后，青藏高原的吐蕃王朝乘虚而入，占据了河西、陇右的广大地区。786年，吐蕃占领敦煌，在此推行民族同化政策，传播吐蕃文化，大力扶植佛教，对敦煌的政治、经济、文化产生了重大的影响。吐蕃统治敦煌时期，即将吐蕃文化带入敦煌，这也正是吐蕃王朝从唐朝大力汲取文化营养的时期。盛唐时，随着开元善无畏、金刚智、不空三大士对密教传译，密教盛行一时，同时，禅宗开始异军突起。安史之乱后，密宗和禅宗的影响不断扩大，成为这一时期佛教思想的主流。为了躲避战火，西行到敦煌的摩诃衍、昙旷等佛教僧侣把禅宗和唐密的佛教思想、文化艺术传入敦煌，而吐蕃王朝又带来了藏密佛教和文化艺术。据统计自786～848年，吐蕃统治敦煌60多年间，就开凿和重绘了60多个洞窟，并在藏经洞留存了丰富的藏文和汉文材料。敦煌石窟保存的密教经变和造像有数百铺，并且从盛唐至元代连绵不断。因此，其密迹图像数量之多、延续时间之长居我国石窟之冠。这些极为难得的唐密、藏密关系的形象资料，又直接与以后的藏传密迹遗迹相衔接，成为现存探索汉藏文化交流的珍贵史料。因此，宿白先生指出："无论研讨汉地唐密，抑或考察藏传密教，皆应重视敦煌、安西的遗迹，尤其是莫高窟遗迹。"[1]但由于在这些吐蕃洞窟内既有显教、唐密的内容，又有藏密及禅宗等其他宗派的内容，以及它们之间错综复杂、互相交融的关系，再加古藏文资料的语言文字障碍和吐蕃时期十二生肖年法在文书上造成的困难等。至今，除少数研究者外，这一研究领域一直很少有人涉足，相对滞后于敦煌石窟的其他研究领域。因此，敦煌的吐蕃洞窟及此后以藏传密教为主的元代洞窟，需要做进一步的深入研究。

还有西夏、回鹘时期的洞窟，也尚待深入探究。由于曹氏归义军时期的世系及每位执政者，在瓜（瓜州）、沙（敦煌）的建窟活动，揭示了他们与中原王朝和周边少数民族政权的关系。通

---

1 宿白：《中国石窟寺研究》，北京：文物出版社，1996年，第15、310页。

过西夏石窟壁画和西夏文材料，可以探讨西夏政权的政治、经济、佛教，西夏党项羌统治瓜沙的历史状况以及与汉族、吐蕃、回鹘的文化交往。对回鹘洞窟和出土的回鹘文书的研究，可以了解沙州回鹘为保存发展自身力量，外与宋、辽、金王朝，瓜沙地区与曹氏政权、西夏政权，内部与甘州、西州回鹘的错综复杂关系，进而勾勒出沙州回鹘的出现、发展、消亡的历史面貌。但是，由于这一时期地方政权不断更迭，民族关系错综复杂，再加塑绘内容和艺术风格的相近，无疑对这一时期石窟的分期断代，以及当时这些少数民族洞窟的划分带来了一定难度。这不仅需要对这一时期的洞窟做深入的断代分期研究，也要结合敦煌文献和少数民族语言文字，从当时的历史、宗教、民族、文化等方面进行探讨分析。

四、研究方法和手段更新

（一）研究方法

由于敦煌研究内容丰富、涉及学科广泛，为了推动敦煌石窟深入的研究，必须运用考古学、图像学、文献学等不同的研究方法进行研究，而且要多种学科、不同方法结合研究。20世纪的老一辈史学家和考古学家在实践中不断地探索和积累经验，在理论和方法上不断创新，从中国传统画学、传统金石学、传统碑志学等领域，拓展到中国石窟艺术研究、石窟宝藏研究等新的学术前沿，从而实现了与现代艺术史、现代考古学和文献方法的成功结合，为敦煌石窟的深入研究奠定了基础。敦煌石窟是一定历史条件下表现佛教思想的石窟艺术，石窟中的佛教图像是一种表象，要了解它深刻的思想内涵、文化内涵和艺术特质，就必须利用佛教典籍、历史文献、画史资料去分析探讨，因此，敦煌石窟的研究必须使历史、佛教、艺术结合起来进行综合研究。由于研究对象本身的多元性与综合性，有效地组织多种形式的合作，特别是跨学科、跨地域的合作研究是非常必要的。只有这样才能攻克重大研究课题，使石窟研究有新的突破。

（二）研究手段

敦煌石窟电子档案和图像信息的储存及利用，是实现敦煌石窟研究手段现代化的重要步骤。20世纪敦煌石窟资料的档案工作，主要是对石窟进行了编号和内容登录，公布了部分石窟照片和壁画摹本，无疑为我们保存了许多珍贵的原始资料和图片，成为很长一段时间里人们研究敦煌石窟的主要依据。但是，这些资料已远远不能适应新世纪研究的需要。

在21世纪首先必须做好对石窟内容全面的信息储存及公布，加大石窟信息的科技含量。石窟档案是石窟保护、研究的重要信息资料。作为信息化建设的重点之一，20世纪90年代以来，敦煌研究院与甘肃省计算机中心合作，已经初步建立起了一个石窟档案信息库，将传统文字、图片档案存入计算机数据库中。此后又与浙江大学、美国梅隆基金会、美国西北大学等机构合作，完成了20多个洞窟的数字化档案存储数据库建设。通过与国内外合作，石窟档案的数字化进程正顺利地进行。此外，将各类文物档案进行数字化管理，建立洞窟文物、馆藏文物与临摹品数据库。使用高新技术，记录、贮存和运用文物资料，把多年积累的图书和底片进行数字化存储和管理，在此基础上建立专门的石窟摄影资料信息库，把敦煌研究院长期以来保存的大量摄影底片资料进行数据库的管理。敦煌石窟的资料档案与信息储存，一方面是为了永久保存现有的及不断补充的石窟文物图像资料；另一方面就是要为敦煌石窟研究提供服务。

21世纪将是一个信息爆炸的时代，是高度信息化发展的时代。新的信息目不暇接，新的学术成果层出不穷。一个研究人员只有全面、准确、快速、有效地掌握其研究领域的信息和资料，才能够在这一研究领域取得更大的成就。在这种情况下，就必须有一个与之相适应的信息化服务系统，建立起一个可靠而方便的信息交流平台。一方面可以追踪世界前沿信息，了解和获得最新的学术成果，加强国际学术交流；另一方面，也可以公开和展示自己的研究成果。

由于大量敦煌莫高窟藏经洞出土的宗教与世俗文献、绢画、剪纸及其他资料流散于世界各地的图书馆和博物馆，美国梅隆基金会正在运用数字化技术将这些资料进行储存和公布，将使人们能够查阅许多无法接触到的敦煌石窟内容和流散于世界各地的敦煌资料。数字化图像的分辨率极高，研究人员既可浏览石窟内景的全景图像，得到身临其境的感觉，也可将图像的具体细节拉近放大，看到本来看不到的画面。还可在电脑上同时对分散在世界各地的敦煌图像进行比较和研究。

目前，敦煌研究院和国外一些收藏敦煌资料的单位授权美国梅隆基金会制作梅隆国际敦煌档案，将为文物保护及研究人员提供重要的信息资源。最近已将大英博物馆、吉美博物馆的一些敦煌收藏品开始上网公布。为了便于学术研究，将分散于国内外的相关资料及图像，通过网络公布，实现信息资源共享已是必然趋势。因此，在符合知识产权的前提下，保存或收藏与敦煌石窟有关资料的个人或单位，均有责任、有义务将石窟电子档案资料及数字图像资料，通过现代电子网络系统等陆续进行公布，以促进21世纪敦煌石窟的研究。而研究人员也必须主动地熟悉和掌握这些先进的科技手段，才能了解国内外最新的学术动态，以利于自己的研究。因为通常研究者个人的精力、时间、学识是有限的。现在研究成果不断大量涌现，现代的信息手段不断更新，为我们的研究工作提供了先进的手段，我们应最大限度地使用现代化的科技手段及时地沟通、交流、吸纳研究的新成果。

"敦煌学者，今日学术之新世界潮流也。"在新的世纪，只有不断取用新资料，使用新方法，发现新问题，不断探索，勇于创新，敦煌石窟研究就必将取得更大的成果。

（原载于《敦煌研究》2004年特刊）

◈ 敦煌学研究的现状与未来

从20世纪初发轫至今，敦煌学研究已经走过了百年的风雨历程。可以说，在20世纪的国际人文社科领域，像敦煌学这样，在世界范围内取得如此辉煌成就的学科，并不多见。步入21世纪的新时代，敦煌学如何发展？还能否继续成为世界学术的主流之一？站在21世纪的起跑线上，社会和敦煌学界同仁几乎都提出了这样一个问题，都在思考着这样一个问题。

下面，我将为各位介绍一下祖国大陆的敦煌学研究。由于我们长期以来以敦煌石窟研究为主，所以，我们将主要以石窟研究为例，概要介绍祖国大陆的敦煌学研究的现状，以及对未来发展的一些思考和展望。

一、中央研究院与敦煌之缘

我国的敦煌学研究，首先是从敦煌文献的研究开始的，对敦煌石窟的研究则从20世纪40年代才真正开始。20世纪初藏经洞文书发现之后，在1910年前后，罗振玉、王国维等著名学者就出版了第一批敦煌学著作。这时中国的敦煌学研究主要是收集、刊布敦煌文献资料。此后，一些学者不断发表敦煌学的研究成果。这方面，中央研究院历史语言研究所功不可没。如刘复（刘半农）的《敦煌掇琐》作为中央研究院历史语言研究所专刊之二，于1925年出版；陈垣的《敦煌劫余录》作为中央研究院历史语言研究所专刊之四，于1931年出版。紧接着，一些学术机构和学者们陆续开始对敦煌石窟进行调查和研究。40年代初，张大千（1941年）、黎雄才（1941年）、关山月（1943年）等先后到莫高窟和榆林窟临摹壁画。1941年，中央研究院组织的西北史地考察团考察了敦煌莫高窟（千佛洞）、万佛峡等，有史语所的劳幹、石璋如等，还有代表北京大学的向达先生。考察期间，石璋如先生用考古学方法对敦煌石窟形制进行了摄影测绘和记录，在两个多月时间里，石璋如先生对张大千先生编号的305个洞窟及附属洞窟共计456个洞窟，全部进行了摄影测绘和记录，首开中国学者用考古学方法研究敦煌石窟之先河。石璋如先生的《莫高窟形》于1996年出版。这是史语所的《田野工作报告之三》。此报告共三册，第一册是洞窟形制的文字记录，逐窟详记有关形制的尺寸数据和洞窟简要内容；第二册是"窟图暨附录"，每窟皆有平面和剖面图；第三册是"图版"，刊布了石璋如先生和劳幹先生当年拍摄的黑白照片437帧。这些洞窟形制的测图和数据，是40年代莫高窟洞窟状况客观、忠实的记录，对于我们今天研究莫高窟洞窟形制及相关问题，仍有珍贵的参考价值。1944～1945年，中央研究院历史语言研究所、中央博物院筹备处、中国地理研究所、北京大学文科研究所四单位联合组成西北科学考察团，在甘肃、新疆两地进行考察。向达任考古组组长，组员有夏鼐、阎文儒。他们对大部分石窟登录内容，抄录碑文、题记，考证洞窟年代等。向达、夏鼐和阎文儒等率领的考古组除对敦煌石窟考察外，还调查了敦煌的汉长城遗址，发掘了一些古墓葬。而1944年国立敦煌艺术研究所的成立，则是中国敦煌学研究的一个里程碑式的事件，标志着敦煌学从单纯的文献研究扩展到敦煌石窟研究。

二、现状

近几十年来，祖国大陆的敦煌学研究取得了瞩目的成果，从宏观视野看，主要表现在以下几个方面：

第一，专门的研究机构纷纷成立，专职研究人员队伍不断壮大。许多高等院校和研究所如北京大学、浙江大学、武汉大学、中山大学、四川大学、首都师范大学历史学院、兰州大学、西北师范大学、兰州理工大学、南京师范大学、中国社会科学院等都有专门的敦煌学研究机构和一批长期从事敦煌学研究的学者，并持续招收以敦煌学为主要研究方向的硕士、博士生。目前，祖国大陆拥有一支相当数量的敦煌研究专业队伍。作为全世界唯一的研究和保护敦煌的专职机构，敦煌研究院目前已成为全世界最大的敦煌石窟保护和敦煌学研究实体，专业人员近300人，它与兰州大学联合成立的敦煌学研究所是教育部人文社会科学的重点研究基地，目前已培养出数十名硕士和博士。这些专门的教学与研究机构，为敦煌学的可持续性发展奠定了雄厚的人才基础。在敦煌学信息资料服务方面，国家图书馆敦煌吐鲁番资料中心发挥着重要的作用，而敦煌研究院信息资料中心则不仅有近15万册的专业性藏书，而且还编印了13期《信息与参考》、3期《敦煌学译丛》等内部刊物，正在成为国际敦煌学界较有影响的学术信息与资料服务中心之一。

第二，在一些重点研究领域也取得了较大的成绩。在敦煌文献研究方面，研究者们利用敦煌出土的社会经济文书来研究北朝至隋唐的均田制、赋役制、租佃关系、寺院经济、法制文书、氏族、兵制、归义军史以及唐五代西北民族、丝绸之路历史等等，都取得了显著的成绩，出现了一批高水平的研究成果。如唐长孺先生对敦煌吐鲁番社会经济文书的研究，姜伯勤先生对寺院经济的研究，以及青年学者冯培红先生对归义军官制的研究等。在敦煌文献研究方面，沙州归义军史的研究始终吸引着众多的目光。经过多年努力，现已基本搞清了自张议潮开始的历任归义军节度使的世系年代，以及张氏、曹氏两姓执政时期的政治史脉络，同时，对归义军政权与于阗、甘州回鹘关系的研究也在深入。这方面以北京大学的荣新江先生的研究具有代表性。近年来，祖国大陆敦煌学界对敦煌神秘文化如占卜文化、解梦文化、风水文化和敦煌饮食文化的研究方面也有新的收获。

在石窟研究方面成绩比较显著。用考古学的方法对洞窟做分期与排年，是石窟考古的基础性研究工作，在理论和方法上为敦煌石窟的深入研究奠定了基础。20 世纪 80 年代初期，樊锦诗、马世长、关友惠联名发表《敦煌莫高窟北朝洞窟的分期》一文，利用类型学、层位学等考古学方法，将莫高窟十六国、北朝石窟断代分为四期。虽然目前学界对莫高窟第一期的具体时代仍有不同的看法，但文中的结论已基本成为学术界的共识。随后，我们还对隋唐时期的洞窟做了进一步分期，为隋唐时期敦煌石窟艺术研究打下了坚实的基础。与此同时，在敦煌莫高窟南区洞窟窟前遗址的发掘上也卓有成效。20 世纪 60～80 年代，先后在莫高窟南区进行了两次大规模考古发掘，共清理出 22 处窟前殿堂建筑遗址，以及 7 个窟、龛，弄清了莫高窟崖面的洞窟分布有五层之多，揭示了莫高窟创建初期窟前地面高度要低于现在的地面 4 米以上。修建现在底层洞窟的窟前殿堂遗址，是唐后期窟前地面升高所致。探明了南区底层洞窟前在五代、宋、西夏和元代曾经建有窟前殿堂，形成了前殿后窟的建筑格局。在五代、宋时期的曹氏归义军政权时期的整修，使莫高窟达到了历史上最为壮观的时期。20 世纪 90 年代初，又开始了对莫高窟北区洞窟的清理和考古发掘。经过十年的努力，共清理了 243 个洞窟。弄清每个（组）洞窟的结构、功能、年代和使用情况。其中有僧众生活的僧房窟、修行的禅窟、仓储的廪窟、葬身的瘗窟等窟形。清理中还出土了不少文物，有汉文和多种非汉文文字文献、回鹘文木活字、钱币、雕塑和日常生活用品等。遗迹和遗物说明莫高窟北区洞窟是僧众活动的区域。这些成果，形成了三卷本的《莫高窟北区石窟》报告。莫高窟南区遗址和北区洞窟的全面清理，既揭示出了莫高窟在漫长的营建过程中外貌景观的变化，也揭示了 4～14 世纪莫高窟不仅持续不断地修建了众多的礼佛窟，而且还修建了僧众从事修行和生活的石窟。两种不同性质、功能的洞窟既做了分区布局，又组成了统一、完整的石窟寺。这些考古发现将有助于进一步探明莫高窟的性质、功能和营建历史。敦煌研究院还拟定了编辑出版多卷本《敦煌石窟全集》的石窟考古报告的长远规划，已组织研究和技术人员进行测绘、拍照和文字记录工作，目前已基本完成第一卷早期石窟的记录性考古报告。并着手开始第二卷记录性考古报告的各项工作。石窟记录性考古报告是一项十分重要的基础性研究工作，也是一项艰巨浩繁的系统工程，敦煌研究院将把它当作一项"世纪性工程"长期坚持做下去。

在石窟艺术专题研究方面也取得了一定的成果。常书鸿、段文杰、史苇湘、贺世哲等先生长期致力于敦煌石窟艺术产生及其产生的历史背景探讨，发表了大量的研究成果。他们的研究表明，虽然敦煌位居中西交通的要道上，可是敦煌石窟绝对不是东方或西域石窟艺术的翻版。敦煌艺术乃根植于具有地方特色的敦煌本土文化之中，在这个基础上，它不断地吸收、改造、融合从东、西两方面传来的中原与西域文化，而展现了自己的文化和艺术特色。他们还发现了新的壁画题材，如史苇湘先生对第254窟难陀出家因缘、第296窟微妙比丘尼因缘的论证；霍熙亮先生对安西榆林窟第32窟梵网经变和莫高窟第72窟刘萨诃与凉州圣容佛瑞像史迹变的论证；贺世哲先生对敦煌壁画中三大经变画的图像学研究，特别是樊锦诗、马世长对北朝石窟本生、佛传故事画的补考等，都进一步丰富了对石窟的研究。以经变画的研究为例，保存在敦煌壁画和纸绢画中的经变画有30多种约1200铺，是唐宋时期敦煌壁画的主体。大部分经变画都有学者进行过专门的研究，研究者主要是中国和日本的学者，已经发表的论文近百篇，涉及大部分经变画，显示敦煌经变画研究不断发展与深入。20世纪80年代以来，以敦煌研究院为主力的一批学者陆续公布大量经变画的调查报告，内容可分两类：一是在松本荣一研究基础上做深入和全面的研究，如观经变、药师经变、弥勒经变、法华经变、维摩诘经变、涅槃经变、报恩经变、牢度叉斗圣变等；二是将松本荣一《敦煌画的研究》未及部分做一考察，如福田经变、金刚经变、梵网经变、金光明经变、思益经变、天请问经变、楞伽经变、佛顶尊胜陀罗尼经变、密严经变、孔雀明王经变、十轮经变等。其中有一些壁画榜题底稿和壁画粉本等也与经变画有关。

近10余年来，中青年学者在敦煌研究院前辈学者的研究基础上，在敦煌石窟的分期、图像内容的考证、经变画的新识、佛教内涵的研究等方面都取得了新的进展。如王惠民对敦煌十轮经变、地藏图像等的研究，殷光明对敦煌北凉石塔和卢舍那法界人中像的研究，赵声良对莫高窟第61窟五台山图和北朝菩萨冠的研究等，在学术上都有所突破。此外，尚有一些学者或从微观的角度进行更深入探讨，如沙武田对敦煌壁画稿本的研究；有些学者则跳脱往日单铺经变直线研究的格套，或进行石窟整体配置关系的探究，或讨论作品所蕴含的宗教思想内涵，如梅林的《律寺制度视野：9～10世纪莫高窟石窟寺经变画布局初探》、张元林的《〈法华经〉佛性论观的形象诠释：莫高窟第285窟南壁故事画的思想意涵》也提出新颖的见解。

在此期间，还先后于1983年、1987年、1990年、1994年、2000年、2004年在莫高窟举办六次敦煌学国际会议，加强了国内外学者的学术交流，产生了许多敦煌学也包括石窟研究在内的成果。

第三，研究方法也进一步丰富和发展，主要表现在两个方面：

其一，敦煌文献资料与石窟艺术图像资料相结合。早在20世纪早期，一些学者就利用碑铭、供养人题记等石窟资料与敦煌文书相结合，对莫高窟营建史进行了研究。如向达《瓜沙谈往》考证莫高窟开窟于前秦建元二年（366年）；宿白的《莫高窟记跋》考证了莫高窟的始建年代、早期洞窟的数量和时代；金维诺《敦煌窟龛名数考》依据《敦煌石窟腊八燃灯分配窟龛名数》对部分洞窟的名称和建造年代进行了考证。所有这些，在这一研究领域都具有开拓性的意义。此后，八九十年代，敦煌研究院的贺世哲、马德也在此基础上，挖掘、利用敦煌文书中与石窟营建相关的资料，对敦煌石窟营造史作了比较系统的研究。近年来，张先堂在对敦煌石窟中的供养人做专题研究时，也注重将供养人图像资料与相关的敦煌文献资料相结合，在进一步深入地考察敦煌石窟营造的组织形态、供养人画像的世俗化及其所反映的中国佛教艺术的世俗化演变轨迹方面取得了一些新的成果。

其二，开始关注人文科学和自然科学研究的结合。《敦煌莫高窟北区洞窟崖体崩塌原因探讨》及为《宿白先生八秩华诞纪念文集》撰写的《从莫高窟的历史遗迹探讨莫高窟崖体的稳定性》二文中，我们首次将石窟考古和地质学结合起来，做了一些有益的尝试，阐明了莫高窟崖面变化的历史和地质的原因，用科学的数据提供了很有说服力的证据。我们在第一卷《莫高窟第275窟考古报告》课题中，积极引入高科技手段，尝试用数字激光技术进行考古的图像测绘、运用化学分析手段对壁画颜料进行分析，以便使我们的报告站在科学的基础上。此外，还在《敦煌石窟的保护和利用》国家重点课题中，将自然科学手段和人文科学手段二者结合起来。

第四，敦煌学出版物大量涌现。首先，值得一提的是敦煌文献影印出版物。继1981~1986年黄永武博士主编、由台湾新文丰公司出版，影印英国、法国、中国大陆及已经刊布的敦煌汉文文献的140巨册《敦煌宝藏》之后，自20世纪90年代以来，相继出版了一系列敦煌写本的大型影印图录，如《英藏敦煌文献》《法藏敦煌西域文献》《上海博物馆藏敦煌吐鲁番文献》《北京大学藏敦煌文献》《天津艺术博物馆藏敦煌文献》《甘肃藏敦煌文献》《浙江藏敦煌文献》《中国国家图书馆藏敦煌文献》，以及长期秘而不宣的《俄藏敦煌文献》。在敦煌文献目录的整理方面也有了新的成果。继王重民、刘铭恕《敦煌遗书总目索引》（1962年初版，1983年再版）之后，敦煌研究院的施萍婷女士又于近年重新编目，出版了《敦煌遗书总目索引新编》（2000年）。这些文献和目录的刊布，也极大地改变过去阅读资料的局限，推动了敦煌学许多领域的研究。与此同时，研究性的著作也大量出版。首先如20世纪80年代初启动，90年代末完成的《敦煌文献分类录校丛刊》和《敦煌学大辞典》，是由中国敦煌吐鲁番学会直接领导和组织的两项"工程"，也可以看作是20世纪中国敦煌研究的里程碑。还有江苏古籍出版社的《敦煌文献分类录校丛刊》（11种13册）；甘肃教育出版社的《敦煌学研究丛书》（12种）、民族出版社的《敦煌学博士文库》《敦煌学研究文库》、甘肃民族出版社的《敦煌研究院系列文集》、社会科学文献出版社《英藏敦煌社会历史文献释录》、中华书局出版的《新获吐鲁番出土文献》等等。从20世纪90年代至今，敦煌研究院先后出版了《莫高窟内容总录》《莫高窟供养人题记》《莫高窟窟前殿堂遗址发掘报告》《中国石窟·敦煌莫高窟（5卷本）》《敦煌石窟艺术（22册）》和以专题研究为特色的大型专题丛书《敦煌石窟全集（26卷）》等一大批学术成果。与此同时，还出现了几种专门的刊物，如《敦煌研究》《敦煌学辑刊》《敦煌吐鲁番研究》《魏晋南北朝隋唐史资料》《敦煌学国际联络委员会通讯》等，在学术界的影响也越来越大。其中仅敦煌研究院主办的《敦煌研究》刊物就已经出版至116期，刊登了约2000篇各类研究文章。

三、未来展望

记得20世纪30年代，陈寅恪先生曾说过："一时代之学术，必有其新材料与新问题。取用此材料，以研求新问题，则为此时代学术之新潮流。""敦煌学者，今日学术之新潮流也。"

如今，站在21世纪的起跑线上，回顾先辈学者们曾经的辉煌，审视目前的研究现状，思考敦煌学未来的发展，对于学者同仁来讲，就显得尤为重要。因此，当我们重温陈先生这些具有远见卓识的话语时，又一次深刻地感受到这位具有世界性视野的学者对于国际敦煌学发展趋势的把握。

近年来，祖国大陆敦煌学界也不断对敦煌学的百年历程进行总结、回顾和反思，对未来发展趋势提出展望，并出现了一些在敦煌学研究理论和方法上的理论探索。其中如所谓敦煌学的"转型"与敦煌学的"中层理论"。如何转型，向哪里转？"中层"如何界定？这种经济学名词是否适合敦煌学？在祖国大陆敦煌学界也有不同的看法。我们认为，敦煌学有自己的学术背景与学术渊源的关系。说到底就是研究对象和研究材料与研究深度、广度之间的关系。随着新材料的发现，未来的敦煌学将在下述领域有进一步的作为：①利用敦煌简牍对汉代历史和丝绸之路早期研究的研究；②敦煌吐蕃时期历史、文化研究；③敦煌宗教研究；④对隋唐文明和政治制度的综合研究；⑤西北民族史研究；⑥利用敦煌文献和石窟对中外交流历史的综合研究。

1. 利用敦煌简牍充实丝绸之路早期历史和敦煌早期接受佛教背景的研究

大量敦煌简牍的新发现，正在成为21世纪敦煌学新的生长点。1990～1992年，甘肃省文物考古研究所对敦煌汉代悬泉置遗址全面清理发掘中，发现简牍3500余枚。最早纪年为武帝元鼎六年（前111年），最晚为东汉安帝永初元年（107年），主要反映这两百多年及其前后的有关史实。这批简牍内容包括诏书、律令、簿籍、历谱、术数、医方等。对于研究两汉时期的政治、经济、军事、外交、交通、邮驿、民族、文化、习俗等至为重要；其次，悬泉简中还保留了西域各国使者途经悬泉置的有关记录，涉及楼兰（鄯善）、于阗、大宛、车师、罽宾等许多西域国家，是研究丝路贸易和两汉与西域关系的珍贵资料。再次，汉简中还保留有西域都护以外中亚国家与汉朝的来往情况。如罽宾、乌弋山离、大月氏、康居、祭越、钧耆、披垣等，而后三个国家在过去传世史籍中未曾见过，提供了研究中亚史的新材料。通过对这些简牍的研究，还可使我们对佛教传入敦煌的历史有新的认识。如张德芳《悬泉汉简中的"浮屠简"略考——兼论佛教传入敦煌的时间》研究敦煌悬泉汉简中的一枚"浮屠简"："少酒薄乐，弟子谭堂再拜请，会月廿三日小浮屠里七门西入。"认为早在 1 世纪下半叶，佛教就已传入敦煌，而且一开始就流行在民间，它比竺法护在敦煌译经时间早 200 年，比乐僔在莫高窟开窟的时间早 300 年。如果此观点可以成立，敦煌佛教史将会因此而改写。

2. 敦煌吐蕃时期历史、文化研究

唐朝安史之乱以后，青藏高原的吐蕃王朝乘虚而入，占据了唐朝河西、陇右大片领土。786～848 年，吐蕃王朝一直占领统治敦煌、河西，对这些地方产生过巨大的影响，这也是吐蕃王朝从唐朝大力汲取汉文化营养的时期。但与对唐前期和后期的归义军时期的研究相比，学界对于吐蕃统治敦煌时期的研究还远远不够。目前国内外所藏敦煌藏文文献的总数已近 15000 多件，其中海外 8000 多件，国内甘肃以外各地（含台湾、香港地区）共 300 余件，甘肃省内藏 6600 余件。除了社会文书和佛教史传类文献外，敦煌藏文文献中还保留了大量的汉藏文化交流的史料，包括唐朝政治制度的影响、汉地禅宗的输入等等资料，对这些文献并结合敦煌艺术的深入研究，将进一步开拓吐蕃王朝统治敦煌的吐蕃时期与汉藏文化交流的研究。

3. 敦煌宗教研究

首先是佛教研究。敦煌藏经洞中，90％以上为佛教典籍；同时，敦煌壁画的主体也表现的是佛经内容。虽然有方广锠对敦煌佛经的考查、整理，姜伯勤对敦煌寺院经济的研究，以及近年来在壁画内容和图像考证史等方面的进展，但是从宗教学角度探讨敦煌佛教文书，从佛教思想或佛教史等背景解读敦煌艺术仍然不够。日本学者曾经从宗派的立场出发，对敦煌佛教文献中与禅宗、净土宗等不同佛教宗派有关的文献做过细致的研究。我们可在这些文献研究的基础上，进一步考察各个宗派间的关系、佛教宗派与世俗社会的关系等。此外，敦煌佛教典籍数量庞大，种类繁多，除入藏的经、律、论外，疑伪经占相当数量，这些"中国化"的疑伪经可研究的空间非常大，以及更具中国特色的、由中国僧人所作"论""疏""赞""义"等的研究，无疑将促进敦煌佛教研究。

敦煌石窟作为中国古代佛教遗迹和遗物的重要组成部分，其反映的佛教思想也是中国古代佛教思想的重要组成部分。以佛教为主题的敦煌艺术，其任何一幅敦煌壁画都反映某一时期佛教史的某一种佛教题材和某一种佛教思想，通过这些形象的佛教思想又表现了古代的社会思潮，又是当时社会与历史的反映。要全面深入地研究敦煌石窟艺术表现的佛教思想，必须将其与藏经洞敦煌佛教文献结合起来，并将其放在整个中国佛教思想史和社会中去考察。如从经变画来看，在敦煌壁画和藏经洞出土的纸画、绢画中的各种经变画作品多达30余种、1300余幅。这些经变画涵盖了中国佛教史上影响最广、时间最久的信仰观念，如弥勒信仰、法华信仰、维摩信仰、涅槃思想、唯识思想、净土信仰，以及民间佛教的信仰观念等，是我们研究中国佛教发展史即佛教中国化进程的最直接、最形象、最真实的重要材料。

其次，敦煌文献中还保留了许多南北朝到唐朝的道教佚经，以及从西亚、中亚传入的祆教、摩尼教经典。通过对这些文献的进一步解读和持续不断地研究，使我们可以对道教这一具有中国特色的宗教的历史进行更深入的研究；重新阐释敦煌吐鲁番汉文文献和图像资料中的祆教内涵，并由此扩展到对整个中古时期中国一些宗教现象的理解。将敦煌出土的汉文摩尼教经典与吐鲁番出土的中古伊朗语和回鹘语的摩尼教经典相结合，可深入研究摩尼教在中国的流行。

4. 对隋唐文明和政治制度的综合研究

敦煌莫高窟是今天我们所能够见到的最集中而且最丰富的唐朝文化景观，敦煌藏经洞出土文献，也是今天我们能够见到的最为集中和最为丰富的中古时期图书馆。虽然在当时敦煌不过是边陲一城，其留存的文献和壁画也非当时都城最具代表性的精华，但以其得天独厚的条件存下来的这些文物却是形象地反映隋唐文化的史料，为社会史和文化史的研究提供了不可多得的素材。利用敦煌资料，对于隋唐时代各个阶层的社会生活、文化面貌等将会有更深入的研究。

5. 利用敦煌遗存的少数民族语言和资料研究西域民族史、西北民族史

敦煌位于东西南北各民族交往的孔道上，沿丝绸之路的各个古代民族，对于东西方文明的传播都有所贡献，这可以从敦煌出土的这些各民族文献材料本身得到印证。敦煌不仅出土了大量的汉、藏文写本，也出土了于阗文、粟特文、回鹘文、梵文文献。在莫高窟、榆林窟的壁画也保留有部分藏文、西夏文和蒙文题记。它们记录了丝绸之路各个民族历史的真实情况，具有很高的研究价值。但由于现在很少有像陈寅恪、周一良、季羡林先生这样兼通多种语言的学者，在这方面的研究相对薄弱。北京大学东方语言文化系的段晴女士算是一个特例。她通梵文、突厥文、回鹘文等多门语言。前些年，莫高窟北区进行大规模考古清理发掘，发现一件陌生文字的写本，段晴看到这件文书后，用6个月时间，识读出是一件叙利亚文《圣经》中的赞美诗，真是难能可贵。但由于解读上的困难，对这些文献的深入研究恐怕还应走一段很长的艰苦的道路。

6. 利用敦煌文献和石窟对中西交通的综合研究

敦煌特殊的地理位置和历史变迁，十分有利于我们对中外文化交流史的研究。我们知道，敦煌是古丝绸之路上的重镇，而敦煌石窟则是与敦煌历史不可分割的重要的文化遗存。季羡林先生把敦煌定位于集中国、印度、希腊、伊斯兰这四大文化体系的汇流之地，这无疑是十分精辟的。敦煌石窟缤纷多彩的壁画内容和藏经洞出土的不同宗教、不同语言的丰富的文献也充分证明了这

一点。从敦煌石窟现存5～14世纪的壁画艺术中，我们既可以看到印度犍陀罗艺术极盛时代贵霜王朝艺术的影响，还可看到秣菟罗艺术时代笈多王朝艺术的影响，以及晚期波罗王朝艺术的影响，也可看到借自印度教诸神的佛教护法诸天形象。同时，从日天、月天、摩醯首罗天等形象上我们最早可溯源至希腊、罗马时代的艺术影响是如何经中亚地区如粟特地区、龟兹地区影响到敦煌；而从器物形象如玻璃器皿、菩萨装饰上的三叶冠、服饰上的菱形图案等艺术元素上，我们还可感受强烈的西亚波斯艺术的影响。而壁画中丰富的乐舞场面，则使我们对史书中提到的隋唐长安盛行一时的西域"胡腾舞""柘枝舞""胡旋舞"的美妙舞姿有了最直观的认识；还有净土变中规模宏大的乐队中出现的羯鼓、法螺、箜篌、琵琶等西域乐器，以及各种杂技、体育、婚庆场面等，形象地展示着历史上周边吐蕃、回鹘、西夏以及蒙元各民族文化、艺术对敦煌的影响。所有这些艺术元素，都使我们感受到了在敦煌石窟长达1000多年的营建过程中，在丝绸之路上各种中外文明交融的精彩历史。过去限于条件，祖国大陆学者很少有机会去佛教石窟发源地印度和中亚、西亚实地考察，因而我们对佛教石窟的源流演变显得比较生疏隔膜，缺乏深入透彻的体会和研究。今后我们应当加大对印度、中亚和西亚石窟的考察研究的力度和深度，注重敦煌石窟与印度、中亚和西亚石窟之间关系的研究，深入探索印度、中亚和西亚石窟的异同与影响，挖掘各种文明相互对话、相互交流的历史信息，从宏观的历史视野和微观的艺术元素两方面，尽可能还原古代四大文明之间相互交流和影响的历史。

"敦煌在中国，敦煌学在世界！"我们相信，21世纪的敦煌学仍将作为一门国际性的学科，在过去一个世纪打下的良好基础上，继续保持旺盛的生命力，在21世纪的国际人文学科中继续占据一席之地。

（本文为2009年11月在中国台北"中央研究院"历史语言研究所的发言稿）

敦煌学的历史、传承和突破发展

　　敦煌学，是1900年敦煌藏经洞及其文献发现之后诞生的一门学问，其研究对象开始于藏经洞文献〔图1〕，后逐步扩大，主要包括敦煌藏经洞文献和敦煌石窟艺术，至今已有100多年的历史。我国的敦煌学起步较早，产生了罗振玉、王国维、陈寅恪、向达、姜亮夫、王重民等一批大师级的敦煌学学者，他们开拓了中国敦煌学的许多研究领域，为此后我国敦煌学的发展打下了坚实的基础。由于敦煌藏经洞文献发现后不久，就被西方探险家所攫取，流散于英、法、俄、日等十多个国家的数十家公私收藏机构，吸引了西方许多汉学、藏学、东方学等领域的学者竞相研究，特别是法国、英国、俄国和日本等国产生了一批在国际学术界有影响力的敦煌学学者和研究成果，使敦煌学成为一门国际性学问。

　　由于20世纪复杂的社会因素，我国的敦煌学研究发展比较缓慢，学者和成果较少，国际上一度流行"敦煌在中国，敦煌学在国外"的说法。这种说法极大地刺痛了中国学者的民族自尊心，成为他们发愤图强的动力。20世纪80年代以后，乘着改革开放的东风，在以季羡林、常书鸿、段文杰等为代表的一批老学者的带动下，我国学者奋起直追，经过30多年的辛勤努力，敦煌学在中国取得了历史性的成就，改变了"敦煌在中国，敦煌学在国外"的被动局面，现在国际学术界已经公认中国是敦煌学研究中心。

　　为保护、保存具有突出价值的文物，经过数十年努力，敦煌石窟文物的保护，由过去的看守性、抢救性保护，进入现在的科技保护、预防性保护，保护的科学水平不断提升，使石窟本体及其赋存的自然和人文环境得到了有效的保护，成为国内文物保护领域的佼佼者，在国际上也有一定影响。经过20多年的探索，目前我们已经可以成熟地利用数字化技术采集、存贮、展示敦煌石窟数字图像信息，不仅可以永久保存文物信息，而且可以永续利用，方便学者细致研究，便于

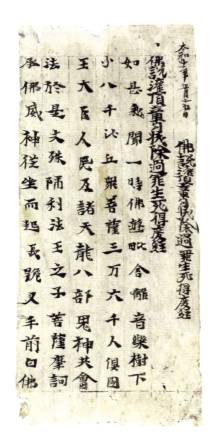

[图1]
敦煌研究院藏敦煌遗书太和十一年写本《药师经》

向观众展陈。如用数字电影展示敦煌艺术，使游客在敦煌石窟外能身临其境地体验敦煌艺术的魅力；在网上公布敦煌石窟数字图像，使全球观众可以方便地在线浏览，共享敦煌艺术。

我国的高校、科研院所建立了一批敦煌学研究机构，设立了一批敦煌学的博士、硕士学位点，造就了一支老中青结合、水平较高的敦煌学专业人才队伍，不仅保证了我国敦煌学研究事业后继有人，而且成为国际敦煌学未来的生力军。

我国学者在敦煌学的几乎所有领域，诸如语言文学、历史、考古、艺术、宗教、民族、民俗、科技以及中外文化交流等学科发表了数以万计的较高水平的研究论著，获得国际学术界的好评。

敦煌学是一门"方面异常广泛，内容无限丰富"的学问，其研究对象主要包括敦煌石窟艺术和藏经洞文献两大方面，涉及宗教、艺术、历史、地理、经济、语言文学、民族、民俗等众多哲学社会科学领域，它属于交叉学科，其中也含有"绝学""冷门"的领域。从事敦煌学研究的学者应该按照习近平总书记提出的要求，不能满足于以往成就，要在以往研究的基础上，力求突破创新。

其一，数十年来的敦煌文献研究，已经对我国古代历史、经济、政治、科技、文化、中外交流等方面的研究提供了大量珍贵的资料，丰富和更新了许多关于古代社会历史的认识。但敦煌文献还远未开发完，还有很多未知的领域需要去探索。今后一方面需要继续从不同学科的微观层面挖掘资料及其内涵，另一方面需要从宏观层面整合诸多学科的力量进行交叉学科研究，从多学科角度深入揭示敦煌文献资料多方面的价值和意义。

其二，要深入拓展对敦煌石窟（以及丝绸之路沿线石窟和文化遗迹）在考古学、艺术史学等方面的研究。以敦煌石窟为代表的中国优秀传统艺术反映了历代无名艺术家创造的奇迹，这些令无数观众感动的艺术却在以前的艺术史里很少提及。因此，敦煌和丝绸之路沿线考古、艺术史的研究，必将成为中国艺术史的突破口。

其三，要在以往历史学、考古学研究的基础上加强对丝绸之路历史文化的研究，尤其是加强中国西部古代少数民族文化研究，中亚、西亚及南亚印度文化与中国古代文化交流的历史研究。古代于阗文、吐火罗文、粟特文、回鹘文、梵文、西夏文等民族文字研究都被称为"冷门"和"绝学"，但这些冷门和绝学学科往往可以为我们认识古代历史打开新的窗口，成为中国古代历史、中西文化交流史研究的突破点。

要促进上述三个方面的研究，一方面应该发挥优势，集中国内历史学、考古学、艺术史的高端学者和那些能够解读古代少数民族文字的专家集中力量对丝绸之路与敦煌学难题进行研究；另一方面要对敦煌学与丝绸之路历史和文化进行系统研究，分别在历史学、语言学、艺术学等领域取得集成性成果，从而使我们对中国传统文化、对丝绸之路文化获得更加全面的认识，这也必将为我国"一带一路"提供重要的文化参考。

（原载于《光明日报》2016 年 6 月 28 日第 9 版）

纪念《敦煌研究》出版 100 期

《敦煌研究》期刊从创刊至今已走过 20 多个春秋，出版了 100 期。

《敦煌研究》是在中国改革开放之初，中国敦煌学研究全面复兴的形势下创办的。"文化大革命"结束后，在中国改革开放的新形势下，全国的敦煌学研究出现了欣欣向荣的景象。一些大学开始开设敦煌学课程，并成立敦煌学研究小组或研究机构。在敦煌文物研究所，以段文杰所长为首的新的领导班子及时地把工作重心转移到学术研究工作上来，使本所的敦煌学研究工作走上正轨，研究人员纷纷撰写论文，涌现出一大批敦煌石窟及文献研究的成果。这些成果先后在一些书刊上发表，如中国文物出版社与日本平凡社合出的《中国石窟·敦煌莫高窟》就汇集了本所大部分研究人员的成果，此外还编辑了论文集《敦煌研究文集》等。为了尽快地刊布本院敦煌学研究新成果，并积极推动全国敦煌学研究的发展，在段文杰先生的倡导和主持下，敦煌文物研究所创办了《敦煌研究》期刊，于 1981 年和 1982 年出版了试刊第一期和第二期，1983 年《敦煌研究》正式创刊。1986 年，《敦煌研究》作为季刊定期公开发行。20 世纪 90 年代以后，国内敦煌学呈蓬勃发展之势，本刊收到的来稿越来越多，《敦煌研究》的页数也由 1986 年定期发行时的每期 102 页增加到了 188 页，每期发稿字数增加了一倍，达 30 万字。2002 年以后，为适应敦煌学研究迅速发展的需要，《敦煌研究》由季刊改为双月刊发行，加快了出版周期。每一期的页数为 120 页，约 20 万字，为国内外学术界及时地提供新成果、新资料、新信息。至 2006 年底为止，本刊出版正刊 100 期，特刊 7 期，共发表敦煌学相关的各类文章 2294 篇，其中包括石窟艺术与考古方面论文 696 篇，历史文献方面论文 867 篇，石窟文物保护类论文 187 篇，其他相关资料、综述及信息稿件 544 篇。这些文章涉及敦煌学的所有专业，除了敦煌学领域，还对中国佛教考古、美术史研究、历史研究、古代汉语、古代民俗学、古代科技、音乐舞蹈研究、文物保护研究等领域产生了深远的影响，成为许多相关专业的必备参考文献。

在《敦煌研究》试刊第一期，作为主编的段文杰先生回顾了70年来敦煌学发展的历程，强调我国敦煌学在国际学术进程中的落后状况，提出了"把《敦煌研究》期刊作为敦煌研究和相关问题进行探讨的学术园地，本着百家争鸣的方针，促进敦煌研究的繁荣和发展"的办刊宗旨。1983年正式出版创刊号时，段文杰先生继续强调了这一办刊宗旨，并阐述了敦煌学所涵盖的丰富层面，指出要全面地促进敦煌学研究的发展，打开敦煌学研究的新局面。体现了在国际领域展开敦煌学术研究的远见卓识。

20多年来，本刊始终坚持这一办刊宗旨，努力拓展思路，不断改革，通过与作者群（专家队伍）、读者群的交流与互动，克服各种困难，使《敦煌研究》期刊逐步走向成熟。1988年以后，我们根据敦煌学研究论文的特点，开设了一些有特色的栏目，如"石窟考古""石窟艺术""石窟保护""河西史地""敦煌遗书""敦煌语言文学"等。在其后的十多年中，又根据来稿情况，逐步增设了一些栏目，如"敦煌民俗""敦煌乐舞""敦煌书法""回鹘问题研究""敦煌体育""敦煌科技""敦煌医学""敦煌饮食文化"等新栏目，及时反映不同领域研究的新成果。其中"石窟考古""石窟艺术""石窟保护"等许多栏目逐渐成为本刊的特色栏目，不仅在敦煌学界，而且在相关学科研究中产生了积极的影响。而"回鹘问题研究""敦煌体育""敦煌乐舞""敦煌医学"等栏目的开设都在不同程度上促进了这些学科的发展，受到了学术界的好评。与此同时，我们立足本院，面向全国，面向世界，有计划地向国内外一些著名专家学者们约稿，大大提高了本刊的质量。20多年来，每年都刊发了不少国内外知名学者高质量的学术论文，在世界性的敦煌学界产生了广泛的影响。

本刊发表的研究成果主要体现在以下几个方面：

第一，石窟考古研究方面，包括对壁画的图像学考证以及对部分洞窟时代的推断等。敦煌壁画包含着丰富的佛教内容，对于壁画内容的分析与考证以及敦煌石窟的时代分期研究是敦煌石窟研究的基础工作。《敦煌研究》创刊以来，发表了有关敦煌壁画中的经变画（如维摩诘经变、涅槃经变、观无量寿经变、楞伽经变、十一面观音经变等密教经变等）、故事画及瑞像图（包括佛传故事、本生故事、因缘故事、佛教史迹故事、瑞像画）等内容的新考证、新发现，还发表了一些关于敦煌石窟时代分期研究（如对吐蕃时期、回鹘时期洞窟分期研究）的成果。20世纪90年代以后，随着莫高窟北区考古发掘工作的开展，对北区考古发掘成果及相关研究成果的发表，也在学术界产生了较大影响。此外，还有不少论文成果是对敦煌石窟中的建筑、民俗等专题图像的研究成果。除敦煌石窟以外，还发表了不少对各地石窟考古研究的新成果，包括新疆地区、中国北方各地及南方部分石窟的新发现和新成果。

第二，对敦煌石窟艺术的深入研究和探讨，包括对敦煌石窟艺术发展史的研究成果、对敦煌石窟艺术风格及美学研究的成果以及对敦煌艺术的技法（如线描、色彩等方面）研究成果。许多论文对敦煌艺术的一些分类做更深入的研究，如对山水画、装饰图案画、人物画、动物画等方面的研究。还有不少论文是对敦煌壁画中的音乐、舞蹈图像的研究，对敦煌藏经洞发现的画稿与壁画的比较研究，敦煌石窟艺术与印度、中亚及中国各地石窟的比较研究。鉴于中国石窟艺术的研究还有待于全面发展与提高，本刊在石窟艺术研究领域采取开放的方针，不局限于敦煌的石窟，而是对中国各地石窟研究乃至国外佛教艺术研究成果兼收并蓄，发表了大量中国各地石窟艺术及国外佛教艺术研究成果，在学术界产生了深远的影响。

第三，敦煌文献方面的研究成果。敦煌文献是一个包罗万象，内涵十分丰富的领域，敦煌文献的研究是世界范围内的敦煌学研究的重要内容。敦煌研究院的学者们往往是以石窟为中心进行研究的，但作为敦煌学研究专业的学刊，本刊没有故步自封，同样刊发了大量的文献研究的成果，包括历史、宗教、民族、语言文学等领域的研究成果。特别是一些对国内国外收藏敦煌文献目录的首次公开刊布，对敦煌历史、民族的深入研究，对敦煌语言文学研究的新成果等，都引起了学术界的重视。

第四，文物保护研究方面，以石窟保护为中心，兼及各方面的文物保护研究成果。20多年来，《敦煌研究》不仅设置了"石窟保护"的专栏，还出版了文物保护学科的专号，发表的成果涉及文化遗产的管理研究、土遗址的保护研究、壁画彩塑的修复研究、加固材料研究、遗址环境研究等方面，特别是敦煌研究院承担的国家级、省部级保护研究以及国际合作保护研究成果的相继发表，极大地推动了石窟及古遗址保护学科的发展，并逐渐在中国乃至世界文物保护研究领域形成一定的影响力。

《敦煌研究》作为专业学术期刊，还积极努力跟踪发表最新的学术成果，拓展本刊的信息量，从某种意义上说也推动了学术研究工作。20世纪80年代初，中国的敦煌学刚刚开始复苏，由于"文化大革命"的影响，大部分学者没有条件完成的学术研究成果，在20世纪80年代陆续完成。特别是本院老一辈学者如段文杰、史苇湘、霍熙亮、贺世哲等先生对敦煌石窟艺术、考古方面的重要研究成果，在《敦煌研究》上得以刊布。同时，本刊还注意刊发敦煌历史（如归义军史）、敦煌语言文字、敦煌音乐舞蹈等方面最新的成果，使本刊走在敦煌学发展的前沿。随着本院石窟保护研究的深入，对于以敦煌石窟为代表的古遗址科学保护研究所取得的丰硕成果，《敦煌研究》也不断开辟专栏，或出版保护专号，刊布这一领域的新成果，配合敦煌研究院承担的西藏布达拉宫壁画修复等三大保护工程的开展，及时地发表了修复研究的相关成果，对世界古遗址和壁画保护产生了较大的影响。此外，对一些富有前景的学术专题研究给予关注，如20世纪80年代末到90年代，连续发表了有关回鹘文、回鹘蒙文的考释研究成果，有关回鹘时期敦煌及河西历史问题、敦煌回鹘石窟的划分等方面的研究成果，促进了回鹘历史及石窟的研究。随着近年对敦煌壁画中服饰文化研究的发展，《敦煌研究》出版了"中国服饰史研究与敦煌学"特刊，有力地推动了这一学科的发展。从1983年全国敦煌学术讨论会以来，由敦煌研究院多次主办的国际国内不同规模的学术研讨会，《敦煌研究》都及时地报道了相关会议的信息和相关学术成果。其中有七次学术会议都出版了特刊。20世纪90年代以后，中国的敦煌学得到了更加深入和广泛的发展，本刊努力适应作为世界性学科敦煌学的发展趋势，从敦煌学的全局来考虑，在保持本刊特色的同时，重视敦煌学各个领域的新成果，重视国际敦煌学的信息交流，刊发了不少国内外敦煌学研究的新成果，同时对于中外学者都关注的学术问题给予强有力的支持。20多年来，为了办好《敦煌研究》这份专业性很强的学术刊物，我们一方面集中本单位的研究力量，发表新成果和高质量的论文；另一方面通过各种渠道，征集国内外一些著名的专家学者的成果，使本刊发表的成果保持一定的学术水准，成为敦煌学界的重要参考。本刊创刊以来，段文杰、史苇湘等本院老一辈学者们给予了极大的关怀和帮助，强有力地扶持和推动本刊的发展。著名学者季羡林先生、饶宗颐先生、阎文儒先生、周绍良先生、任继愈先生、王伯敏先生、金维诺先生以及日本学者平山郁夫先生、池田温先生、秋山光和先生，英国学者韦陀先生等著名学者或者给我们以重要的意见和建议，或者给我们赐稿，极大地鼓舞了我们办刊的信心。柴剑虹先生、姜伯勤先生、荣新江先生、陈国灿先生、邓文宽先生、赵和平先生、张涌泉先生、黄征先生、郑炳林先生等众多的知名学者在相当长的时期内，不断地将他们学术研究的新成果赐稿与我们，使本刊能够不断地刊发敦煌学的最新学术成果，为学术界提供重要的参考。在此，我们向一贯支持和关心我刊的广大学者表示由衷的敬意和诚挚的感谢！

在各级主管领导的热情关怀下，在学术界广大专家学者以及广大读者的热情支持和帮助下，《敦煌研究》得到了稳步健康的发展。1990年，《敦煌研究》荣获甘肃省优秀社科期刊奖；1994年，在甘肃省首届社科期刊评级中被评为"甘肃省一级期刊"。1995年，《敦煌研究》荣获国家新闻出版署评选的"全国优秀社科学术理论期刊奖"。1997年，本刊被国家新闻出版署评定为"首届全国百种重点社科期刊"。1999年，在第二届甘肃省社科类期刊评级中，本刊被评为"甘肃省一级名牌期刊"。1999年，本刊再度荣获"全国优秀社科期刊奖"并被评为"第二届全国百种重点社科期刊"和"全国中文社科核心期刊"；同年荣获"首届中国期刊奖"。2002年，本刊进入中国期刊方阵"高知名度高学术水平"的"双高"期刊之列。2005年，本刊荣获"第三届国家期刊奖百种重点期刊奖"。此外，本刊在日本、美国、韩国以及欧洲一些国家学术界也形成了一定的影响，成为敦煌学及相关学科研究的必备参考，为不少知名大学和研究机构订阅和收藏。

《敦煌研究》获得的一些荣誉，对我们来说是极大的鼓励，同时也是一种鞭策。我们虽然取得了一定的成绩，但是，与世界范围内敦煌学发展的要求还有着相当的距离，从审稿到编辑、印刷方面都还存在着诸多不足，本刊将继续努力，以促进敦煌学发展为己任，进一步从严审稿，提高编辑质量，把《敦煌研究》办成高品位、高质量的学术期刊。

20世纪90年代以来，随着敦煌石窟图片资料的大量出版以及世界各国所藏敦煌文献的逐步汇集出版，彻底改变了过去研究敦煌学时资料难以收集，或者无法收集全的局限，特别是一些资料的数字化检索工程的开展，更加速了学术研究的进程。今后的敦煌学研究必将进一步拓宽研究领域，朝着更深入、更细密、更全面的方向发展。多学科交叉研究，不同专业学者间的合作研究，古代文化艺术与当今社会文化艺术发展相结合的研究，文化遗产的综合保护管理研究等将成为学术发展的大趋势。同时，随着国际性敦煌学研究联络组织的成立、国际学术交往的频繁发展，国内外学术信息的沟通将会远远超过以往的任何时候，敦煌学必将在世界人文科学研究领域闪耀出新的光芒。《敦煌研究》期刊也将在新的时代担负起历史的重任，为新时代的敦煌学发展做出应有的贡献。

（原载于《敦煌研究》2006年第6期）

心通造化，神寄山水

——饶宗颐先生首倡的山水画西北宗之说

20世纪80年代初，饶宗颐先生第一次来敦煌莫高窟，先生或流连于洞窟之中，或查阅经卷于研究所内，闲暇之余，先生漫步于大泉河畔，寄情于三危山峰，在离开莫高窟前，饶先生万分感慨，写下了著名的《莫高窟题壁》："河湟入梦若悬旌，铁马坚冰纸上鸣。石窟春风香柳绿，他生愿作写经生。"此次莫高窟之行和随后的中国文化之旅对先生学术研究和艺术创作都产生了重要影响。正如曾宪通先生所说："30年前那次中国文化之旅是饶先生治学经历甚至是他一生的重大转折点，在此之前饶先生基本上是通过流失海外的中国古典文献及实物来研究中国文化，而那次长达3个月的实地考察使他接触到更为广博的古代文物，使他在学术与艺术领域的实践得到进一步升华。"我们看到，无论是敦煌彩绘、敦煌白描，还是敦煌风光，都有他从敦煌艺术中吸取的养分，而先生首倡的"西北宗山水画说"，就是先生敦煌书画艺术创作实践的进一步升华。

2000年7月，在敦煌莫高窟举行的敦煌学国际学术讨论会期间，文化部部长孙家正会见了饶先生，我有幸忝陪末座。在与孙部长的交谈中，饶先生以三危山为例，说明西北山水奇特，提出中国山水画中应有西北一宗。2006年，《敦煌研究》拟编辑、出版100期专号，我以主编身份致书饶公，请赐大作，饶公遂以《中国西北宗山水画说》一文赠编辑部，这是饶公首次明确提出并加以阐述的画学主张。就山水画"西北宗"提出的缘起，饶先生从西北地区的地理概念、西北地区独特的历史文化和山水特征以及唐宋以来的山水画史，表达了提出山水画"西北宗"的缘由。饶先生认为明代画家董其昌提出山水画"南北宗说"影响甚巨，但自唐代画家王宰、毕宏描写秦、蜀山水，北宋画家郭熙勾勒太行、太华诸山，包括现代画家张大千、赵望云、吴作人、梁黄胄诸人，均未重视西北山水，西北地区"天苍苍野茫茫之寥廓大漠间，'莽莽万重山'盘亘千里。向来为华戎杂居，中外文化交叠之处，非南北两宗所能牢笼"。非别启西北一宗，则不能表现西北山水之奇特。饶先生指出："西北宗宜以陇坻为界，华及西戎之'分水岭也'。大抵自陇首以西，即为大西北。这一带本为西戎地区，民族极为复杂，其文化混合情形，光怪陆离，多种文化层交叠的地带，而山川形胜，与陇东大不相同。"

饶先生以艺术家的敏锐眼光看到了西北自然风光的特征，并从绘画史的角度，指出董其昌"南北宗"说未能涵盖西北山水，因此，对于中国山水画发展来说，"西北宗山水画"的提出是极富有创见的。在唐代的敦煌壁画中，我们就可以看到当时的敦煌画家已经有意或无意地描绘西北的山水景色。如第172窟东壁文殊变背景中，就可以看到如饶先生所说"新三远法"中的"旷远"之景，第148窟北壁经变画中的山水、第231窟北壁弥勒经变背景中也可看出"夐远""荒远"的特征。当然，古代画家是凭着他们对周围自然环境的感受来表现的。饶公提出的"西北宗山水"说，则从理论上系统阐述为西北宗山水画之要义，堪为画家创作的指导。

对如何表现西北宗山水，饶先生在多年研究、探索敦煌壁画支法并付诸实践的基础上，结合多次在敦煌、吐鲁番、库车等地实地考察，提出了"西北宗"山水画画法的基本内容。

其一，创新"三远"构图方式。北宋画家郭熙在其所著《林泉高致》一书中提出的"平远、高远、深远"构图方式，至今仍是传统画学的不移之论。但饶先生认为："其法虽可以施之于大江南北之山川平野，但不足以尽西北峰峦、丘壑之美……西北诸土，山径久经风化，开成层岩叠石，山势如剑如戟。一种刚强坚劲之气，使人望之森然生畏。而树木榛莽，昂然挺立，不挠不屈，久历风沙，别呈一种光怪陆离之奇诡景象。"要表现这种景象，饶先生提出应以"新三远"来表现，这"三远"是："旷远渺无人烟，夐远莽莽万重，荒远大漠荒凉。"饶先生还以他的三幅"火焰山"画来表达使用"三远"的构图方式。先生的《莫高北窟》以疾笔做山石野草，表现莫高窟北区的荒远之貌，也令人耳目一新。

北宋郭熙创山水画"三远法"之后，有韩拙在所著《山水纯全集》提出了"阔远、迷远、幽远"的三远法，来补充郭熙的"三远法"。韩拙的"三远法"反映了典型的南方山水特征。南宋以后的中国山水画家大多擅长于表现南方山水。虽也不乏画北派山水的人，但总的来说与范宽、郭熙的山水画有很大的区别，主要是画家们熟悉的环境并不在北方。今天，西北的自然风光与人文精神越来越为人们所重视。正如饶先生所言，西北地区自有其特殊的历史文化和独特的山川之貌，而千年画史中西北山川却很少有画家重视，成为山水画的特殊空间，先生为适应西北山水画法而别创"新三远"，正是把握了西北山水自身的特点，为郭熙所说的"三远法"未能涵盖的，这无疑为西北宗山水画构图表现开辟了道路。

正如饶先生所言，西北地区自有其特殊的历史文化和独特的山川之貌，而千年画史中西北山川却很少有画家重视，成为山水画的特殊空间，先生放弃旧"三远"而别创"新三远"，无疑将成西北宗山水画构图的开创者。

其二，新皴法的运用。饶先生举唐代画家张璪"外师造化，中得心源"之语为其皴法心得。他说："余数历敦煌，出入吐鲁番，观楼兰之遗址，涉龟兹之残垒，瞩目所见，层山叠嶂，荒草残垒，归而试图之，觉'山石久经风化，断层累累，而脉络经纬，如阴阳之割昏晓，大辂椎轮仍在……'（题2005年自绘《西夏旧域图》）知非别创一皴法，不足以状之。"饶先生以自绘《西夏旧域》《高昌石壁》《龟兹大峡谷》《吐鲁番山径》《楼兰遗址图》为证，"叠经试写，以为可用乱柴、杂斧劈及长披麻皴，定其轮廓山势，然后施以泼墨运色，以定阴阳。运笔宜焦干重拙，'皴当纯以气行'（自题2005年绘《龟兹大峡谷图》）。间亦试用茅龙管，或取一笔皴，以重墨雄浑之笔取势，或以金银和色，勾勒轮廓，尚有可观"。这次在莫高窟展出的《榆林金秋》《三危山掠影》《西北道中所见》《西北宗画法石卷》《十三间房魔鬼林》可以说是先生运用新皴法的代表。在《三危山掠影》中，先生以乱柴皴夹以长披麻皴，表现三危山山石重叠、荒凉悲壮之美，西北山水之奇特，经先生妙笔生花，不能不令人为之震撼。

其三，传神写貌的必要条件。饶先生说："西北境地，自唐以还，通西域商旅之路，逐渐改道，使人迹日益罕见，风沙岁月，铸凿大地，使其形貌，别有苍茫萧索之感。荒城残垒，险崖高壑，自成气势。是当亲历其所，然后形诸笔墨，方能兼得其神其貌。写来不单山色风光，活跃纸上，即塞北风声雪意，亦毕现其中。""故欲描绘西北山水，开一新境界，亲历其地是必要条件。"

饶先生西北宗山水画之所以与一般普通的风景写生不同，正是因为这些作品融入了先生对大西北深厚的感情。先生指出："有的山水画家喜欢去写生，把山水照原样写下来，很忠实地表现出来，用这种办法来画山水，我是不同意的，光写生还不如照相，人家何必来看画。这种创作方法忘记了一个最关键的问题，就是艺术是自然现象通过人的心灵洗练再创造的产物。每个人的心灵不一样，也就是说，每个人的经历、性格、学养不一样，笔下的艺术品也就千差万别。"[1]先生几次亲赴新疆、敦煌考察，对西北的历史文化遗产和与众不同的山川草木、风土人情产生了深深的情感，这些经历为他积累了丰富的视觉经验和心灵感受，从而在日后的创作中用朴实洗练的笔法、自然写实的色彩，创作出别具一格的艺术作品。先生的"传神写貌之建议"，值得每一个艺术工作者深思。

饶先生在《龟兹大峡谷》的题记中写道："皴法纯以气行，为余西北宗创作之权舆。"这为我们理解先生西北宗山水画指明了方向。我们认为先生"皴法纯以气行"，即是对氤氲于西北山水间精神气韵的把握，这正是对"外师造化，中得心源"的最好脚注，也是西北宗山水画所要达到的意境。先生在《中国西北宗山水画说》中指出："余以为作为一个开派的大画家，必须有牢笼

1　饶宗颐：《书画是自我生命的流露》，载钱穆等著《明报·大家大讲堂》，北京：新星出版社，2008年，第195页。

宇宙的意向，'万物皆备于我'的胸襟。"[2] "我个人认为，每个人都有自我天地，我的眼睛闭起来，我可以想到几万年、几千里外，在这个时候，我同天地已融合为一。庄子说，天地与我并生，万物与我为一，就是这种境界，这是一种艺术境界。"[3] 正是这种"万物皆备于我"的境界，心通造化，神寄山水，才使得西北宗山水画独出心裁，更为传神。如果我们读到先生"白杨古窟鸣沙，落日丛祠暮鸦。西去阳关尺咫，三危山下人家"，再观其《榆林窟画卷》[4]，我们就能感受到先生追求"造化"与"心源"的统一，以自然和心灵的统一表达西北山水之美的独特领悟。

饶先生曾言："熟读禅灯之文，于书画关捩，自能参透，得活用之妙。以禅通艺，开无数法门。"[5] "禅的产生、传播地区，主要在湖南、江西、粤北一带的山地，禅僧与山民共同生活，所体会到的大自然是空阔、无垠和自在，他们生活在大化之中，精神已得到无上的解放。从'禅'得到的宁静，本身已是一种生活中的艺术享受了。""禅不光是静坐，而是要培养出心中湛然一片光明海。"[6] 学人据此论先生"以禅通艺"，山水画多有禅意，表现空灵与清静。但就先生西北宗山水画而言，我认为先生的画作是在"禅意"的基础上又发展出的"豪放"之气，这当是先生画风的新变化。饶先生在《黄公望及〈富春山居图〉》一文中开篇即言："黄大痴（按，即黄公望）元季稠浊之世，弃仕入道，放浪江海，尝终日踯躅于巅涯崛岪之间，以遂其山林常往之愿，故所绘山水，力争造化神奇，卓绝一世。"[7] 元代山水画大师黄公望之所以创作出苍率潇洒、境界高旷的《富春山居图》，成为传世名作，即在于其人"放浪江海"，于山川之美如痴如醉，而最终"造化神奇，卓绝一世"。而先生对唐代书法家张旭、宋代书画家米芾、米友仁父子的"豪放"之风情有独钟。饶先生说："余自退居而后，益游心于艺事，既误入米家之船，遂妄搦张颠之管。尝以尺幅虽小，精神与天地往来。宇宙云遄，点滴咸可以入画。"[8] 西北山水粗放雄浑，荒凉悲壮，而西北人又热情奔放，以"豪放"之气来表现西北山水，更能表达西北山水之奇特。在这一点上，我非常同意黄兆汉先生的观点。黄教授分析山水画中的"水法"在饶先生西北宗山水画中的运用时说：《敦煌石窟卷》和《火焰山》两卷是写西北风景的。本来西北气候干燥，大量运用水分似乎不太适宜的，但因为饶教授的用笔、用墨、用色另有"别趣"，而且以水分去衬托干笔、残墨和色彩的不同浓度（尤其是赭色），故展现出来的却是干燥的敦煌石窟和炽热的火焰山！从这两幅作品，我们可以窥见饶教授用水的神奇技巧。

2　饶宗颐：《中国西北宗山水画说》，《敦煌研究》2006 年第 6 期，第 10 ~ 12 页。

3　饶宗颐：《书画是自我生命的流露》，载钱穆等著《明报·大家大讲堂》，北京：新星出版社，2008 年，第 195 页。

4　香港大学饶宗颐学术馆、敦煌研究院：《莫高余馥——饶宗颐敦煌书画艺术》，2010 年，第 94 ~ 95 页。

5　饶宗颐：《画颖新编·小引》，载氏著《饶宗颐二十世纪学术文集》（卷十三·艺术上），台北：新文丰出版公司，2003 年，第 167 页。

6　饶宗颐：《八大山人禅画索隐》，载氏著《饶宗颐二十世纪学术文集》（卷十三·艺术下），台北：新文丰出版公司，2003 年，第 1074 ~ 1075 页。

7　饶宗颐：《黄公望及〈富春山居图〉》，载氏著《饶宗颐二十世纪学术文集》（卷十三·艺术下），台北：新文丰出版公司，2003 年，第 849 页。

8　饶宗颐：《饶宗颐书画》，"自叙"，广州：岭南美术出版社，1993 年。

　　写西北风景不易，因为以往的大画家很少注意这个地区的风景，后来无师可承，如今饶教授的写生作品有如此高超的成就，实是难能可贵，无怪有些艺评家谓饶教授已开创"西北宗"山水一派了！曾问过饶教授，他既然已游遍中国大陆的名山大川，那么，哪处的山水最吸引他呢？饶教授毫不犹豫地答道："我最爱西北山水！"西北风景是有其特别之处的，与中原的实大为不同，真是令人非常神往……塞北和江南的风景各异，给人的感受是很不同的。环境影响人的性格，故塞北的人比较豪放爽朗，而江南的人较为含蓄温婉。如今饶教授对西北风景如此热爱，相信最主要的原因是他本来就有爽朗放逸的性格（这一点稍为熟识饶教授的为人都会感觉得到），与西北的民族很相似，故他写出来的作品，无论绘画和书法都相应地豪放纵横。[9]

　　事实上，前引饶先生提出"新三远"构想时，就已指出："西北诸土，山径久经风化，开成层岩叠石，山势如剑如戟。一种刚强坚劲之气，使人望之森然生畏。而树木榛莽，昂然挺立，不挠不屈，久历风沙，别呈一种光怪陆离之奇诡景象。"如此具有"刚强坚劲之气"的西北山水，就应当以豪放风格来表现，饶先生的《三危山掠影》，正是这一风格的表达。所以饶先生说"皴法纯以气行，为余西北宗创作之权舆"，真可谓不刊之论。

　　我于山水画完全是一个外行，但就我所了解的一点知识而言，当今中国画坛自树一帜，新开一派，并以"新三远""新皴法"而立山水画西北宗者，饶公当为第一人。这既是饶先生多年探索并运用敦煌壁画艺术进行创作实践的结晶，也是先生热爱西北、寄情敦煌的表征。因此，在读到先生的大作时，怦然心动，深为先生的远见卓识所倾倒。在给先生的信中，我写道："先生《中国西北宗山水画说》，首倡中国画应有西北一宗，诚谓独辟蹊径。先生倡言'西北宗'之画法，如'新三远''新皴法''传神写貌之建议'，皆别开生面之新说。先生有言：西北山水奇特。然自近代以来，国人皆视西北为畏途，名之为落后之区，至今影响国人观念。先生之论，于艺术一域，鼓舞西北人之士气。先生振臂一呼，应者必众，则二十一世纪中国画坛，必有西北一宗。先生之功，不可没也。"

　　饶先生以其《中国西北宗山水画说》大作，专投《敦煌研究》，足见先生对敦煌之用情，使我不由得联想到先生与敦煌研究院的深情厚谊。20世纪80年代，饶先生第一次来敦煌莫高窟考察，从此，饶先生对敦煌产生了深深的感情，几次莅临敦煌研究院，或登台论学，或奖掖后进，或关心敦煌文物保护事业。2000年，当先生第三次来到敦煌莫高窟时，正逢敦煌学百年盛会，先生再次提笔写下了"东寺能容百丈佛，西关曾贡双头鸡。情牵栏外千丝柳，不怕鸣沙没马蹄"（《重到鸣沙山》）的诗句，并书赠我院，表达了对敦煌的一往情深。最近，先生又将他在2000年

9　黄兆汉：《豪放派艺术大师饶宗颐教授》，载《学艺兼修汉学大师——饶宗颐教授九十华诞国际学术研讨会论文集》，收入《华学》（第九、十辑），上海：上海古籍出版社，2008年，第1637～1645页。

所写的对联"出土遗龟考卜事，披沙得卷识前朝"，用甲骨书法书赠我院。先生在题记中写道："二〇〇〇年所撰联句，纪念莫高窟经卷发现期颐之庆，今岁为百一十周年，兹重录以赠敦煌研究院，永结缟纻之交。"又一次表达了先生对敦煌研究院保护研究事业关心和支持的深厚情结。

饶先生十分关心敦煌石窟的保护工作。2000年，由香港一些热心人士发起成立"香港敦煌佛迹防护功德林"计划，先生与香港佛教界领袖觉光长老慨然应允担任筹备委员会主席。2000年8月19日，筹备委员会在香港会议展览中心举行了盛大的"敦煌佛迹结善缘慈善之夜"活动，为敦煌石窟风沙防护工程筹款，香港特首董建华先生亲自出席，饶先生、方召麟、杨善深、范子登、林湖奎等20多位著名书画家献出墨宝，此举在香港各界产生热烈反应。之后，"香港敦煌佛迹防护功德林"筹委会以募集所得100万元人民币捐赠敦煌研究院。用这笔捐款建成的风沙防护林带，现在已在莫高窟风沙防治中发挥着重要作用。先生的无量功德，福利人天，我们铭记在心，并对先生充满深深的敬意。

今年是先生第四次来到敦煌莫高窟，"情牵栏外千丝柳，不怕鸣沙没马蹄"是饶先生对繁荣敦煌学研究的期待，而今天学者云集的敦煌学国际学术讨论会，正是我们共同愿望的表达。

（原载于中央文史研究馆等编《庆贺饶宗颐先生95华诞敦煌学国际学术研讨会论文集》，中华书局，2012年）

◆ 平山郁夫先生的广阔丝路世界

　　19世纪以后才出现了"丝绸之路"的名称。此前，是指从亚洲东部的汉唐王朝越过帕米尔高原，到中亚、南亚、西亚，继续向前，环地中海，可到北非和南欧的一条陆上交通干道。它是东西方商业贸易之路，又是东西方外交使者和传教者往来之路。更重要的是，驰名世界的古老文明，均分布丝绸之路沿线，所以它又是古代东西方文明交流融合之路。

　　尊敬的平山郁夫先生，是日本一位享誉世界的既画佛教主题，又画丝绸之路的绘画艺术大师。他认为，要对日本文化探迹索隐非踏上丝路不可；丝绸之路是集中人类文明精华的道路，也是东西文明交流融合的道路。平山郁夫先生偕夫人平山美知子无数次踏上丝绸之路，探寻丝路文明的奥秘；精细地描绘丝路各国文明的遗迹和风貌景色。平山先生说"取之丝绸之路，献给丝绸之路"，他又将画好的丝绸之路绘画作品在丝路沿线国家展示，以促进现今丝路沿线国家的文化交流；多年来不断收藏流散于民间的丝路古代文明的古美术品和遗物，又无偿捐献给美术馆，通过展览弘扬传播丝路文明；看到丝路上无比珍贵的文化遗产得不到有效保护，他倡导"世界文物红十字"精神，奔走呼号、慷慨解囊抢救丝绸之路上的濒危世界文化遗产，这就是平山先生的广阔丝路世界！

　　2018年8月，由中国甘肃敦煌研究院和日本平山郁夫丝绸之路美术馆合作，在平山先生心仪的敦煌莫高窟共同举办"平山郁夫的丝路世界——平山郁夫丝绸之路美术馆文物展"。本次展览，荟萃了平山郁夫丝绸之路美术馆珍藏的170件丝绸之路文物精品；展示了他花费数十年心血绘下的丝路古老文明，特别是敦煌的部分绘画作品；同时展出的还有平山先生为丝路上世界文化遗产——敦煌莫高窟的保护弘扬事业所做的卓越贡献的图片。

一

平山郁夫先生自小喜爱绘画，大学期间临摹古佛画，后来从佛画中汲取营养，开拓了日本画新的艺术形式，创作出了以佛教为主题的杰作，如《佛教传来》《入涅槃幻想》《受胎灵梦》。平山先生说："以佛教为主题作画后，亲历佛教传来之路的强烈冲动，驱使我踏上遍访丝路的旅程。"他1966年第一次踏上丝绸之路，1968年以后偕同夫人平山美知子花了很多的时间，据说有150次之多，遍访丝路沿线国家，足迹遍及广袤的欧亚大陆。

作为造诣高深的画家，平山先生对丝绸之路的寻访采风，不是一般的旅行、寻访、写生，他认为要表现古代的丝路的浪漫，仅凭想象远远不够，需要某种线索。绘画与文学不同，属于造型艺术，始终要求具体表现，因此需要抓住某种有真实感的"实物"。从这个意义上讲，遍访丝绸之路无疑是非常有益的体验。于是，他多次寻访了环地中海的希腊、叙利亚、约旦、土耳其、埃及等希腊文化地区；西亚的伊拉克两河流域和伊朗文化地区；以前属于苏联的中亚各国、阿富汗、巴基斯坦、印度等犍陀罗文化地区；东亚的中国新疆、敦煌、西安、西藏、北京、广州等华夏文化地区。平山先生长期深入丝绸之路寻访，通过考察和用画笔记录了丝路沿线国家不计其数的历史遗迹和自然景物，他还画下了以前他从未见过的丝路沿线国家的种种风俗、市场、街景、生活等风貌。平山先生对人们生活的兴趣是一方面，更触动他的还是丝路上欧亚大陆的自然景观。他对单纯的自然、山川草木等自然景物没有太大兴趣。虽然山川秀美，可以令人神往，然而仅此还不足以使他产生遐想。他的兴趣点全在有历史底蕴的土地上。他说，在这个自然中，数千年来上演了多少戏剧性的场面啊，如马其顿国王亚历山大远征，伊斯兰骑兵纵横驰骋的沙场，蒙古成吉思汗的军队席卷欧亚，古代的基督徒、求法的佛僧，不都是在这单调的土地上留下过足迹吗？连马可·波罗也经过这里一路东进。这里就是人类历史的大舞台，回顾几千年历史的壮丽舞台，没有比丝绸之路更绚丽多姿的世界。现今这些波澜壮阔的场景虽已成为历史，但在丝路各地依然留下了他们的文化，为此，平山先生坚持不断地进行丝路历史文化访问和采风。他的丝路情结越结越深，不能自拔，他会禁不住热血沸腾，难以按捺冲动。当他站在沙漠中的废墟上，手拈片瓦或一撮墙土，任凭遐想长上翅膀，以铅笔信手写生时，不再受历史画、浪漫画之类程式的约束，真正沉浸在无拘无束、自由作画的喜悦中。他说："我描述历史，绝非简单地再现历史事实。可以说，我的历史画是站在'但愿如此'的角度，而不是'事实如此'。诚然，不能因此就不着边际地空想，那样必然流于浅薄，必须做尽可能缜密的历史考证。恰恰是尊重事实，想象力才更丰富吧。"他带着不少有关东方、阿拉伯世界、丝绸之路的书籍，在丝路上寻访时不断阅读，帮助他深入地了解悠久的丝路历史和文化。此外，平山先生在东方沙漠中，曾体验过沙尘暴。他认为中亚的自然，并没有日本那样赏心悦目的美，甚至就是单调呆板的黄褐色世界。他在周围荒凉的大自然怀抱中反复写生，渐渐发现了他自己不知道的色彩，即堪称"东方色"的色彩，它的颜色和质感是无法想象的。在古老深厚的文明滋养下，平山先生不断攀上新的艺术高峰，用他自己原有的色彩感和通过艰苦努力在丝路上所发现的"东方色"结合，创造了他于写实中充满梦幻般的浪漫、宁静、高雅、壮丽的风格，画下了他在丝绸之路上的所见所闻，画下了他遐想的波澜壮阔的世界。他走访丝绸之路的全程，均被画入他从不离身的写生册，共积累了600余册素描作品。平山先生是世界上画丝绸之路题材数量最多的一位画家。对丝绸之路如此熟悉和执着的画家，除他而外，无论日本还是其他国家恐怕再无第二人。他用画笔，对古丝绸之路所到之处不停地创作，如果将平山先生的丝路写生、素描和创作作品连起来，那就是"再现东西方文明久远的历史画卷。"平山先生以卓越的艺术天资，为人类留下了丰富精彩的丝路美术精品。

敦煌莫高窟是平山先生最痴迷的地方。他多次到莫高窟，画了不少的有关敦煌的画作。本次展览选了平山先生7幅敦煌艺术的绘画。据平山先生回忆，他1979年第一次到敦煌莫高窟，已近黄昏，突然看到在沙漠中出现了杨树的簇簇绿荫，接着位于鸣沙山中的九层楼，从沙丘中走来。他以急切的心情，开始描摹大佛殿的九层楼阁。当时，风从杨树间掠过，送来树叶的沙沙声，（九层楼）风铃丁零零响个不停，夕阳落山了。鸣沙山的细沙，在风中飞落。他一直画到天色昏暗，仍无法抑制亢奋的心情，甚至感觉僧人阵阵诵经唱和，伴随风铃声传来。如果不是日落，他真想一直画下去。仅我个人所知，平山先生在1979年、1985年、1991年、1994年、2007年前后曾画过五幅莫高窟九层楼外景。此次展览展出其中三幅：第一幅是1979年他第一次的写生，将九层楼周围的山岭、沙漠、植被等自然景色和古老的院落等人文环境全都画了下来；第二幅是1991年的素描，时隔12年，他将初到莫高窟挥之不去的印象通过素描又画了出来；第三幅是1994年的素描，又过去3年，他再一次重画莫高窟崇高的标志性建筑九层楼，以象征敦煌莫高窟是丝路上的耀眼明珠。本次展览的另外四幅是莫高窟优秀的彩塑和壁画写生，也是平山先生最喜欢的敦煌艺术精品。它们是：莫高窟唐代第57窟菩萨像，是一身楚楚动人的观音菩萨，身躯略作"三道弯"扭曲，显示她体态婀娜，形象秀美，描绘精致，线描错落有致，其宝冠、耳饰、胸饰、臂钏、腕钏皆用沥粉堆金，更突显观音菩萨的绚丽华贵；北魏第260窟彩塑素描，画一身菩萨半身像，脸形长圆，曲眉高鼻，端庄秀丽，头戴三珠宝冠，斜披天衣，肩挂长巾，双手持花蕾，右手置腹部，左手置于胸前，表现了一个少女的虔诚纯真；隋代第419窟彩塑素描，画一个瘦骨嶙峋的迦叶像，表现了饱经风霜、历经苦修，依然坚毅沉着、爽朗达观的老年高僧形象；唐代第158窟彩塑素描，画释迦牟尼佛涅槃像，右胁横卧，右手支颐，面庞丰润，双眼半合，似睡非睡，嘴角略带微笑，神情安详恬静，表达了大乘佛教所说的佛陀"常乐我净"的涅槃意境。

二

　　平山郁夫先生对丝绸之路历史文化深深的爱，还表现在他致力收集散落在丝绸之路沿线不同文明的大量古美术品和文物，加以保存，用于展示。此次在莫高窟展出的文物，就是从平山郁夫先生收藏的古丝绸之路文物中精挑细选出来的170件精品。展览将这些展品按收集地区，分为三个部分，即环地中海地区，两河流域和伊朗地区，阿富汗、巴基斯坦和印度地区；再加上丝绸之路钱币，共四个部分。

　　展览的文物虽然按收集地区加以区分，但是公元前333至公元前323年，希腊马其顿国王亚历山大（前356~前323年）经过10年的远征，征服了从爱奥尼亚海到西北印度犍陀罗地区、从高加索到埃塞俄比亚边缘的所有国家。他所到之处，无不留下希腊文化的痕迹。两河流域和伊朗以及阿富汗、巴基斯坦和印度两个地区，都受到过希腊文化影响、又相互吸纳和影响对方的文明，而且在吸纳的基础上，创造了各自独特的文明。不同地区的展品，各有特点，又呈现不同文明的交流融合。

（一）环地中海地区

　　主要反映希腊艺术时期和希腊化艺术时期的文明。时代跨度较大，包括爱琴文明时期（前12世纪之前）、荷马时期（前12~前8世纪）、古风时期（前750~前5世纪）、古典时期（前5世纪中后期~前334年）、希腊化时期（前323~前30年）。希腊化时期之前，出现了希腊艺术。希腊化时期形成了希腊人与非希腊人，希腊文化艺术与希腊以东的文化艺术融合而成的文化艺术。这个地区展品来自地中海和环地中海东岸地带，如希腊、马耳他、南意大利、叙利亚、腓尼基等地。众所周知，雕刻是希腊文明的主要成就之一，本次展出有原始社会时期的黏土神像、陶制女性像；古典时期的女神像；希腊化时期的众神石浮雕。希腊化时期公元2~3世纪的石质圆雕男、女头像中，有希腊的哲人或教师的形象、叙利亚的巴尔米拉地方为纪念死去人物的死者半身雕像、受罗马2世纪时期贵妇人卷发形象影响的女神或贵妇人的雕刻。彩陶是希腊艺术的又一大成就，这次展出的两件古风时期或古典时期画有神话故事的黑彩陶器和牛头酒尊红彩陶器，值得欣赏。首饰中有公元前9~前7世纪的两件耳饰，皆纯金制成，做工精致、细腻豪华；项链，多以玻璃质珠子为主，有的还用玉石、金属珠串联而成，是希腊化时期的作品。玻璃器有希腊化时期产生的透明的瓶、钵、壶、杯等多种器形。

（二）两河流域和伊朗地区

　　两河流域，即幼发拉底河和底格里斯河（现今伊拉克境内），希腊语称其为"美索不达米亚"，意思是两河之间的土地。美索不达米亚文明因发源于两河流域之间而得名，又称两河流域文明。美索不达米亚平原展示出来的文明，是西亚最早的文明。主要由苏美尔、阿卡德、巴比伦、亚述等文明组成。其时间从公元前4000年左右至公元前6世纪。公元前538年美索不达米亚文明的最后一个新巴比伦王国被波斯帝国灭亡。从公元前550年到公元651年的西亚（现今伊朗）是波斯帝国时期，创造了波斯文明。

展览的美索不达米亚文明展品的时间跨度为公元前2200年到公元前6世纪。展品有圆筒印章，是古代美索不达米亚流行的多类印章中的一类。圆筒印章是如同印刷的滚筒式的印章，在其曲面上浮雕8个人物和动物，在黏土板上滚动时，图像就显现出来，通过同狮子及人面牛身的怪物战斗的人物形象来表达对英雄的崇敬。美索不达米亚到公元前7世纪的亚述王国时期，进入铁器时代初期。此时模仿各种动物形象，制作了各种形式的象形陶器。展品中有生动可爱的瘤牛（牛背上有很大的瘤）、公牛等，牛形陶器身上有葡萄酒的注入口和流出孔，几乎都用于酒宴和祭祀礼仪。

波斯文明时期展品，为公元前3世纪至公元七八世纪即波斯帕提亚王朝（中国史籍称为安息王朝）至波斯萨珊王朝时期的文物。展品有帕提亚王朝浮雕银板，在很薄的银板上雕刻精美的戴头冠女性人物纹样；有模仿骑马民族的皮袋壶而制作的青釉双耳扁壶，装饰乳钉纹的青绿釉陶壶、青釉多连壶等；有古波斯的列瓣纹银器、银质镀金高脚杯等。波斯帕提亚王朝受希腊化时期或罗马风格影响的圆形鹿纹银盘，中部饰一垂死的牡鹿，周围为放射状纹饰；波斯萨珊王朝继承帕提亚王朝传统，继续制作中部饰有动物纹样的圆形或舟形镀金银杯、银盘，如帝王狩猎纹银盘。展出的4件古波斯和帕提亚王朝的来通杯，为西亚地区流行的饮器，早在美索不达米亚文明的亚述王朝时就已经出现，主要用于礼仪或祭祀活动，如青釉双耳来通，上部为双耳瓶颈，瓶肩部饰有横卧在躺椅上的一手持杯、一手绞杀狮子的希腊神话中的英雄赫拉克勒斯像，瓶下部为头戴冠带的卷发人像，底部为山羊或鹿头形的流。

（三）阿富汗、巴基斯坦和印度地区

古印度西北部，今巴基斯坦北部，印度河与喀布尔河交会处附近的白沙瓦谷地为犍陀罗地区。它是古印度西北的门户，是古印度与中亚、西亚和地中海世界联系的枢纽，东西方文明交通的十字路口。重要的地理位置，使犍陀罗地区在印度佛教艺术产生之前就已经是印度文化与波斯、希腊、罗马、中亚文明长期混合交流的地区。在公元前1世纪，印度佛教进入大乘佛教时期，需要造神，此时正是波斯帕提亚王朝占领犍陀罗地区的时候，从西亚引进了希腊化人物雕刻艺术的模式，于是印度佛教文化与希腊化艺术的混合，促成了印度犍陀罗希腊化佛教艺术的产生。

　　早在公元前 2 世纪到公元 1 世纪，也就是犍陀罗佛教艺术产生之前，犍陀罗地区已经流行一种石质化妆盘，一般盘中以雕刻希腊神话故事为主。展品中，一件化妆盘雕刻有变化成牡牛的宙斯神掠夺黎巴嫩公主欧罗巴的故事，另一件化妆盘上半部则刻有男女饮酒的场面。

　　公元 1～4 世纪，尽管佛教造像艺术已经产生，并逐渐盛行，但是犍陀罗地区还在继续雕刻希腊、罗马神像的石雕，如希腊神话中的镇海之神——弹琴和吹阿夫罗斯管的特里同、浑身肌肉健壮的担天大力神阿特拉斯、希腊神话中的英雄赫拉克勒斯头像，后者头像色彩保存较好。甚至连印度的怀抱孩童的丰收之神鬼子母诃梨帝，以及鬼子母诃梨帝和其丈夫财富之神般阇迦的石雕像，也被希腊化了。

　　展品中数量最多的，是犍陀罗地区许多石质浮雕的佛传故事雕刻，如释迦牟尼前世的化身授记（预言）的燃灯佛、托胎灵梦、占梦、乔达摩·悉达多太子树下诞生、勉学、婚礼、逾城出家、降魔、成道、四天王奉钵、初转法轮、涅槃、纳棺、搬运佛舍利等等场面，或多或少都有希腊化的特征。特别是不少单独的石雕或泥塑的佛像、佛陀头像、菩萨像、菩萨头像等，更明显呈现出希腊化风格。

　　展品中除了展示希腊化风格的犍陀罗佛像外，还有阿富汗迦毕试样式的佛像。迦毕试样式是贵霜王朝时期迦毕试（今阿富汗贝格拉姆）流行的一种不同于希腊化犍陀罗佛像的风格。其特点是双肩上都有燃烧的火焰纹的"焰肩佛"。迦毕试佛像肩上装饰燃烧的火焰纹这种特征，是对火崇拜的表现，它源于贵霜人的审美和受袄教崇拜圣火信仰的影响。

　　展品中有一尊时代 7 世纪前后的青铜佛陀立像，头部的肉髻和头发呈螺纹、身穿贴体的袒右肩袈裟，其特点似呈印度北部佛教造像风格，阴线衣纹刻画精致。

　　展品中除雕刻和泥塑的佛陀像和菩萨像外，还有雕刻和泥塑的供养者造像，他们的身份、年龄、性别不同，有王侯、贵族、男子、女子、老人、童子等的头像和胸像。

　　在犍陀罗佛教艺术中，还有收纳佛舍利的不同材质、不同形状的舍利容器。如塔形舍利容器，它由上部四重塔刹、中部塔瓶和下部的方形塔座构成，塔瓶为水晶制，其余均是金制，是典型的犍陀罗式舍利塔。石质奉献塔，其形制与塔形舍利容器基本相同。石质钵形舍利容器，分别由石质钵形容器和金、银制成的圆筒形带盖容器套装在一起而成。后者容器中还放置有金花、银花、玛瑙及其他宝石等供养物。

　　制作精致的首饰。有公元前 6 世纪至前 5 世纪的银质饰青金石动物的手镯，这种动物手镯为游牧民族所特有，在波斯阿契美尼德王朝（前 550～前 330 年）较为流行。还有公元前 2 世纪的饰有金花的金王冠和镶有绿松石的金别针。有犍陀罗地区公元 1～3 世纪饰有贵霜王侯像的铜质扣饰，有金耳饰、金耳坠、金项饰、金垂饰，通体装饰条纹的银手镯等，其中金耳坠可能是受到希腊风格影响的作品。

器具类展品。有公元前2000年到前1800年制作的银碗，碗圆筒形，直壁，平底，银碗外壁捶揲出手持弓箭、正在行走的狩猎者，以及树木丛中站立的马匹和奔跑的鹿群，似有美索不达米亚艺术的特征。有公元前1世纪至1世纪的曲颈铜壶，为葡萄酒容器，其把手上端为一个头上有角的男神卧像，把手下端为一片树叶下藏着的女神像。这种独特的斜喇叭口的口沿工艺，是受希腊化时期或罗马制作工艺影响的作品。有来自犍陀罗的印度帕提亚银杯，为典型的罗马风格银杯，杯身由一整个银盘打造而成，杯底座为后补，推测可能由地中海地区输入印度的。有来自阿富汗北部6~8世纪前半期的8件彩绘连珠纹不同形状的陶器，分别绘有婚礼、马头、口衔树枝的大角羚羊、野猪头、鸟、圆形花纹等图案。绘画婚礼的陶壶和一圈绛红色连珠纹的陶盘，是典型的波斯萨珊王朝陶器。

锦类丝织物展品。共3件，均来自中亚，时代为8~9世纪。其中一件黄地天马纹纬锦残件，图案为希腊神话中的天马形象，其颈部和腿部缠绕丝带，颈部饰联珠纹，翅膀的特点和低头饮水的姿态更为接近希腊及小亚细亚地区的特征，在萨珊波斯和中亚栗特地区十分流行。另一件绿地圣树双鹿纹纬锦残件，其图案中心是垂直的圣树，圣树两侧为相对后腿站立的长角鹿，周围为联珠纹，工艺精湛。

（四）丝绸之路货币

展品虽只展示了10枚钱币，但时间跨度大，从公元前4世纪至公元7世纪；涉及丝绸之路沿线较广的地区，有地中海的希腊马其顿王国、地中海东岸的塞琉古王国、西亚波斯帕提亚王朝和珊萨王朝、中亚大夏（今阿富汗）王朝、古印度贵霜王朝；钱币一般正面浮雕国王头像，或胸像，背面浮雕希腊神像，或祆教信仰的拜火坛。虽然钱币数量不多，但较为珍贵。

丝绸之路是集中人类文明精华的道路，也是东西文明交流融合的道路。展览展出的170件文物，虽数量不多也不系统，但这些点点滴滴的古艺术品和文物，反映了中国以西丝绸之路上环地中海地区、西亚两河流域和伊朗地区、中亚地区（包括阿富汗、巴基斯坦、印度地区）著名古代文明曾经的辉煌，是古代显赫一时文明的实证，呈现了上述地区文化、艺术、宗教、工艺、风情、民俗的不同特点，以及这些文明的交流融合、相互借鉴、相互吸纳、相互影响。本次展览的文物，反映了丝路文明的杰出创造和对人类的贡献，也是帮助参观者了解、接触、观赏和研究丝路文明的极好资料。

三

敦煌是古丝绸之路的"咽喉之地"，是古代东西方文明的交融荟萃之地。平山先生认为"敦煌是佛教东渐途中最令人瞩目的节点"，所以敦煌莫高窟是他最看重的丝路世界文化遗产，也是他给予关注和帮助最多的地方。平山先生1979年9月第一次来到敦煌莫高窟，此后几乎每年都要到敦煌。如同唐玄奘在印度取得佛经一样，平山先生在敦煌唐代壁画中找到了日本古代绘画的源头，十分惊喜。他每次到敦煌，都迷恋敦煌壁画，抓紧一切时间写生，摹写敦煌艺术，但也逐渐看出了敦煌莫高窟保护存在的问题，便产生了要担负起保护敦煌莫高窟使命的想法，说出了"倾家荡产也要保护敦煌莫高窟"的豪言壮语。从此，平山先生到敦煌，不只是观赏绘画精美的敦煌艺术，更考虑如何保护莫高窟、保护敦煌艺术。怎样才能帮助敦煌研究院做好保护工作呢？平山先生和他的夫人平山美知子认为，钱固然重要，没钱无法办事，但人才是根本，有了人才能用钱做好保护。为此，平山夫妇决定个人出资，让敦煌研究院选派青年人到日本学习文物保护、考古、美术等各类急需的专业，并像对待自己的亲人一样，关心着这些赴日学习人员的学习和生活。从1985年至今从未间断，为敦煌研究院培养了一批急需的高素质的专业人才和技术骨干，为发展敦煌保护、研究和弘扬事业起了积极作用。

从20世纪80年代中期开始，平山先生促成了敦煌研究院与日本东京文化财研究所合作，共同开展敦煌石窟的科学保护研究，取得了许多成果，提升了敦煌研究院的保护研究水平。平山先生考虑问题特别周密，他知道科学保护敦煌壁画少不了先进的探测仪器，他让专家反复调查研究，选择当时世界先进、价值昂贵、性能精良的"全自动X射线衍射仪"，可达到对文物的无损伤取样分析，他请日本"文化财保护振兴财团"无偿捐赠给敦煌研究院。为了让我们用好这台仪器，他请日方生产此仪器的公司派出工程师到敦煌，安装调试仪器，还请对方邀请敦煌研究院的保护技术人员去日本接受培训，使这台高精密度仪器顺利投入在保护研究工作中。不到一年时间，我们的保护技术人员利用这台仪器，测定各种文物样品300多个，有效地推动了敦煌石窟的保护工作。

尤其令人感动的是，1989年，平山先生将个人画展的全部收入2亿日元，捐赠给敦煌研究院，资助敦煌石窟保护研究。敦煌研究院用此善款，设立了"平山郁夫敦煌学术基金"。后来敦煌研究院将此基金扩大，成立了"中国敦煌石窟保护研究基金会"，为推动敦煌文物事业的发展起到了重要作用。

平山先生多次向日本政界要员介绍保护世界文化遗产莫高窟的重大意义，推动日本政府参与敦煌莫高窟的保护，最终于1988年促成了日本政府无偿援助10亿日元，保障"敦煌石窟文物保护研究陈列中心"建设项目的落实，为保护和展示敦煌艺术发挥了积极作用，是中日友好史上的一座纪念碑。

平山先生认为，像敦煌石窟这样的世界文化遗产，是中国的，也是世界的，更是日本的文化艺术之源。敦煌石窟保护是一项浩大的工程，仅靠个人的力量是不够的，一定要依靠社会的力量，保护敦煌文物，并抢救和保护丝绸之路上濒危的世界文化遗产。为此，他发起建立"世界文物红十字组织"，在 1988 年倡导成立了日本"文化财保护振兴财团"，动员日本民间力量，倡导超越国界、民族、宗教和意识形态的"世界文物红十字"精神，抢救濒危的人类珍贵文化遗产。平山先生在重点保护敦煌石窟文物的同时，将中国其他地区的文物也列入保护范围。因此，除了敦煌石窟是这项活动的最大受益者外，平山先生倡导的"世界文物红十字"的计划，还惠及西安大明宫遗址、新疆交河古城、洛阳龙门石窟、南京古城墙、三峡文物保护，以及中国美术馆装修等众多项目。平山先生同样以"世界文物红十字"精神，对柬埔寨吴哥石窟、阿富汗巴米扬石窟、朝鲜高句丽古墓、乌兹别克佛教遗址做了抢救性保护。此外，还帮助欧美一些国家修复博物馆收藏的日本古画等。总之，平山先生为抢救和保护丝绸之路沿线文化遗产做出了卓著的贡献。

敦煌是历史上丝绸之路东西文化交汇的重要枢纽，莫高窟是东西方文化汇聚和融合的典范。今年正值敦煌举办第三届丝绸之路（敦煌）国际文化博览会，又是中日两国缔结和平友好条约 40 周年。根据这次文博会"展现丝路风采，促进人文交流，让世界更加和谐美好"的主题，敦煌研究院与日本平山郁夫丝绸之路美术馆合作在莫高窟举办"平山郁夫的丝路世界——平山郁夫丝绸之路美术馆文物展"，我们希望通过展出丝绸之路沿线国家辉煌灿烂的历史文化，促进现今丝路沿线各国的人文交流合作，增进互相了解，弘扬"团结互信、平等互利、包容互鉴、合作共赢、不同种族、不同信仰、不同文化背景的国家可以共享和平，共同发展"的丝路精神。

最后，向平山郁夫先生为弘扬丝路文化和保护丝路文化遗产所做的巨大贡献，致以崇高的敬意！并衷心感谢平山美知子女士和日本平山郁夫丝绸之路美术馆对本次展览的大力支持！

（原载于敦煌研究院编《平山郁夫的丝路世界——来自平山郁夫丝绸之路美术馆的文物精品》，朝华出版社，2018 年）

柒 · 洞窟分期与石窟
考古报告

VII

Period
Division and
Archaeological
Report on the
Grottoes

◆ 敦煌莫高窟北朝洞窟的分期

　　莫高窟开凿于甘肃省敦煌县东南鸣沙山东麓的断崖上。根据洞窟的分布情况，可以分为南、北两区。北区除第461～465窟等5个窟有壁画而外，多是当时僧人和工匠居住的洞窟。现有编号的洞窟大多集中在南区，上下相接、左右比邻，最密集处上下可达四层或五层。隋代以前的北朝洞窟，在莫高窟现存36个。除第461窟在北区外，其余皆分布在南区中段的第二层和第三层。洞窟窟门均东向〔图1、2、3〕。

　　现存的北朝诸窟中，除了第285窟有西魏大统四、五年（538、539年）发愿文题记[1]外，再没有可供断代的直接材料。我们探讨这批北朝洞窟的分期，是通过对洞窟的形制、塑像、壁画、装饰图案等项进行分类排比，从中分析它们各自在内容和表现形式上的差异、变化，以及它们之间的共存关系，以探求其发展和演变的过程。根据这样的研究，我们将北朝洞窟分为四期。根据各期的时代特征，我们对四期的相对年代进行了推定。每期的起讫时间，都是按敦煌地区的具体历史发展情况来估定的，与相应历史朝代的起讫年代并不完全一致。因此，在个别洞窟的时代上，和前人的看法有所不同。本文不是对前人各种分期见解的综述，而只是概略地阐述我们目前对北朝洞窟分期的认识。这些是应该加以说明的。

1　发愿文，载敦煌研究院编《敦煌莫高窟供养人题记》，北京：文物出版社，1986年，第114～117页。

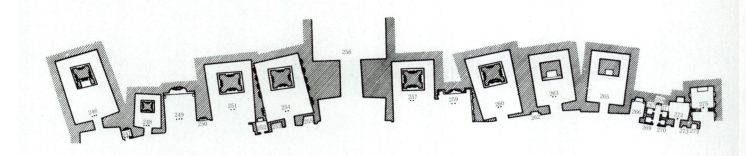

图1

图2

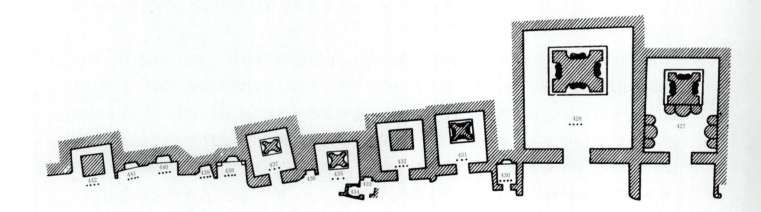

图

第一期

　　第一期石窟3个，即第268、272、275窟。三窟南北比邻，自成一组。第268窟²无前室，平面呈长方形。平顶，顶上浮塑斗四平棋。后壁³开一尖楣圆券形龛，内塑交脚佛像。南北两侧壁各开两个方形小禅室。侧壁绘单身结跏趺坐佛和与壁面等高的药叉，上部有穿右袒袈裟、比丘形象的飞天。在壁画的布局上，看不到明显的上下分段情况。

　　第272窟单室，平面方形。窟顶近似穹隆形，中心浮塑斗四藻井。窟顶与四壁的连接圆转，上下之间无明显界限。后壁开一穹隆形龛，内塑倚坐佛像。侧壁壁画布局分为上、中、下三段：上绘天宫伎乐，中绘说法图、千佛、供养菩萨，下绘三角垂帐纹。窟门外两侧崖壁上各凿一小龛，内各塑一禅僧⁴。

　　第275窟单室，平面长方形。窟顶作起脊较宽的纵向人字披形，上浮塑脊枋和椽子。后壁贴壁塑高3.34米的交脚菩萨像一身，方座，座两侧各塑一狮。南北侧壁各分为上、中、下三段：上段各开阙形方龛二、对树圆券龛一，龛内分别塑一交脚菩萨或思惟菩萨；中段画佛传或本生故事，故事画下绘供养人或供养菩萨一列；下段为三角垂帐纹。

　　第一期的三个洞窟，在洞窟形制上各不相同，而且三种窟型在以后各期中均不见。三个洞窟中，塑像皆为单身造像，多塑弥勒为主尊〔图4〕。胁侍像都是画在塑像的两侧。塑像和壁画中的佛、菩萨形象，面形浑圆、额宽、鼻直、嘴大、唇薄、嘴角上翘，微含笑意〔图5〕。佛像的服装仅右袒式袈裟一种。菩萨像的服装主要是袒上身、披巾、着裙的裙披式。壁画中的飞天体态略显僵硬、笨拙，身体屈成"U"字形〔图6〕。第275窟北壁本生故事画，在横卷式的壁画上，并列四个以上的本生故事。每个故事以最富有特点的一两个情节，表现故事的主题，自成一幅独立的画面。第268窟的男供养人像，服装为交领、大袖长袍〔图7〕。第275窟的男供养人像，头裹巾帻，上衣为交领、窄袖、束腰，下穿宽腿裤及靴〔图8〕。第268窟女供养人像，着交领、右衽长衫和长裙〔图9〕。装饰图案中有单叶波状忍冬纹〔图10〕。以上这些特点，都是第一期洞窟所特有，第二期及以后各期所不见的。

　　第一期洞窟中的另一些现象，例如：出现阙形方龛和对树形龛；壁面上下分段布局；佛、菩萨像两肩宽厚、腰细的造型；塑像服装上的贴方泥条间刻阴线的衣纹；壁画中各种人物的面部、

2　敦煌文物研究所过去将第268窟主室南北侧壁的四个小禅室分别编为第267、269、270、271窟。从整个洞窟结构看，四个小禅室均属于第268窟，因此本文只作为一个窟来看待。小禅室内现存壁画为隋代所画，原先应是素壁。

3　因莫高窟绝大多数洞窟皆为坐西朝东，故本文叙述上以西壁为后壁，东壁为前壁，南、北两壁为侧壁。如遇中心柱，则东向面为正面，西向面为后面，南向面和北向面均为侧面。

4　第272窟北侧崖壁上的小龛，敦煌文物研究所过去编为第273窟。

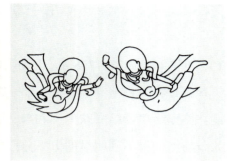

图4　　　　　　　　　　图5　　　　　　　　　　图6

图7　　　　　　　　　　图8　　　　　　　　　　图9

图10　　　　　　　　　　图11

〔图4〕
莫高窟第275窟主尊
彩塑交脚菩萨
北朝

〔图5〕
莫高窟第275窟彩塑
主尊头部
北朝

〔图6〕
莫高窟第268窟飞天
北朝

〔图7〕
莫高窟第268窟男供
养人
北朝

〔图8〕
莫高窟第275窟男供
养人
北朝

〔图9〕
莫高窟第268窟女供
养人
北朝

〔图10〕
图案纹样单叶波状忍
冬纹

〔图11〕
莫高窟第275窟壁画
胁侍菩萨面相及晕染
北朝

肌肤的晕染为西域式的凹凸画法〔图11〕；故事画人物多为菩萨装或西域装；天宫伎乐的天宫为圆券形房屋，下画凹凸条砖凭台，台下绘托梁〔图12〕；千佛服装为双领下垂和通肩两式相间排列；千佛头光、身光、服装的颜色以八身为一组，每身各不相同，颜色的排列顺序成组地循环，形成斜向的条条色带，表现十方诸佛佛佛相次、"光光相接"的景况[5]；图案装饰中有云气纹、鳞纹、锁链忍冬纹、双叶波状忍冬纹、双叶交茎套联忍冬纹等〔图13〕，这些特点均为第二期所沿用。

5　《思惟略要法·十方诸佛观法》，载《大正藏》第十五卷。

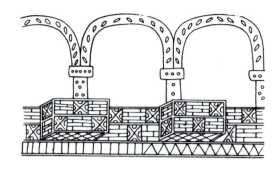

锁链忍冬纹

双叶波状忍冬纹

双叶交茎套联忍冬纹

图12   图13

[图12]
莫高窟第272窟天宫
建筑
北朝

[图13]
图案纹样

　　第一期洞窟中的若干特点在第二期洞窟中继续存在，表明第一期和第二期之间有着前后继承的关系。而第一期中所独具的那些特点，则正是其与第二期的差异所在。这种差异，反映着第一期早于第二期的时代特征。

　　为了判定第一期石窟的时代，显然还需要将本期洞窟的若干特点去和已知有较明确年代的材料进行比较，例如和山西云冈石窟的第一期[6]作比较，同时也和永靖炳灵寺以及新疆等地石窟对照比较。莫高窟北朝第一期没有中心塔柱窟，云冈第一期的昙曜五窟情况相同，两地的中心塔柱窟均出现在第二期。莫高窟北朝第一期洞窟塑像为单身造像，不塑胁侍，胁侍像以壁画表现；云冈第一期中亦有同例，第20窟主像三世佛，也无胁侍塑像。莫高窟北朝第一期塑像，肩宽腰细、面相长方而浑圆，同云冈第一期的第18、19、20窟中的造像十分相似。莫高窟北朝第一期塑像贴方泥条和刻阴线的衣纹，第275窟交脚弥勒菩萨肩部和腿间的衣、裙边作宽波褶的褶纹，这些都和云冈第18、19、20窟主尊衣褶衣边的处理手法一样。莫高窟第275窟的交脚弥勒，两腿相交成钝角，两膝间距离较宽，胸前浮塑小莲花和璎珞，这些特点同云冈第一期的第17窟主尊交脚弥勒很有相似之处。莫高窟第一期体态笨拙的飞天，在云冈第一期洞窟中也可以看到。另外，酒泉出土的北凉时马德惠造石经塔〔图14〕[7]，炳灵寺第169窟西秦建弘元年（420年）前后的壁画〔图15〕[8]，也都可以看到相似的

6　宿白：《云冈石窟分期试论》，《考古学报》1978年第1期。
7　王毅：《北凉石塔》，文物编辑委员会编《文物资料丛刊（1）》，北京：文物出版社，1977年。
8　甘肃省文化局文物工作队：《调查炳灵寺石窟的新收获》，《文物》1963年第10期。

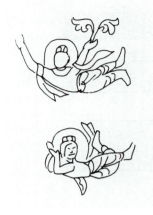
图 14

图 15

图 16

图 17

飞天形象。莫高窟第268窟女供养人像，双手拱于腹前的动态及衣纹的形式，和炳灵寺第169窟西秦壁画〔图16〕、敦煌婆罗谜字石经塔[9]的供养人像〔图17〕很相似。莫高窟第272窟的男供养人的袴褶服装，和新疆吐鲁番阿斯塔那北凉承平十三年（455年）沮渠封戴墓出土的陶俑服装十分接近[10]。

通过上述比较可以看出，敦煌莫高窟北朝第一期洞窟，与云冈等地5世纪初至中叶的石窟雕塑、壁画及石刻具有许多的相似之处，这表明它们在时代上应大致相同。云冈第一期洞窟开凿于北魏复法之后的和平年间（460～465年）。著名的僧人昙曜来自凉州[11]，他主持开凿的昙曜五窟自然会受到凉州的影响，其造像风格应是凉州造像风格的继续[12]，故亦可理解为是对北魏灭法前旧的造像形式的模仿。敦煌莫高窟地近凉州，其北朝第一期艺术同样也应该是源于凉州，属于北魏灭法之前的形式。敦煌420～442年是由北凉政权统治着的，因此我们认为，莫高窟北朝第一期洞窟的开凿时代，大致相当于北凉据有敦煌的这段时间。

北凉政权重佛法[13]，沮渠氏一门笃信佛教。蒙逊"素奉大法，志在弘通"[14]，

〔**图** 14〕
酒泉马德惠造石塔上的飞天
十六国夏承光二年（公元428年）

〔**图** 15〕
炳灵寺第169窟壁画中的飞天
西秦建弘元年（公元420年）前后

〔**图** 16〕
炳灵寺第169窟壁画中的女供养人
西秦建弘元年前后

〔**图** 17〕
敦煌婆罗谜字石经塔上的供养人
北凉

9　觉明居士：《记敦煌出土六朝婆罗谜字因缘经经幢残石》，《现代佛学》1963年第1期。此塔与酒泉马德惠造石塔相似，应同属北凉时期遗物。

10　新疆维吾尔自治区博物馆：《新疆出土文物》，图版五四，泥俑左起第三人，北京：文物出版社，1975年。

11　《魏书》卷一百一十四《释老志》。

12　宿白：《云冈石窟分期试论》，《考古学报》1978年第1期。

13　汤用彤：《汉魏两晋南北朝佛教史》，第十四章"佛教之北统"，北京：中华书局，1963年。

14　《高僧传》卷二《昙无谶传》，《大正藏》第五十卷，第336页。

公元397年统治凉州之后，曾主持开凿凉州南山石窟[15]，"为母造丈六石像"[16]。蒙逊子茂虔于玄始九年（420年）任酒泉太守后，在酒泉"起浮图于中街"，有石像在焉[17]。酒泉和敦煌先后出土过北凉时期石塔7件[18]。德国人勒柯克也曾在新疆吐鲁番盗去北凉石塔1件[19]。据调查，甘肃武威天梯山[20]等处也都有时代较早的洞窟，也很有可能是在北凉时期开凿的。河西一带分布有这么多北凉时期的佛教遗迹，那么同时在敦煌莫高窟开窟和造像，当然是十分可能的。

第二期

第二期石窟主要是第259、254、251、257、263、260等6个窟。此外，第487、265两窟，虽经后代改画和重修，但其始建应在北朝第二期。

第二期洞窟的形制，主要是中心塔柱窟。中心塔柱窟形制上有其鲜明特点。窟室平面呈长方形，后部中央凿出了通连窟顶与地面的中心塔柱。柱身四面凿龛造像，正面为一大龛，余三面皆两层龛，除两侧面上层作阙形龛外，其他都是尖楣圆券形龛。柱身上部贴影塑。在窟室后部，中心塔柱与窟室侧壁、后壁之间形成绕塔右旋的通道。通道上方为平顶，影作平棋。窟室前部顶作人字披形，上浮塑脊枋、檐枋和椽子。人字披檐枋两端，有的装有木质丁头拱，第254窟原物尚存。第254、251、257三窟的前壁门道上方，还凿有通光的方形明窗。

第二期石窟中，第259、265、287三个窟形制比较特殊。

第259窟 单室，平面长方形。两侧壁凿上下两列龛，龛内造像。北壁上层四个阙形龛，下层三个尖楣圆券形龛。南壁大部已残。后壁中部凿成一前凸的半个中心塔柱，仅正面开龛造像。正面龛外两侧和塔柱两侧面各塑一胁侍立像。柱身上部贴影塑。窟顶前部为人字披，后部平顶。此窟应是中心塔柱窟的一种不成熟和不完备的形式。

第265窟 经后代改建重绘。中心塔柱正面龛已改为方形深龛，其余三面龛已无存。[21]窟顶前部现被改成平顶，但仍能看到人字披被改建的痕迹。此窟较大，位三第一期三个窟与第二期的第259、260、263窟之间，根据窟形和所处的位置，可知其开窟时间应在第二期。

---

15 道宣：《集神州三宝感通录》卷中，《大正藏》第五十二卷，第418页。

16 《法苑珠林》卷十三《敬佛篇·观佛部感应缘》，《大正藏》第五十三卷，第383页。

17 《太平御览》卷一百二十四篇"霸部八"引《十六国春秋·北凉录》。

18 王毅：《北凉石塔》，载文物编辑委员会《文物资料丛刊（1）》，北京：文物出版社，1977年。

19 A.von Le Coq（勒科克）：Chotscho, Berlin, 1913, Tafel 60.

20 史岩：《凉州天梯山石窟的现存状况和保存问题》，《文物参考资料》1955年第2期。

21 塔柱的两侧面和后面，也已被抹成平整的壁面，满绘后期壁画，不见原凿龛的痕迹。

第287窟[22] 前室现存部分，呈横长方形；从残存的地面地栿槽和地梁孔遗址推测，前室原为面阔三间的窟檐式建筑。主室平面呈方形。中部偏西筑有方形低坛，两侧壁各凿出四个小禅室。窟顶前部为人字披顶，后部平顶。发掘时曾发现人字披上的浮塑泥椽，上涂土红色地，绘白色下垂三角纹。还发现绘菱形方格纹的泥塑挑檐枋。此窟由洞窟形制和人字披上浮塑椽子等特点看，应与第254、259、257等窟同属第二期。

第二期洞窟的塑像，开始出现成铺的组像，即一般在居中主尊佛或菩萨像的两侧增加左右胁侍菩萨；也有个别情况，例如第251和435窟中，在主尊左右塑天王像。各窟主尊，除第254窟为交脚弥勒佛、第259窟为释迦多宝并坐像外，余皆为倚坐释迦。侧壁龛内，基本上是结跏趺坐佛、交脚菩萨、思惟菩萨共存。中心塔柱南侧面或后面的对树形龛内，多塑肋骨显露的结跏趺坐苦修像。第431窟中心塔柱南面上层龛外，绘壁画"乘象入胎"和"逾城出家"。中心柱四面龛内造像似乎与释迦"出家""苦修""成道""说法"各相有关，这符合禅观所要求的观佛传各相[23]。塑思惟菩萨和交脚菩萨，则有静虑思惟，请弥勒解决疑难，求生兜率的意义[24]。中心塔柱的四面，均贴单身单跪状圆形头光影塑供养菩萨。其服装为通肩或斜披络腋，头梳髻，戴冠帔。此类影塑应是侍从的形象。

第二期洞窟的壁画，四壁上段多是天宫伎乐，下段为药叉，中段是千佛，佛经故事画和说法图。故事画题材除佛传和本生外，还增加了外道皈依（例如须摩提女因缘）、守戒自杀（例如沙弥守戒自杀因缘）等因缘故事。本生故事画除忍辱施舍的内容外，还有讲因果报应的鹿王本生。佛传则突出降魔和说法。说法图中又有三佛说法[25]、白衣佛说法[26]，有的还在下部画出绿水莲池[27]。在构图上，既有菩萨众多的大型说法场面，也出现过仅画一佛二菩萨幅面很小的说法图。

第二期壁画的表现形式，千佛和天宫伎乐沿用第一期形式，但天宫伎乐中，出现了圆券形房屋同中原汉式方形房屋相间的"天宫"建筑式样〔图18〕。故事画有单幅一个情节的，如鹿野苑说法；有单幅同时画出很多情节的，如萨埵本生；也有情节连续铺排的横卷式连环画，将故事的若干情节用连续、交错的多幅画面组成长长的横卷，其中前后情节之间用山峦、屋舍作分隔；各幅画面并附榜题，如鹿王本生。这后面两种构图是第一期所没有的。

22 敦煌文物研究所：《敦煌莫高窟窟前建筑遗址发掘简记》，《文物》1978年第12期。
23 《观佛三昧海经》卷一《观相品》第三之一，《大正藏》第十五卷，第648~650页。
24 刘慧达：《北魏石窟与禅》，《考古学报》1978年第3期。
25 如第263窟南壁壁画三身佛，三佛并立，作说法状。
26 如第254窟西壁中央画坐佛，着白色袈裟，作说法状。
27 如第251窟北壁东侧说法图。

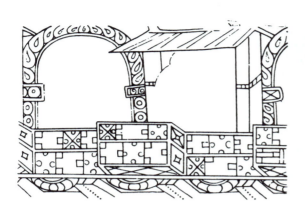  

图18　　　　　　　　　　　　　　　　　图19　　　　　　　　　图20

图21　　　　　　　　　图22　　　　　　　　　图23

〔图18〕

莫高窟第248窟天宫
建筑

（第二期和第三期形式大体
相同）北朝

〔图19〕

莫高窟第257窟彩塑
主尊头部

北魏

〔图20〕

莫高窟第259窟彩塑
胁侍菩萨

北魏

〔图21〕

莫高窟第251窟壁画
胁侍菩萨面相及晕染

北魏

〔图22〕

莫高窟第257窟彩塑
主尊

北魏

〔图23〕

莫高窟第257窟彩塑
胁侍菩萨

北魏

塑像和壁画，佛、菩萨的面相均作长圆形〔图19、20、21〕。人物的服装，塑像中的主尊倚坐像和半结跏趺坐像皆右袒，衣摆两层，平齐而有小褶，衣纹为贴方泥条间阴线，并加装饰性的涡纹〔图22〕。结跏趺坐佛多为通肩和双领下垂式，右袒式极少；衣纹有单阴线、双阴线、三阴线。壁画中的佛像服装仅有右袒、通肩两式。菩萨像的服装以裙披式为主，兼有少量的斜披络腋、通肩和右袒式。裙披式多为披巾搭肩顺臂而下，长裙单层，裙摆成三个尖角下垂，衣纹为阴线〔图23〕。壁画弟子像（包括比丘、比丘尼）服装有通肩、右袒、襦服、对襟四式。后二式为第一期所不见。在说法图和故事画中，人物服饰多数仍然是西域装或菩萨装，中原汉式服装极少。壁画供养人形象多已漫漶。男供养人中的高毡帽、颏下结缨、交领大袖长袍、束带、笏头履〔图24〕；女供养人中的大袖裙襦，上为交领大袖襦服，下为长裙，腰束蔽膝，这样一些服饰也都是第

图 24

图 26

图 25

图 27

〔图 24〕
**莫高窟第 257 窟沙弥
受戒自杀缘品中长者**
（与第 263 窟男供养人
略同）
北魏

〔图 25〕
**莫高窟第 249 窟女供
养人**
（第二期和第三期形式
大体相同）
西魏

〔图 26〕
**莫高窟第 257 窟人字
披椽间飞天**
北魏

〔图 27〕
**莫高窟第 254 窟人字
披椽间图案纹样**
（与第 263 窟男供养人
略同）
北魏

一期所没有的〔图25〕。

　　第二期洞窟窟顶人字披椽间，绘有站立的供养菩萨、双腿舒展露足的飞天〔图26〕以及波状枝藤、莲花、忍冬组成的图案纹样〔图27〕。边饰纹样的种类增多了，出现了第一期所没有的龟背忍冬纹、双叶桃形连圆忍冬纹、叶形同向回卷的藤蔓分枝单叶忍冬纹、藤蔓分枝双叶忍冬纹、菱格几何纹、散点花叶纹等新纹样〔图28〕。

　　第二期洞窟和第三期洞窟相比较，两期之间有很多迥然不同之处。在第三期洞窟中普遍出现的清瘦形象、褒衣博带式的服装、面部以色块晕染双颊的中

龟背忍冬纹

双叶桃形连圆忍冬纹

藤蔓分枝单叶忍冬纹

藤蔓分枝双叶忍冬纹

散点花叶纹

散点花叶纹

[图28]
图案纹样

原汉式表现手法以及体态潇洒、运动感很强的飞天等，在第二期洞窟中都还没有，这标志着第二期早于第三期。

在莫高窟第254窟明窗处，保存着分属第二期和第三期两个不同时代的壁画叠压关系，为确定这两期的早晚顺序提供了直接的证据。第254窟明窗四周有土红色边框、白底长方形画面的残迹。这残迹明显地叠压在原画千佛的土红底色之上。表层壁画是在封堵了明窗之后加画的。现今封堵的明窗又重被打开，故表层壁画仅存部分残迹：上部有菩萨的石青色披巾，下部有身穿裤褶的男供养人形象〔图29〕。从残存的披巾形式和颜色、供养人的服装和姿态，都可以清楚地看到，它们与第三期西魏第285窟北壁说法图中的同类内容十分相似〔图30〕，其时代也应大致相同。第254窟早于第285窟本来就是显而易见的，由它的明窗处重层壁画的叠压关系更足以证明，第二期必定早于第三期。

《魏书·释老志》载，北凉沮渠氏灭亡后，"凉州平，徙其国人于京邑，沙门佛事皆俱东"。因而凉土一带的佛事活动大为减弱。在太平真君五年（444

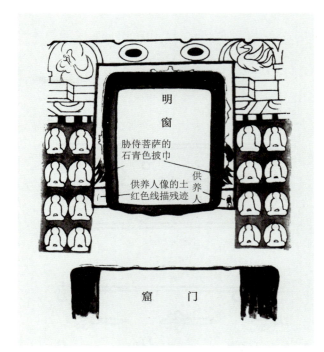

图29

图30

〔图29〕
莫高窟第254窟明窗处
重层壁画的叠压情况
北魏

〔图30〕
莫高窟第285窟北壁
说法图之一
西魏

年）[28]敦煌地区实际已受北魏统治。又据《元和郡县志》卷四十"陇右道沙州"条所载"后魏太武帝（444～452年）于郡置敦煌镇"，可知北魏占领敦煌以后，即在敦煌设镇。北魏太武帝太平真君七年（446年）废佛，至文成帝兴安元年（452年）才又复法。昙曜在平城为北魏皇室开凿五窟，已是和平年间（460～465年）。可以认为，从北魏占领敦煌到和平年间，很少有可能在敦煌开窟造像。所以，莫高窟北朝第二期洞窟的修建，大体只能是在和平年间之后。这样，莫高窟第二期洞窟与北魏灭凉之前的第一期洞窟之间，相距二十多年。因而，第一期洞窟和第二期洞窟存在着比较显著的差异，是不难理解的。在第二期洞窟中，显然还没有出现形容清瘦的"秀骨清像"及"褒衣博带"的服装。这种情况，理应是在太和十八年（494年）"壬寅革衣服之制"[29]之前服装尚未改制的一种表现。边远地带受中原地区文化的影响，总要略晚一些。因此在莫高窟出现秀骨清像和褒衣博带式服装，可能要到公元500年以后了。所以我们认为，莫高窟北朝第二期洞窟的年代，大约是在公元465年到500年左右，即相当于北魏中期。

---

28 公元442年，逃奔伊吾的西凉李宝归据敦煌，奉表北魏。北魏授宝敦煌公。宝据敦煌二年，公元444年被征入朝，是年敦煌遂入北魏版图。见《晋书》卷八十七《凉武昭王李玄盛子士业传》、《资治通鉴》卷一百二十四。

29 《魏书》卷七《高祖孝文帝纪下》。（日）长广敏雄：《仏像の服制》，载氏著《大同石佛藝術論》，日本京都：高桐书院，1946年。

第三期

第三期石窟主要有9个，即第437、435、431、248、249、288、285、286、247窟。此外，窟内北朝塑像和壁画均已无存的第246窟，也应归于第三期。这期的石窟形制种类又有增加。

中心塔柱窟居多数，除第248窟外，第437、435、431、288、246窟都有前室。前室均经重绘。主室前壁上无明窗。中心塔柱侧面除在第248窟为单层龛外，其余诸窟都有两层龛，柱身形成上小下大的阶梯形。窟内大都为尖楣圆券形龛，只有第437、435窟有阙形方龛。人字披形顶浮塑脊枋、檐枋下均无木质斗拱。

第246窟，全窟经西夏重绘，中心塔柱正龛经改建加深。窟顶还保存前部人字披后部平顶的形式。中心塔柱两侧面和后面还能看出原建时的龛形，两侧面上层龛均为方形，估计原来应是阙形方龛。这种阙形方龛，到第四期即已不再出现。根据第246窟的窟形，以及位置上同第247、248、249等窟比邻的情况，可推知它们大体同属于第三期。

第285窟，为本期仅有的禅窟。其前室曾经后代重绘并加凿小龛。主室平面方形。地面中央有方形低坛。后壁凿龛身较低的三个圆券龛（其中中龛较大），内各塑一像。两侧壁各开四个小禅室，禅室内素壁。窟顶为方形、覆斗状。侧壁壁画布局上下分段。

第249窟和第247窟，为单龛窟。皆单室，平面方形。后壁开一龛身较低的大尖楣圆券龛，内塑像。后壁与侧壁相接处，或侧壁后端，有低台，其上塑胁侍菩萨像。壁画上下分段。第249窟窟顶方形、覆斗状。第247窟窟顶人字披形，影作脊枋和椽子。

第286窟，位于第285窟门道上方。人字披形窟顶，影作脊枋和椽子。无龛和塑像。

第三期的各洞窟，根据它们的主尊、胁侍菩萨以及供养人像的服装，根据中心塔柱上的影塑、四壁佛经故事画及说法图的题材和表现形式，可以分为两种类型。

第一类洞窟有第437、435、431、248窟。它们同第二期石窟没有明显的区别，其主要的方面仍然是第二期旧内容和旧形式的继续，只是在影塑和窟顶椽间绘画中出现了第二期所没有的服装、纹样、面相和染色方法。其中单身单跪影塑供养菩萨，服装一律为通肩式，无冠帔，尖头光。第437、435、431窟的影塑还有成组的佛、菩萨、飞天，与供养菩萨共存。第435、437窟影塑清瘦式飞天穿褒衣博带装〔图31〕。窟顶人字披椽间绘莲花、忍冬、摩尼宝珠和清瘦式飞天组成的纹样；其中并无波状枝藤，与第二期不同。飞天头梳单鬟髻或双鬟髻，面相方瘦清秀，挺胸，双腿蜷曲，长裙裹足，披巾呈锐角数个，升腾飘扬，似火焰状。飞天面部的晕染，为中原汉式染色块的手法〔图32〕。这组洞窟的塑像，造型扁平单薄，颈项细长，面相方瘦清秀〔图33、34〕。

第二类洞窟有第249、288、285、286、247窟。这组洞窟中出现了较多的新题材和新的表现形式。塑像主尊和胁侍菩萨像多为褒衣博带式服装，右祖式袈裟已不见〔图35〕。穿褒衣博带服装

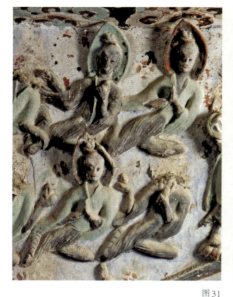

图31　　　　　　　　　　　　　图32

图33　　　　　　　　　　　　　图34

〔图31〕
莫高窟第437窟影塑飞天
北魏

〔图32〕
莫高窟第248窟人字披椽间飞天
西魏

〔图33〕
莫高窟第248窟彩塑主尊头部
西魏

〔图34〕
莫高窟第248窟彩塑胁侍菩萨头部
北魏

的菩萨，披巾交于腹前，并穿环或打结〔图36〕。主尊衣纹贴尖棱泥条。第288窟中心塔柱上出现了影塑千佛。

新出现的壁画题材，例如第285窟后壁上的菩萨装和武士装的护法诸天和外道形象，有日天、月天、摩醯首罗天（主龛北侧，三面六臂，骑青牛）、毗瑟纽天（主龛南侧，三头八臂）、鸠摩罗天（主龛北侧，面颜如童子，四臂，乘孔雀）、毗那夜伽天（主龛北侧，持三股叉，象首人身）、四大王天（主龛两侧各二身，穿甲，围战裙，持戟、执矛、托塔、仗剑）。又如第285、249窟覆

图35   图36   图37

斗顶的四披，用中原汉式和西域式两种画法表现天、地、人间。对于一些神异形象，一种意见认为其中有伏羲、女娲和东王公、西王母等，是中原汉族的传统神话题材[30]；另一种意见认为那些是日天、月天、帝释天、帝释天妃等，只是借用中原传统神话中的固有形式，来表现佛教的诸天形象罢了[31]。不论两种意见孰是，洞窟中出现的新题材已开始受到中原传统艺术的影响则是毋庸置疑的。此外，侧壁的说法图还出现了释迦多宝、七佛和无量寿佛说法。佛经故事画中也出现了五百强盗成佛因缘故事等新题材。

上述第三期第二类的新题材壁画中，普遍出现了秀骨清像的人物面相、褒衣博带的衣冠服饰，普遍采用了面颊染色块的晕染方法，以表现面部的形体〔图37、38〕。

第三期的两组洞窟中的男供养人着袴褶、盘领对襟窄袖大衣，腰束带，束脚裤，头裹巾帻或戴卷檐毡帽，有的头梳单髻或双髻〔图39〕；女供养人着襦服，领斜交较大，下身为间色条纹长裙，裙腰高高地系在胸部，头梳单鬟髻〔图40〕。这些特点都是第二期所没有的。第三期第二类有的男供养人像头戴筒形纱质笼冠或通天冠，身穿曲颈深衣袍的汉式服装，是为中原贵族的常服〔图41、42〕。第285窟北壁说法图中有一身穿衽衣的女供养人，身材修长，

[图35]

莫高窟第285窟彩塑主尊

西魏

[图36]

莫高窟第288窟彩塑胁侍菩萨

西魏

[图37]

莫高窟第285窟壁画中的胁侍菩萨面相及晕染

西魏

30 孙作云：《敦煌画中的神怪图》，《考古》1960年第6期。

31 敦煌文物研究所内持此说者甚多，执笔者亦持此说。

秀骨清像，双鬟髻、鬓发长垂，穿间色裙襦，腰围蔽膝，足穿笏头履，并有绕体飘扬的披巾〔图43〕。这种中原贵族妇女的礼服，与宋人摹东晋顾恺之《洛神赋图》中女神的穿着十分相似。

第三期第二类洞窟窟顶椽间画飞天、供养菩萨、飞禽、走兽、摩尼宝珠和莲花、忍冬等相结合的纹样〔图44〕。

第三期中第285窟的纪年题记，为断代提供了可靠的依据。第285窟北壁东起第一铺滑黑奴造无量寿佛发愿文的纪年，可以证明第285窟完成于西魏大统五年（539年）或稍后。唐武周圣历元年《李君修佛龛碑》说，在莫高窟，"乐僔、法良发其宗，建平、东阳弘其迹"[32]。"东阳"，是指北魏宗室东阳王元荣[33]。北魏孝昌元年（525年）之前，元荣就任瓜州刺史；元荣死后，其子元康和其婿邓彦继为瓜州刺史，大约至大统十一年。东阳王元荣一家在敦煌（瓜州）活动的时间，从孝昌元年前直至大统十一年，计20余年（525年前至545年）[34]，他们崇信佛教，广施佛经，开窟造龛，对北魏晚期至西魏上半期莫高窟的兴建影响很大。这一期洞窟中出现的秀骨清像和褒衣博带，应当和元荣自洛阳来到敦煌，带来中原地区的文化影响有关。以第285窟为代表的第三期洞窟的年代，无疑是在元荣一家统治敦煌时期，即525～545年。第三期中的第一类洞窟，保存着较多第二期洞窟的旧形式，新形式、新题材比重较小，因而在时间上第一类应较第二类洞窟略早，有些洞窟可能早到北魏晚期。

第四期

第四期洞窟主要有14个，即第432、461、438、439、440、428、430、290、442、294、296、297、299、301窟。此外，第441窟仅存后壁和一大龛，从龛形和表层宋代壁画下露出的底层壁画残迹看，该窟亦属第四期。

第四期石窟形制以方室单龛窟为主，中心塔柱窟数量减少。方室单龛窟，一般是平面方形，覆斗顶，西壁凿一大龛；唯第439、430窟窟顶为人字披后接平顶的形式，第461窟西壁未凿龛，只影作尖楣圆券龛。中心塔柱窟，除第432窟沿袭第三期形式外，第442、428、290窟的中心柱四面均凿单层龛，窟顶人字披上影作脊枋、檐枋和椽子。在第290窟则整个人字披满绘佛传故事画。

第四期石窟中，凡是成铺的塑像皆为一佛二菩萨二弟子的组像。第432窟的塑像题材沿袭第

32 宿白：《敦煌莫高窟早期洞窟杂考》，载《大公报在港复刊三十周年纪念文集》，1978年。

33 赵万里：《魏宗室东阳王元荣与敦煌写经》，《中德学志》第五卷第三期（1945年）。向达：《莫高榆林二窟杂考》，《文物参考资料》1951年第5期。

34 东阳王元荣至瓜州任刺史，其时当不晚于北魏孝昌元年（525年），迄于大统八年（542年）以前。继任者为元康（子）和邓彦（婿）。邓彦在任大约至大统十年或十一年。此后成庆、申徽继任，时在大统十二年（546年）。史实见赵万里：《汉魏南北朝墓志集释》，图版八十六《魏故金城郡君墓志铭》，科学出版社，1956年；《周书·申徽传》。另参见注32、33。

〔图38〕
莫高窟第249窟说法
图中的飞天
西魏

图38

〔图39〕
莫高窟第285窟
男供养人
西魏

〔图40〕
莫高窟第285窟
女供养人
西魏

〔图41〕
莫高窟第288窟
男供养人
西魏

〔图42〕
莫高窟第285窟五百
强盗成佛故事画中的
国王
西魏

图39　　　　　　图40　　　　　　图41　　　　　　图42

〔图43〕
莫高窟第285窟
女供养人
西魏

〔图44〕
莫高窟第430窟人字
披椽间图案纹样
(第三期第二类和第四期形
式大体相同)
北周

图43　　　　　　　　　　　　　　　　图44

图45   图46   图47

〔图45〕
莫高窟第428窟彩塑
主尊头部
北周

〔图46〕
莫高窟第438窟彩塑
胁侍菩萨头部
北周

〔图47〕
莫高窟第442窟彩塑
主尊
北周

二期，倚坐佛、结跏趺坐佛、影塑供养菩萨共存。第428窟中心柱四面龛内均塑结跏趺坐佛的说法像。第290窟中心柱后面龛内是一身交脚弥勒菩萨。此外多数洞窟龛内主尊均是倚坐说法像。中心塔柱各面或侧壁上的影塑，皆为千佛。如上所述，塑像主尊以倚坐说法像居多，同时在成铺的塑像中，佛像两侧增加了两身弟子像。这样的变化，似乎表明第四期洞窟比以前更多地包含了供养礼拜的性质。

塑像面相丰圆、方颐〔图45、46〕，但头大而下身略短。佛像服装皆为褒衣博带，衣摆层次重叠，摆褶方折〔图47〕。菩萨头戴矮花鬘冠，无宝缯，长耳饰，服装以裙披式为主。披巾长垂，形式较第三期丰富，或于腹前交叉、打结、穿环〔图48〕，又或横于腹前两道等〔图49〕。腰带长垂，裙摆重叠，摆褶方折。同时又出现了上身穿袒右肩短袖僧祇支、披巾、着裙的式样〔图50〕。弟子服装为内穿僧祇支的襦服，外披右袒袈裟，足着方头履或尖头靴。弟子中的迦叶和阿难像，从一开始就较好地塑造出了他们年龄和性格上的差异。本期各类塑像的衣纹，多为宽平的阶梯式，阴线已很少使用。

第四期的壁画，在题材上，千佛和佛传故事画的比重有所增加。千佛除画在四壁中段外，有时也画在窟顶。千佛皆通肩袈裟，背光四色一组，其中绿色所使用的是一种不同于石绿的颜料，底色的土红也略偏黄。洞窟内的整个色调亦较前期有所变化。故事画的题材和数量有显著增加。布施和杂糅了儒家孝养思想的本生、因缘故事画以及幅面巨大的佛传故事画，都是第三期所未曾见到

图 48　　　　　　　　　　　　　　　　　　图 49　　　　　　　　　　　　　　　　　　图 50

[图 48]
莫高窟第 290 窟彩塑
胁侍菩萨
北周

[图 49]
莫高窟第 297 窟彩塑
胁侍菩萨
北周

[图 50]
莫高窟第 290 窟彩塑
胁侍菩萨
北周

的。画面的构图，除横卷式的连环画之外，还有上下横卷数段并列，情节发展的画面呈"S"形相连续，又有的两段横卷上下并列，情节上下交错发展等等。故事内容的表现较前更为细致、充分。说法图一般都画在两侧壁的中央。唯第428、461窟情况稍特殊。第428窟的侧壁和后壁，除三幅佛传、一幅卢舍那佛立像和一幅释迦多宝对坐说法像外，其余十幅都是正中一佛、两侧数身胁侍的说法图。第461窟未开龛，亦无塑像，只在后壁影作佛龛，龛内画释迦多宝对坐说法像，是全窟的主尊。第四期的天宫伎乐，除个别洞窟仍保存着"天宫"的形式外，大多已不画天宫，只画出由方形花砖构成的凹凸凭台，中原汉式装束的伎乐天在上方凌空飞翔〔图51〕。第四期图案纹样趋于简化。第428窟较多地沿用前期的旧式纹样，其他各窟纹饰主要是前期不见或少见的四出忍冬纹、叶纹自由舒卷的藤蔓分枝单叶忍冬纹和藤蔓分枝双叶忍冬纹、缠枝花纹等〔图52〕。

　　第四期壁画中的各类人物形象，造型和面相都同塑像一致。佛、菩萨的服装也与塑像基本相同。壁画弟子服装有襦服，另有对襟式。飞天的种类增多，除菩萨形外，还有力士形和裸体飞天。飞天的服装出现了两种新的式样，一种是头上球形大首髻，很长的裙腰翻折下垂如短裙，长裙裹腿，足微外露，披巾于肩后成大圆环上扬；另一种是在袒裸的上身加穿僧祇支〔图53〕。男供养人像的服装，一种是头裹折檐巾帻，发髻上插导簪，着红色袴褶〔图54〕；另一种是头戴高冠，身着披巾、深衣袍〔图55〕，或戴卷檐高冠，着深衣袍〔图56〕。女供养人有的内穿襦裙，外罩圆领长袖大衣〔图57〕；有的是裙襦外加搭披帛〔图58〕；

图51

四出忍冬纹

藤蔓分枝单叶忍冬纹

藤蔓分枝单叶忍冬纹

藤蔓分枝双叶忍冬纹

图52

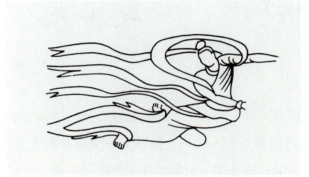

图53

还有的上穿窄袖小衫，肩搭披巾，下系曳地长裙，束蔽膝〔图59〕。总的来说，人物、服装，以至房屋、树木、山石等形象，都进一步中原汉化了。

人物的形象、服装和晕染的方法，既有中原式，又有西域式。其中东王公、西王母（或帝释天、帝释天妃）在第三期出现时，曾是中原式和西域式兼而有之，但由于它们来自中原传统题材，到第四期继续出现时，即已完全表现为中原汉式。这一期的面部晕染方法，出现了两种新形式，一种是在两腮处将颜色涂成小圆环状〔图60〕，另一种是在鼻、眼以及眉骨、下颏处涂白色。这二者分别是中原式和西域式两种画法的演进。

总之，在第四期洞窟中，诸如洞窟形制，塑像组合，人物的比例、面相、服装、衣纹和面部晕染，以及图案纹样、色彩等各方面，都出现了第三期所没有的新形式，而且一些方面接近隋初的风格。这清楚地表明了第四期是晚于第三期，并与隋初洞窟有前后承接的关系。我们将第四期洞窟与隋初有开皇四年（585年）题记（第302窟）和开皇五年题记（第305窟）的洞窟加以比较，发现隋初洞窟的下列特点在北朝第四期中根本不见。如形制上，南、西、北三壁开龛的布局；下部半截中心方柱与自窟顶而下，上大下小的须弥山形相结合的

〔图51〕
莫高窟第296窟天宫伎乐
北周

〔图52〕
图案纹样

〔图53〕
莫高窟第299窟飞天
北周

图 54

图 55

图 56

图 57

图 58

图 59

〔图 54〕

莫高窟第 428 窟男供养人

北周

〔图 55〕

莫高窟第 290 窟佛传故事画中的国王

北周

〔图 56〕

莫高窟第 296 窟善事太子入海品故事画中的国王

北周

〔图 57〕

莫高窟第 296 窟女供养人

北周

〔图 58〕

莫高窟第 296 窟女供养人

北周

〔图 59〕

莫高窟第 442 窟女供养人

北周

〔图 60〕

莫高窟第 301 窟壁画胁侍菩萨面相及晕染

北周

图 60

形式；方口，平面为"凸"字形的"双重龛"；龛身显著升高；胁侍菩萨塑像进入龛内等等。另外，隋初洞窟中，佛、菩萨、弟子的服饰种类更趋减少，形式单一化；衣纹衣褶的表现更加简练、写实；边饰纹样在图案组织和用色上，都更趋向活泼自由、富于变化。

既然第四期洞窟的许多特点不见于第三期，亦有某些形式到隋初即已消失，而且隋初开皇年间洞窟中的一些特点也尚未出现，因此第四期洞窟在时间上应介乎北朝第三期和隋初之间。结合敦煌的历史状况，我们大致估定其上限接第三期，即始于西魏大统十一年（545 年）；下迄隋初开皇四五年（585～586 年）之前。就洞窟位置看，许多第四期洞窟同第三期洞窟比邻，第四期的第294、296、297、299、301 诸窟，与开皇纪年洞窟第302、305 窟南北连接。可以推想，第四期中的个别洞窟的具体历史年代可能上溯至西魏末，也有的洞窟可能晚到隋开皇初，但其多数，应属北周时期（557～581 年）。《李君莫高窟佛龛碑》中所说"建平、东阳弘其迹"，"建平"即北周时曾任瓜州刺史的建平公于义[35]。莫高窟北朝第四期，建窟数量增多，艺术上也有所发展，这或许是建平公于义在敦煌地区弘扬佛教业迹的一种反映。

结语

综上所述，我们将莫高窟北朝洞窟分为四期。

第一期　第 268、272、275 窟。相当于北凉统治敦煌时期，即 421～439 年。

第二期　第 259、254、251、257、263、260、487、265 窟。相当于北魏中期，大约在 465～500 年。

第三期　第 437、435、431、248 窟和第 249、288、285、286、247、246 窟。相当于东阳王元荣一家统治敦煌时期，即约为北魏孝昌元年至西魏大统十一年（525～545 年）。

第四期　第 432、461、438、439、440、441、428、430、290、442、294、296、297、299、301 窟。相当于西魏大统十一年至隋开皇四年，即 545～585 年，主要时代当在北周时期。

以上所做概略的分析，有失周详和错误之处，敬希指正。

（本文为樊锦诗、马世长、关友惠合著，原载于《中国石窟·敦煌莫高窟（一）》，文物出版社、平凡社，1982 年；后收于《陇上学人文存·樊锦诗卷》，甘肃人民出版社，2014 年）

35　宿白：《敦煌莫高窟早期洞窟杂考》，载《大公报在港复刊三十周年纪念文集》，1978 年。

◈ ■ 莫高窟隋代石窟分期

    隋王朝扶植佛教，广建佛寺，大造经像[1]，石窟寺也有了新的发展。隋代新建的石窟寺有河南安阳宝山石窟、山东历城神通寺千佛岩以及济南佛峪等。北朝开凿'的炳灵寺、响堂山、麦积山、龙门、天龙山等诸石窟寺，这时均有续建。敦煌莫高窟在隋代短暂的30余年内也进行了大量修凿，现存隋代新建的石窟有101个，北朝窟经隋代重修的有5个。隋代石窟集中于莫高窟南区，多紧接北朝石窟向南或向北成组依次开凿〔图1～4〕，也有少量石窟开凿在由第246～275窟的北朝石窟区域间。[2] 我们分期工作的对象，主要是壁画和塑像保存完好的80个隋代石窟。对于因被后代改建或残破太甚而面目不清的21个石窟，则不予分期。

    隋代石窟上承北朝余风，下启唐代的先绪，始终处于探索、变化和发展的过程中，虽然为时短暂，但先后仍呈现出一些阶段性的特点。现以隋代石窟中四个有纪年题记的石窟作标尺，通过对各个石窟形制、塑像、壁画及图案纹样的分析排比，将隋代石窟分为三期。

第一期

    隋代第一期石窟，有7个。石窟形制分为三类。

    一龛窟，有第250、266、304、309等窟。其有北周同类石窟的特点。窟室平面呈方形，正壁（西壁）开一位置较低的圆券形大龛，浮塑龛楣和龛柱装饰，龛内外塑像，窟顶作方形浅覆斗状〔图5〕。

---

1 《辨证论》卷三《十代奉佛篇上》，《大正藏》第五十二卷，第508～509页。

2 莫高窟北朝石窟的分布，樊锦诗、马世长、关友惠：《敦煌莫高窟北朝洞窟的分期》，载《中国石窟·敦煌莫高窟（一）》，北京：文物出版社，1982年。

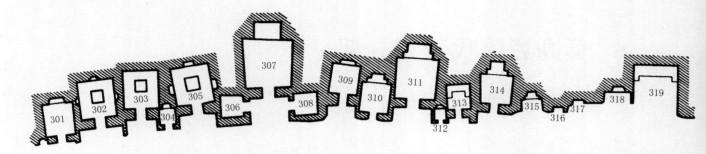

图1

图2

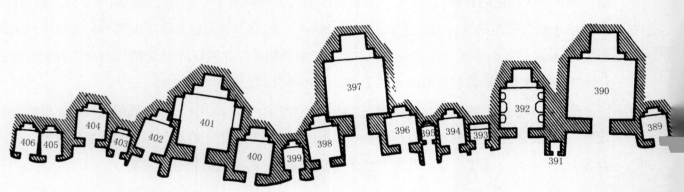

图3

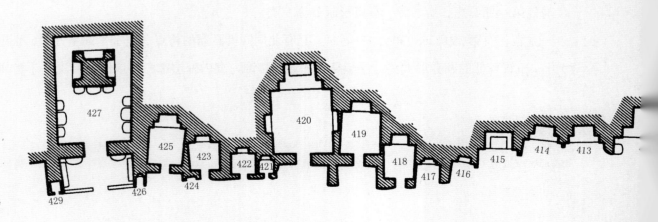

图4

〔图1〕
莫高窟南区中段第二层隋代石窟平面图之一

〔图3〕
莫高窟南区南段第三层隋代石窟平面图

〔图2〕
莫高窟南区中段第二层隋代石窟平面图之二

〔图4〕
莫高窟南区中段第三层隋代石窟平面图

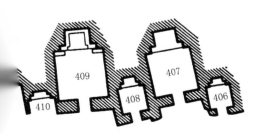

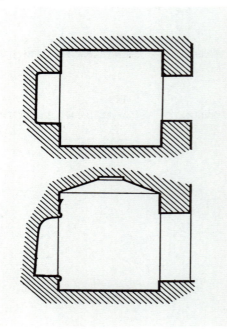

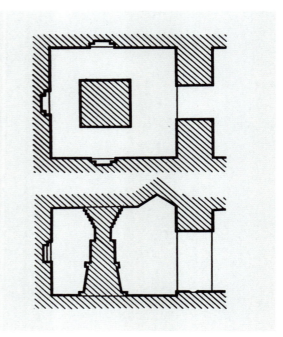

图5

图6

三龛窟，仅第305窟一例。有前后室，前室已大半坍毁，后室（主室）平面呈方形，窟顶作覆斗状，正中凿一较高的方坛，坛上塑像，正壁和南北两侧壁各开一位置较高的圆券形龛，龛内塑像。

须弥山形中心柱窟，有第302、303二窟。以第302窟为例，有前、后两室。前室前部已残，窟顶作人字披形，南北两侧壁相对各开一极浅的人字形顶小浅龛。前室除这两龛外，均已经后代重绘。后室平面呈方形，中央凿一通连窟顶的须弥山形中心柱。柱座上小下大。柱座之上为柱身，高仅柱座之半，其四面各开一圆券形小龛，龛内外塑像。柱身上方塑覆瓣莲花和四龙，承托"须弥山"，山作上大下小的倒圆锥形，分为六层，每层周圈贴影塑千佛。正壁和南北两侧壁中央各开一位置较高的双层龛口的圆券龛，平面各呈"凸"字形。窟顶前部作人字披形，无仿木结构的影作，唯后部平顶仍影作斗四平棊〔图6〕。第303窟前后室均不开龛，余同第302窟。这期的三龛窟和须弥山形中心柱窟都是北朝所没有的窟形。

此外，这一期还改绘了北朝第268窟，并对其中原作素壁的四个小禅室加以彩绘[3]。

〔图5〕
莫高窟第304窟平、立面示意图

〔图6〕
莫高窟第302窟平、立面示意图

3　北朝第一期第268窟南北两侧壁的四个小禅室，编号为第267、269、270、271窟，原作素壁。

图7　　　　　　　　　　　　　　　图8　　　　　　　　　　　图9　　　　　　　图10

〔图7〕
莫高窟第250窟主尊
塑像头部

〔图8〕
莫高窟第250窟胁侍
菩萨塑像头部

〔图9〕
莫高窟第304窟主尊
塑像
（头部后修）

〔图10〕
莫高窟第304窟胁侍
菩萨塑像

（一）塑像

第一期的塑像多经后代重修，原塑的仅有第250、304窟。每铺塑像的组成与北周相同，为一佛二弟子二菩萨。主尊倚坐像和结跏趺坐像大约各占一半，不像北朝以倚坐像为主。第302、305窟正壁龛和南北两侧壁龛内的塑像，组成北朝塑像中所没有的三佛。

造型特点接近于北周。形体比例已趋头大、肩宽、下肢短。面部方圆丰满，额低而宽，五官集中，眼鼓、鼻直、嘴小、唇薄、颏微翘〔图7、8〕。这一时期还有一种外形如同"不倒翁"样式的坐佛像，周身轮廓线圆转，体态粗短浑圆。塑像的衣饰基本因循北周样式：佛多穿通肩或双领下垂式袈裟〔图9〕；菩萨头戴花鬘冠，多裸上身，系长裙，披巾下垂或于胸前交叉、胸前打结，或作两道横于腹前等〔图10〕；衣纹亦仍作北周的浅阶梯式，并辅以阴刻线，分布较密，装饰性浓厚。

（二）壁画

壁画布局仍为北朝的上、中、下三段式。上段画飞天和凹凸凭台；中段画千佛，千佛中常安插一铺说法图，正壁龛外两侧壁面多绘弟子像；下段画供养人、药叉及三角形垂帐纹，或画供养菩萨。故事画均绘于窟顶人字披上，不像北朝多绘于四壁。壁画内容基本上因循北朝，故事画仍是以"忍辱精进""布施修行"的本生故事为主。唯第303窟的《法华经·观音普门品》[4]为新的题材。

4　[后秦]鸠摩罗什译：《妙法莲华经》卷七《观世音菩萨普门品》，《大正藏》第九卷，第56～58页。

故事画和经变画均作横卷式连环画。

壁画中的人物形象和服饰，与塑像基本一致。菩萨像的比例比较适中。有的菩萨像腰部微扭曲，开始表现了女性的曲线美。面部造型上，不论菩萨、弟子和飞天，都用写实的手法表现出了眉骨、颧骨、下颌骨的凸起和眼睛的低凹〔图11〕，这种手法比北朝时笼统地画成椭圆形进了一步。飞天除着菩萨装外，较多地出现了穿右袒袈裟的比丘形象，以及穿犊鼻裤的童子形象。飞天多乘云气，其姿态生动，披巾和冠带、腰带很长，当风飘拂，动感很强。

〔图11〕
莫高窟第304窟西壁
龛内南侧壁画弟子

壁画的线描，继续采用北朝的铁线描，但已趋于圆润。

壁画中人物面部的晕染，总的来说是采用西域式凹凸法和中原式染色法相结合的混合染法。它们可分为两型：Ⅰ型，与北周完全相同，用画圈的形式染脸的轮廓和两颊；Ⅱ型，以中原手法为主并融合了凹凸法特点的晕染法，既晕染了脸的额、鼻、眼等部分，又以两圆形色块晕染脸的两颊。Ⅱ型的染法是以前所没有的。这时，人物面部晕染，除千佛还保持北朝"小"字脸形式而外，一般已不用白粉点染两眼和鼻梁的高光。由于变色，隋代壁画中人体及面部的颜色现在多呈赭褐色或灰色，晕染部分的颜色变得更深。

（三）图案纹样

第一期的龛楣图案，有忍冬纹、火焰纹、盘茎莲荷忍冬纹（后者在中期继续出现，详见后文），都是沿用北周的龛楣纹样。

窟顶人字披与平顶连接处，以及中心柱柱座四周上沿的长条带状边饰纹样，比较简单，仍保持北朝的形式，由若干条不同纹样的短边饰组成。其纹样主要有单叶藤蔓忍冬纹、双叶交茎套联忍冬纹〔图12〕，也是沿用北朝的纹样，但敷色比北朝丰富。

第一期的窟顶藻井都是"交木如井，画以藻文"[5]，即藻井中央叠套抹角的斗四方井。井内绘水涡纹，井心饰状似圆轮的倒垂大莲花，在叠套的三角形内，或饰圆莲的一角，或饰飞天，或饰忍冬状火焰纹。方井外四周依次饰忍冬纹边饰、莲瓣式纹样、垂角和帷幔。其中莲瓣式纹样和垂角多只填色而不绘纹饰，唯第270、305窟藻井的莲瓣式纹样内饰以圆形小莲花，并在垂角内饰对

---

5 ［宋］李诫《营造法式》卷二《总释》下"斗八藻井"。

图12

图13

［图12］
莫高窟第303窟人字披顶与平顶连接处的双叶交茎套联忍冬纹边饰

［图13］
莫高窟第305窟窟顶藻井

叶忍冬纹〔图13〕。显然，这种藻井形式和所饰纹样，同北朝仿木结构的藻井是一脉相承的。

第二期

隋代第二期石窟，有34个。石窟形制分为三类。

一龛窟，为第二期的主要窟形，多有前、后室。后室（主室）平面呈方形，正壁开一龛，龛内塑像。这类窟形按其窟顶和龛形又可分为三型。Ⅰ型有 第436、433、425、423、422、419、418、417、416、404、402、253、262等窟。窟顶前部为人字披，后部为平顶。人字披顶比初期增宽，与平顶约各占窟顶之一半。平顶已无仿木结构的影作斗四平棋。龛多作圆券形。龛的位置普遍升高，进深较浅。龛楣、龛梁、龛柱等龛的装饰全部作浮雕的情况，已趋减少，而改变为半绘半塑，或者全部绘出，个别洞窟甚至已无龛饰〔图14〕。第425、417、404、402诸窟内，已不作圆券形龛，而作Ⅱ型双层龛口、平面"凸"字形的龛。Ⅱ型有第434、421、414、413、412、411、410、407、406、405、403、315等窟。此型窟窟顶呈方形覆斗状，龛多作双层龛口、平面作"凸"字形，龛顶剖面除极个别为圆券形外，多作斜披形，与龛壁连接处剖面呈弧线，龛的进深较大。在高度上，内龛略低于外龛。龛口多作圆角方口。这种比较高大而宽敞的"凸"字形双层口龛，比一般的圆券形龛有更充裕的空间安置较多的塑像。内龛装饰龛楣、龛梁和龛柱，外龛则仅在龛口周沿绘边饰图案。唯个别圆券形双层口龛，内外龛均浮塑或绘制龛楣之类装饰。Ⅱ型窟中，只有第

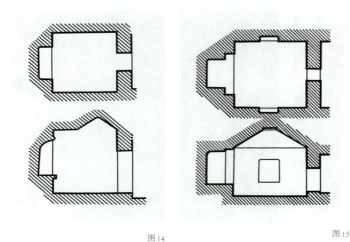

图14　　　　　　　　　　　　图15

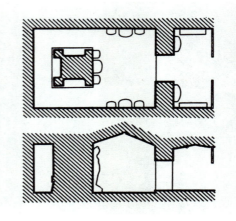

图16

〔图14〕
莫高窟第423窟平、
立面示意图

〔图15〕
莫高窟第420窟平、
立面示意图

〔图16〕
莫高窟第427窟平、
立面示意图

421、403两个窟，仍作一般的圆券形龛。Ⅲ型多是小窟，窟顶作人字披形，正壁开一圆券龛，无双层龛口，如第293、295、312、274窟。此外，还有不开龛的第429窟。

三龛窟，仅第420窟一窟，分前、后室。前室平面呈横长方形，顶作人字披形。后室平面呈方形，窟顶作覆斗形，正壁开一"凸"字形双层口龛，南北两侧壁相对各开一圆券形龛。龛较深，龛内塑像，龛口绘边饰图案一周。三个龛位置都较高〔图15〕。

中心柱窟，仅第427、292二窟，都是有前、后室的大型窟。前室平面呈横长方形，其后壁（西壁）和南北两侧壁置塑像，窟顶作人字披形。后室（主室）平面呈长方形，其形制与北周中心柱窟相同，唯柱的正面（东向面）不开龛，而是与南北两侧壁的前部一样，各贴壁塑一铺立像〔图16〕。

综上所述，隋代第二期的石窟形制同第一期及北朝相比，虽然继承了人字披顶和平顶以及圆券形龛等旧形式，但毕竟已起了很大的变化。

（一）塑像

第二期主尊多为结跏趺坐佛像，倚坐佛像数量较少。此外，还有一些大型立像。第427、292窟后室中心柱前的三铺立像，每铺均由一佛二菩萨组成。三像几乎完全相同，都着通肩袈裟，直立，右手扬掌作施无畏印，左手作与愿印。第405、404、402窟后室正龛内塑结跏趺坐佛像，南北两侧壁说法图中分别绘倚坐菩萨像和结跏趺坐佛像。这是采用绘塑结合的手法表现过去（北）、现在（中）、未来（南）三世佛。这时，在一些石窟的前室还增塑了北朝所没

图17　　　　　　　　　　　　　　　　　　　　　　图18

〔图17〕
莫高窟第420窟主尊
塑像

〔图18〕
莫高窟第412窟主尊
塑像头部

有的天王、力士像，现保存完好的有第427、292两窟，其他还有一些石窟（多为大、中型洞窟）发现有天王、力士塑像的残痕。这表明第二期塑像的组合，除北周的佛、菩萨和弟子外，又增加了天王、力士，已为唐代石窟塑像的组合奠定了基础。

　　第二期塑像的造型风格可分两型。Ⅰ型人体比例不十分协调，头大，上肢长，下肢短。躯体宽厚而丰满，肩阔，腹圆，胯部较宽，开始注意表现人体的曲线美〔图17〕。面形呈上大下小的梯形，圆中见方，额宽而不甚高，鼻梁亦不高。五官棱角较为清晰，眉骨势如刀削，鼻梁中间的面特别窄，几乎细成一条线。脸的正面和两颐（侧面）三个面的转折关系清楚。总之，面部形体的变化，多作硬线条的转折，而较少作圆润的曲线〔图18、19〕。从整体效果看，塑像的形体厚重敦实，有的竟如同石雕。同时，此型塑像已注意区别表现各类造像的性格特征，如佛的庄严、菩萨的恬静、弟子的虔恭及天王、力士的孔武等。此型塑像的衣饰比较讲究。菩萨像头戴低矮的桃形三珠冠，冠带和肩饰长垂胸前，发分两股，不见发髻，上身赤裸或穿斜领僧祇支，佩戴圆形或桃形的项饰，胸前多垂短璎珞，亦有少量垂挂至两腿的长璎珞，下系两层裙，裙稍短而贴身〔图20〕。天王穿皮甲和皮靴，力士着菩萨装，但都头戴三珠宝冠、披巾。塑像衣饰的褶襞趋于写实，并有疏密变化，褶纹概括简练，这时已不用阶

图19

图20

梯纹。一些保存完好的佛、菩萨像的衣服和饰物上，或贴以金箔，或彩绘厚重艳丽的图案纹样，或施彩并辅以贴金，以示衣着锦绣，身披珍宝。这一型风格的塑像，以第427、292、420、419、412、407、406、404、403、402窟较为典型。Ⅱ型人体比例较为协调适中，身材窈窕修长，但躯体扁平少有起伏。面形条长、圆润、清秀，下颏短而略尖。衣饰简单，不施彩绘纹样。这一型塑像以第436、434、253、262、417、416、315窟较为典型。

[图19]
莫高窟第412窟北壁胁侍菩萨塑像头部

[图20]
莫高窟第412窟北壁胁侍菩萨塑像

（二）壁画

第二期壁画内容有显著变化。本生故事画仅在四个窟中有6幅，已退居次要地位。经变画在九个窟中现存有20幅，数量上已大大超过本生故事画。经变内容有《维摩》《法华》《涅槃》《弥勒上生》《药师》《阿弥陀》等。这个时期经变画刚刚出现，其内容和构图都比较简约，只表现一部经中的一品至数品，或一部经中最有典型性的场面。

维摩诘经变，见于第423、417、433、420、419、262等窟，主要是画《维摩诘所说经》的《文殊师利问疾品》[6]。画面分为两幅（个别一幅），表现文殊师

6　[后秦]鸠摩罗什译：《维摩诘所说经》卷中《文殊师利问疾品》第五、《不思议品》第六，卷下《香积品》第十，《大正藏》第十四卷，第537～557页。

利和维摩诘各居一室（个别共居一室），对坐辩论，室内外有诸听法者，如弟子、菩萨、天王、俗人等。第262窟增绘《不思议品》，画面在上述对坐的文殊师利和维摩诘之间，绘出手托须弥山站立在大海中的阿修罗。

法华经变，可见于第420、419窟，主要画《妙法莲华经》中的《序品》《方便品》《譬喻品》《见宝塔品》《观世音菩萨普门品》等[7]。序品画面表现释迦牟尼佛在灵鹫山为大众广说无量义经（《法华》）以及佛说法后的涅槃。方便品画面表现佛以种种成佛的方便为大众说一乘大法，化导众生。譬喻品画面表现住宅的朽败崩坍、魑魅魍魉出没其间以及住宅起火的各种危险场景，又表现长者诸子在火宅中游戏，长者以羊车、鹿车、牛车（三乘）拯救诸子脱离火宅，最后给诸子一乘大白牛车，以喻一乘大法。见宝塔品画面表现释迦牟尼佛与多宝佛共坐于七宝塔内的狮子座上。观音普门品画面表现观世音菩萨救诸苦难和为众生化现三十三身。

涅槃变[8]，见于第295窟。画面中央为佛右胁侧卧而入灭。佛后环立悲恸的众弟子，其中一老妪俯身痛哭，佛前坐着悲伤的摩耶夫人和先佛自焚的舍利弗。

药师经变[9]，见于第436、433、417窟。画面中央为结跏趺坐的药师琉璃光佛和侍立左右的日光、月光菩萨，两侧为跪拜的十二药叉大将，在人物的前面布置了供养药师佛的七层灯轮和五色长幡。

弥勒上生经变[10]，见于第416、417、423、436、419窟。画面中央表现兜率天宫和宫殿中坐在狮子座上说法的弥勒菩萨，主殿两侧绘重层殿，每层殿内天王或天女奏乐舞蹈。殿堂两侧上方绘北朝以来传统形式的帝释天、帝释天妃，以示诸天赴会。殿堂下方两侧，一侧是弥勒菩萨为一长跪男子授记，另一侧是弥勒菩萨为一长跪菩萨说法。

阿弥陀经变[11]，见于第433窟。画面中央为阿弥陀佛和观世音、大势至菩萨，周围有众弟子和菩萨围绕，他们都坐于或立于莲座上，下面有水池莲花。

上述经变画所据各经，皆属大乘佛典。与前述塑像的题材联系起来看，在隋代中期，大乘题材已占据突出的地位。

上述经变画的构图及表现形式各不相同，维摩诘经变突出文殊师利和维摩诘双方的辩论；涅槃变以佛的入灭为中心，铺排各种人物悲恸的情状；东方药师经变、弥勒上生经变、阿弥陀经变

7　《妙法莲华经》之《序品》《方便品》《譬喻品》《见宝塔品》等，《大正藏》第九卷，第1～62页。

8　[后秦]佛陀耶舍共竺佛念译：《长阿含经》卷二《游行经》，《大正藏》第一卷，第11～30页；又见[东晋]法显译：《大般涅槃经》卷下，《大正藏》第一卷，第202～207页。

9　[东晋]帛尸梨密多罗译：《佛说灌顶拔除过罪生死得度经》卷十二，《大正藏》第二十一卷，第532页。

10　[北凉]沮渠京声译：《佛说观弥勒菩萨上生兜率陀天经》，《大正藏》第十四卷，第418～420页。

11　[三国]康僧铠译：《佛说无量寿经》，《大正藏》第十二卷，第265～279页。鸠摩罗什译：《佛说阿弥陀经》，《大正藏》第十二卷，第346～348页。

各以中央说法的主尊及其左右大菩萨为主展开画面。构图上，有的虽与北朝说法图较接近，但已从说法图脱颖而出，表现了几种经变的简单内容。总之，隋中期经变画的构图及其所表现的内容，已初具唐代经变画的基本特征。以横卷式连环画形式表现的法华经变，已不像北周和隋代第一期那样拘泥于情节的连接，而是有选择地突出了重点，画面构图比较自由。

千佛是北朝至隋代第一期的传统内容，到这时更为突出，在有的石窟中布满了四壁和窟顶，这是从未有过的，可能是隋代在盛行大乘的同时仍继续重视禅修的一种反映。

第二期壁画布局，四壁壁面仍多为北朝和隋初期流行的上中下三段式安排。但在少数石窟中出现了以前不见的上下二段式安排，即上段画千佛，下段画供养人。这种二段式布局至隋晚期和唐代逐渐增多。窟顶除安排经变画和本生故事画外，更多的是安排千佛。

第二期壁画人物形象的比例和造型与彩塑基本一致。但这时菩萨的动态比以前自由活泼，腰身细长窈窕。飞天姿态多样，很多石窟佛龛顶部画成排成行的飞天在片片浮云中遨游穿行，盘旋萦回，飞翔、舞蹈、跳跃，可谓千姿百态。飞天姿态之生动活泼、数量之多，都超过了前代。

这时壁画中人物面部的晕染，大体因循初期两种类型的染法，但以Ⅱ型为主，Ⅰ型已很少见。Ⅱ型用两圆形色块涂染两颊的画法，还施用于塑像的面部，这在第420窟正龛内北侧阿难像的面部还能看到。

第二期的壁画风格，同塑像一样，也可分为两种类型。Ⅰ型是这个时期出现的新风格，以第427窟中心柱座沿上画的须达拏本生长卷连环画为代表作品。画面精致细腻，构图紧凑而有节奏，人与景物的比例关系已趋合理。人物主要以线造型，线条纤细圆润、富于变化，脸部不施晕染，点划五官工细清晰。画面色彩比较丰富，除继续使用初期的土红、毛绿、蓝（青金石、又称天然群青和佛青）、白、黑、花青之外，还用朱砂、石青、石绿，并贴以金箔，故色调浓厚而艳丽。图中穿交领大袖长袍的人物是中原汉族上层人物的形象，房屋、树木、车马都画得比较写实。Ⅰ型壁画（如故事画、千佛和图案纹样），多与Ⅰ型塑像同窟。其中千佛是用中国传统的平涂法设色并以线描造型；图案纹样线条工细，设色讲究，常做层层叠染，色调富丽厚重。上述特点表明，此型壁画具有浓厚的民族风格。Ⅱ型是北朝和隋代第一期风格的继续，多以土红线起稿，敷色薄，不再描定稿线；除地色为土红外，仅黑、白、蓝、毛绿、花青等简单的几种颜色，色调比较素朴、淡雅。Ⅱ型千佛仍作北朝和隋初期的"小"字脸。Ⅱ型壁画与Ⅱ型塑像亦在同窟中出现。

（三）图案纹样

第二期的龛楣图案均由盘茎莲荷忍冬纹和火焰纹组成。按纹样的形态和绘画风格，分为两型。Ⅱ型是第一期形式的继续，即在曲折起伏的长茎上，间隔点缀着仰莲和覆莲，莲花形态单

〔图21〕
莫高窟第427窟人字
披顶脊枋盘茎莲荷忍
冬纹图案

一，变化少，花上绘伎乐童子或火焰宝珠，忍冬叶形肥大，填满了空间。龛楣周边饰忍冬组成的火焰或写实的火焰纹。这一型龛楣纹样的线描和用色，属于壁画的Ⅱ型风格。Ⅰ型纹样的组织同第一期，但莲花和忍冬的形态更趋写实。莲花有正反仰覆等各种姿态，并因忍冬荷叶的衬托，使多姿的莲花得以突出。忍冬荷叶与莲花之间的比例较前合理，构图疏密错落有致。这时，伎乐童子增多，火焰宝珠贴金。龛楣周边饰写实的火焰纹。冇的洞窟火焰纹很宽，与盘茎莲荷忍冬纹几乎各占龛楣的一半。Ⅰ型纹样的用线和敷色同于Ⅰ型壁画的风格。

第二期的边饰主要是藻井井心外周边框、龛口周沿、人字披顶中央起脊处、四壁和覆斗形窟顶各披连接处的带状图案装饰。这时的边饰都是长边饰，即每条边饰只作一种二方连续的纹样。北朝和隋初那种由若干不同纹样的短边饰连接组成长条边饰的形式已不见。这时的边饰纹样主要有：①单叶藤蔓忍冬纹；②条形联珠纹，即在蓝色长带上连续绘饰白色圆珠；③各种环形莲花联珠纹，即在连续的环形联珠内，填绘四瓣、六瓣、八瓣等不同形态的小莲花；④环形翼马联珠纹，即在连续的环形联珠内，填绘姿态各异的翼马；有的洞窟还在③④两种纹样的两侧加饰条形联珠纹；⑤盘茎莲荷忍冬纹，其纹样的组织和特点，同Ⅰ型龛楣图案基本相同〔图21〕。

第二期洞窟窟顶现存的藻井图案中，旧的斗四方井形式已很稀少，井心多饰新纹样重瓣八瓣大莲花，方井四隅各饰八瓣莲花的四分之一，或饰盘旋的飞天〔图22〕，也有的饰盘茎莲荷忍冬纹。方井外周边框纹样多同于初期，但也有少量洞窟图案趋于繁缛，如第421、403窟边框纹样多达五层，有单叶藤蔓忍冬纹、饰小花的莲瓣、饰圆形莲花和对叶忍冬的垂角帷幔，此外还增加了条形联珠纹、饰小花的方块纹等纹样。

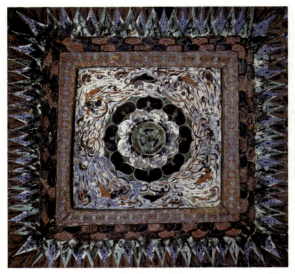

图22

图23

塑像服饰图案，由于塑像多被重修或重妆，服饰图案的原作已很少见。纹样主要有：①环形狩猎联珠纹，即在环形联珠内，绘一名穿翻领（或圆领）小袖长袍的骑象武士持棒回身打击扑来的猛虎〔图23〕；②环形莲花联珠纹，与边饰图案纹样基本相同；③花联珠棋格纹，即在环形联珠内填绘圆形莲花，环形联珠外套饰方格或菱格；④莲狮凤菱格纹，即在菱格四边饰以点线，菱格内填饰狮子或凤鸟〔图24〕；⑤几何形人字纹；⑥几何形斜格纹；⑦几何形彩条纹。在塑像的服饰上彩绘图案，是自隋中期开始的，形式多变，纹样新颖，色彩艳丽。

图24

第三期

隋代第三期石窟，现存39个。石窟形制分为三类。

一龛窟，与第二期的一龛窟形制基本相同。具体又可分为三型。Ⅰ型大致同于第二期Ⅰ型，但窟顶前部为平顶、后部为人字披形，与第二期的前部人字披形、后部平顶相反。这一型窟有第391、255、278等窟。Ⅱ型基本同于第二期Ⅱ型，为第三期的主要窟形，有第314、58、59、63、64、276、277、283、284、400、399、398、397、396、394、392、390、389、388、379等窟。其中有少量"凸"字形双重龛，外龛进一步加深，龛顶平，如第390等窟〔图25〕。还出现了一种不分内外龛的口大底小的敞口龛，如第388、276等窟〔图26〕。龛的装

〔图22〕
莫高窟第407窟窟顶藻井

〔图23〕
莫高窟第420窟西壁龛内菩萨塑像裙上环形狩猎联珠纹

〔图24〕
莫高窟第427窟主室北壁左胁侍菩萨僧祇支上狮凤菱格纹

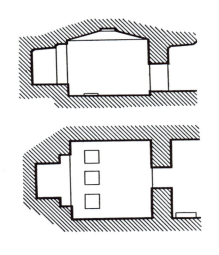 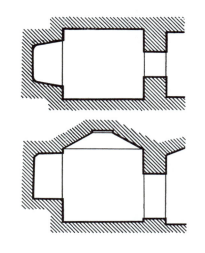 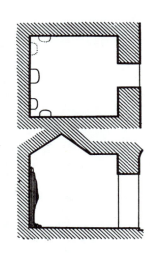

图25　　　　　　　　　图26　　　　　　　　　图27

[图25]
莫高窟第390窟平、立面示意图

[图26]
莫高窟第388窟平、立面示意图

[图27]
莫高窟第280窟平、立面示意图

饰均是绘制，已不见有浮塑。Ⅲ型同第二期Ⅲ型，有第317、318、395、362等窟。

三龛窟，与第二期基本相同，有第56、401、383窟。

无龛窟，数量少。后室（主室）平面呈方形，不开龛。其中第279、244二窟，沿正壁和南北两侧壁筑马蹄形土坛，坛上塑像，窟顶作覆斗形。第280窟正面塑像，窟顶前部平顶，后部人字披形〔图27〕。第281、313、393窟，无塑像，顶作覆斗形。第429、298窟，无塑像，顶作人字披形。

隋代第三期多种石窟形制的存在，反映了石窟寺发展演变的进程，例如在覆斗顶一龛窟中出现了敞口龛，表明唐前期覆斗顶敞口龛窟已成雏形。

（一）塑像

第三期的塑像题材与第二期基本相同，三世佛比第二期略有增多，除第二期绘塑结合的形式外，亦有作三铺塑像的形式。

第二期塑像的两种风格，这时已趋统一。过去头大身短比例不当的现象发生了变化，两肩和胯部变窄，身材变得协调匀称，趋于修长。面部造型饱满圆润，丰腴适中〔图28〕。菩萨像进一步女性化，面目清秀，动态轻盈。一些菩萨像一腿微曲，重心置于直立的腿上，造成自然斜欹的姿态，表现出女性的婀娜。菩萨像的衣饰趋于复杂，头戴火焰三珠宝冠，上身穿双肩或一肩系带的背心（僧祇支），敞胸，披巾，戴项饰，下穿两层长裙，裙摆覆于脚面，腰带长垂〔图29〕。胸前至两腿垂挂长璎珞。项饰和璎珞都浮塑有珠光宝气的饰品。晚期塑像的衣纹处理手法趋于成熟，多为较圆润的线条，褶纹有疏有密、有虚有

图28

图29

实，不仅开始表现了衣服的质感和褶纹的动势，还能透过衣服看出人体肌肉的起伏，既写实逼真，又有装饰效果。

[图28]
莫高窟第244窟主尊塑像

[图29]
莫高窟第244窟北壁胁侍菩萨塑像

（二）壁画

第三期壁画继续描绘维摩、东方药师、阿弥陀、涅槃等经变题材，本生故事画已经消失。而说法图成为最主要的题材，不仅数量增加，而且画面增大，在一个壁面上，安排一幅、二幅、数幅乃至数十幅不等。有的洞窟，除正龛外，四壁的上段、中段都布满了说法图。作为护法神的天王，这时不仅继续在前室塑造，而且还绘于主室的前壁（东壁）。一些洞窟主室前壁门上绘七佛。有的主室正龛龛外两侧壁面上方绘佛传中的乘象入胎、逾城出家。有的正龛龛外两侧壁面各绘一身菩萨立像，似为观世音和大势至。随着说法图的增多，四壁的千佛数量相应减少了。自北周至隋代第二期流行的飞天和凹凸凭台（天宫栏墙）已不多见。

四壁壁面布局，多为上、下两段安排。上述经变、说法、菩萨、天王等各项内容，都安排在上段，下段画供养人和药叉。壁面上段画飞天和凹凸凭台的洞窟已经很少。窟顶多画千佛，有的则在覆斗顶四披象征性地绘几个大千佛。还有的覆斗顶藻井四周绘飞天。经变画已经很少绘于窟顶。总之，窟顶绘千佛，壁面分上、下两段，其中占大部分壁面的上段画整铺大说法图，正龛两侧画单身菩萨，这样的布局与初唐已相当接近。

　　壁画中的人体比例、造型及服饰与塑像基本一致，但身材更显得修长，特别是菩萨像。菩萨头梳高髻，也是以前没有的。菩萨面目圆润清秀、恬静安详，身材窈窕丰满。飞天大体同第二期，这时发式作中分披发，巾带比以前更长并多转折。男供养人身穿圆领长袍，脚穿靴，头裹平顶幞头。幞头四脚，两脚垂于前额，两脚垂于脑后。女供养人的动态比以前活泼多样，服饰基本同前，但披帛的披戴形式有变化，除原来垂于身体两侧的形式外，还有垂于胸前或垂于胸前又绕双手而下垂等形式。上述壁画形象上的一些特征，已同初唐石窟较为接近。

　　第三期的山水画，比第一、二期有了较大的突破和发展，大体说来有两种表现形式：一种是以土红线勾勒出山势结构和纹理，山间点缀树木，再施以清淡的赭红、青色渲染，如第276窟壁画。这种山水画，与北朝和隋代第一、二期比较，已能准确地把握山的比例和结构，有较好的质感。另一种是以土红线勾勒出山的轮廓结构，然后以淡赭红和淡青色相间，一块一块地平涂，最后描出定稿线，如第280窟壁画。这种山水画不像前一种那样能把握山的形态和质感，但有浓厚的装饰性，可以看作第一、二期山水画风格的进一步发展。

　　第三期树的画法已经统一，都是用粗细不同、虚实相间的土红线勾出树干、树枝和树叶，表现出不同树种的形象特点，然后施以清淡的色彩；同时采用深浅两种绿色，分别染树叶的正面和反面，表现老树和幼树，鲜枝和干枝的不同质地，作风写实。

　　第三期壁画分别继承了第二期壁画风格的两种类型。Ⅰ型画面精致，结构严整，用笔工整，敷色厚重。代表这一类型风格的有第282、314、401、397等窟。Ⅱ型以这时期数量众多的说法图为例，画面上人物少，构图疏朗，一般多用流畅而粗放的土红线造型，面部和身体不施晕染或略施淡彩，敷色后不再勾定稿线。衣饰、华盖、器具、树木敷色，色种简单，仅有青、土红、绿、白、黑等，色调素净淡雅。这一型风格的壁画，运用中国传统的线描技法造型，取得一定成就。如第276窟正龛外北侧的维摩诘像，人物近于白描，略敷淡彩，主要用熟练而富有变化的土红线，成功地描绘了一个精神抖擞、机智善辩的长者，达到了形神兼备。Ⅱ型风格的壁画，见于第276、277、278、279、280、281、283、284、298、313、426、398、396、394、393、390、389、388、380、62、63、64等窟。

（三）图案纹样

　　龛楣图案纹样与第二期相同。

　　边饰图案出现了环形对马联珠纹，即在环形联珠内，中央绘一树，树两侧系一对翼马。又有环形卷瓣莲花联珠纹，即在环形联珠内填饰一枚叶瓣翻卷的莲花〔图30〕。

　　唐代藻井小而深、周沿图案层次多的特点，已在此时初见端倪〔图31〕。第二期井心饰重瓣八

图 30

图 31

图 32

瓣大莲花并环绕盘茎莲荷忍冬纹的藻井，此时仍被沿用，但有所变化，中央大莲花施加了多层叠晕，四周的莲花上不置童子〔图32〕，或只将童子置于四角。新出现一种井心仅绘一朵重瓣八瓣大莲花的纹样。此外，在个别洞窟中还可看到传统的斗四方井的残迹，其井心饰重瓣八瓣大莲花，花心内绘四色色轮，井内桁条上已不用忍冬纹，这都是以前所没有的。这时，还有个别井心内大莲花的花瓣作细腰状，系初唐常见的形式。第三期藻井井心周沿边框图案中已很少用忍冬纹，代之以白粉点画的不同形态的小花纹样。有的垂角上只敷色而不绘花。上述表明，通过不断地探索和创新，第三期酝酿着更新的藻井图案，一些纹样后来流行于初唐。

　　第三期塑像由于后代重妆重修太多，服饰图案已很难看到。

〔图 30〕
莫高窟第 401 窟西壁龛周沿环形卷瓣莲花联珠纹边饰

〔图 31〕
莫高窟第 389 窟窟顶藻井

〔图 32〕
莫高窟第 390 窟窟顶藻井

年代的推断

隋代石窟中，有明确开凿纪年者共有四处，这是推断时代最直接的证据。我们根据这些题记，并结合各期石窟的特征，对上述三期的时代试做推论。

（一）第一期石窟的时代

第302窟中心柱北向面柱座中央发愿文末尾记"开皇四年六月六日"；又，第305窟北壁龛下东侧发愿文文首记"开皇五年正月"。由这两方题记，可以确定第302、305窟开凿于隋开皇四至五年（584～585年）。与这两个窟有共同时代特征的第一期诸窟，它们的时代大致也应相当于开皇初年。

这些第一期石窟的石窟形制、塑像、壁画的题材与形象以及图案纹样等方面与北周石窟相比，有不少相似之处，说明了隋代初期石窟与北周石窟之间紧密的承接关系。尽管已有了不少新的发展，但总体上看仍基本是敦煌地方特色的延续。再看隋代初年的历史情况。北周末年武帝曾诏令灭佛[12]，随之而来的是改朝换代。周末隋初，吐谷浑、突厥连年侵犯边境，骚扰河西地区[13]。外族入侵暂时平息后，隋王朝的力量又集中到南方，着手平陈的战争[14]。所以，隋代初期的十来年里，处于边远地区的敦煌不太可能有重大的发展变化，中原对敦煌也不太可能有重大的影响。此外，隋初变革周风，重兴佛道，也须经过一定的过程[15]。开皇九年（589年）平陈以前，隋王朝只占据北方半壁江山，敦煌石窟里还不会出现南北统一后的新内容和新形式，不具备第二期石窟各方面的特征，诸如修建一批大中型石窟，高敞而深的"凸"字形双重口龛，头大身短、造型上进一步中国化的塑像，大乘经题材的壁画大批出现，精致细密的绘画风格，各种纹样的环形联珠纹和条形联珠纹，饰重瓣八瓣大莲花的藻井图案等。故此，莫高窟隋代第一期石窟的时代大致相当于隋灭陈以前的这段时期，其下限应为开皇九年（589年）或略晚些。

12　《周书》卷七《宣帝纪》；《隋书》卷一《高祖纪》。

13　敦煌石窟遗书S.3935《大集经》卷十八题记："开皇三年岁在癸卯五月廿八日，武侯师都督来绍遭难在家，为亡考妣发愿……又愿家眷大小，福庆从心，诸善日臻，诸恶云消，王路开通，贼寇退散，疫气不忏，风雨顺时，受苦众生，速蒙解脱，所愿从心。"

14　《隋书》卷二《高祖纪》。

15　隋变周风兴佛教的相关史料：①开皇元年（581年）隋文帝普诏天下，任听出家，仍令计口出钱营造经像，见《隋书》卷三十五《经籍志》；②开皇三年（583年）诏令修复北周废寺，见《周书》卷七《宣帝纪》、《隋书》卷一《高祖纪》；③开皇四年（584年）命天下凡北周入官而未毁之佛像，重行安置，见《历代三宝记》卷十二；④开皇十三年（593年）下诏修复北周所毁的废像遗经，见《历代三宝记》卷十二；⑤开皇二十年（600年）下诏禁止毁坏佛、道等像，见《隋书》卷二《高祖纪》。

（二）第三期石窟的时代

1. 第390窟北壁下部上排供养人〔图33〕题名有"因□□□幽州摁（总）管府□□（长史）……供养"。虽姓名已不可见，其地名和职官尚清晰可辨。

〔图33〕
莫高窟第390窟北壁
下部供养人及题记

有关史载有，《隋书》卷二十八《百官志》下载，隋文帝时"州，置总管者，列为上中下三等。总管刺史加使持节"；"炀帝继位，多所改革。……罢诸总管"，"罢州置郡，郡置太守。……罢长史、司马，置赞务一人以贰之"。《旧唐书》卷一《高祖纪》载，唐武德元年五月甲子"罢郡置州，改太守为刺史"；同年六月庚辰，"诸州总管加号使持节"；武德五年"八月辛亥，以洛、荆、并、幽、交五州为大总管府"；武德七年二月"改大总管府为大都督府"。由此可知，总管府的建制，置于隋文帝时，到隋炀帝时即予以废止，唐初高祖时又曾复置旋罢。幽州总管府存在的具体时间只可能是：隋开皇元年（581年）至仁寿末年（604年），或者唐武德元年（618年）五月至武德五年（622年）八月。因此第390窟的年代，也只能是在这两段时间之内，而且依此窟的位置和特点，建造时间似应在后一段，即武德初年。

第390窟位于莫高窟南区北侧上层，以南有41个隋窟，以北仅5个隋窟。这批隋代风格的洞窟是紧接同层北朝诸窟由南而北成组成批地依次开凿的，一般来说，愈靠北时间愈晚。第390窟在诸隋窟中离开北朝石窟较远，无疑其开窟时间也是较晚的。

第390窟是一个有前、后室的大窟，后室（主室）平面呈方形，正壁开一圆角方口的"凸"字形双重大龛，窟顶覆斗形。塑像虽经重妆，但尚能看出其面部圆润清秀，身体丰满修长，衣饰繁复〔图34〕。四壁中段壁面全部绘说法图，其数量多达一百一十一铺。壁画风格清淡素朴，人物以土红线造型。女供养人身材颀长，上穿小袖窄衫，下系长裙，披帛的形式较自由，动态活泼多姿〔图35〕。上述特征均不属于第一期或第二期，而应列为第三期。

综上所述，此窟无疑应属唐初洞窟。具体地说，它早不过武德元年（618年）；同时，考虑到历史上一项政令往往不会立即得到实施的情况，估计也可

图 34　　　　　　　　　　　　　　　　图 35　　　　　　　　图 36

〔图 34〕
莫高窟第 390 窟主尊
塑像

〔图 35〕
莫高窟第 390 窟南壁
下部女供养人

〔图 36〕
莫高窟第 282 窟胁侍
菩萨塑像

能会晚到武德五年（622 年），甚至更晚一些。

　　与第 390 窟有共同特征的第三期石窟，其建造时代大致也应与第 390 窟大致相当：较早的可能会早于唐武德元年，而相当于隋代末期；最晚的则还有可能略晚于武德五年，甚至晚到武德末年（626 年）。

　　2. 第 282 窟正龛发愿文文尾记"大业九年七月十一日造讫"。由此可以确定第 282 窟完成于大业九年（613 年）。

　　此窟兼有第二期和第三期石窟的特征。例如，主室南、北两侧壁的立佛塑像，头大，腹圆，肩部和胯部较宽，面部块面转折关系清楚；窟顶和四壁全部绘千佛，这些是第二期石窟的特征。窟顶作前部平顶，后部人字披形，塑像胁侍菩萨的面部趋于圆润、两肩和胯部缩小，身材趋于修长〔图 36〕。四壁作上下两段布局，上部没有飞天和凹凸凭台，这些又是第三期石窟的特征。总之，此窟体现着第二期向第三期的转变，说明它恰好处在第二期和第三期之间。因此，可以依据第 282 窟完成的时间，将第二期石窟的下限与第三期石窟的上限，大致推定在比大业九年略晚一些的时候，即大业九年以后到隋末（613～617 年）的这段时间里。

　　此外，可作辅助说明的是第三期壁画男供养人的幞头形式。这种幞头是平顶，两脚垂前，两脚垂后〔图 37〕；并不见有文献所载唐武德年间始创的"巾子"，未出现"上平头小样者"[16]。显然，这样的幞头是武德以前的形式，这也表明第三期的下限不至于晚过武德年间。

至此，我们可以推定第三期石窟的年代，大致应在隋末唐初，也就是隋大业九年以后的隋代末期至唐初武德年间。过去，这一时期的石窟，我们习惯于称它们为隋窟。确切地说，它们应是隋末唐初开凿的石窟；其中有一定数量的石窟，实际应是唐初之窟。

隋大业九年开始，中原发生了大规模的农民起义，紧接着，隋末唐初全国出现了一个短暂的群雄崛起、割地称王的时期[17]。从这个时期的历史看，隋末到唐武德时期，以至唐贞观初年，河西和敦煌地区同样是地方势力消长争夺[18]、外患丛生的时期[19]，所以第三期石窟尽管比第二期有所发展，但并没有因受到中原和外来的强大影响而产生像初唐那样大幅度的和实质性的变化。

〔图37〕
莫高窟第281窟西壁
下部男供养人头部
（幞头形式）

（三）第二期石窟的时代

根据第一期和第三期的断代，可以知道第二期大致应在隋开皇九年（589年）至大业九年（613年）略后的这段时间里。

在敦煌莫高窟隋代第二期，曾以空前的规模大兴石窟，其中有一批绘塑精美的大、中型石窟，艺术上取得了很大的发展。今天我们探究其原因，不可

---

16 《旧唐书》卷四十五《舆服志》："武德已来，始有巾子，文官名流，上平头小样者。"（北京：中华书局，1975年）又，唐·张彦远《历代名画记》卷二《叙师资传授南北时代》："幞头始于周朝，巾子创造武德。"（北京：人民美术出版社，1963年）。

17 《隋书》卷四《炀帝纪》下；《旧唐书》卷一《高祖纪》。

18 关于河西和敦煌地区地方势力消长的资料，主要有：①隋大业十三年（617年）十二月至武德元年（618年）十一月，金城薛举、薛仁杲父子据秦陇称王；②武德元年十月至二年（619年）四月，凉王李轨于凉州称帝（以上见《旧唐书》卷一《高祖纪》、卷二《太宗纪》）；③武德三年（620年）十二月，瓜州（隋敦煌郡）刺史贺拔行威执骠骑将军达奚暠举兵起事；④武德五年（622年）五月，瓜州（这年分瓜州的常乐县置瓜州，以旧瓜州为西沙州）土豪王干斩贺拔行威以降，瓜州平；⑤武德六年（623年）六月至七月，沙州州人张护、李通起事，杀瓜州总管贺若怀广，立沙州别驾窦伏明为主，进逼瓜州；⑥同年九月窦伏明献沙州降；⑦贞观元年（627年）四月淳州都督、长乐王幼良有谋被诛（以上见《资治通鉴》卷一百八十八、一百九十、一百九十二）。

19 《隋书》卷四《炀帝纪》；《旧唐书》卷一至三《高祖纪》《太宗纪》。

忽略下列史料：①开皇十一年（591年）隋文帝诏令天下州县各立僧尼二寺[20]；②开皇中僧善喜在莫高窟造讲堂[21]；③开皇十三年（593年）外戚独孤罗任使持节总管凉甘瓜三州诸军事凉州刺史[22]；④仁寿元年（601年）六月十三日颁发《立舍利塔诏》，诏天下各州建灵塔，并令分送舍利于三十州[23]，释智嶷奉诏送舍利至瓜州（敦煌）崇敬（教）寺（即莫高窟）[24]，随即于瓜州崇教寺起塔[25]，同年八月二十八日，"瓜州崇教寺弥善藏在京辩才寺写摄论疏"[26]；⑤大业四年至六年（608～610年），助杨广弑兄篡位的幸臣姬威任敦煌太守[27]。上述材料表明，在开皇九年后全国统一的形势下，隋皇室种种崇信佛教、弘扬佛教之举，影响及于边远的敦煌。第二期石窟的兴盛，与这一潮流有关。

第二期以大乘佛典为题材的经变画，亦是莫高窟以前少见的。据僧传记载，隋文帝专门诏请"恒愿阐扬大乘，护持正法"的灵裕法师到京城弘法[28]。隋炀帝本人"耻崎岖于小径，希优游于大乘"，迎请精通大乘佛法的智顗为师，受"菩萨戒"[29]。南陈高僧吉藏到长安后也看到了"京师欣尚妙重法华"[30]。上述灵裕、智顗、吉藏以及其他与杨坚、杨广父子交往很深的一些高僧，几乎无不修习、讲授或撰述《法华》《维摩》《涅槃》诸经。净土宗奠基人道绰，生于北朝，历隋而入唐。据僧传，道绰早已"盛德日增，荣誉远及"，"恒讲《无量寿观》"，后来遂成为"宗净业""西行广流"的一代宗师[31]。看来西方极乐净土的信仰，在隋代已有一定的影响。天竺沙门达摩笈多，于

20 《金石萃编》卷三十八《诏立僧尼二寺记》。

21 莫高窟第156窟前室北壁晚唐墨书《莫高窟记》："开皇年中僧□喜□（辶）□□。"（原文漫漶，此据敦煌文物研究所摹本）敦煌遗书P.3720《莫高窟记》："开皇年中僧善喜造讲堂。"所谓讲堂，应不是石窟，而是在莫高窟附近修筑的地面建筑（宿白：《〈莫高窟记〉跋》，《文物参考资料》1955年第2期）。又，《续高僧传》卷八《京师净影寺释惠远传》："惠远，初见病数日，讲堂上栋脊无故自折。""又当终之日，泽州本寺讲堂众柱及高座四脚一时同陷。"（《大正藏》第五十卷，第489页）又，《续高僧传》卷二十五《东都宝相道场释法安传》：开皇中僧法安与晋王杨广"往泰山，神通寺僧来请……及至寺中，又见一神状甚伟大，在讲堂上，手凭鸱吻下观人众"（《大正藏》第五十卷，第651～652页）。凡此都可证明讲堂应是地面建筑物。

22 夏鼐：《咸阳底张湾隋墓出土的东罗马金币》，《考古学报》1959年第3期。

23 《广弘明集》卷十七隋文帝《立舍利塔诏》，《大正藏》第五十二卷，第213页；《隋书·高祖纪》。

24 《续高僧传》卷二十六《隋京师静法寺释智嶷传》，《大正藏》第五十卷，第676页。

25 《广弘明集》卷十七王劭《舍利感应记》，《大正藏》第五十二卷，第213～216页。敦煌文物研究所藏唐武周圣历元年刻《李克让修莫高窟佛龛碑》拓本载："遥自秦建元之日，迄大周圣历之辰，乐僔、法良发其宗，建平、东阳弘其迹，推甲子四百他岁，计窟室一千余龛，今见置僧徒，即为崇教寺也。"碑文追叙莫高窟的历史，证明了唐圣历元年立碑时住有僧人的莫高窟，应该就是崇教寺。由此推知隋代僧人智嶷奉召送舍利所到及起塔之瓜州崇教寺，即当时大兴营造的敦煌莫高窟。

26 敦煌遗书S.2048。

27 《隋书》卷四十五《房陵王杨勇传》；陕西省文管会：《西安郭家滩隋姬威墓清理简报》，《文物》1959年第8期。

28 《续高僧传》卷九《相州演空寺释灵裕传》，《大正藏》第五十卷，第495～498页。

29 《续高僧传》卷十七《隋国师智者天台山国清寺释智顗传》，《大正藏》第五十卷，第564～568页。

30 《续高僧传》卷十一《京师延兴寺释吉藏传》，《大正藏》第五十卷，第513～514页。

31 《续高僧传》卷二十《并州玄中寺释道绰传》，《大正藏》第五十卷，第593～594页。

开皇十年游方至瓜州（敦煌），后奉旨进京，自开皇中至大业末年专事译经，共七部三十二卷[32]，其中一部名《佛说药师如来本愿功德经》[33]，此经与东晋天竺帛尸梨密多罗译《佛说灌顶拔除过罪生死得度经》的内容基本相同。内容相同的佛经在隋代重译，反映当时社会对药师净土的信仰。又据画史记载，隋代著名画家展子虔、董伯仁、杨契丹等人，在京城的寺观中曾经绘制过法华经变、维摩诘经变、涅槃经变、弥勒经变等[34]。寺观中请名画家绘制的经变画，都是当时社会上流行的佛教题材。显然，敦煌隋代第二期石窟新的壁画题材，是在国家统一、佛教信仰统一以及中原文化给了敦煌以巨大影响之后的产物。

隋代第二期的精致细密而色彩富丽的绘画，为以前所不见。《历代名画记》载："中古之画，细密精致而臻丽，展、郑之流也。"[35]说的是隋代具有代表性的一种绘画风格。展子虔、郑法士等是这派绘画风格的代表人物。又载："董与展同召入隋室。"[36]董系南陈的画家董伯仁，他被召入隋室，无疑在平陈以后。展子虔历北齐、北周，而与董伯仁同入隋室，当也在隋统一全国之后。那么，作为隋代有代表性的"细密精致而臻丽"的绘画风格的形成，大概应在展子虔等入朝以后，亦即平陈以后。敦煌隋代第二期新出现的精致细密而色彩富丽的壁画，看来与中原盛行的画风是有密切关系的。

此外，据画史记载，隋平陈以后，将南陈收集的书法绘画，皆移至东都，并在东都筑"妙楷台""宝迹台"，收藏自古法书名画[37]。联系前文所述名画家会集京师寺观作佛画和董伯仁与展子虔入隋室两事来看，隋王朝在统一全国后，确曾采取了一系列有利于推进绘画艺术发展的措施，这也必然推动了敦煌石窟艺术的发展。

早在南北朝时期，波斯锦已传入中国[38]。新疆吐鲁番地区阿斯塔那北朝、隋唐墓中也出土过各种环形联珠纹锦[39]。莫高窟从隋代中期才有环形联珠纹出现，大概是与隋统一全国后，特别是隋炀帝加强与西域各国联系有关。据《隋书》记载，杨广称帝后，接连派遣李昱、韦节、杜行满出使西域诸国[40]，又令裴矩三次往来于河西和敦煌，同西域商人交市，西域各国使臣也相继来到中原。裴矩《西域图记》载，隋代中国与西域交往有三条主要道路，都"发自敦煌"，敦煌是通

---

32 《续高僧传》卷二《隋东都雒滨上林园翻经馆南贤豆沙门达摩笈多传》，《大正藏》第五十卷，第434～436页。

33 《大正藏》第十四卷，第401页。

34 〔唐〕张彦远《历代名画记》卷三"记两京外州寺观画壁"，卷八"展子虔传""董伯仁传""杨契丹传"。

35 〔唐〕张彦远《历代名画记》卷一"论画六法"。

36 〔唐〕张彦远《历代名画记》卷八"董伯仁传"。

37 《隋书》卷三十二《经籍志》；〔唐〕张彦远《历代名画记》卷一"叙画之兴废"。

38 《梁书》卷五十四《诸夷传》；（美）劳费尔著，林筠因译：《中国伊朗编》，北京：商务印书馆，1964年。

39 新疆维吾尔自治区博物馆、出土文物展览工作组：《丝绸之路——汉唐织物》，图版二八"联珠对孔雀'贵'字纹锦覆面"，北京：文物出版社，1972年。

40 《隋书》卷八十三《西域传》，卷四《炀帝纪》。

往西域的"咽喉之地"[41]。所以，敦煌隋代第二期出现各种饰莲花、翼马、狩猎图案的环形联珠纹以及条形联珠纹，想必是受到来自西域的影响。

从各方面情况看，莫高窟隋代第二期是正当隋代社会的盛期。

数量众多的敦煌莫高窟隋代石窟，为我们留下了一笔丰富的文化遗产，这在国内同一时期的其他石窟寺中是少有的。隋代石窟处于石窟寺由产生向成熟期发展的过渡阶段。它直接继承了北朝石窟艺术，并吸收了中原和西域文化的丰富营养，不断地进行着探索和创造；时间虽短，却发生了很大的变化，它酝酿着更加辉煌灿烂的唐代石窟艺术。我们的分期工作，就是试图去了解和分析隋代石窟发展演变的进程和规律。为了说明各期的不同特点，本文着重于阐述每一期出现的新因素；但是因为洞窟多、情况复杂，探索和变化的过程虽有一定的阶段性，却又处处表现出连贯和交错，不能用简单画线的办法来区分时期和阶段，所以也向读者介绍了新旧交错并存的情况。不当之处，恳请指正。

（本文为樊锦诗、关友惠、刘玉权合著，原载于《中国石窟·敦煌莫高窟（二）》，文物出版社、平凡社，1984年；后收于《陇上学人文存·樊锦诗卷》，甘肃人民出版社，2014年）

41　《隋书》卷六十七《裴矩传》。

◆ 敦煌莫高窟唐前期洞窟分期

有唐一代，佛法大兴，佛教艺术得到了极大发展。唐代敦煌莫高窟，开窟230多个。唐建中二年（781年），吐蕃奴隶主攻陷沙州。陷蕃前，莫高窟继承隋代佛教艺术传统，接受中原两京地区文化艺术的影响，使石窟艺术的发展达到了顶峰。陷蕃后，石窟艺术的题材与风格，发生了较大变化，进入了由盛而衰的时期。据此，大致可以建中二年沙州陷蕃为界，将唐代石窟分为前、后两个时期。本文仅对唐初至陷蕃前这一时期洞窟的时代进行一些探讨。

唐前期有纪年的洞窟12个，为断代分期提供了重要的依据。此外，数十年来前人对莫高窟的断代分期做了许多工作，特别是敦煌文物研究所做了大量的有益工作，为我们今天的分期工作奠定了良好的基础。我们以前人的研究成果为起点，上承莫高窟隋代洞窟的分期，以纪年洞窟为标尺，对唐代前期136个洞窟的形制、塑像与壁画的题材布局、塑像与壁画中佛和菩萨的形象以及供养人等内容进行了排比分析，来探讨唐前期洞窟演变发展的规律。

由于洞窟残存的情况相当错综复杂，致使我们在排比分析内容的选择方面要受到一定的限制。因此，以下几点是必须事先予以说明的：

第一，这个时期的洞窟（包括纪年洞窟）塑像残毁较甚，重妆重塑与移位数量较多；壁画普遍大量变色而模糊不清，给全面系统的类型排比带来困难。根据具体情况，我们选择了塑像和壁画中一般具有相对普遍性和稳定性的结跏趺坐佛和立式菩萨形象来进行排比。

第二，这个时期的洞窟，虽然有前后室，但前室多为晚期重绘，故本文以后室（即主室）的塑、画内容为主来进行排比。

第三，这个时期的壁画题材虽共有十余种，其中部分题材各期均有，但部分题材却仅为偶然出现，本文则选择各期皆有的几种题材，探明它们的内容和表现形式上之差异和变化发展规律，

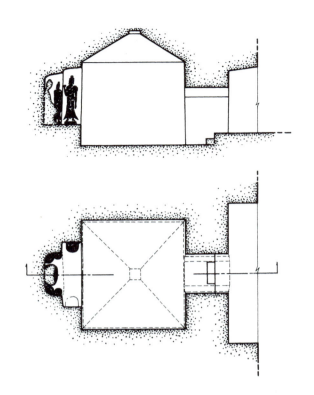

[图 1]
莫高窟第 57 窟平、剖
面示意图

以期进一步说明各期洞窟的特点。

第四，供养人布局位置一般均接近地面，多磨损较甚，且因变色而常常模糊难辨。有关此项内容仅以男供养人幞头襕衫乌靴、女供养人之发式裙襦为主来进行排比分析。

经初步的类型排比分析，将唐前期洞窟分为四期（六段），现将各期洞窟的特点及其相对年代做一简要叙述。

第一期

第一期续修前代洞窟一个，即第 401 窟（隋开）；开凿并完成的洞窟 12 个：第 60、203、204、206、373、375、381、283、287、57、209、322 窟。

本期开凿仅做部分塑画的洞窟两个，即第 329、386 窟。

（一）洞窟形制

本期有覆斗顶龛窟和覆斗顶佛坛窟二类。前者为主要窟形，多数洞窟仍沿用隋代流行的"覆斗顶一龛窟"中的"凸"字形双重龛、浅方龛、浅敞口龛等形制〔图1〕。作深敞口龛的洞窟仅有第 329 窟一例。

（二）塑像

1. 塑像题材及其组合

第 203 窟立佛为主尊，作单身造像为前期所未见〔图2〕，其余各窟均以结跏趺坐佛为主尊的成铺群像。其组合为：一铺五身，一佛二弟子二立菩萨；一铺七身，一佛二弟子四立菩萨，或一佛二弟子二坐菩萨二立菩萨，或一佛二弟子二立菩萨二天王。有的洞窟前室正壁两侧的残迹说明原塑二力士。上述群像主尊及其组合多承袭隋代塑像的题材内容。唯第 322 窟在群像的胁侍中出现了二天王，为前期所未见〔图3〕。

图 2

〔图 2〕
莫高窟第 203 窟主尊佛像
初唐

〔图 3〕
莫高窟第 322 窟龛内塑像
初唐

图 3

图4

图5

[图4]

[图4]
莫高窟第322窟
主尊佛像
初唐

[图5]
莫高窟第57窟龛外
南侧菩萨
初唐

2. 塑像中的佛与菩萨像

佛像，可分为两种类型。Ⅰ型大体承袭隋代旧样（清秀型）。主要特点是头稍大而下肢略短，面形清秀，身体轮廓比较笼统，整体感较强，双脚紧藏于袈裟内，不显现任何痕迹。上身内着僧祇支，外披双领下垂式袈裟。用隋和北朝流行的直平阶梯法表现衣纹。Ⅱ型佛像在Ⅰ型基础上发生了变化，主要特点是面形比Ⅰ型稍趋丰满圆润，身体轮廓略为清晰，双脚虽仍藏于袈裟内，但已经通过袈裟看出其大体轮廓。表现方法上，改阶梯式旧法为波浪式新法，使其表现的衣褶真实细腻，较好地刻画出衣服的质量感和体积感〔图4〕。这种波浪式虽仍属雏形，还不够成熟、完善，但它为唐代及以后彩塑技法的进一步发展做好了坚实铺垫，影响相当深远。

菩萨像也可分为两种类型。Ⅰ型为清秀潇洒型，是隋代旧样的延续发展。主要特点是，头稍大、肩较窄，通体直立，尚无曲线变化，面形端庄清秀，风姿轻盈潇洒〔图5〕。上身多着一带背心，或横巾右袒，下着长裙，披巾由双肩下垂于腹、膝处横绕两道。裙褶在腿两侧呈扇形下垂，左右两端并不通连。表现方法仍是直平阶梯式。Ⅱ型是Ⅰ型的变化发展，形象与Ⅰ型相似。不同点是身体稍有曲线，而动态尚不自然，披巾不再横绕两道而是由两肩直接垂下。衣纹表现手法由阶梯式改为波浪式。衣褶两端由扇形变为左右相连接的圆弧形，但还显得生硬而不够圆润流畅。

（三）壁画

1．壁画题材及布局

（1）正龛和正壁

龛内顶部多画飞天，仅有个别洞窟在飞天中绘有乘龙仙或坐像，或人非人，或佛传，或雷神、乘龙仙与人非人。

龛内壁画多绘弟子，或弟子与菩萨。其中有半数洞窟在主尊两侧绘婆薮仙、鹿头梵志，也有个别洞窟绘佛传。

龛外两侧壁上部多绘千佛。或对称地绘大菩萨一至二身。有的在大菩萨之上还绘有佛传或维摩诘经变。

（2）南北侧壁

上部除了个别洞窟通壁绘千佛、说法图外，均在正中安排一铺说法图，周围有一至若干排千佛。

（3）东壁

上部或通壁千佛；或门上千佛，门两侧天王；或门上七佛，门两侧天王；或门上千佛、七佛，两侧天王；或门上千佛、七佛，门两侧说法图各一铺。有的通壁绘说法图数铺。

四壁下部安排供养人或供养菩萨。

（4）窟顶

除个别石窟绘说法图和佛传外，均绘千佛。显然，本期壁画题材的布局多承袭隋代。

2．主要壁画题材的内容和形式

（1）说法图

按其主尊分为：结跏趺坐佛、善跏趺坐佛、善跏趺坐菩萨和立佛（其中一铺端药钵，持锡杖）。

上述善跏趺坐佛和立佛作主尊的说法图为以前所未见。善跏趺坐佛代替隋代以来的善跏趺坐菩萨，可能是从信仰弥勒菩萨发展到信仰弥勒佛。端药钵、持锡杖的应是药师佛。

塑像和壁画中作结跏趺坐佛的主尊较为复杂，可有不同理解。若上绘佛传的正龛和正壁的结跏趺坐佛理解为释迦牟尼佛无误，则说明唐以前信仰释迦牟尼佛依然流行。若正面主尊为绘有佛传的释迦牟尼佛，两侧壁中的一壁为有善跏趺坐菩萨（或佛）作主尊的说法图，又与另一壁为结跏趺坐佛作主尊的说法图相对，则似可理解为隋代以来流行的三世佛。这样的石窟有3个：第

209、322、375窟。

上述各类说法图主尊左、右的胁侍人物多沿袭前期的立式弟子和菩萨，或仅有菩萨。但第209窟的一些说法图中在主尊两侧出现了以前没有的左、右结跏趺坐大菩萨二身，有的窟前还增加了天王或夜叉，或作供养的坐式或跪式小菩萨，有11铺说法图中出现了水池莲花，乃至化生。这些特征均是唐代第二期以后的净土经变中所常见的一些现象，具有上述新因素的部分说法图可能为弥勒或阿弥陀净土的雏形。

（2）佛传图

6铺，均由菩萨乘象入胎和菩萨骑马逾城出家两个画面组成。

（3）维摩诘经变图

3铺，均由维摩诘以身有疾说法的《方便品》与文殊问疾的《文殊师利问疾品》两个画面组成，有的还表现了《香积佛国品》。

（4）千佛

均为土红地色，双手相叠禅定印，结跏趺坐，着通肩袈裟，圆形头光，椭圆背光，上有小宝盖，下坐莲花座，头侧有小榜题。

以上（2）（3）（4）题材的内容和形式仍同前期。

3．壁画中的佛和菩萨形象

（1）佛像

有一种基本类型，即清秀型。主要特点与第一期彩塑中第Ⅰ型相似（从略）。值得注意的一点是在表现技法上又出现受到西域凹凸法影响的晕染法，鼻梁并绘一道高光白粉线，具有一定的立体效果。

（2）菩萨像

有两型。Ⅰ型为清秀潇洒型，基本特点与彩塑佛第一型相似（从略）。Ⅱ型菩萨比一型稍加丰满结实，身体稍有曲线，但没有Ⅰ型那么轻盈潇洒。上身横巾右袒，不再佩繁缛的长璎珞，明显的特点是下身所系之长裙，薄纱透体，并多有小四瓣团花。这不仅第Ⅰ型菩萨像没有，以前也从不曾出现过的，是一种新样式。

4．供养人

供养人位于壁面下部，由于剥蚀或重绘，仅半数洞窟尚存。多作北朝至隋代以来的男女对称的供养人行列。第322、209窟说法图中出现跪式男女供养人，为以前所未见〔图6〕。

男供养人皆头戴幞头，身着圆领小袖长袍，足蹬乌靴。其中巾子低平而不分瓣的垂脚幞头，为隋代样式的延续，巾子略高微倾而分瓣的垂脚幞头，系新样。

女供养人身材修长，上穿圆领或交领窄衫小袖，下系齐胸长裙，肩披彩帛，发髻作低平髻，

图6   图7

〔图6〕
莫高窟第322窟东壁
说法图中供养人像
初唐

〔图7〕
莫高窟第375窟南壁
女供养人
初唐

为隋代发式的沿袭，作高髻（半高髻）为前期所未见〔图7〕。

综上所述，第一期的洞窟形制、塑像题材与组合、壁画布局、壁画题材的内容和形式，塑像、壁画中佛、菩萨形象及其衣冠服饰和其表现技法，男女供养人等，与莫高窟隋代第三期相比，有许多相似之处，显然是对隋代石窟的继承。但出现了一些隋代石窟所没有的新因素。如覆斗顶深敞口龛窟，此系唐前期流行的一种主要窟形，如彩塑群像中出现了二天王，天王是唐至五代、宋彩塑群像中常见的胁侍像；壁画说法图主尊出现了善跏趺坐像、药师立佛，这也是唐代说法图和净土经变中常见的主尊；说法图的左右胁侍中出现结跏趺坐菩萨、天王、夜叉、小供养菩萨以及图中的水池莲花诸特点，同样也是唐代净土经变和说法图中所常见。以上说明唐前期石窟第一期应晚于隋代石窟第三期。尽管第一期出现了上述新因素，但第二期流行的覆斗顶深敞口龛窟，在第一期还未广泛使用。第二期气势宏伟、题材众多的阿弥陀、弥勒、东方药师、维摩诘等大幅经变以及其他一些题材，在第一期还没有完全出现。第二期那种肉髻较高、面形较长而两颊比较丰满、衣纹断面呈波浪形、圆润流畅有较真实细腻质感体积感的佛像，在第一期尚未出现；第二期那种头大、下肢短、身体普遍呈不甚明显"S"形曲线的菩萨，在第一期也尚未出现；第二期壁画中普遍薄纱透体长裙、丰满健美的菩萨像及第二期壁画中受印度佛教艺术影响的那种半裸体式的佛和菩萨像，在第一期更没有出现过。

　　上述情况，说明唐前期石窟第一期以承袭隋代石窟第三期特征为主。虽然已经出现了一些唐代石窟的新因素，但是鲜明的唐前期石窟的特征尚未出现，故唐前期石窟第一期应晚于隋代石窟第三期，早于唐前期石窟第二期。

　　隋代石窟第三期的下限，可以第390窟北壁下部上排西起第三身男供养人题记"□（大）□（觉）□（修）□（明）幽州总管府长史……供养"的结衔，推定为唐高祖武德元年至七年（618～624年）。唐前期石窟第二期第220窟有三方题记，载有纪年。东壁门顶说法图发愿文文末载"贞观十又六年敬造奉"，北壁东方药师变中题记载"贞观十六年岁次壬寅奉为天云寺律师道弘法师□奉□"，甬道南壁后唐同光三年（925年）翟奉达所题《检家谱》追述翟氏家史时提到图塑此窟"至龙朔二年壬戌岁毕"。上述题记，说明第220窟所凿年代应不晚于唐贞观十六年（642年），完成当在龙朔二年（662年）。

　　第220窟人物造型的特点，在第二期各窟中早于有"上元二年（675年）"题记的第386窟、有"垂拱二年"（686年）"长安二年"（702年）题记的第335窟，与第一期的第209、57、322窟较为接近，故第220窟的开凿年代贞观十六年至龙朔二年（642～662年）大致可以作为第二期石窟的上限。

　　至此，唐前期石窟第一期各窟的修建时代，大致始于唐武德元年至七年（618～624年），下迄唐贞观十六年至龙朔二年（642～662年），当在唐高祖、太宗、高宗初的这个时期。

第二期

　　第二期续修前期石窟3个：第431（北魏）、329（唐一期）、386（唐一期）窟。开凿完成石窟21个：第220、371、331、332、333、334、335、338、339、340、341、342、242、210、211、77、321、372、71、75、68窟。开凿未完成的石窟5个：第202、205、96、387、448窟。

（一）洞窟形制

　　第二期洞窟形式多样，有覆斗顶一龛窟、佛坛窟、中心柱窟、大像窟四类。前期出现的覆斗顶深敞口龛窟，本期已广泛沿用。总数共18个。其中有少数洞窟在龛外两侧设置与龛底等高的方台，台上塑像，这是前期尚未出现的形式。第96窟大像窟作上小下大的方锥形，正壁造摩崖大像，前有木构窟檐，也属前所未见。第332窟中心柱窟，基本沿袭隋代的窟形，但在后壁（西壁）开长方形佛龛，内置涅槃像，这是新的形式〔图8〕。

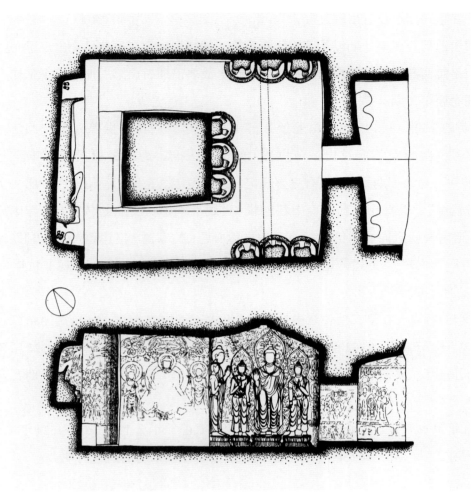

〔图8〕
莫高窟第332窟平、
剖面示意图

（二）塑像

1. 塑像题材及其组合

第二期第96窟单身善跏趺坐佛，高33米，即史称的"北大像"，系本期的新题材〔图9〕。其余各窟均系以佛为中心的成铺群像。主尊有隋代以来已出现的三身佛（或三世像）结跏趺坐像，后者是本期塑像的主要题材。此外，善跏趺坐佛二身（第338、77窟）、涅槃像一身（第332窟），均是第一期所不见的题材。善跏趺坐像，特别是善跏趺坐大佛的出现，可能是来自中原的影响，是对弥勒信仰的表现。以涅槃像为主尊的群像组合，原多达数十身，现残存数身弟子、天王。其余洞窟群像组合有一铺五身、一铺七身者，其组合多已不明，现存者多同第一期。唯第205窟一佛二弟子二坐菩萨二供养菩萨，其中二供养菩萨为胁侍是新内容。基本又出现了前期没有的一铺九身的群像，其组合也多已不明，现存者中，除佛、弟子、菩萨外，还有二天王（第331窟）、二力士、

［图9］
莫高窟第96窟大佛
初唐

二天兽（第321窟），或二天兽（第334窟），或二供养菩萨、二天兽。上述情况，说明本期塑像出现了新题材、新组合。成铺群像的组合数量趋于增多。此外，一些石窟前室正壁，存有原塑二力士的残迹。

2. 塑像中的佛与菩萨形象

（1）佛像

前期第Ⅰ型那种清秀型的佛像，在本期已经消失，而代之以另外两类佛像。第一种类型是前期Ⅱ型佛像的沿用，但也有些变化、发展。首先是面形变得比前期稍加丰满，其次是下垂的衣摆比第一期增长（如第220、335等窟）。第二种类型肉髻增高，两颐增大，衣摆增长（如第386、334、202、68等窟）。另外，属于本期第一种类型的佛像中，有个别着通肩袈裟、胸和腹部袈裟衣纹作"之"字形的结跏趺坐像（如第335窟西龛内主尊像）及胸腹部衣纹作"之"字形的立佛（如第332窟北壁一铺立像中之主尊佛像）。这是新出现的比较写实的衣褶表现方法。

（2）菩萨像

本期菩萨像变化较大。前期第Ⅰ型那种清秀潇洒型菩萨已经消失，前期Ⅱ型菩萨像也基本消失，而出现了新的样式。其主要特点：人体比例上明显的头大下肢短，身体普遍呈不太明显"S"形曲线。胸肌比较扁平，头顶虽梳高髻而双肩不再披发；上身或全裸，或横巾右袒；下着长裙，腰束带，裙在腰部反搭一块；披巾不再横绕两道，而由双肩直接下垂；身上也佩戴长璎珞，戴项饰、臂钏和手镯。仅就面形的不同，又可分两式：一式比较宽而短（如第202、68等窟），另一式则比较窄长（如第386、332等窟）。前一式面相近乎少女，神情天真，后一式面形近乎女青年。但他们共同点都比第一期菩萨像稍微丰

〔图10〕
莫高窟第338窟窟顶
弥勒经变
初唐

满。身材均较苗条，细长眼半睁半闭，脖颈较长而尚无纹。本期菩萨衣纹的表现手法也发生变化。第一期那种衣褶略作扇形，断面为阶梯式的技法退居次要地位，而代之以衣褶作圆弧形、断面为波浪式的新技法。

（三）壁画

1. 壁画题材及其布局

第二期壁画有作上下两栏，也有作通壁一栏布局的。

（1）正龛和正壁

一龛窟，龛内顶部：第一期的题材均已不见，飞天退居于辅助地位，而代之以说法图（第220窟）、弥勒上生经变（第338窟）〔图10〕、法华经变中的《见宝塔品》（第335窟）和《从地踊出品》、赴会佛（第321窟）、宝盖和赴会佛（第372窟）、千佛（第71窟）等。

龛内壁面：沿袭第一期，绘弟子和菩萨者数量很少（第220窟）。很多洞窟在弟子或弟子和菩萨内加绘其他题材，有维摩诘经变、赴会佛、赴会菩萨、法华经变的《从地踊出品》等。第一期加绘在主尊两侧的婆薮仙、鹿头梵志已不再出现。另有若干洞窟不绘弟子和菩萨，而另以其他题材代替，有维摩诘经变（第334、242窟）、劳度叉斗圣变、说法图和千佛（第210窟龛内无彩塑）、花卉，赴会佛和花卉（第71窟）、菩提树和飞天（第321窟）、迦陵频伽、佛母奔丧。

第二期正龛内的多种复杂题材，改变了北朝以来佛龛为佛说法或禅定等的单一题材，出现了各窟龛内不同主题的多种题材。如第338窟似为弥勒经变、第321窟和第333窟正壁似为阿弥陀经变、第332窟为涅槃变。有的单纯画法华经变见宝塔品，或维摩诘经变者，可能是单纯地代表某个经变或某种佛教思想。有法华经变的见宝塔品与维摩诘经变合龛者，可能是宣扬某种抽象的大乘佛教思想。

龛外两侧：前期的千佛和大菩萨仍继续存在。第二期出现了文殊变、普贤变、赴会佛等。前期的佛传和维摩诘经变已不再安排在此处。

（2）南北侧壁

前期对称安排千佛，或说法图，或说法图和千佛的题材仍继续绘制，本期出现了前期不见的大幅经变，有阿弥陀经变、东方药师经变、观无量寿经变（未生怨、十六观、九品往生）、维摩诘经变、涅槃经变、宝雨经变。除个别未完成的石窟外，大经变多作对称布局。

（3）东壁

多安排不同主题的各种说法图。第220窟安排大幅维摩诘经变，系新的布局。

（4）窟顶

除第332窟有一铺法华经变见宝塔品外，均绘千佛。

2．主要壁画题材的内容和形式

（1）说法图

以结跏趺坐佛、善跏趺坐佛、立佛、身着绘有天上人间地狱的卢舍那佛、三世佛、七佛为主要题材的均是前期题材的沿袭；这期出现了有群山的结跏趺坐佛、观世音菩萨、十一面六臂观音为主尊的新题材。

二期说法图的特点大致是：一期较简单的说法图，这时继续出现；一期说法图中出现的新因素，这时已较多地出现。此外，在一些说法图中出现了水池勾栏，这样的说法图可能代表简单的净土。

（2）阿弥陀经变

共15铺，分为3型：

Ⅰ型，类似说法图的布局，中有主尊，两侧有坐式大菩萨二身，周围环列坐式小菩萨，前有勾栏、供器（第211、372窟）。

Ⅱ型，以勾栏水池将人物分为两层，上层同第一类，下层中有舞伎乐队，左右有佛和坐式小菩萨。有的上有赴会佛和飞天，水池中有莲花菩萨（第334、390窟）〔图11〕。

Ⅲ型，阿弥陀佛、观世音、大势至西方三圣位于画面中央，周围小菩萨环坐，人物后面和两侧有一殿，或一殿二楼阁，或一殿四楼阁，建筑多未成组。人物和建筑都安排在架设于水池中的

〔图11〕
莫高窟第334窟北壁
阿弥陀经变
初唐

平台上，上空有飞舞的乐器和乘云而来的赴会佛，下部陆地中央为舞乐伎队，两侧有佛或大菩萨及众小菩萨（第331窟）。

（3）观无量寿经变

观无量寿经变的未生怨、十六观、九品往生一铺三幅（第431窟），分绘三壁。未生怨部分将不同时间的故事情节，分绘于一座横向宫城的多重院落内；十六观，十六个画面分为上下两栏，逐个表现王后观修的内容；九品往生，以平列条幅逐个表现九品往生的内容。

（4）弥勒经变

共8铺，分4型。Ⅰ型，同阿弥陀经变Ⅰ型（第372窟）。Ⅱ型，同阿弥陀经变Ⅱ型（第334窟）。

Ⅲ型，善跏趺坐弥勒菩萨为主尊，坐于一正二侧的三座宫殿内，左、右有侍立胁侍菩萨。前有供养菩萨，应属弥勒上生经变。

Ⅳ型，画面中央上、下有两个同作善跏趺坐的弥勒佛，或上部中央的宫殿内

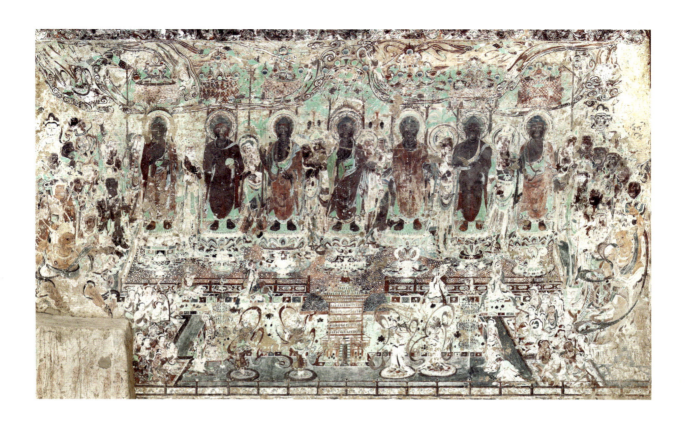

有一交脚坐或善跏趺坐弥勒菩萨，下为善跏趺坐弥勒佛。下部中央是伎乐队或供器，两侧为儴佉王和王妃剃度，其余特点同阿弥陀经变第Ⅲ型（第 331、341 窟）。

Ⅳ型，第 68 窟，上部中央宫城内坐有善跏趺坐弥勒菩萨。宫殿两侧有若干组建筑。余部皆残。此应是弥勒上生下生经变。

（5）东方药师经变

1 铺，第 220 窟，药师七佛站在水池中的中央平台上〔图 12〕。两侧十二夜叉大将和阿修罗、夜叉众。上空彩幡飞舞，下有灯楼灯轮、伎乐队。

（6）维摩诘经变

计 8 铺，分为 2 型：Ⅰ型，分壁绘画（第 220 窟）；Ⅱ型，合壁绘画（第 335 窟）。两类皆继承隋、唐一期的基本特征。方便品的维摩诘以身有疾宣传佛法和各国国王、大臣、王子问疾为一方；文殊师利问疾品的文殊与众菩萨、弟子、释梵天王去维摩诘所探病为另一方，组成主体画面。周围插画此经其他各品内容。这期表现的除上述两品外，还有佛国品、不思议品、菩萨行品、弟子品、观众生品、香积佛国品、见阿閦佛品等。各铺表现的品数多寡不等，少者仅二三品，多者达八九品。

（7）法华经变

计7铺，分为2型。Ⅰ型，法华经变的见宝塔品等6铺。中有七宝塔，释迦多宝共坐塔内，塔外两侧有菩萨、天王、夜叉、阿修罗、四众围绕供养。上有释迦分身诸佛乘云来会。有的石窟在七宝塔下左右对称地安排几组乘云上升的菩萨，表示从地踊出品。

Ⅱ型，不完整的法华经变。

（8）文殊、普贤变

共5铺，皆由文殊骑狮、普贤骑象两个画面组成。文殊、普贤周围有数身菩萨、伎乐围绕，下有云气。

（9）千佛

作红地千佛仅有3窟，其余均为新出现的白地千佛。两手作禅定印，结跏趺坐，衣双领袈裟，内穿斜领僧祇支，头光、背光皆作圆形，上多无宝盖，下坐覆莲座。榜题长而宽，绘于两排千佛之间，袈裟、僧祇支和背光分别以两色交替着色。

综合以上壁画题材，不难看出这个时期净土经变最多，有阿弥陀经变、弥勒经变、观无量寿经变、东方药师经变等四种，其中尤以阿弥陀经变、弥勒经变数量为多，形式丰富。这说明净土宗在敦煌地区最为流行，人们对阿弥陀佛、弥勒的信仰最笃。其次，维摩诘经变和法华经变的数量规模也比前期有了较大的发展。如结合数量较少的涅槃经变、卢舍那佛为主尊的说法图来考虑，说明这个时期在净土宗盛行的同时，一些讲定慧双修和讲大乘哲理的法华宗、华严宗也颇流行。再次，十一面六臂观音为主尊的说法图和以八臂观音为胁侍的说法图的出现，大概与当时中原地区翻译密教经典有关。

3．壁画中的佛与菩萨形象

（1）佛像

前期种种类型的佛像，在本期内继续出现，但其中第一种类型佛像（即清秀型）渐趋消失，而以第二种类型的佛像为主。然而也有所变化，形象比前期稍加丰满和结实，肉髻比前期稍高而又稍窄，衣饰也比前期复杂。一种是双领下垂式袈裟而右肩于袈裟上再搭一块披肩（如第332窟东壁北侧主尊坐佛像）；一种是右袒袈裟披肩一块（如第220窟南壁阿弥陀净土变中主尊坐佛像）；再一种是右袒袈裟（如第335窟南壁）。值得注意的是本期出现一种新样坐佛像（如第332窟东壁南侧主尊）。特点是鼻梁描出双线（这是以前没有的），肩圆、胸阔而腰特别细；虽身披通肩袈裟而薄衣透体，实际是一种半裸佛像，它突出表现人体曲线美[图13]。这种佛像在本期虽属孤例，却反映了印度佛教艺术对莫高窟艺术的影响，是必须注意的一种新因素。本期佛像出现用卷草、团花或半团花、莲花等植物纹样来装饰头光和身光（如第220、332、371等窟）。同时出现不少佛的莲花座运用同类色或不同类色的多层叠晕，使色彩的对比、组合变化，大大丰富起来，

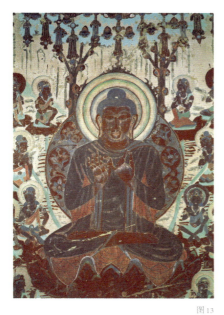

图13　　　　　　　　　　　　　　图14　　　　　　　　　　　　　　图15

〔图13〕
莫高窟第332窟东壁
南侧佛像
初唐

〔图14〕
莫高窟第220窟东壁
菩萨
初唐

〔图15〕
莫高窟第71窟北壁
菩萨
初唐

厚重富丽起来，装饰性得以加强。

（2）菩萨像

本期菩萨形象开始呈现出多式多样的状态，归纳起来基本有三种类型。一是清秀潇洒型，这是旧式的沿用，但有变化和发展，主要一点是一改头大、肩窄、腿短的倾向而改为头不小，肩虽窄而腿不短，甚至腿相当长（如第332窟东壁北侧、同窟中心方柱北壁，第321窟东壁北侧，第211窟西龛外南北壁，第335窟北壁等）的样式。第二种类型是前期第Ⅱ型已出现过的新样菩萨像延续发展。主要特点：形象比较丰满、端庄，身体初有"S"形曲线，衣饰上舍弃了前期的披巾和繁缛的长璎珞，下身一般系薄纱透体长裙，上饰小瓣团花，风姿不以清秀潇洒取胜，而以探究表现女性曲线美、健康美见长（如第220、332等窟）〔图14〕。第三种类型是短胖型，其衣冠服饰与第二型基本相同。不同点在于面形比较宽而丰满，形体比较短而结实，已完全失去早期菩萨通常所具有的清秀和轻盈潇洒的风姿（如第332、335窟）。此外，本期又出现全裸上身、半裸下身的菩萨（如第334窟西龛内）和那种梳高髻披厚卷发、鼻头比较高而大、浓眉、眼大、唇厚而忸怩作态、动势很大的坐式菩萨（如第71窟北壁）〔图15〕。在形象上具有印度女性的某些特征。这同本期出现的那种腰特细、薄纱透体的半裸式佛像一样，都是受印度佛教艺术影响出现的新样式。

〔图16〕
莫高窟第329窟东壁
北侧女供养人
初唐

4. 供养人

除前期的侍立式供养人行列外，出现跪式供养人行列。大窟男供养行列中有马匹，后有供养马群；女供养人行列后有供养牛车〔图16〕。供养人身高与前期相比，也已明显增高。

男供养人，幞头靴袍。靴袍同前期，前期巾子低平而不分瓣的幞头已不见。普遍流行高而微倾、分瓣垂两脚的幞头，幞头垂脚形式不一，脑后两垂脚有作下垂，有作飘起，有作曲盘脑后，也有前两垂脚盘起系于额上的。

女供养人，身材修长但已不同于隋代和前期那样细高，窄衫小袖服饰同前期，前期的低平发髻已不见。普遍流行半翻髻、椎髻等式样的高髻，此外，侍女多为双童髻、双丫髻。

第二期洞窟中的第220、386、335窟，皆有明确纪年；又据敦煌遗书P.3720号卷子与《莫高窟记》记载，第96窟（北大像窟）始建于延载二年（695年）；再据《李君莫高窟佛龛碑》记载，第332窟竣工于圣历元年（698年）。上述五窟开凿的可靠年代，为第二期洞窟的断代提供了确凿的证据。上述五窟之年代，在太宗后期，主要还在高宗至武则天时期，这个时期是唐朝佛教勃兴时期。第二期洞窟中出现受到中原地区影响的大像、大幅经变、弥勒佛和弥勒净土等新题材，来自中原第220窟那种规模宏大、气势雄伟、造型健秀生动、装饰华美、色泽辉煌富丽、作风活泼、别开生面的艺术新风格，来自中原而受到印度影响的那种薄纱透体、强调人体曲线美的半裸体式形象和具有印度女性特征的菩萨形象等等。这些新因素的出现，除唐初国力强盛、丝路畅通、中西文化交流比较频繁等政治经济文化的原因之外，也与武则天倡佛、中原地区的佛教大发展直接有关。所以，以第220、386、335、96、332等窟为代表的第二期洞窟，应修于太宗以后，主要在高宗至武则天时期。

唐前期洞窟第三期中的第217窟，龛外北侧方台南壁西向第三身供养人题名"□男□戎校尉守左毅卫翊前右郎将员外置同正同员外□（郎）紫金鱼袋上柱国嗣琼"，第四身题名"……品子嗣玉""……男嗣玉"。据此考证，此窟为阴家窟，开凿于唐中宗神龙（705～706年）前后。此窟与同期洞窟出现的内容完整、布局构图对称的观无量寿经变、法华经变，在第二期还完全未见。第217窟经变画中那种层次复杂、错落有致、规模宏伟壮观的建筑群体，人物画、山水花鸟画、建筑画和装饰画在一窟中既全又盛。比例匀称、丰满健康、结实而又俊秀生动的人物造型和对于菩萨像那种"S"形曲线美的表现，以及其艺术技巧之精湛成熟等等，也为第二期所未见。另外，此窟和同期洞窟男供养人的裤衫，女供养人的梳髻垂发的这种发型发式，也为第二期所未见。所以，第二期洞窟的下限，当晚不过中宗神龙时期，而在高宗、武则天时期。

第三期

第三期续修续画前期洞有5个：第333、387、96、205等窟。开凿并完成的洞窟34个：第217、108、123、208、213、214、215、219、319、374、328、458、39、41、42、43、48、49、50、51、52、66、109、116、119、120、122、124、125、323、444、445、446、130窟。开凿而未完成的石窟10个：第320、45、212、216、218、384、225、46、117、121窟。

（一）洞窟形制

第三期洞窟有覆斗顶一龛窟、覆斗顶三龛窟、覆斗顶无龛窟、佛坛窟、中心柱窟、大像窟六类。

本期覆斗顶一龛窟39个。其中，覆斗顶深敞口龛仅有8个。第二期出现的龛外两侧置方台的覆斗顶深敞口龛窟，共25个，为这一时期的主要窟形〔图17〕。本期覆斗顶一龛窟中出现了一种前期未见的方形盝顶龛，龛平面作横长方形，龛顶为中部平、四面作斜面的盝形顶。这种龛形本期仅有第121窟一例。

本期其他五类洞窟共9个，皆多沿袭隋代至唐二期洞窟旧制，或稍做变化、发展，如在正壁和南北两侧壁开龛的覆斗顶三龛窟。本期的龛形已由隋代的圆券龛演变为敞口龛，且在正龛两侧加置二方台。第39窟为本期唯一的中心柱窟，其窟形平面、窟顶和后壁（西壁）开龛造涅槃像的特点，均同第二期第332窟。中心柱正面开龛，南、北两侧壁的前部在人字披下也相对各开一龛，组成三龛，龛形作敞口龛，为隋代至唐二期所未见。

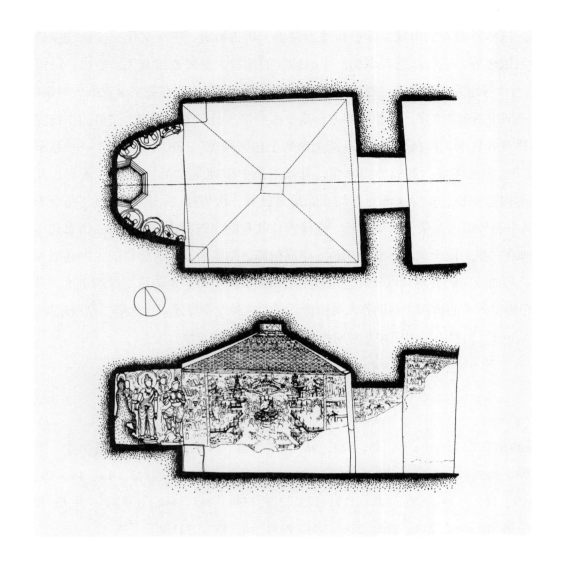

〔图17〕
莫高窟第45窟平、
剖面示意图

（二）塑像

1. 塑像题材及其组合

第三期彩塑同前期，有单身造像和成铺群像。

第130窟主尊作善跏趺坐，身高26米，单身造像，即史称的"南大像"〔图18〕。

一龛窟和佛坛窟成铺群像的主尊，有结跏趺坐像13身、善跏趺坐佛8身。覆斗顶三龛窟和第39窟中心柱窟三龛的主尊较为复杂。第384窟为南善跏趺坐佛、中结跏趺坐佛、北结跏趺坐佛；第39窟为南结跏趺坐佛、中善跏趺坐佛、北结跏趺坐佛，后龛为卧佛；第46窟为南卧佛、中结跏趺坐佛、北七立佛；第42窟、第225窟两覆斗顶三龛窟塑像残毁，主尊全貌已不明，但两窟中尚存善跏坐佛像，第225窟尚存北龛卧佛像。本期塑像中仅主尊的题材，

[图18]
莫高窟第130窟大佛
盛唐

似可说明这一时期以信仰阿弥陀佛、弥勒佛为主，对弥勒佛的信仰比前期有所增强。

第三期成铺群像的组合，龛外两侧无方台之窟多为一铺五身，如一佛二弟子二菩萨；也偶有个别洞窟为一铺三身，如一佛二菩萨。龛外两侧置方台的洞窟多为一铺七身、一铺九身。第450窟出现了一铺十一身的组合，由于重妆、重塑等原因，大多成铺群像虽数量明而其组成已不明。

从保存完好的成铺群像来看，大致可以知道本期彩塑组合的内容多为佛、弟子、菩萨、天王。有些洞窟群像的组合中还有天兽。群像组合中的菩萨像，多为立式菩萨，少数洞窟中有坐式菩萨。上述群像组合的内容，虽然上期已经存在，但是这种组合的流行，似由本期开始，并一直影响至唐后期至五代、宋。此外，本期前室正壁两侧，已不再存在隋代至唐前述两期一些洞窟的塑像残迹，说明本期各窟彩塑已基本统一置于主室佛龛与佛坛之内。

2. 塑像中的佛、菩萨形象

本期塑像按造型作风的不同，可分为两大类，现分述于后。

（1）第一大类

佛像仅有Ⅰ型。它的大体特点虽然与第二期中的第二型相似，但是毕竟发

生了变化：首先是人体比例比前两期协调匀称；其次
是形体丰满圆润而俊秀，肌骨已趋匀停，造型结实
健康；再其次是神情庄重，渐有雍容华贵之风；最后
还有表现手法一步步细腻写实，技巧渐趋成熟。这
类佛像以第328窟为代表，长圆形的脸，既丰满圆
润，又肥瘦适中，一双细长眼半张半闭，脖颈上有
两道颈纹，丰厚的胸部，匀称的身材，薄薄的袈裟
散铺在莲花座上，形成许多组有聚有散、有疏有密
的衣褶，线条相当圆润流畅，通过袈裟而看到下面
的莲花，质感与体积感颇强，效果逼真〔图19〕。

菩萨像基本分为2型：Ⅰ型长圆脸形，特点：高
髻、长圆形的脸，脖子也较长，有两道颈纹，胸肌
隆起，细长腰，小腹，细长而半闭半张着的眼，绿
眉、朱唇、玉肌；衣裙装饰、彩绘非常华丽，一副贵
妇人像，明显的女性化与世俗化（如第323、319等
窟）〔图20〕。Ⅱ型菩萨面形比较宽短，其余与Ⅰ型同
（如第215、384等窟）。

（2）第二大类

佛像与前类相比，在造型方面有较为明显的差异：人体比例已调整得很匀
称适度，形体更加圆润丰满而结实，脸呈短圆形，颈间三道颈纹，肩和胸部都
很宽厚，胸肌部位向下延伸，而使腰部相应变短，双脚虽仍藏袈裟之内，但比
前两期都更加清晰地显露其轮廓。双脚在佛座上安放的位置由前两期的靠前
而平变成靠后而斜，脚后跟靠得较近，佛像神情显得更加庄严肃穆、雍容华
贵（如第41、45、46等窟）〔图21〕。

菩萨像的总趋势与佛像相似：面形由前一类的长圆形变为短圆形，丰满结
实而俊秀。颈间三道颈纹，肌骨匀亭，腰部和臀部比较宽大，腹部肌肉隆起，
突出于紧束的裙腰之外，发髻比前类菩萨变得宽而顶部平些，已经很好地解决
了过去两期程度不同的头大腿短的比例失调问题。另外，对人体"S"形曲线
美的表现已相当充分，加上多已不画胡须，因此，使佛教中本来"无性"的菩
萨，更加女性化，对衣褶的表现也更加成熟，有较强的体积感与质量感，衣纹
比较细密、圆润流畅，有"曹衣出水"之势。衣饰上，于长裙之外再系短裙，

〔图19〕
莫高窟第328窟佛像
初唐

图 20　　　　　　　　　　　　　　　　　　　图 21　　　　　　　　　　　　　　　图 22

[图 20]
莫高窟第 319 窟菩萨
像
盛唐

[图 21]
莫高窟第 45 窟佛像
盛唐

[图 22]
莫高窟第 45 窟菩萨像
盛唐

一般无披巾，不再有那种繁缛的璎珞佩饰，但衣裙之花纹图案装饰及其彩画富丽起来。这类菩萨像如第 45、46 等窟〔图 22〕。

（三）壁画

1. 壁画题材及其布局

第三期四壁壁画仍作上下两栏或通壁一栏布局。

（1）正龛

龛顶，第二期说法图或见宝塔品的题材，仍继续出现，部分洞窟出现了上部说法图，下部宝盖，或上部见宝塔品，下部宝盖或单纯绘宝盖。

龛内壁画，多绘弟子和菩萨，或弟子。第二期弟子、菩萨和其他题材合璧，或不绘弟子和菩萨，代之以其他题材的现象已不见，仅有个别洞窟插绘赴会佛或赴会菩萨。

龛外两侧，第二期绘大菩萨和千佛的题材，仍被继续沿袭，第二期的文殊变、普贤变已不再出现，下部出现了对称安排地藏、观音和地藏、药师、卢舍那佛的新题材。

（2）南北侧壁

沿袭第二期对称安排说法图，或说法图和千佛，或大经变的布局，但第二期大型的十轮经变、涅槃经变、维摩诘经变已不再出现。第二期突出净土庄严豪华的弥勒经变（见第二期弥勒经变的第四类），被本期突出弥勒世界种种神妙的弥勒经变所代替，第三期出现了内容完整、形式新颖的观无量寿经变、法华经变以及新形式的阿弥陀经变。此外，第三期还出现了观音经变的新题材。

（3）东壁

前期门上绘说法图，或千佛，或七佛，门两侧绘千佛，或说法图，或天王，或通壁绘维摩诘经变的题材，仍被沿袭。第三期新出现了通壁绘观音普门品和见宝塔品，门上绘地藏菩萨、小型涅槃变，门两侧各绘一至二身菩萨、观音和地藏、戒律画等。

（4）窟顶

均绘千佛。唯第117窟窟顶四披千佛中增绘小说法图各一铺。

第三期存在少量只完成佛龛、彩塑和窟顶的塑画，而未完成其余三壁，或只完成局部绘画的洞窟。

2. 主要壁画题材的内容和形式

（1）说法图

第三期仅有的结跏趺坐佛、善跏趺坐佛、立佛、七佛、卢舍那佛和以群山为背景的结跏趺坐佛为主尊的题材，十一面六臂观音为主尊、八臂观音为胁侍的题材已不见。第三期说法图胁侍人物及画面特点同前期。第205窟药师立佛为主尊的说法图中以地藏和观音为左右胁侍，这是前期未见的。

（2）阿弥陀经变

共15铺，分为5型。Ⅰ、Ⅱ型分别同第二期阿弥陀经变Ⅰ型、Ⅱ型。

Ⅲ型基本同第二期阿弥陀经变Ⅲ型，但稍有发展。第66窟画面上部的建筑有长廊相连，建筑开始联结成组，这时画面满而拥挤。

Ⅳ型为简化的Ⅲ型，第225窟画面中部西方三圣，周围环坐小菩萨数量很少，人物后面和两侧有一殿二楼阁，有倒"凹"形曲廊相连，前有水池莲花。

Ⅴ型，由中部说法图和周围水池、千佛两部分组成，为这个时期出现的新形式。第319窟南北壁中部为小说法图，画面模糊，近于泯灭，四周有结跏趺坐千佛围绕，千佛身下有水池。第320窟南壁中部为长方形西方三圣说法图〔图23〕，周围"凹"形画面的下方为横贯壁画画面的水池，池内中部为舞乐，左方有两组供养菩萨，池内人物均坐莲花座；说法图两侧各数排结跏趺坐千佛，其莲座均与水池供养菩萨莲座滋生的莲梗相连。第444窟北壁中部为西方三圣和水池莲花的小说法

〔图 23〕
莫高窟第 320 窟南壁
阿弥陀经变
盛唐

图。四周围绕结跏趺坐千佛，手姿与说法图主尊相同，均右手举起作施无畏印，左手抚膝。

（3）观无量寿经变

共 8 铺。由正中大幅观无量寿佛国净土部分及左右对联式立轴表现的未生怨、十六观三个部分组成。中部大幅无量寿佛国净土部分，画面内容和构图与第三期阿弥陀经变Ⅲ型基本相同，画面上部建筑的一殿二楼阁都由倒"凹"形回廊相连，大殿两侧回廊之前还对称安排高台楼阁，乃至钟楼、鼓楼，组成较为复杂的建筑群体，下部水池平台，形式多样，各铺经变无定式。

无量寿佛国部分两侧的未生怨，按其特点分为 3 型：

Ⅰ型，未生怨部分统一于一个画面，不同时间、情节的故事分绘于一座纵向宫城的数重院落内。这种形式与第二期观无量寿经变的未生怨画面构图相近。十六观部分，分十六个画面按横向一左一右、自上而下竖向的序列逐个表现观修的内容。

此类第 215 窟观无量寿经变西侧立轴的上部为十六观，下部为九品往生。其构图形式同十六观部分。

Ⅱ型，未生怨部分，纵向分为数个画面，按自下而上或自上而下的序列逐个表现故事内容。十六观部分同第一类构图形式。

第 66 窟观无量寿经变左右的未生怨、十六观的构图，形式为棋格式，两立轴都分左右两行，每行上下分格，逐格分画面表现故事内容〔图 24〕。

Ⅲ型，第 122 窟观无量寿经变中部和左右立轴的构图形式同第二类，此外在无量寿佛国部分的下部以平列条幅逐个表现九品往生的内容。

（4）弥勒经变

共 11 铺，分为 6 型。Ⅰ、Ⅱ、Ⅲ型分别同第二期弥勒经变Ⅰ、Ⅱ、Ⅲ型。

Ⅳ型，在第 215 窟，画面分为上、中、下三栏，中栏为平台勾栏与弥勒佛及圣众，上栏中央为宫殿与弥勒菩萨，两侧若干组建筑为众生行善，以求往生弥勒净土；下栏中央舞乐和七宝，两侧为国王和王妃剃度、一种七收、女人五百岁出嫁、人寿八万四千岁寿终自然行诣冢间而死等内容。

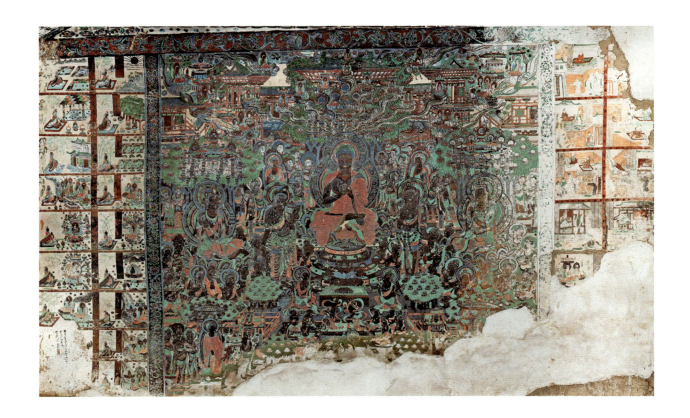

〔图24〕
莫高窟第66窟北壁观
无量寿经变
盛唐

　　Ⅴ型，画面中部以说法图形式表现善跏趺坐佛、弥勒佛及圣众。上部中央为宫城与弥勒菩萨。宫城与说法图的周围上下均表现弥勒净土的各种神妙，此型已不见第二期Ⅳ型那种豪华宏阔的建筑、水池、舞台。

　　Ⅵ型，第444窟中部说法图和周围千佛两部分组成。构图同本期阿弥陀经变Ⅴ型，中部小说法图为一结跏趺坐佛和二菩萨，下有水池莲花，周围千佛皆为善跏趺坐佛，右手举起施无畏印，左手抚膝。

　　（5）东方药师经变

　　1铺，在第214窟，画面中部为结跏趺坐佛，两侧为端药钵的药师立佛、立式菩萨、结跏趺坐药叉大将各一，前有蹲狮供器。

　　（6）维摩诘经变

　　1铺，在第103窟，构图形式为分壁绘画，基本同第二期第220窟。

　　（7）法华经变

　　共10铺，分为3型：

　　Ⅰ型，法华经变见宝塔品同第三期法华经变Ⅰ型。

　　Ⅱ型，完整的法华经变，以正中说法图形式表现的序品为中心。两侧和下面围绕的"凹"字形画面内：表现火宅三车的譬喻品，翻山越岭取宝、途遇幻城的幻城喻品，遇病得医的药王菩萨本事品，作造塔、拜塔种种供养的方便品，田间、屋内为人讲经的随喜功德品共十余品。

Ⅲ型，见宝塔品和观音普门品合璧。上部中间为见宝塔品，两侧和下部为观音普门品三十三相和救苦救难的部分内容。观音普门品的部分内容采取罗列形式，大致是以参差不齐上下分层、分块的形式表现各项内容。不同内容以山峦作间隔和背景。如第444窟东壁、第217窟东壁，后者既独立成铺，又是法华经变的组成部分。

（8）观音经变

2铺。由中部主尊观世音菩萨及左右观世音的变相和救苦救难两大部分组成。中部主尊观世音菩萨均作立像。右手持柳枝，左手提净瓶，下蹬莲座。主尊左右画面，两铺不同。第45窟画面分为中、左、右三块，中部观音左右两侧画面的内容和形式同本期法华经变Ⅲ型。第205窟中观世音周围为表现救苦救难的"凹"字形画面。

（9）地藏、观音，（10）药师、观音，（11）地藏、药师。（9）（10）（11）皆两两成组，均作立像。地藏，作弟子相，手托幽明珠，身穿袈裟，或菩萨装。观世音菩萨像，同本期观音经变主尊。药师作佛像，右手持锡杖，左手托药钵，身穿袈裟。

（12）千佛

根据坐式、手姿，分为9型：

Ⅰ型，25尊，结跏趺坐，手作禅定印。

Ⅱ型，6尊，结跏趺坐，两手端药钵。

Ⅲ型，1尊，结跏趺坐，右手上举说法，左手端药钵。

Ⅳ型，2尊，结跏趺坐，一身两手端钵，一身右手举起说法，左手抚膝。

Ⅴ型，1尊，结跏趺坐，一身右手上举，左手端钵；一身右手上举说法，左手抚膝。

Ⅵ型，6尊，结跏趺坐，右手上举说法，左手抚膝。

Ⅶ型，7尊，善跏趺坐，手姿同上。

Ⅷ型，8尊，结跏趺坐，一身两手举胸前说法，一身右手上举，左手抚膝。

Ⅸ型，3尊，结跏趺坐，一身两手举胸前，一身两手作禅定印。

上述各型千佛，Ⅰ型同二期Ⅰ型，共25窟。其余Ⅱ至Ⅸ型均为第二期所不见，总共19窟。第三期佛，尽管以沿袭第二期形式为主，但多种形式千佛的出现，说明这时千佛的题材发生了变化，其中Ⅱ型至Ⅴ型千佛皆端药钵，这可能是信仰药师的一种表现形式。

综上所述，第三期壁画中的净土经变，无论数量、内容或形式都有了进一步发展，特别是观无量寿经变、弥勒经变，与第二期相比有了明显的变化和发展。这时药师信仰除经变之外，出现了端药钵千佛的形式，阿弥陀经变的大经变形式数量不多，可能与观无量寿经变增多有关，但其

总数并无减少，药师、观音、地藏
从经变画中独立出来成画，或两两
成组，这可能与净土信仰有关。

　　第三期不少洞窟为单纯的净土
题材，这样的一个洞窟，可能就是
一个净土寺或净土堂。此外，第二
期出现的不少题材，这时未再出现，
或数量寥寥，仅法华经变有所发展。
第三期题材一方面趋于减少、单纯，
另一方面净土经变得到发展，这不
能不反映这个时期敦煌地区净土宗
的盛行，当然，新形式的净土经变
的出现，可能与中原粉本传入有关。
这个时期法华经变的传入，显然是
法华宗依然流行。

　　3. 壁画中的佛、菩萨形象
　　同塑像一样，也分两大类。

　　（1）第一大类

　　佛像共有三种类型：一种清秀面型，一种满月面型，一种冬瓜面型。但占
主导地位的是冬瓜面型，主要特点是肉髻较低而较窄，面部中间大而两头小，
脖子上两或三道颈纹，身体各部分比较短而丰圆、结实。头光、身光皆饰团
花、半团花，或卷草、莲花等植物纹样，与佛莲花座一起，均有层次比较复杂
的多色叠晕，这类佛像如第 217、103、208、123 等窟〔图25〕。

　　菩萨像中如第一期那种清秀型者基本消失，但个别洞窟还保留它的变形，
即身体基本直立无 "S" 形曲线，面相虽尚清秀而风度已不算潇洒，披巾于腹、
膝处横绕两道等等，如第 123、103、217 等窟。这类菩萨从形象上讲（主要面形）
比较多样：一种是长脸（鼻、眼均较长），高个，如第 217 窟西龛内南北壁、第
103 窟东壁门上方、第 214 窟北壁、第 328 窟西龛内西北壁菩萨等〔图26〕。另一
种是面相比较宽而短、嘴鼻都比较大的菩萨，如第 328 窟西龛顶、第 217 窟东
壁门上方、第 215 窟西龛内菩萨等〔图27〕。再一种是面形丰圆、身体丰健而高
大的菩萨，如第 328 窟西龛内南北壁。

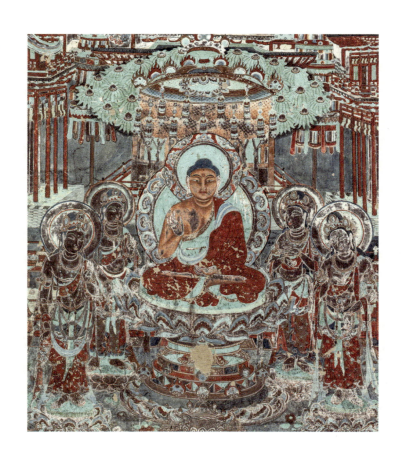

〔图 25〕
莫高窟第 217 窟北壁
佛像
盛唐

图27

图26

图28

[图26]
莫高窟第217窟龛内
南壁菩萨
盛唐

[图27]
莫高窟第328窟龛顶
菩萨
盛唐

[图28]
莫高窟第46窟龛顶
菩萨
盛唐

（2）第二大类

佛像共有2型，即满月面型与冬瓜面型，但比较流行的是满月面型。具体形象又有些变化：肩和胸部特别宽阔，脖子稍细而有三道颈纹，五官画得比以前小，衣饰一般为右袒半披肩袈裟，如第41、45、46、445等窟。冬瓜面型脸的佛虽占的比重不大，然而却与满月面型同时并存，甚至还往往在一窟中共存，或一幅画中共存，如第445、444窟等。这种冬瓜面型佛像，具体形象是脸下端线比较平，外形略带方，眼睛上下描出眼眶线，神态已稍趋呆滞而欠生动。

第124窟有一身倚坐像，体形丰圆，肩宽腰细，薄衣透体，这种半裸式的佛像同第二期一样。虽属个别现象，但它说明了印度佛教艺术对我国佛教艺术的影响，从一个小的侧面反映出唐代前期比较频繁的中印文化交流。

菩萨像有3型。一是头较大，顶束高髻，两肩披厚发，面部较宽而肩较窄，腿较短，衣冠服饰佩戴均较简单，身体无明显的"S"形曲线，如第46窟西龛顶、主室南壁西端、龛外南北两侧等〔图28〕。这类菩萨形象与第二期第220窟南壁阿弥陀净土变下端两侧之菩萨相似。二是面形长圆丰满，比例均

图29

图30

匀，眉眼细长，鼻头较尖，唇小而厚，胯骨处宽大，身体有明显"S"形曲线，如第41窟北壁、第444窟南壁等。三是面形呈两头小中间大的满月形，肩、胸相当宽阔，身材高大，周身佩饰繁缛，如第45窟南壁观音立像、第323窟南壁下端立菩萨等。三型中以第一型为主，其余两型较少。

此外，还出现一种新式菩萨像，头梳"八"字形双髻，披巾身前横绕两道，周身直立无"S"形曲线，敷色简淡，风姿颇为潇洒，如第41窟南壁。这是出现比较晚的一种菩萨像，虽在本期内是个别现象，但在下一期却普遍流行，并延续到中晚唐以后。

4. 供养人

第三期绘于四壁下部者皆为供养人行列，其姿态同第二期，有侍立式和跪式。第130窟在甬道南北壁绘制的晋昌郡太守乐庭瓌及其夫人太原王氏为首的男女供养人群像与真人等高，这为前期所不见〔图29、30〕。本期供养人行列中已无供养马群与供养牛车，绘于单项壁画题材内的供养人多为一身至数身。

按供养人身材特点与服饰分为两大类。

第一类，身材匀称。男供养人，幞头靴袍多同前期。这时出现圆领宽袖下摆两边开启正面有襕线的襕衫，幞头同第二期。女供养人，前期的服饰发髻仍继续出现，这时出现衫裙，即上穿袖子略宽的衣衫，外罩半臂，下系长裙，肩披长巾，发式出现梳髻垂发的式样。

第二类，身材丰满圆胖。男供养人，幞头襕衫，同第一类。此外，另一种巾子高而分瓣、前倾较甚的幞头。女供养人，无窄衫小袖的衣裙，皆为衫裙，

〔图29〕
莫高窟第130窟甬道
北壁晋昌郡都督供养像
段文杰临摹

〔图30〕
莫高窟第130窟甬道
南壁晋昌郡都督夫人
太原王氏供养像
段文杰临摹

发髻形式多为垂发及其他多种高髻，不见第二期的椎髻。

第三期第217窟有年代可考。第41窟北壁有明确纪年为"开元十四年（726年）"。第130窟据P.3721号卷子载为"辛酉开元九年"发心造，又据此窟南壁壁画下发现的发愿文幡纪年为"开元十三年（725年）"，又据此窟甬道北壁西起第一身供养人题名"朝议大夫使持节都督晋昌郡太守兼墨离军使赐紫金鱼袋上柱国乐庭瓌供养时"，此窟开凿早不过开元九年（721年），晚不过乾元元年（758年），若以此窟与天宝七载第180窟、天宝八载第185窟相比，第130窟要略早于第180、185窟，应完成于天宝初，大致完成于开元九年以后天宝八年以前（721~749年）。

上述三窟的可靠年代，均在中宗、睿宗及玄宗前期。那么上述三窟所代表的第三期石窟也大致在中宗、睿宗、玄宗前期开元时期（705~749年）。

以第三期与第四期相比，第四期流行的盝顶龛覆斗顶窟本期还未广泛出现；第四期丰腴而肌胜于骨的塑像、龛内的屏风画开始出现了，一些唐后期石窟的题材，如华严经、密宗题材等本期均未出现；第四期壁画色种开始减少，色调渐近于唐后期石窟清淡特征，也为本期所不见。显然第三期要早于第180、185窟为代表的第四期。本期应在安史之乱前较为安定富实的中宗、睿宗、玄宗开元时期。

第三期塑像中佛与菩萨形象的第一大类，壁画中佛与菩萨形象的第一大类，供养人的第一类，所属洞窟有第217、103、123、208、212、213、214、215、216、218、219、319、374、384、328、458、225、323、387、448、96、205窟。它们与第二期洞窟较为接近，与第四期洞窟差距较大。这类洞窟壁画尚保存一些第二期洞窟的旧题材、旧形式。第三期塑像中佛与菩萨形象的第二类，壁画中佛与菩萨形象的第二类，供养人的第二类，所属洞窟有第39、41、42、43、46、48、49、50、51、52、66、109、116、117、119、120、121、122、124、125、323、444、445、446、130窟。它们与第四期洞窟较为接近，与第二期洞窟差距较大。这类洞窟的壁画出现一些新题材、新形式。在时间上，第一类要早于第二类，大致在中宗、睿宗、玄宗初期，晚不过开元十四年（726年）的第41窟。

第四期

第四期开凿完成的洞窟共13个：第23、33、74、29、162、165、171、172、182、148、194、31、113窟。开凿未完成的洞窟共21个：第26、32、91、115、126、129、164、166、169、170、175、176、179、180、185、188、199、264、460、44、47窟。续修前期洞窟2个：第45、320窟。

（一）洞窟形制

第四期洞窟有覆斗形一龛窟、覆斗顶佛坛窟、中心塔柱窟、佛坛双龛券顶窟四类。

覆斗顶一龛窟共29个，其中深敞口龛窟14个，方形盝顶龛窟15个，龛外两侧多置方台。

中心塔柱窟仅第44窟一例，中心方柱正面开龛，南北两侧壁中部各开二龛，与中心柱南北两侧面相对，龛形均作深敞口龛，后壁无龛，窟形其余特点同前期中心柱窟。

佛坛双龛券顶窟，第148窟前后室平面均作长方形，前室正壁两侧置佛坛，坛上置塑像。主室（后室）正壁前置横向佛坛，坛上置卧佛为主尊的群像，南北两侧壁各开一盝顶龛，龛内置群像，窟顶作横向（南北向）券顶。

覆斗顶佛坛窟沿袭旧制。

（二）塑像

1．塑像题材及其组合

第四期彩塑均为成铺群像，主尊有结跏趺坐佛10身，善跏趺坐佛11身，卧佛、如意轮观音、不空羂索观音各一身，善跏趺坐佛之多，说明弥勒信仰继续流行。

以卧佛为主尊的胁侍群像保存完整，共72身，为菩萨、弟子、天王、夜叉、各国国王组合的举哀像。这铺佛涅槃群像，与由南壁西端开始而后西壁至北壁西端结束的壁画涅槃经变共为一体。其余各铺群像组合同前期。

2．塑像中的佛、菩萨像

按造型和表现技法上的差异，可分两大类。

（1）第一大类

这类佛像与前期第二大类佛像相比，虽有不少相似处，但毕竟发生了较为明显的变化，总的来讲，是由前期的丰满和"肌骨匀亭"变为"肌胜于骨"，俗话说就是肥胖过分，有些臃肿，面形宽而肥厚，五官相对变得小而集中，脖子短而肥硕，有三道明显的颈纹，腹部较明显地变得宽而高鼓，双腿盘坐时向内收，明显表现出脚的轮廓。这类佛像原作留存很少，且多非结跏趺坐像而多为倚坐像，如第79、264等窟。

菩萨像的总趋势和总的造像风格与佛像一致。发髻比前期略低而顶端稍平。面部比前期稍短而宽肥，脖子粗短并有三道颈纹，肩部较高而肥厚，胸肌高高隆起，左右两大块胸肌轮廓清楚，腹部突起，身体有明显的"S"形曲线，不佩戴早期那种又长又繁缛的璎珞，如第79、264等窟。

（2）第二大类

此类佛像与第一大类佛像相比，有较明显的不同，其主要特点是头部变得较小，面形宽短而五官细小集中，尤其鼻和嘴比以前各期都变小，脖子比较粗短，腹部进一步增大而圆鼓，神态稍

图31　　　　　　　图32

[图31]
莫高窟第194窟佛像
晚唐

[图32]
莫高窟第194窟菩萨
晚唐

稍显得有点板滞，缺少以前佛像一般所具有的那种庄严肃穆、神圣魁伟而又聪敏慈祥的气度，其服饰及表现技法与前期后段相较没有明显变化，这类佛像如第31、194等窟[图31]。

菩萨像的面部造型特点与佛像一致，即头部较小而短，两颊很胖，五官小而集中，发髻除前几期流行的那种旧式之外，还出现了"八"字形双髻。肌肤丰肥，身体又变得像第一期菩萨那样直立无曲线。手指头尖端向后翘起，呈非常优美的小曲线。两脚呈"八"字形分开站立，头不戴冠，无项饰、臂钏、手镯及璎珞等佩饰，上身着圆领（背心式）内衣。腹间束一带并挽小结，披巾相当宽大，由两肩下垂后于膝之下横绕两道（右肩下来的披巾绕向左臂，左肩下来的披巾绕向右臂）。下着曳地长裙，下摆呈喇叭状铺开，腰束一宽带，垂至膝以上打一蝴蝶结，然后下垂及地，衣裙披巾上，均彩绘卷草、茶花及小团花等纹饰，色调清淡偏冷[图32]。用土红线描纹饰的轮廓，神态恬静，气度雍容典雅，颇有贵妇人之风度。这是新出现的一种菩萨形象，比前几期都更加世俗化和女性化。

另有一种菩萨像，形象与上述相同，而发式、衣饰有所不同。发髻大模样类似第二、三期之高髻（但中央束成两股或三股而非一股）。上身斜披络腋，手指尖也向后翘起，呈优美的小曲线。

上述菩萨形象如第194、113、31等窟。

（三）壁画

1. 壁画题材及其布局

（1）正龛和正壁

龛顶，前期单独画说法图和见宝塔品已不见。前期上部说法图和下部宝盖合璧，单独的宝盖飞天在敞口龛内继续沿用，宝盖飞天在盝顶龛窟第129窟内也被采用。第四期很多窟出现了新的题材，盝顶龛平顶部分多绘棋格团花图案，少数绘棋格团花和宝盖，其四斜披，多绘药师立佛（或坐佛）。第74窟敞口龛内仿照盝顶龛作盝顶棋格帷幔图案。第44窟中心柱正面敞口龛龛顶与龛壁绘华严九会和华严世界，组成华严经变。

龛壁，前期单纯绘弟子或弟子菩萨的题材，本期敞口龛和盝顶龛均有延续，但很多洞窟增加了新的内容。第23、74窟在弟子和菩萨中增加了二天王，部分盝顶龛内出现了屏风画，一般画四扇或六扇，屏风内多画弟子、菩萨，有绘树木人物或花卉。第180窟绘弥勒下生经的内容，同塑像与龛顶壁画组合成弥勒下生经变。第171窟绘莲花菩萨，同塑像组合成净土经变。

龛外两侧，沿袭第三期题材，这期在个别洞窟（第180窟）又出现文殊普贤变。

（2）南、北、东壁

按其色调和题材的不同，可分为两类。

第一类：敷彩浓重，多沿袭旧题材内容。此类仅少数洞窟完成了南、北、东三壁的壁画，且经变画数量不多，多数洞窟三壁均弃之未画，或只局部绘画。

第二类：色调淡雅，出现了不少新的题材内容，如报恩经变、卢舍那佛、天请问经变，有九横死和十二大愿的东方药师经变、帝释天和帝释天妃，有新内容的文殊变和普贤变、千手千眼观音等密教题材，此类洞窟东壁也安排经变。

（3）窟顶

也可分两类。第一类，多绘千佛，仅个别洞窟绘经变画；第二类，安排经变画较多。

2．主要壁画题材

（1）说法图

沿袭前期题材内容。

（2）阿弥陀经变

共4铺，分为3型。

Ⅰ型，同第二期阿弥陀经变Ⅱ型。

Ⅱ型，位于第23窟，由正中小说法图和周围供养菩萨两部分组成，画面中部为西方三圣的小说法图，上有赴会佛，下有莲花水池，说法图周围为六排结跏趺坐供养菩萨，每身供养菩萨坐莲座，均有莲茎与说法图主尊阿弥陀佛莲座相连。

Ⅲ型，位于第171窟正龛，由成铺塑像和壁画结合组成，塑像一结跏趺坐佛和二半结跏趺坐菩萨、四弟子，代表西方三圣和圣众。塑像主尊两侧壁面，绘画结跏趺坐乐伎和供养菩萨，其莲座均有莲茎与主尊莲座相连。

（3）观无量寿经变

共10铺，分为4型。

Ⅰ型，同三期观无量寿经变Ⅱ型。

Ⅱ型，基本同第三期观无量寿经变Ⅱ型，但中部无量寿佛国净土的上部建筑出现了前所未见的方形院落，组成真正的建筑群体。

Ⅲ型，基本同第三期观无量寿经变Ⅲ型，此型未生怨、十六观部分均作棋格形式，构成能表现多情节的连续画面。

Ⅳ型，位于第148窟，基本同本期Ⅱ型，但增加九品往生，绘于中部无量寿佛国净土画面下部水池内。

（4）弥勒经变

共10铺，分为5型。

Ⅰ型，同第二期弥勒经变Ⅰ型。

Ⅱ型，同第三期弥勒经变Ⅴ型。

Ⅲ型，位于第33窟北壁，同第三期Ⅵ型。

Ⅳ型，位于第47窟，以弥勒菩萨为主尊，其余特点同Ⅰ型。

Ⅴ型，位于第180窟正龛，由成铺塑像和壁画结合组成，塑像主尊为作结跏趺坐的弥勒佛，其余六身胁侍像已残，主尊两侧壁面绘画七宝、儴佉王和王妃、剃度、罗刹鬼等。龛顶已残，尚能看出为弥勒在翅头末城说法。综合塑像和壁画的内容构成一铺完整的弥勒经变。

（5）东方药师经变

存1铺，位于第148窟。由中部东方药师佛国净土与左右对联式立轴表现的九横死、十二大愿三部分组成，基本特点同本期观无量寿经变Ⅱ型。

（6）法华经变

仅第23窟一例。由南壁、北壁、东壁及覆斗式窟顶东披、南披共五壁组成。各壁画面均以一个有代表性的品为中心，周围穿插数品的内容，如北壁以序品为中心，周绕从地踊出品，东侧为譬喻品，两侧为药草喻品。此窟五壁共表现《妙法莲华经》十余品。

（7）观音经变

存1铺，位于第126窟。以中部观音立像和左右对联式立轴表现的观世音救苦救难的内容组成。

（8）文殊变、普贤变

存3铺，都由对称的两幅画面构成。第180窟文殊普贤均作立像，分别站于狮背和象背，左右无胁侍。第172窟文殊、普贤均为结跏趺坐像，分别坐狮子和白象，周围有帝释天、帝释天妃、菩萨、弟子、天王、夜叉簇拥，下有云气承托。第148窟文殊骑狮，普贤骑象，前均有驯兽奴牵引。第172、148窟均出现了一些前期所没有的特点。

（9）华严经变

存1铺，位于第44窟。由华严九会和华严世界两个部分组成，华严九会为九铺毗卢遮那佛为主尊的不同说法图，华严世界以无数小圆莲代表广阔的华严世界。华严经变的题材内容和形式已开唐代华严经变的先河。

（10）维摩诘经变

存1铺，位于第194窟。画面已残。基本同第二期维摩诘经变合璧构图的形式，此窟在经变一侧以立轴形式表现《维摩诘经》中的《法供养品》。

另有，（11）报恩经变、（12）卢舍那佛与（13）天请问经变三种经变构图相同，中部皆为说法图，周围绘该经的内容。

（14）帝释天、帝释天妃

存1铺，位于第31窟。由对称的两幅画构成，画面均以帝释天和帝释天妃为中心，周围有菩萨、天女、夜叉簇拥。

（15）千佛

根据坐式、手姿分作九型：Ⅰ型，10尊；Ⅱ型，6尊；Ⅲ型，2尊；Ⅳ型，4尊；Ⅴ型，1尊；Ⅵ型，1尊。这六型分别同第三期Ⅰ、Ⅱ、Ⅲ、Ⅳ、Ⅴ、Ⅵ型。Ⅶ型，1尊，结跏趺坐，两手举胸前说法。Ⅷ型，2尊，结跏趺坐，一身右手举起，左手抚膝，一身两手作禅定印。Ⅸ型，1尊，结跏趺坐，四身手姿不同。

第四期千佛虽多沿袭前期题材，但其比例发生了变化，前期一直流行的数量少、比例小，其他形式的千佛数量多，比例大，其中Ⅱ至Ⅳ型端药钵的千佛继续增多，大约是对药师净土信仰的发展。第四期壁画题材，第一类洞窟基本沿袭前期以净土宗为主的题材，第二类洞窟除净土宗题材外，出现了其他宗派的题材。

3. 壁画中佛、菩萨像

与塑像一样，可分两大类。

（1）第一大类

佛像满月面型与冬瓜面型并存，而往往在一窟中甚至一幅画中并存，满月面型一般脖子较细，并有三道圆圆的颈纹，肩和胸部都相当宽阔丰满，相形之下，头部显得较小，衣饰一般为袒右肩，一双赤脚由袈裟下显露出来。冬瓜面型面部略方，五官已不像前几期那样细长，而变得短小。这型佛像肩宽一般比前型略窄，而头比前型略大，衣饰一般为双领下垂式袈裟。以上两型佛像如第115、185、176、172、166、171等窟。

菩萨像有两型。第一型，面形长圆丰满，脖子短，肩部相对较高，身材比较高大，头顶束高髻而双肩披发，上身横巾右袒（或左袒），下着薄纱透体长裙，其上多有花叶或花草装饰，腰间于长裙之上再系膝裙，并缠绕极长之彩带，不披披巾而佩长璎珞。另一型，面形稍比前型短，腮部较宽，头梳八字形双髻，肩后垂长发，袒上身，下着长裙（但不透明），通体直立，无曲线，披巾宽大，下垂后于身前横绕两道，身上佩饰简单，敷彩清淡。这是唐前期较晚才出现的一种新样（前期虽已个别出现，但本期方流行）。这类形象如第 23 窟窟顶四披、第 172 窟南壁等。

（2）第二大类

佛像也为两型，即满月面型和冬瓜面型。满月面型佛像，一般肩部特别宽大丰圆，胸部也很宽阔，脖子上三道颈纹略呈不同半径的同心圆，显得非常肥胖，衣饰一般为右袒袈裟，往往用土红线或赭色线描肉体，头光、身光又变成光环式而不再饰以植物纹样图案。这类形象如第 194、148 等窟。冬瓜面型佛像虽前期已少有出现，但尚不流行，且面部上端（发际线）略呈向上的弧形，而本期这类佛像面部上端略呈向下的弧形，肉髻较小而不高，眼睛画得比较短小而稍稍斜竖，并画出上下眼眶线，鼻梁描出双线，脖子上之颈纹线往往较平而两端虚断，不与脖子两侧面的轮廓线相接，衣饰或右袒式或右袒半披肩式。这类佛像如第 113、31、148 等窟。

菩萨像呈多样并存、新旧式交替状态，第一型沿袭前期旧式，但有两点小变化：一是发髻由高髻变为八字髻；二是面形由长圆形变成短圆形，五官相对短小，如第 194 窟东壁北侧观音像。第二型是面部呈两头大中间小的冬瓜面型。这型菩萨作半侧面形象，腮部最宽，身材比较修长匀称，但多已不作"S"形曲线，而略呈弧形（或叫弓月形）。风姿复又变得比较轻盈潇洒，特别那种作正侧面行走之菩萨，加上披巾、裙带迎风飘动，颇有"吴带当风"之势。衣饰方面，已非前两期普遍流行之薄纱透体式，而又恢复到早期那种不透明的旧式，身披宽大披巾，于身前横绕两道。另出现一种新样菩萨，主要特点是胸部特别宽大，腰特别细。披巾由双肩下垂绕臂后，作左右宛转曲折的波浪式下垂。更重要的一点是肉体部分全用较粗的赭红线描，面部一般为满月形，如第 194 窟东壁南侧等。而第 113、148 窟还有一种菩萨，其面形非常丰圆，脸颊和两腮比较突出，小鼻、小眼、小嘴，整个形体也都比前几期菩萨像缩小，线描纤细，具有小巧玲珑的特点。这种类型的菩萨形象在本期还是很少数，但在中晚唐壁画中逐渐流行，成为一种主要样式。

4. 供养人

供养人组合同前期，按其特点分为两类。

第一类，身材肥胖。男供养人，幞头襕衫，多沿袭前期特征。女供养人，衫裙发髻同前期。

第二类中，男供养人，幞头襕衫，出现前所未见的巾子，高直不分瓣，呈圆头垂长脚的幞头，襕衫同前。女供养人，衫裙同前，出现前所未见的数种博鬓抛髻的发式。

第四期第 180 窟有"天宝柒载（748 年）"、第 185 窟有"天宝捌载（749 年）"的明确纪年。据第 148 窟前室唐大历十一年（776 年）立《唐陇西李府君修功德碑》载，此窟竣工应不晚于大历十一年。上述三窟为唐玄宗天宝时期和代宗大历时期所建，那么，上述三窟所代表的第四期洞窟也当在这个时期，即玄宗天宝时期至肃宗、代宗时期。

第四期第一类洞窟有第23、31、32、33、74、79、162、165、171、172、182、115、126、129、164、166、169、170、175、176、179、180、185、188、199、264、460、44窟。此类洞窟多未完成，色调浓重，题材多沿袭前期。塑像和壁画中的佛与菩萨形象、供养人形象，多肌胜于骨，供养人服饰多沿袭前期特征，其中第180、185窟有天宝七、八年（748年、749年）的明确纪年。此类洞窟多始凿于安定的玄宗天宝时期，但由于天宝末安史之乱及以后河西各州相继陷于吐蕃形势的影响，致使一批洞窟半途而废。所以，此类洞窟时代应主要开始天宝时期，晚不过代宗初期。

第二类洞窟有第113、194、31、148窟，并续画前第45、320窟。此类洞窟数量很少，色调淡雅，出现了新的题材。塑像和壁画中佛、菩萨形象丰满俊秀。供养人服饰出现了新的样式。此类洞窟诸特点已接近唐后期洞窟。其中第148窟年代可考。由此推断，这类洞窟应开凿于陷蕃前，敦煌处于东西阻隔、交通不畅、颜料来源缺乏时期，其上限早不过天宝，下限当晚不过沙州陷蕃的建中二年（781年）。

（本文为樊锦诗、刘玉权合著，原载于《敦煌研究文集·敦煌石窟考古篇》，甘肃民族出版社，2000年；后收于《陇上学人文存·樊锦诗卷》，甘肃人民出版社，2014年）

吐蕃占领时期莫高窟洞窟的分期研究

  自公元8世纪80年代至9世纪40年代，为吐蕃统治敦煌时期。这一时期敦煌佛教并未因政权交替而稍减，佛教及佛教艺术且有了相当的发展，莫高窟的开凿进入一个新的发展阶段。本文就是在前人对莫高窟唐前期洞窟的分期研究之后[1]，在前人对莫高窟唐后期洞窟的断代与年代的研究基础之上[2]，对莫高窟吐蕃占领时期的洞窟进行了全面、系统的分期与年代的研究。

  首先，我们系统地收集了吐蕃占领时期约57个洞窟的结构，壁画的布局、题材与内容，塑像的组合与内容，造像特征，供养人服饰等方面的资料，参考了前人在装饰图案与龛内屏风画方面的研究成果[3]，选出了约47个保存较好的洞窟，进行了样式论的研究。这种研究是在历史文献的基础上，以纪年洞窟为标尺，按照考古类型学方法将以上各项资料进行分类排比，按各类型自身的发展规律排出序列，然后分析各洞窟之间类型上的异同，从而将相近洞窟进行组合，再根据文献资料所反映的历史背景，结合洞窟自身发展变化的规律进行分期与年代的研究，由此我们将吐蕃占领时期的莫高窟分成早、晚两期。以下分别叙述各期洞窟之特征，并探讨其出现的原因及时代背景，由此窥视当时敦煌佛教及艺术的发展状况。

  为了更清楚地了解吐蕃时期洞窟与前代洞窟的关系及其特征的发展变化，我们先将盛唐末期

1 樊锦诗、刘玉权：《莫高窟唐前期洞窟的分期》，载敦煌研究院编《敦煌学研究文集·敦煌石窟考古编》，兰州：甘肃人民出版社，2000年。

2 主要有藤枝晃：《吐蕃支配期的敦煌》，（日本京都）《东方学报》1959年第29册；《敦煌千佛洞的中兴》，（日本京都）《东方学报》1964年第35册。敦煌文物研究所：《敦煌莫高窟内容总录》，北京：文物出版社，1982年；赵青兰、陈悦新：《莫高窟唐后期洞窟分期试论》（未刊稿）；江琳：《莫高窟吐蕃、张氏归义军时期洞窟壁画的分期研究》，《美术史论》1993年第2期。

3 薄小莹：《敦煌莫高窟六世纪至九世纪中叶的装饰图案》，载北京大学中国中古史研究中心编《敦煌吐鲁番文献研究论集（第五集）》，北京：北京大学出版社，1990年。赵青兰：《莫高窟吐蕃时期洞窟龛内屏风画研究》，《敦煌研究》1994年第3期。

洞窟的大致情况介绍一下。

盛唐末期之时代大致在唐玄宗天宝年间至吐蕃占领沙州（742年至8世纪80年代）[4]，所开洞窟完成者约13个，未完成者达20余个，补绘前期洞窟2个。洞窟规模一般为中型或偏小型。洞窟的分布主要有两组，一组位于南区中段的最下层，其上接北朝及隋洞；另一组分布于南、北大佛之间的上、中、下三层上，与前期盛唐洞窟及初唐洞窟混在一起。洞窟的窟型主要为四壁一龛覆斗顶窟，个别为佛坛窟、中心柱窟及双龛券顶涅槃窟。龛型多沿袭前期的单坡顶深敞口龛，另外少数窟新出现了盝顶龛，但龛口仍然稍向外敞开，应该是单坡顶敞口龛向盝顶直口龛的过渡形式，龛外两侧且多置小方台。

塑像组合基本同前期，有方台者多为一铺七身或九身，无台者多为一铺五身或七身。内容有佛、弟子、菩萨和天王，因塑像多已毁，具体组合情况不清楚。现存主尊结跏趺坐者10身，倚坐者11身，另有释迦牟尼涅槃群像及如意轮观音和不空羂索观音各一铺。一般认为唐代倚坐像为弥勒佛，说明此期弥勒信仰之流行。

塑像中佛、菩萨形象可以分成两类。第一类接近前期之造型，但已发生了明显的变化，由前期的丰满与"肌骨匀亭"变为"肌胜于骨"，面形宽而肥厚，身体有些肥胖，胸肌隆起，腹部宽而高鼓，菩萨身体有明显的"S"形曲线，不佩戴长璎珞，如第79、264窟。第二类与第一类相比，其主要特点是头部变得较小，面形宽短且五官细小集中，脖颈粗短，腹部进一步增大且圆鼓，神态稍显板滞，菩萨肌肤丰肥，身体变得直立而无曲线，不戴冠及装饰品，上身着圆领小衫，披巾宽大，下着曳地长裙，服装上绘花纹图案，色调清淡，神态端正凝重，气度雍容典雅，更富于女性特征，此类形象更接近吐蕃时期的造型特征，为吐蕃时期造型样式打下了基础。

壁画布局，除龛顶沿袭前期的说法图或华盖、飞天外，盝顶龛内出现了新的题材与内容。龛顶平棋多画棋格团花，少数龛顶仍绘华盖，后者是前期的华盖向后期的棋格团花的过渡形式；盝顶四披上多绘药师佛；龛壁多沿袭前期题材，绘胁侍弟子或菩萨像，新出现天王像；盝顶龛中出现了屏风画，但题材仍多为胁侍像，有的窟为树下人物或山水花卉；第180窟绘弥勒下生经内容，同龛顶壁画及龛内塑像组成了完整的弥勒下生经变；第171窟绘莲花菩萨，同塑像组成净土变。龛外两侧多沿袭前期内容，绘对称的地藏、观音、药师佛、卢舍那佛等，个别窟新出现了文殊与普贤菩萨。龛外沿为边饰和山花蕉叶纹。

洞窟左、右、前壁多未绘完，少数窟完成。一般两侧壁各绘一铺经变，经变两侧附条幅状故

---

4 关于沙州陷蕃的时间，主要的三说：①建中二年说（781年），出《元和郡县志》，主此说者有徐松、翟理斯、向达、陈祚龙、藤枝晃、史苇湘等；②贞元元年（785年）说，劳贞一、苏莹辉（旧说）等持此说；③贞元三年（787年）说，戴密微、饶宗颐、苏莹辉（补订说）等持此说，主要据《唐陇西李府君碑》。

事画。经变数量不多，新出现报恩变、天请问变、药师变、观音变、千手千眼观音等，密教题材开始出现于本期的壁画和塑像中。

窟顶壁画一般同前期，西披所绘千佛数量增多，比例扩大，而且持药钵的千佛增多，这类窟顶表现的应该是东方药师净土。

壁画中佛及菩萨形象大致同塑像，色彩清丽淡雅，形体略呈弧形，小巧玲珑，气度典雅，富于女性美。这些新的画风及造型特征在其后的吐蕃时期逐渐流行起来，成为一种主要样式，其代表洞窟有第148、194、113、31窟等。其中第148窟完成于唐大历十一年（776年）之前，此窟中出现许多新的内容，且规模宏大，是盛唐末期的代表性洞窟，它承前启后，为后期新样式的形成奠定了基础。

供养人的服饰，除继承前期特征外，男供养人仍幞头襕衫，出现了前所未有的巾子，高直不分瓣，呈圆头垂长脚的幞头、襕衫同前。女供养人衫裙同前，新出现数种博鬓抛髻的发式。

装饰图案基本上是前一期纹样的发展，其中较突出的是宝相花和石榴花受到牡丹花的影响出现了新形态，杂花流行并发展变化，代表着一种新的发展趋势。随着盝顶龛的出现而出现了龛顶平棋图案[5]。

此期出现了一大批"开凿有人，图素未就"的洞窟，正是当时社会动荡不安的表现。"安史之乱"后，吐蕃乘河西空虚，相继攻陷了陇右诸州，隔断了河西与长安的通道，后又攻陷凉州、甘州，大历元年（766年）河西节度使被迫迁镇沙州。为应付大量的军需开支，河西节度使不得不施行"亩别税四升"和"费用约俭"等措施，以养活大量西逃的兵民，祭社也必须交纳税钱，沙州成为河西唯一的军需供应站[6]。大历十一年（776年）瓜州陷落后，沙州成为河西最后的抗蕃据点。在吐蕃军队的围困下，沙州军民齐心合力，前后坚持了十余年的抵抗，终于械尽援绝，以"勿徙他境"为条件接受了吐蕃王朝的管辖[7]。在这种艰难的政治、军事、经济情况下，沙州的佛教活动自然也受到了极大影响，开窟造像受到很大限制，许多未完成的洞窟不得不停止。只有少数世家大族，如李太宾，才有力量继续开凿像第148窟这种大型洞窟，用以"休庇一郡，光照六亲"。而当时的节度观察处置使周鼎在"蒐练之暇，以申礼敬之诚"，至此窟礼拜[8]，更说明在当时紧急的军事状况下，人们渴望神灵保佑的心情。

5　薄小莹：《敦煌莫高窟六世纪至九世纪中叶的装饰图案》，载北京大学中国中古史研究中心编《敦煌吐鲁番文献研究论集（第五集）》，北京：北京大学出版社，1990年。

6　史苇湘：《河西节度使覆灭的前夕》，《敦煌研究》1983年创刊号，第119页。

7　《新唐书·吐蕃传》。

8　见《唐陇西李府君碑》。

吐蕃统治之早期

莫高窟此期共开窟约29个，补绘前代洞窟约20个，后代重绘者约5个。

（一）补绘前代洞窟

多数盛唐末期开凿而未完成的洞窟在此期得以进一步的完成。但布局较为混乱，无一定规律，而是随心所欲地绘制。题材与内容均为盛唐末期之延续，主要有千佛、菩萨、如意轮观音与不空羂索观音对称、观音与药师佛组合或对称、千手千眼观音、观音与地藏组合、观音与大势至对称、日藏与月藏菩萨等。经变仍多为净土变，另有法华变、维摩诘变及观音变等。可能是颜料来源受到阻碍，壁画的色彩较前期单调贫乏，大面积使用土红或深浅不同的红色。造型也基本同前期，但绘制较为粗率。总的看，壁画的艺术效果远不如前期。

（二）新开洞窟

新开洞窟的分布大致分三组：第一组位于盛唐末期所开之大型涅槃窟（第148窟）之左右两侧；第二组分布较为零散，插在南、北大佛之间的盛唐洞窟中间；第三组位于北大佛北侧的最下层。基本上都与盛唐洞窟毗邻。这正与莫高窟洞窟的开凿时代与分布规律一致，后期洞窟基本上是围绕前期洞窟，由中部向两侧，由中层向上下开凿。

此期洞窟规模一般都为特小型或小型洞窟，极个别属中型洞窟。窟形基本上沿袭前期洞窟之形制，一般为四壁一龛覆斗顶窟，除少数龛仍沿袭前期之单坡顶龛外（多已改为直口）〔图1〕，多数都改为盝顶直口龛，而且多数龛中新出现倒"凹"字形坛，塑像均置于坛之上，在此之前从未出现这种布置，龛外一般亦不置方台，塑像基本上都集中在龛内，这种布置也与前期不同。

塑像已大多毁坏，仅第112、154、197窟残存部分塑像，据现存遗迹推测，塑像组合一般为一铺五身或七身，个别为九身，具体内容已不清楚。但此时的龛壁中屏风画已开始流行起来，且出现很多的故事屏风画。从龛内壁画与塑像的关系看，一般是龛内壁画作为塑像的补充，两者共同组成洞窟中最主要的、绘塑结合的一铺变相，所以塑像尽管多已不存，但我们仍可根据龛内壁画的内容大致推测出主尊塑像之名称。此期洞窟龛顶四披几乎均绘药师佛，其下的屏风画中又多绘药师变中"十二大愿"与"九横死"等内容。由此我们推测第472、471、470、475、93、198、222、111、112、150、153、154窟的主尊可能是药师佛，另外第471、472、198窟龛外西侧又绘出药叉大将，进一步说明这些壁画与龛内塑像组成了一铺药师变。第474窟龛顶四披绘倚坐弥勒佛，其下屏风画中又绘弥勒变中弥勒世界诸事，推测此窟中主尊可能是弥勒佛。第154窟龛内存弥勒倚坐像，屏风画内容待考。第197窟屏风画中绘十大弟子像，彩塑存倚坐弥勒佛，但龛顶则绘药师佛，看来龛顶内容较为混乱，不一定与主尊内容完全符合，但龛壁屏风画的内容一般与主尊内容吻合，两者同属一铺变相。由此可知，此期的主尊可能以药师佛最多，弥勒佛退居第二，已不同于前期洞窟；龛内屏风画流行起来，除前期流行的胁侍像外，故事屏风画开始盛行，但故事画的题材内容还较单一，构图简单[9]；龛外两侧的内容有菩萨、天王等，少数窟出现文殊与普贤菩萨对称布局。

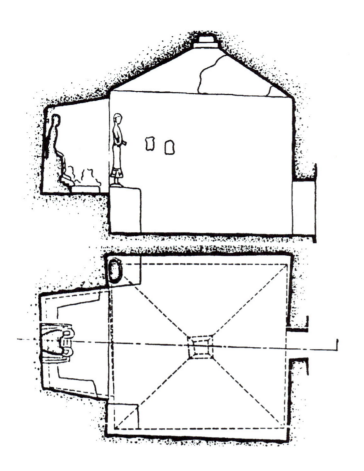

[图1]
莫高窟第154窟
平、剖面示意图

四壁的布局均为上、下两段，壁画保存现状较差，个别窟沿袭前期旧制，经变两端即方台之上绘单身药师佛像。第471、150、112、133窟开始出现两侧壁各绘两铺经变的布局，而且经变下方亦开始出现附属于经变的故事屏风画，这是此期的一大特征。但多数窟仍沿袭盛唐旧制，故事画一般绘于经变两侧。经变内容基本同前期，仍以净土变为主，西方观无量寿变与东方药师变一般对称分布于洞窟的两侧壁，这种布置与内容在此期十分流行，这种形式应该是前期第148窟壁画的延续与发展。此期新出现金刚变、金光明变与华严变等，经变的内容进一步丰富。

前壁壁画多已毁坏，现存者除沿袭前期旧制，绘维摩诘变中文殊与维摩诘对称分布于门之两侧。还出现了更多密宗题材的观音变相，这种现象可能与吐蕃人有很大关系。吐蕃人除了从中原唐王朝那里吸收佛教的经典和造像外，还

9 赵青兰：《莫高窟吐蕃时期洞窟龛内屏风画研究》，《敦煌研究》1994年第3期。

有他们自己求法之路，即从吐蕃经泥婆罗（尼泊尔）可以直达天竺（印度），即是《大唐西域求法高僧传》中所谓的吐蕃道。义净就是出沙碛到泥婆罗[10]，王玄策三次出使天竺也是走的这条道[11]。吐蕃人汲取了中原、印度等佛教经典及艺术的因素，又结合本民族的宗教信仰与艺术传统，逐渐形成自己特有的佛教信仰与艺术，也丰富了沙州等吐蕃占领区的佛教内容。

此期窟顶的布局与内容除沿袭前期旧制外，四披千佛中央新出现了说法图，一般绘单身佛说法，少数为一佛二菩萨的组合，四披的构图基本相同，其内容可能与四方佛有关[12]。另外，个别洞窟顶四披中央还出现了交脚菩萨说法图，其内容可能为弥勒菩萨，那四周的贤劫千佛均为两身一组，袈裟由深浅不同的土红组成，头光、身光及莲座则由深褐、绿、白色和红色有规律地搭配组合，排列整齐，但与盛唐洞窟相比，色彩较为单调。

塑像及壁画中的佛、菩萨形象基本上是前期第二类造型的延续，头部较小，面形丰圆，腹部圆鼓肥大，身体基本上直立，神情较为呆板，色彩较为单调贫乏，其艺术效果远不如盛唐洞窟。但在第112、150、154窟中，线描的运用仍有所发展，更加精细流畅，富于质感；经变的构图更加严谨紧凑，屏风画的流行使经变内容更加丰富细致。

装饰图案中茶花形团花流行起来，杂花继续发展，出现大量的平弧端瓣或翻卷瓣莲花，龛帐中出现三角端垂带，龛楣上出现山花蕉叶，龛顶平棋中流行四方连缀方格，其内是宝相花、团花或莲花。

供养人服饰基本延续前期式样，第112、154窟中男供养人幞头后垂长脚。女供养人服饰有大袖裙襦和衫裙，发髻有高髻、抛家髻等，有的头上戴冠饰。

总之，吐蕃占领沙州的初期，莫高窟基本上沿袭前期洞窟的特征，并将其进一步固定并稍有发展。在形制上，敞口龛已消失，盝顶龛流行起来，龛内出现倒凹字形坛；在塑像上，主尊以药师佛为主，取代了盛唐末期弥勒佛的主要位置，弥勒佛的数量退居第二位。在壁画的布局与内容上，龛内盛行屏风画，且出现许多故事画；四壁下方亦开始出现屏风画，使屏风画的分布和内容更加扩大和丰富；经变数量、分布及内容亦有所发展，虽仍以净土变为主，但可见其他宗派之变相逐渐发展起来，尤其是禅宗及密宗的题材开始流行；窟顶开始流行四方佛的内容；装饰图案不断丰富并继续发展，形象造型上进一步发展前期的新样式。由上可以看出，吐蕃时期洞窟的新样式已逐渐形成。

吐蕃管辖沙州后，采取了一些缓和民族矛盾的政策。此时正值赤松德赞赞普（755～797年）

---

10 汤用彤：《隋唐佛教史稿》第二章第二节 "西行传法之运动"，北京：中华书局，1982年。

11 岑仲勉：《隋唐史》唐史第三节 "太宗平服西域"，北京：中华书局，1982年。

12 贺世哲：《莫高窟第192窟〈发愿功德赞文〉重录及有关问题》，《敦煌研究》1993年第2期。

在位之后期，他逐渐改变了攻城即杀掠徙民的办法，而采取录用汉族地主委以官职、清查户口、规定赋税及屯军耕牧的政策，在沙州保存了唐制或吸收北朝时期的制度。赤松德赞还采取了扶植佛教的态度，支持佛教徒对旧势力苯教的斗争，废除了禁佛的命令，并建成了吐蕃历史上第一座佛教寺院——桑耶寺[13]。他还主持了佛教教义方面著名的渐顿之争，即由禅宗汉僧摩诃衍与印度僧人莲花戒进行的争论[14]。在这次争论中，他甚至还向住在沙州的僧人昙旷提出质询[15]。他还遣使至长安，请善讲佛理的高僧前往吐蕃说法教化[16]。驻沙州的吐蕃统治者更是崇信佛教，他们利用一些汉族高僧成就其佛教大业。这些高僧利用宗教这一特殊的精神话语权，在吐蕃统治者与汉族官员之间起着特殊的联络作用，他们对敦煌的佛教及其政治都有着不可忽视的影响和作用，其中最主要者当属摩诃衍和昙旷[17]。

吐蕃统治初期，沙州有寺院十三所。九所僧寺中，龙兴寺、开元寺、大云寺等唐朝官寺继续保留下来，并有莲台寺、灵图寺、金光明寺、永安寺、乾元寺、报恩寺等；尼寺中则有灵修寺、普光寺、大乘寺、潘原堡等处。吐蕃统治者为了扶植佛教的发展，将俘囚、破落官配为寺户，增加了寺院的劳动力，使寺院经济进一步发展[18]。而且，此时无论是汉族官员还是普通百姓，为避免效力于吐蕃人而祸及自身，或被编入部落，常采取进入释门的办法。这也使得寺院人数增多，寺庙数目也逐渐增加[19]。另外，经过长期的战争苦难，沙州民众渴望寻求灵魂的安慰，避开人世的纷争，即转向宗教，这也是敦煌佛教继续发展的客观原因[20]。

尽管吐蕃占领沙州后，对佛教采取扶植的政策，寺院经济也有所发展，但由于经过了十余年艰苦卓绝的抗蕃斗争，沙州经济已元气大伤，佛教洞窟的开凿自然受到极大的影响，洞窟规模均很小。而且由于道路不通畅，中原新的佛经及造像艺术不能及时传到敦煌，此时敦煌的佛教艺术只能继续沿袭前期的特征并从中寻求发展。另外，颜料来源受到限制，色彩变得十分单调，影响了整体的艺术效果。

此期药师变十分流行，正反映了沙州人民在连年战争之后和在外族统治下渴望消灾致富、九横莫侵、万事遂愿的强烈心情[21]。而且，净土变在洞窟中的盛行，说明其已深入民间，成为民间

13　姜伯勤：《唐五代敦煌寺户制度》，北京：中华书局，1987年，第10～11页。

14　（法）戴密微著、耿升译：《吐蕃僧诤记》，兰州：甘肃人民出版社，1985年。

15　上山大峻：《昙旷和敦煌的佛学》，（京都）《东方学报》第35册，1964年。

16　《佛祖统记》卷四十一，《大正藏》第四十九卷，第379页上。

17　（法）戴密微著、耿升译：《吐蕃僧诤记》，第347页载有"吐蕃统治敦煌时代一位汉族节度使的档案文书"。

18　姜伯勤：《唐五代敦煌寺户制度》，北京：中华书局，1987年。

19　（法）戴密微：《吐蕃僧诤记》，兰州：甘肃人民出版社，1985年。

20　王尧、陈践：《蕃占期间的敦煌佛教事业探微——P.T.999、1001号藏文写卷译释》，《世界宗教研究》1988年第2期。

21　罗华庆：《敦煌壁画中的〈东方药师净土变〉》，《敦煌研究》1989年第2期。

信仰的主流。净土宗所宣传的"作来生之计",正迎合了一般民众的普遍心理。

此期出现有关禅宗题材的变相——金刚变,这并不是偶然的。唐初,禅宗五祖东山弘忍发挥《金刚般若》之义旨,之后禅法大行于两京[22]。《大乘百法明门论开宗义决》中昙旷自序云:"……后游京镐,专起信、金刚……及旋归河右,方事弘扬……始在朔方,撰金刚旨赞……其时巨唐大历九年岁次寅三月廿三日。"[23]与昙旷同时的京师西明寺高僧乘恩"及天宝末,关中版荡,固避地姑藏,旅泊之间……恩化其内众,勉其成功,深染华风,悉登义府,自是重撰百法论疏并钞,行开西土"[24]。从其经历可以推测,昙旷似与乘恩有着相近的经历,都是由于中原天宝末年的动荡不安,而避乱于河西。建康出生的昙旷回到故乡,弘扬法相之学及禅学,并随着吐蕃对河西从东向西的不断进攻,最后退至敦煌,继续传法,其中就有《金刚经》。S.721《金刚般若经旨赞》写于应德二年(764年)六月五日,敦煌遗书另有许多无纪年抄本的《金刚经》及昙旷的《金刚般若经旨赞》,可见当时《金刚经》的出现并流行,与昙旷的弘扬是分不开的。此时敦煌的另一高僧摩诃衍在沙州陷落后,"奉赞普恩命,远追令开示禅门,乃至逻娑,众人共问禅法等"[25]。更可见河西禅法大兴,莫高窟《金刚变》的出现正是这种现象的具体反映。

从此期洞窟的特点及当时的历史背景看,此期的洞窟开凿时代应在吐蕃统治之初期,大致是8世纪80年代至八九世纪之际。

吐蕃统治之晚期

此期共开窟约28个,后代重绘者约6个。其中第141、143、144、145、147窟分布于盛唐末期大型涅槃窟之南侧,与早期洞窟相邻;第157、159、160窟分布于南大佛北侧的第三层上,其下两层均为盛唐洞窟;第231、232、237、238、240窟位于北大佛之北侧中层上,其下接前期洞窟;第365、360、369、358、359、361、7窟分布于南区窟群之北端中层,其南邻唐前期洞窟。可见此期洞窟的开凿仍然按其分布与时代的规律进行。

此期洞窟又可分成前、后两段。

(一)前段洞窟

现存洞窟18个。洞窟规模一般为中型,少数为小型偏大或大型窟,与前期洞窟相比,洞窟

---

22 汤用彤:《隋唐佛教史稿》,第四章第六节"隋唐之宗派:禅宗",中华书局,1982年。

23 P.1068号,《大正藏》第八十五卷。

24 《宋高僧传》卷六《乘恩传》,《大正藏》第五十卷,第734页。

25 P.4616《顿悟大乘正理决叙》。

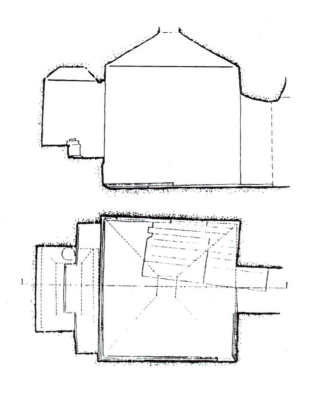

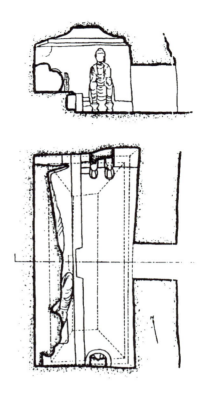

图2　　　　　　　　　　　　　　　　　　　　　　　　　　　图3

〔图2〕

莫高窟第231窟
平、剖面示意图

───────

〔图3〕

莫高窟第158窟
平、剖面示意图

规模扩大很多，且窟形更加规范。窟形绝大多数仍为四壁一龛覆斗顶窟〔图2〕，龛形皆呈盝顶直口形，单坡顶已完全消失，龛内几乎均设倒"凹"字形坛，龛外已基本上不设小方台；多数洞窟存有前室，第143、144窟前室侧壁开始出现碑龛，其上字迹已漫漶不清。大型窟有涅槃窟（第158窟）和七佛堂（第365窟）。第158窟规模宏大，形似一大棺，横长方形平面，覆斗顶四披近似弧顶，与窟四壁连接处塑出横枋状的凸棱，窟室后半部设长方形佛涅槃台，前室南侧设一附窟〔图3〕。第365窟是吴和尚所开之"七佛药师之堂"，平面亦为横长方形，横券顶；中部偏后设横长方形坛，坛上后部开券顶大龛，龛内下方又置横长方形叠涩佛床，上塑七佛；佛坛后部开凿隧道式的券顶礼拜道，设前室，甬道皆为平顶。

塑像组合中，龛内塑像皆为一铺七身，一般为一佛二弟子二菩萨二天王组合，另外第144、369、231窟多出二力士像台，位于龛外或前室。塑像几乎均已毁坏或被清代重修，仅第159、240、158、365窟尚存部分塑像。

藤枝晃先生认为第159窟为吐蕃期的张家窟[26]，此窟龛内存二弟子二菩萨二天王塑像，皆是中唐塑像的代表之作。弟子像一老一幼，个性鲜明，年青者神态宁静而憨厚，内穿团花镶边绿僧祇支，外罩右祖式田相纹袈裟，足踏僧履；年老者浓眉深目，表情肃穆，内穿团花镶边绣花僧祇支，外穿右祖式山水衲衣，一副资深高僧形象。菩萨像头梳高髻，宝缯垂肩，头上束莲花宝冠，戴项圈，一者上身斜披团花纹璎珞，肩披海石榴卷草纹帔子，下身着团花罗裙；另一身祖上身，斜披巾，着团花长裙；菩萨面相丰腴，曲眉秀目，身材丰润健美，修长玉立，胯部稍扭，体态比盛唐时期典雅含蓄，自然和谐；服饰的塑造更加写实，富于质感；服饰的彩绘则更加华丽精致，色调淡雅，肤肌白皙细腻，进一步体现出女性化的特征。天王脸形宽大，头顶发或戴盔，身着甲，脚蹬靴，下有地神承托，威武有力〔图4〕。

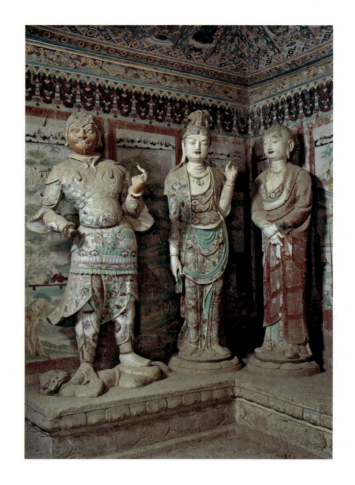

〔图4〕
莫高窟第159窟 弟子
菩萨天王塑像

第158窟释迦牟尼涅槃像右胁而卧，神态超然宁静。肉髻与头发呈水波纹，面相丰腴，身体圆润，比例适度，通肩袈裟上的衣纹随身体的起伏而自然变化，线条流畅，富于韵律感。卧佛周围的壁画绘出《涅槃经》的内容，有天龙八部、梵释天人、各国王子、弟子、菩萨举哀及散花天人等，与大型卧佛共同组成一铺规模巨大、绘塑结合的涅槃变。卧佛前方两侧又塑出过去佛立像和未来佛弥勒倚坐像，与释迦牟尼涅槃像组成三世佛群像。

第365窟的七身禅定坐佛，头部经清代重修，身体尚基本保存原型，丰满健壮，比例适度。据《吴僧统碑》记载，吴僧统"开七佛药师之堂"，指的就是此窟。

四壁一龛窟中尽管主尊塑像几乎均毁，但我们仍可根据龛内壁画的内容推

26 （日）藤枝晃：《敦煌千佛洞の中兴》，（日本京都）《东方学报》，第35册，1964年，第39页。

测出主尊名称。此期洞窟龛内屏风画中均绘故事画，胁侍像已消失，故事画的题材与内容比前期大为丰富，构图更加复杂，情节更加细致，可以说龛内屏风画的发展达到了顶峰。其中第141、144、145、159、232、236窟龛内屏风画均为《药师经》中"十二大愿""九横死"和"供养药师佛"等内容，龛顶四披又均绘药师佛，两者共同组成一铺药师变。第231、237、238窟龛内屏风画为《佛传》"苦行品"和佛本生故事，龛顶四披又绘瑞像图，故推测此三窟之主尊为释迦牟尼佛，而且《阴处士功德记》中明确记载第231窟的主尊是释迦牟尼佛，进一步说明龛内壁画与塑像的关系实为一体。另外第240窟龛内屏风画中绘弥勒世界诸事，而且龛内尚存倚坐的弥勒佛像，更可说明两者的内容相同，塑像为主体，壁画为附属，两者共同组成一铺弥勒下生变。第147窟龛内屏风画为《报恩经》中诸品，顶部四披绘坐佛，此窟之主尊亦应为释迦牟尼。

由上可知，此期洞窟中的主尊尽管仍以药师佛为主，但另外一些较大型洞窟中出现了以释迦牟尼佛为主尊的情况，其中第231窟是敦煌世族中阴嘉政所开之"报恩君亲"窟。这种现象反映了吐蕃统治的后期敦煌佛教信仰上的变化，开始转向佛教中最伟大的佛——释迦牟尼世尊，说明了他们对佛之正统的尊崇，间接地表现了敦煌民众尽管处在吐蕃统治下仍然从内心奉中原唐王朝为正统的统治者。P.3451号残卷记："敦煌百年阻汉，没落西戎，尚敬本朝，余留帝像。其余四部，悉莫能存……独有沙州一郡，人物风华一同内地。"P.3633后梁乾化元年（911年）沙州人民上甘州回鹘可汗书云："沙州本是善国神乡，福德之地。天宝之末，河西五州尽陷，唯敦煌一郡不曾破散，直为本朝多事，相救不得，□没吐蕃，四时八节些些供进，亦不曾辄有移动。"这些说明沙州虽陷吐蕃，但与河西其他各郡不同，衣服未改，城邑如故，且有不徙他境之待遇，沙州仍然是河西汉民的聚集地。其后的张议潮起义即是以沙州为基础，并得到了沙州民众的一致支持。可见沙州人民虽陷吐蕃，始终心怀故国，佛教成为他们怀念唐王朝、渴望回归的精神表达。另外第231、237窟龛内屏风画中出现了前所未有的、十分详细的悉达多太子苦行及成道品的内容，也是寓意颇深的。

此期洞窟西壁龛外两侧全部绘文殊变与普贤变，在前期只有少数洞窟绘制此内容，这也是此期的一大特征；而且，变相下方还出现了相应的屏风画。文殊、普贤流行于主尊龛的两侧，正是"文殊主智，普贤主理，二圣合为毗卢遮那，万行兼能"[27]。毗卢遮那，即佛真身之尊称，亦即佛之法身[28]，故文殊、普贤亦是佛之法身的代表，象征着佛及佛法的伟大性与永恒性，他们的出现正表示着护法之意图。第237、159窟的文殊与普贤下方又出现了屏风画式的五台山图和普贤事

27 《宋高僧传》卷五《澄观传》。
28 丁福保：《佛学大辞典》，北京：文物出版社，1984年。

〔图5〕
莫高窟第237窟
南壁壁画

迹。五台山图的出现当在长庆四年（824年）吐蕃遣使求五台山图之后[29]，故此二窟的时代也当在此之后。

　　此期洞窟两侧壁的布局更加规范，均分上下两段或上中下三段，上段皆绘两或三铺经变，经变数量大幅度地增长也是此期的一大特征。其中第141、238窟各绘两铺经变，而且经变的内容与位置完全相同，北壁均为药师变与弥勒变，南壁均为报恩变与观无量寿变。第145、147、232窟亦各绘两铺经变，除以上四种经变外，还有法华变、华严变和金刚变。第369、360、231、237、159、143、144窟两侧壁各绘三铺经变〔图5〕，又多出天请问、千手千钵文殊等，其中第159、237窟经变与位置完全吻合，第231窟经变内容与这两窟相同，只是排列位置不同。总之，此期两侧壁经变中虽然仍以净土变为多，另外华严变、天请问、法华变、报恩变和金刚变等亦有流行，经变下方均附屏风画，有的窟屏风画之下又绘壸门或供养人像。

　　前壁的布局与题材分三种。第一种是在门两侧及门上方各绘一铺变相，如第141、147、232、158窟等。第二种是在门两侧各绘一铺变相，门上则为供养人及碑形愿文榜题，如第144、143、238、231、200窟等。以上两种洞窟中变相内容多为密宗菩萨变相，又以不空羂索观音和如意轮观音最多，这是前期的

29　《册府元龟》卷五十二。

旧制。另外，第144窟新出现千手千眼观音和千手千钵文殊对称分布的情况；第231、238、143窟十分相近，门两侧各绘维摩诘变与报恩变。第三种也是前壁皆绘维摩诘变，如第360、369、159、237窟等，这是前代之旧制。但有趣的是在维摩诘帐下方，各国王子群像中，吐蕃赞普形象被放到了最前方，时代特征明显［图6］。

综上所述，此期洞窟壁画中经变数量大增，内容亦十分丰富，净土变仍占多数，但其他变相亦有流行，这正是当时佛教宗派林立的反映。各种变相同时出现于一个洞窟中，反映了民间信徒对各宗派平等对待、一律信仰的现象。各经变在不同洞窟中的位置、内容与构图的相似性，使此时的石窟壁画形成一定的程式。

此期顶部的壁画皆为千佛中央绘一铺说法图，盛唐以前顶部仅绘千佛的现象完全消失。千佛中央的说法图，第147窟是药师佛，反映的应该是东方药师净土；第200窟新出现释迦多宝二佛并坐于塔中说法，应该与《法华经》有关；另外大多数窟顶的内容可能仍是四方佛，有的是在塔中说法，或在树下说法；第158窟顶部绘出十方净土与千佛，将净土与涅槃联系起来，进一步反映了净

〔图7〕
第144窟窟门上方
供养人像

土宗宣扬的往生之道。

　　此期洞窟的壁画技巧在前期洞窟的基础上有了很大进展，其整体的艺术效果虽仍不如盛唐。不过，某些局部仍有超越前期的成就，如线描逐渐转向精细柔丽，线条潇洒流畅，更能表现出物体的质感；色彩上由前期的单调贫乏逐渐丰富起来，变得清雅明丽；在人物精神面貌上的刻画更加细腻深刻，这是新的发展；在经变的构图上更加严谨紧凑；屏风画的盛行使洞窟更富于生活气息，更加世俗化。总之，此期壁画已形成一种精致细密而秀丽的风格[30]。

　　供养人的服饰以男供养人的幞头靴袍和女供养人的裙襦服为主。男供养人的幞头两脚形式不一，有长脚或垂脚，垂脚翘于头之两侧，开始趋向于平直〔图7〕，这是此期服饰的一大变化，具有很强的时代特征。女供养人的服饰基本同前期，有大袖裙襦、衫裙和丈夫靴衫。壁画中还出现了许多吐蕃装俗人形象。从供养人服饰看，吐蕃时期的敦煌人仍着汉服，这与文献中记载的"独有沙州一郡，人物风华一同内地"的现象吻合。

　　此期的装饰图案基本上与前期相同，并继续发展。茶花卷草边饰、茶花形团花十分流行，成为主要纹样；石榴花出现复旧趋式，龛楣上流行山花蕉叶纹，杂花也在继续发展。联珠圈纹一般由茶花组成的团花连接而成，在早期就

30　段文杰：《唐代后期的莫高窟艺术》，《中国石窟·敦煌莫高窟（四）》，北京：文物出版社、东京：平凡社，1987年。

已开始流行，至此更加盛行。这种现象与吐蕃人有直接关系，吐蕃人喜爱联珠纹织物早有其传统，初唐时其所用织锦可以取自中原，至吐蕃占领河西时，早已与唐朝兵戎相见，也就无法从唐人手中源源不断地得到此类织锦。何况此时，由于中亚、西域以至河西都处于战乱，影响了唐朝与西方的丝绸贸易，也就降低了唐人对联珠纹锦的兴趣。从现有的考古资料看，此时的联珠纹锦十分罕见，所以吐蕃人也不可能从唐人手中得到。这种联珠纹锦应是吐蕃人从中亚人手中得到的。至敦煌陷蕃时，安西镇已在唐与吐蕃之间两易其手，而且他们另有两条西通之道，一条是沿柴达木盆地南或北缘，越阿尔金山至若羌，然后绕道于阗；另一条道路就是通过大、小勃律，然后越昆仑山而达于阗。吐蕃假道这些国家，不但意在四镇，而且欲与大食争中亚。吐蕃与西域及中亚的交往，也促进了联珠纹在吐蕃及其占领地区的流行[31]。

综上所述，吐蕃占领沙州后期，莫高窟仍基本上沿袭前期的特征，并有所发展。洞窟规模扩大很多，出现少数大型洞窟。在形制上，龛形皆变成盝顶直口形，龛内几乎均设倒"凹"字形坛；窟顶出现双层井心；新出现带隧道的七佛窟。在塑像上，随着龛的扩大，塑像组合也有所扩大，一般为一铺七身，少数窟为九身；主尊仍以药师佛为主，释迦牟尼佛增多，弥勒佛数量大减；塑像造型圆润丰满，比例适度，衣纹自然流畅，个性鲜明，菩萨像典雅含蓄，身体较直；塑像的彩绘更加华丽精美，色调清雅，与雕塑本身和谐自然，融为一体。在壁画上，龛内屏风画已完全成熟，皆为故事画，构图情节复杂；龛外两侧盛行文殊变与普贤变，并出现附加的屏风画；经变数量分布与内容大为丰富，除净土变内容外，其他宗派的变相也发展起来；窟顶内容也更加复杂；经变构图更加严谨，在某些地方的艺术技巧超过了盛唐，形成了新的绘画风格；男供养人的幞头垂角开始斜翘起来；装饰图案更加丰富多样，盛行茶花、联珠圈纹和卷草纹等。吐蕃时期洞窟的新样式完全成熟并达到了顶峰。

此期洞窟中第365窟和第231窟有明确的建窟纪年，这就为我们的断代提供了最有力的证据。第365窟佛坛正中西夏壁画底层残存汉文发愿文一方，其上的坛沿上，还有墨书古藏文题记三行，据黄文焕先生的译文可知，此窟建于可黎可足赞普（815～836年）在位期间的水鼠年至木虎年，即公元832～834年[32]。《吴僧统碑》中记的吴和尚所开"七佛药师之堂"就是第365窟。关于吴和尚其人，有两种说法，一种认为是法成[33]，另一种认为是洪𫖮[34]。此窟表面已全部经西夏重绘，但据《吴僧统碑》记载，此窟壁画有贤劫千佛、华严变、药师变、法华变、报恩变、文殊变、普

31　薄小莹：《敦煌莫高窟六世纪至九世纪中叶的装饰图案》，载北京大学中国中古史研究中心编《敦煌吐鲁番文献研究论集（第五集）》，北京：北京大学出版社，1990年，第422页。

32　黄文焕：《跋敦煌365窟藏文题记》，《文物》1980年第7期。

33　主此说者主要有上山大峻、苏莹辉等。

34　主此说者有李永宁、马世长等。

贤变及一未详经变等，从其内容看基本上与本期其他洞窟相同。

第231窟主室东壁门上男女供养人前皆有题名，此题名与《大蕃故敦煌郡莫高窟阴处士公修功德记》中题记基本相符，窟中内容与《功德记》中所记完全吻合，此窟即阴嘉政所开之"报恩君亲"窟。据《功德记》中纪年，推出此窟完工于唐开成四年（839年）。与此窟十分相近的洞窟有第237、158、159、360、369、143、144窟等，说明这些窟的时代与第231窟同时或接近，其时代在839年左右，而这些窟中又有较多的早期因素，其时代可能又比第231窟稍早，839年可能就是此期的下限。另外，第232、238、240、141、145、147、468窟等比以上各窟的早期因素更多，更接近前期的第112、200、150、154等窟，说明它们的时代更早，上接前期洞窟，故此期前段洞窟的时代大致当在9世纪初至839年左右。

吐蕃王朝的佛教在可黎可足赞普统治时期达到了顶峰。这位赞普与唐穆宗缔结了唐蕃和盟，缓和了民族矛盾。并大力提倡佛教，尊崇僧人，翻译大量经论，修建一批寺庙等[35]，吐蕃的佛教得到了前所未有的发展。在吐蕃管辖下的敦煌，佛教的发展也达到了一个新的顶峰。出现了吐蕃统治者、汉族高官与世家大族竞相布施的热潮，给予的布施有整所寺院的资金、田产、水磑和隶属人口等。在他们的支持下，沙州寺数和僧数不断增长，寺数比早期增加了九所，僧尼达千人[36]。佛教教团的势力不断膨胀，占有众多的田产和寺户，都拥有极大的社会权力和经济实力。莫高窟第365窟就为高级僧官吴和尚所开。第158窟甬道北壁底层供养人西向第二身题名为"大蕃管内三学法师持钵僧宜……"，南、北甬道绘六身僧人像，说明此窟的开凿可能也与僧团或僧人有很大关系。以上两窟都是规模宏大的大型洞窟，比阴家所开的第231窟还大，这也间接地说明了当时佛教教团经济实力的增强与庞大。

吐蕃统治沙州后，吐蕃当局把世族当作依靠力量，促使豪族在政治上的荣升，并随着吐蕃统治者对世族的扶植，大族在免税特权的庇护下，其产业也有了发展。如敦煌阴氏阴伯伦家族"一家蠲十一之税，复旧来之井赋，乐已忘亡，创新益之园池"，"更有山庄四所，桑杏万株"[37]。钜鹿氏索定国家族"耕田凿井，业南亩而投簪"，也富有地产[38]。随着世族政治、经济实力的增强，他们也有了开凿一些较大规模洞窟的实力。如已知第231窟为阴家所开，第144窟为索家所开，第159窟为张家所开。另外，敦煌各世族在佛教界也都有其代表人物，如阴伯伦第三子入释门，被称为"沙州释门之学都法律大德"，其姐妹有一位成为智惠比丘尼[39]；索家索清宇之弟索义辩后任

35　赵青兰：《莫高窟吐蕃时期洞窟龛内屏风画研究》，《敦煌研究》1994年第3期。

36　参看藤枝晃文和姜伯勤文。

37　《大蕃故敦煌郡莫高窟阴处士修功德记》。

38　《沙州释门索法律窟铭》。

39　见《阴处士碑》，P.4640号。

"沙州释门都法律"[40]；翟家之翟洎亦入释门，其长子后任僧统等。从这些可以看出，敦煌佛教的发展实得益于这些世族的大力支持。

吐蕃后期敦煌佛教界最有代表性的僧人就是法成，作为"大蕃国三藏法师"，现存的敦煌遗书中留有许多他的译经著述和讲经文，他所讲的主要是《瑜伽师地论》[41]。《瑜伽师地论》是法相宗的主要经典。法相宗由玄奘开基，在窥基、圆测后，一时颇盛。[42]昙旷初在本乡建康时，"切唯识、俱舍，后游京镐，专起信、金刚……及旋归河右，方事弘扬……次于凉城造起信广释，后于甘州，撰起信销文，后于敦煌，撰入道次第开决，撰百法论开宗义记"[43]。可见盛唐末期以后，敦煌法相宗的发展与昙旷的弘扬是分不开的。敦煌遗书亦有一些昙旷的著述，如宝应二载（763年）在沙州龙兴寺写讫的《大乘起信论略述》（S.2436），S.1313的《百法明门论疏》，S.2104的《大百法论开宗义记分别义取记》，P.2311的《百法手记》等，说明昙旷的法相唯识俱舍之学，尤其是唯识俱舍之学，在敦煌的影响极大。吐蕃统治敦煌后期，法成继承了昙旷的学问，进一步弘扬法相宗的经典。

法相宗除了《瑜伽》《唯识》《俱舍论》等主要经典外，法相宗大师还十分看重其他一些经典，如窥基著有《法华经略记》《妙法莲花经玄赞》等有关法华经的著述，还有《金刚般若玄记》《药师经疏》《观无量寿经疏》《弥勒上生经疏》《弥勒下生经疏》《天请问经疏》等。圆测著有《金刚般若疏》《阿弥陀经疏》等。靖迈著有《金刚般若经疏》《弥勒成佛疏》《药师本愿经疏》《天请问经疏》等。慧沼有《金光明最胜王经疏》《法华经玄赞义决》《金刚般若经疏》《法华经略赞》《涅槃经义记》等著述。智周著述有《梵网经疏》《法华经摄释》等。

吐蕃时期莫高窟流行的主要变相有药师变、观无量寿变、弥勒变、法华变、金刚变、天请问变、金光明变、涅槃变、华严变、报恩变、维摩诘变及密宗题材的变相。

两者对照，我们可以看出，莫高窟流行的许多变相与法相宗宣传的佛经基本一致，这种现象也许可以说明，吐蕃时期莫高窟许多变相的流行可能与法相宗在敦煌盛行有一定的关系，而法相宗在敦煌的盛行又实有赖于昙旷与法成的宣传和弘扬。当然，以上各经典也并非只有法相宗才宣传，各净土变的流行自然与净土宗早就深入民间密不可分，另外我们还可以看到禅宗、天台宗、涅槃宗、华严宗、密宗对莫高窟的影响也很大，这有待进一步的研究。无论如何，由于昙旷和法成的努力，吐蕃时期法相宗诸学在敦煌曾一度十分盛行，这一点是毫无疑问的。

40　见《索义辩碑》，P.2021号和S.530号。

41　郑炳林：《敦煌碑铭赞辑释》，"吴和尚赞"，兰州：甘肃人民出版社，1992年，第85页。以上碑铭此书也有收录。

42　汤用彤：《隋唐佛教史稿》，"法相宗"节，北京：中华书局，1982年。

43　赵青兰：《莫高窟吐蕃时期洞窟龛内屏风画研究》，《敦煌研究》1994年第3期。

（二）后段洞窟

现存洞窟四个：第7、358、359、361窟。窟形基本同前段洞窟，第7、361窟的龛型有所变化，新出现盝顶双层龛〔图8〕。这种平面呈"凸"字形的龛室早在隋代洞窟就十分流行，初唐以后减少并消失，此期又重出现，反映了吐蕃时期所出现的一种复旧趋势。但亦非完全模仿隋代龛型，内龛顶改为此期流行的盝顶形，外龛顶降低，呈平顶，这种龛形属于新旧形式的一种融合样式。洞窟规模皆为中型偏小。

塑像皆毁，组合为一铺七身，具体内容不清楚。我们仍可以根据龛内壁画的内容推测出主尊称名。第359窟龛内屏风画为"九横死"，龛顶绘跌坐佛，

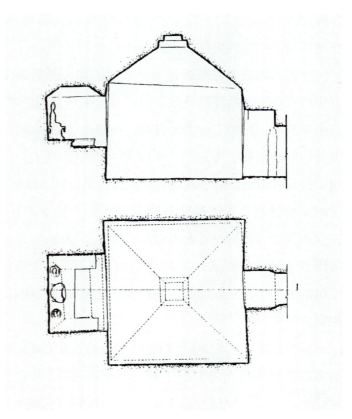

〔图8〕
莫高窟第361窟
平、剖面示意图

其主尊可能为药师佛。第358窟龛内屏风画为"九横死""十六观""未生怨"，龛顶绘药师佛，其主尊有两种可能，药师佛或观无量寿佛，吐蕃时期的洞窟主尊中此前尚无观无量寿佛，而且《药师经》中也提到了信仰观无量寿佛，故推测此窟主尊更有可能仍是药师佛。第7窟龛内屏风画绘观世音菩萨三十三现身及救诸苦难，其主尊亦有两种，观世音菩萨或释迦牟尼，自本期以来，洞窟中尚未见观音变，且龛内尚未出现过以观音为主尊的情况，另外此窟龛顶四披绘的是跌坐佛，而非观音像，而且吐蕃时期法华变下方的屏风画中皆绘观音普门品作为法华变的重要组成部分，故推测此窟的主尊很可能是释迦牟尼。第361窟龛内屏风画内容待考，主尊也无法定名。由上可见，此期主尊多数仍基本同前段洞窟，为药师佛，新出现在龛内表现法华变的内容，在吐蕃时期只见此一例，而在唐前期洞窟中比较流行，只是唐前期法华变中多表现见宝塔品，而吐蕃时期表现的皆是观音普门品，而且在盛唐末期以来还出现观音变，这种现象反映了盛唐末期以来观音信仰的不断发展，敦煌遗书中有关《观音普门品》和《观音经》的抄本很多，也是这种信仰普及民间的例证。

此四窟西壁的布局和构图十分相近，尤其是龛上装饰，均为仿佛殿建筑顶

部式样的建筑装饰，向上一直伸到了窟顶西披的中部，分三或五层，最下层皆为帷幔，以上数排皆用千佛装饰，最上层是山花蕉叶、摩尼宝珠和迦陵频伽鸟等殿脊装饰〔图8〕。这些建筑装饰与佛龛（即佛堂）一起构成了一座完整的仿木构佛殿建筑，加强了佛龛在洞窟中的位置，使其更具有佛殿的性质，也使洞窟更具有寺庙的性质与功能。另外龛下方一般绘壶门装饰，使其更似佛殿之台基部分，壶门内皆绘香炉和伎乐供养天人。

两侧壁的壁画亦分上下两段，上段皆各绘两铺经变，各窟经变内容十分相似，第359、361窟完全相同，均为药师、弥勒、阿弥陀和金刚等经变；第7、358窟完全相同，为药师、弥勒、观无量寿佛和天请问等经变。经变内容基本上是前段洞窟的延续，经变的绘制更加程式化。此时经变下方已不绘附属的故事屏风画，而改绘供养人像，说明窟内的屏风画已开始出现衰落的趋势。经变中的故事画又重新绘于经变之两侧，这也是一种复旧倾向。

前壁壁画沿袭前段之特征，一种绘维摩诘变，另一种为密宗菩萨变相，密宗内容稍有扩大。

窟顶壁画基本上沿袭前段洞窟的布局和内容，但又有了新的变化。窟顶四披中仅东、南、西披同前段，千佛中央各绘一铺说法图，而西披已不绘千佛，中央各绘一铺说法图，两侧则绘五组化佛，说法图下方有绿色或红色的莲池，第359窟莲池中还有二化生天人，一弹琵琶，一吹横笛〔图9〕，此窟与361窟西披的空处还绘出了各种乐器在空中飞舞的情形，乐器有排箫、竖笛、横笛、直颈或曲颈琵琶、方响、拍板、束腰鼓等，这些都与阿弥陀净土和无量寿净土变中的西方净土十分相似。《佛说观佛三昧海经》本行品和《金光明经》寿量品中记四方佛为："东方阿閦，南方宝相，西方无量寿，北方微妙声佛。"[44]此四窟中顶西披表现的可能就是西方无量寿佛，那其他三面就应该是东方阿閦佛、南方宝相佛、北方微妙声佛了。只是此四窟中的四方佛已和前段洞窟不太相同，西方的无量寿佛周围表现出了西方净土世界的部分内容，使四方佛的内容更加丰富形象。这种形式也代表着一种新的发展趋势，至归义军时期，窟顶千佛的分布及数量都开始减少，并且出现了大幅的经变，隋到唐前期及吐蕃时期窟顶大面积的千佛开始让位于经变，此段洞窟中窟顶壁画的发展只是一个前兆。

供养人服饰完全同前段洞窟，另外第359窟北壁下段男供养人像均着吐蕃装〔图10〕，头戴红色高冠，身穿左衽袍，脚蹬马靴；此窟女供养人则为汉服，着衫裙披帛；西壁门上的男女供养人亦皆着汉服，男供养人的幞头两脚翘起，趋向于平直，与前段部分洞窟相同。

此段洞窟中的装饰出现了一些新的变化。井心是以金刚杵为中心的尖瓣莲花，四角饰莲花；组合纹样中藻井垂帐完全由三角端长带和花串铃组成，龛帐和壁帐的幔形同藻井垂帐；龛上流行复杂的建筑装饰，顶部饰迦陵频伽、蕉叶和宝珠，下行格段内饰莲花宝珠、蕉叶、山花或团花，

44 《大正藏》第十五卷，第589页；第十六卷，第336页。

图9

图10

〔图9〕
莫高窟第359窟
西壁龛上及窟顶西披

〔图10〕
莫高窟第359窟 北壁
男供养人像

海石榴纹呈波状二方连续排列等。其中井心图案形态特异，可能来源于吐蕃。

　　总之，此段洞窟虽基本上沿袭前段洞窟的许多特征，但也有了很多新的变化，如窟内屏风画出现衰落的趋势，四壁下段改绘供养人像；窟顶西披出现了近似西方净土变的内容与构图，千佛开始减少；出现了大量的吐蕃装供养人；出现了许多新的图案纹样等。另外，壁画人物形象的绘制上，流行以很细的红线条勾勒人体细部及轮廓。以上大多特征在归义军时期更加流行，成为一种主要特征。这些都说明此四窟之时代比前段洞窟稍晚，又比归义军时期的洞窟为早，处于两者的过渡阶段。从第359窟绘出的大量吐蕃供养人像看，这一时期的洞窟尚处在吐蕃统治的时期，又比完成于839年的第231窟稍晚，故此段洞窟的时代大约在公元9世纪40年代，下限即在张议潮大中二年（848年）收复沙州前后。

（本文为樊锦诗、赵青兰合著，原载于《敦煌研究》1994年第4期）

附录：吐蕃统治时期莫高窟洞窟分期表

分期		典型洞窟	插入洞窟	纪年窟	年代
早期		93、111、112、132、133、150、154、181、183、184、190、191、193、197、198、200、201、222、447、470、471、472、473、474、475	81、151155、224		公元8世纪80年代到八九世纪之际
晚期	前段	143、144、141、145、147、157、158、159、160、231、232、237、238、240、360、369、468	136、142、235、363、367、368	365 231	公元9世纪初至839年左右
	后段	7、358、359、361			9世纪40年代

◈ 试论莫高窟石窟分期和断代研究

—— 以莫高窟十六国北朝石窟分期为例

一、考古学分期方法

考古学是根据古代人类通过各种活动遗留下来的实物，研究古代社会历史的一门科学。

考古学的研究对象是实物资料、物质遗存，即古代的遗迹和遗物。这是它与依靠文献记载以研究人类历史的历史学的最重要的不同点。考古学和历史学都属历史科学，犹如车的两轮不可偏废。它们同属"时间"的科学，都以研究人类古代社会历史为目标，但所用的资料不相同，也即研究对象不同，因而所用的方法也不同。

近代考古学是以野外工作为取得资料的主要手段，所以必须以科学的地层学为基础进行野外工作。因为考古学是"时间"的科学。尽管近代考古学的研究内容，涉及人类古代社会的许多方面，但在考古学许多研究中，首要的也是最重要的是"时间"的研究，或者说是年代研究，在整理从调查发掘中所得的各种资料的最基本的一环是要判断遗迹和遗物的年代。年代有相对年代和绝对年代之别。相对年代指各种遗迹和遗物在时间上的先后关系，即孰早孰晚；绝对年代是指它们距离现在已有多少年。

（一）相对年代研究

考古学对遗迹和遗物的分期和断代，首先搞清遗迹和遗物的相对年代，即给遗迹和遗物排出早晚顺序、相对年代序列。推断相对年代，通常是依靠地层学和类型学的研究。这是考古学范围的两种主要的断代方法。此外，也可利用自然科学手段来断定相对年代。

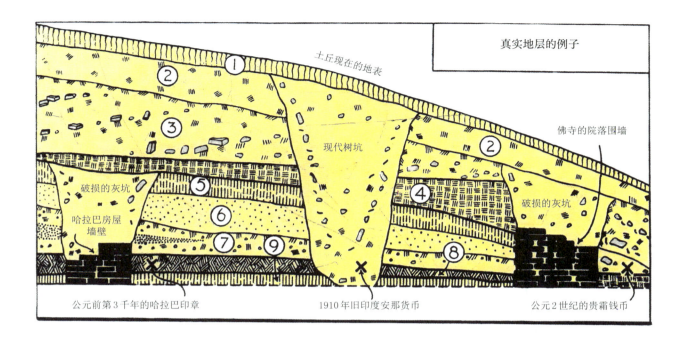

真实地层的例子

土丘现在的地表

佛寺的院落围墙

现代树坑

破损的灰坑

哈拉巴房屋墙壁

破损的灰坑

公元前第3千年的哈拉巴印章　　　1910年旧印度安那货币　　　公元2世纪的贵霜钱币

〔图1〕
印度河谷（现在巴基斯坦）一座土丘或土墩遗址所画的横断剖面图

1. 考古地层学

考古学中的"地层学"是由地质学引入的名词，在欧洲，19世纪30年代地质学的地层学已成熟，至19世纪70年代考古地层学产生。考古学中的地层学，就其最基本的原理而言，同地质学中的"地层学"是一样的，不过，地质学中的地层学目的是研究地球形成的历史，其资料是由各种岩石形成的一连串地层系列，形成原因是因自然力量的作用。考古学中的地层学，目的是研究人类形成的历史，研究人类出现以后，主要由多种人为力量的作用而连续堆积形成的地层（即文化层）系列。

英人科林·伦福儒、保罗·巴恩著《考古学理论、方法与实践》云："地层学是对地层形成过程的研究——一层地层或沉积层（也称沉积物）在另一层之上的叠压或沉积。从相对断代的观点来看，其重要的原理是下伏地层沉积在先，所以早于上面覆盖的地层，地层的一套顺序提供了从最早（底部）到最晚（顶部）的相对年代序列。"[1]

请看《考古学理论、方法与实践》一书中"真实地层的例子"图版里印度河谷（现在巴基斯坦）一座土丘或土墩遗址所画的横断剖面图〔图1〕。

---

[1]（英）科林·伦福儒、保罗·巴恩著，陈淳译：《考古学理论、方法与实践》. 上海：上海古籍出版社，2015年版，第104页。

我们从上图可以形象地看出地层（文化层）的形成是经历了一个缓慢而复杂的过程。在这一过程中，层积在不断地变化着，并且各层相互处于一定的关系，彼此紧密联系。说明地层（文化层）是规律地循序渐进地一层一层堆积起来的。

就目前断定遗物相对年代而言，还是离不开地层学的层次关系，因不同地层中的遗物形态是有差别的；遗物所属上下层位关系如果十分清楚，那么遗物的早晚相对年代之别也就十分明了。地层学断代是先确认各文化层次序的先后，以断定遗迹和遗物的相对年代。然后，如文化层中出土了可确定绝对年代的遗物，即可推定该层的绝对年代。

中国的考古地层学是从美国、法国、英国引入的。20世纪20年代中国考古学已诞生，如李济先生山西省夏县西阴村、河南安阳殷墟发掘。1931年梁思永先生主持河南安阳后岗发掘，发现了仰韶、龙山和小屯三叠层，根据地层叠压关系论证了殷代遗存晚于（河南）龙山、（河南）龙山又晚于仰韶的早晚关系，应作为考古地层学在我国确立的标志。

2．考古类型学

类型学是科学地归纳分析考古资料而加以分类的方法。许多实物的形成变化，需要在归纳成不同的类别和型式以后，各自的发展序列才能清楚，这是研究遗迹和遗物外部形态演化顺序的方法论。

考古学类型学来自达尔文的物种进化论。达尔文通过对各种生物进行分类方法的研究，发现了单细胞生物逐渐进化到多细胞生物，生物体不断变异，经过漫长的过程，动物逐渐从低级到高级，依次从鱼类、两栖类、爬行类、鸟类、哺乳类，到人类的进化过程。19世纪被考古学家利用。考古类型学脱胎于生物学的分类方法，它本质上是进化论思想借助分类形成的方法在考古学领域的体现。

纵观各国的考古类型学研究，主要被用来研究器物的演化过程，人们通过排比钱币、武器、工具、容器、装饰品及其图案形态的演化规律，从而排出其序列，从中确定遗迹、遗物的逻辑上的早晚关系，而不是具体年代的早晚。

19世纪晚期的欧洲，类型学已比较成熟。我国学者自20世纪30年代开始了田野发掘以来，也已运用类型学方法来研究发掘到的遗物，如李济先生整理河南安阳殷墟出土陶器和铜器；40年代苏秉琦先生整理排比宝鸡斗鸡台发掘品。这种方法论的影响，扩大到其他研究领域，凡人类制造的物品只要有一定的形体，都可以用类型学方法来探索其形态变化过程。如20世纪30至40年代梁思成等主持的营造学社对中国古代建筑的研究，乃至许多人对于中国古代建筑物、雕塑、绘画、书法等美术史方面的研究，莫不受到类型学方法的影响。应当说，许多研究古代物品形态变化规律的学科，都在不同程度上运用类型学方法而前进了一步。

（二）绝对年代研究

考古学除研究相对年代，也期望通过研究知道遗迹和遗物的绝对年代。它的研究方法主要依靠文献记载和历史年表研究。判断年代的证据分为内证和外证两种。内证是指在调查发掘中所得的实物资料，如碑碣、墓志、题记等记载的人物及其他各种器物的纪年文字，这是断定绝对年代的可靠证据。但使用这些证据也应该慎重。所谓外证，是指根据书籍记载或口头传说，来了解某一遗迹或遗物的年代。与内证相比，利用外证应更审慎。此外，也可利用自然科学手段，如碳-14测年、树木年轮测年等等。

二、以莫高窟北朝石窟分期为例作具体说明

敦煌莫高窟规模大，洞窟多。本文所涉及洞窟是指莫高窟现存的隋代以前诸窟。根据对莫高窟隋代以前洞窟考察研究，共存36窟，其中比较完整者32窟（第268、275、272、259、254、251、257、263、260、437、435、431、248、249、288、285、286、247、432、461、438、439、440、428、430、290、442、294、296、297、299、301窟），残破或被重改较甚者4窟（即第487、265、246、441窟）。但有编号者却有41窟，其中禅窟第268窟共编5号，除主室外，其附属小禅窟又编了第267、269、270、271号四个号；第272窟所附两个禅僧窟，编为第273窟。现存隋代以前36窟，它们的时代大致分别属于十六国末期、北魏、西魏、北周。早期的洞窟除第461窟在莫高窟北区外，其余均在莫高窟南区中段，它们开窟早，占据了南区崖壁最好的位置，多在二层或三层，成段地南北毗邻相接［图2］。

隋代以前诸窟，前室大多已坍毁，甚至没有前室。分期和断代研究，主要研究主室及其内容。隋代以前诸窟中有明确开凿纪年者，仅有西魏第285窟［图3］、北周第428窟。由于纪年洞窟太少，给洞窟分期断代带来许多困难。我们必然既要采用考古学的类型学和地层学来对隋代以前洞窟建筑形制、塑像、壁画的内容和壁画装饰图案等各类内容排序，又要利用纪年洞窟作为标尺，并将两者结合起来，对隋代以前洞窟进行相对年代的排序，完成分期和断代，进一步做绝对年代的研究。

相对年代排序，首先要作好遗迹和遗物的归类工作。那么，莫高窟洞窟怎么分类，怎么归类呢？一般莫高窟每个洞窟可分为洞窟建筑、塑像、壁画、装饰图案四大类内容。我们根据具有相同特征的遗物构成一种遗物类型的分类原则。莫高窟北朝洞窟的洞窟建筑按其不同形制特征分为：1.禅窟；2.穹隆顶窟；3.纵向人字披顶窟；4.中心方柱窟；5.单龛方形窟；6.无龛无塑像窟类。彩塑分为：1.不同坐式的佛像，有交脚坐佛、倚坐佛、结跏趺坐佛、半跏趺坐佛；2.不同坐式的菩萨像，有交脚坐菩萨像和思惟菩萨像，还有立姿的胁侍菩萨像、供养菩萨；3.弟子像类。壁画

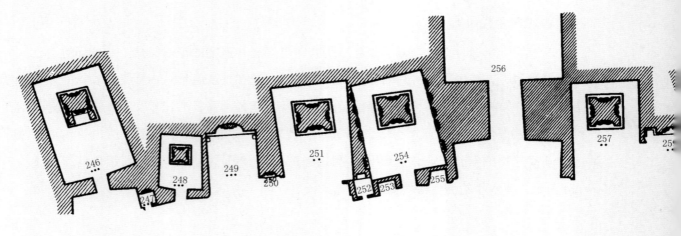

图2：1

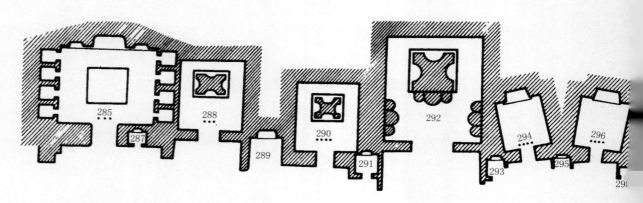

图2：2

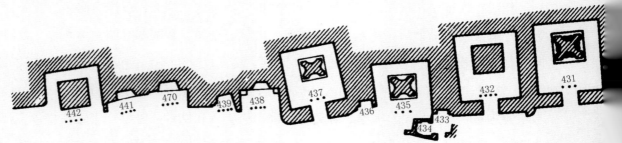

图2：3

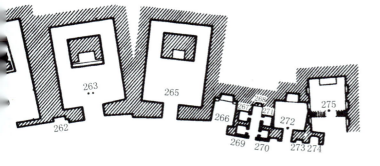

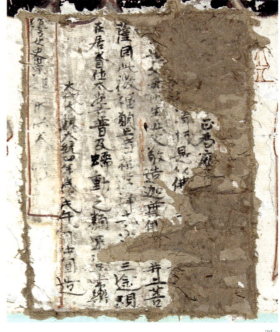

图 3

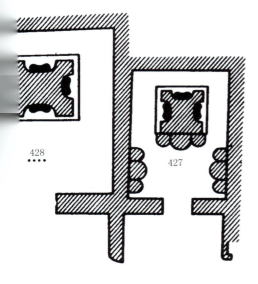

〔图 2〕

莫高窟北朝石窟位置关系图

1. 莫高窟南区中段第二层北朝第一期、第二期石窟以及第三期部分石窟平面图

（窟号下有"·"表示为第一期石窟，"··"表示为第二期石窟，"···"表示为第三期石窟）

2. 莫高窟南区中段第二层北朝第三期、第四期部分石窟平面图

（窟号下有"····"表示为第四期石窟）

3. 莫高窟南区中段第三层北朝第三期、第四期部分石窟平面图

〔图 3〕

莫高窟第285窟北壁"大代大魏大统四年"题记

西魏

人物分为：1.坐佛像；2.立佛像；3.菩萨像；4.飞天像；5.弟子像；6.男供养人像、女供养人像类。装饰图案分为：1.作为建筑装饰和不同壁画间隔的各类边饰纹样；2.四壁上段的凭台楼阁装饰；3.窟顶人字披椽间的望板装饰；4.四壁下段的三角垂帐纹装饰类。保存比较完整的三十二窟均按四大类做了分类，而残破或重改较甚的四窟，保存内容极少，无法全面分类，故未对它们分类。

某些类别，如中心柱窟、单龛方形窟等洞窟的形制，佛、菩萨、弟子、飞天、供养人像等的性质，又如交脚坐、倚坐、结跏趺坐、半跏趺坐、站立等姿态等都比较稳定，在很长时间之内可能不会有太大变化。但建筑的部件、构件，彩塑和壁画所塑所绘的佛、菩萨、弟子、飞天、供养人像的造型、面相，佛、菩萨、弟子、飞天、供养人像的服饰，或服饰的细部，如衣纹、衣服下摆、服饰披戴穿法，装饰图案的纹样的形态等等会不断地变化。所以，石窟分期和断代只有分类是远远不够的，只有细致地对遗物进行观察、分辨、比较，去分辨出每类许多遗物之间的变化、差异和联系。为此，做好洞窟相对年代的排序，在分类基础上，要在类别之下，进一步对其细部的差异，认真做好分"型"和分"式"。也就是说，莫高窟北朝石窟分期和断代研究，要在分出的30多类基础上，逐类分别进行分型和分式，进而对型式做出排序（莫高窟北朝石窟各类洞窟形制型式序列表；莫高窟北朝石窟各类塑像型式序列表；莫高窟北朝石窟各类壁画人物型式序列表；莫高窟北朝石窟各类塑像和壁画造型，面相型式序列表；莫高窟北朝石窟各类装饰图案型式序列表）。夏鼐先生说"排序是按照型式的差异程度递增或递减，排出一个'序列'"。经验告诉我们型式的排比又要经过反反复复调整多次，才有可能较为准确地排出"序列"。莫高窟洞窟多，每个洞窟中的内容也很多，很难通过一个系列断出这么多洞窟之间的相对年代。洞窟中不同类的遗物上的平行的序列越多，通过互相对照，断定相对年代的结论也越可靠。北朝洞窟分期断代研究，是通过多个系列互相对照，来推定其相对年代。

经过类型学排序得出的多个序列，使各个序列的变化差异能看得十分清楚，排序之目的是从各序列中找出最关键变化的型式，也即等于在许多洞窟的众多内容中找出了最关键变化的内容，这对推断遗物孰早孰晚、遗物相对年代和分期断代至关重要〔附表〕。

最后，分期断代，则要以组合为标准，即这类塑像和那类壁画以及另一类装饰图案的出现与变化的时期相同，这样的组合，即可确定为同一时期。注意一种序列变化了，不能作为分期的标准，即便不是全部遗物都变（因为组合内遗物的变化并不会一齐都变，可能有的变得多，有的变得少，有的甚至不变），但也要成组变化才可作为分期的标准。总之，要根据各种遗物的形态变化和遗物的组合来分期断代。

下面我不全面展开介绍各"序列"型式的变化，及其组合和分期，而是以莫高窟北朝石窟有叠压关系的第二期第254窟和第三期有绝对纪年的第285窟为例做些分析，以说明我们如何用考古学对莫高窟北朝石窟做相对年代的分期断代的。

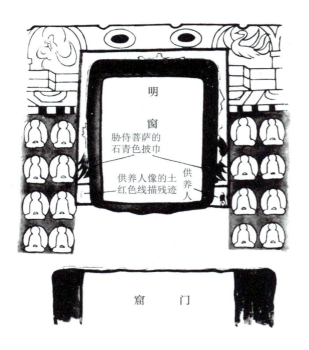

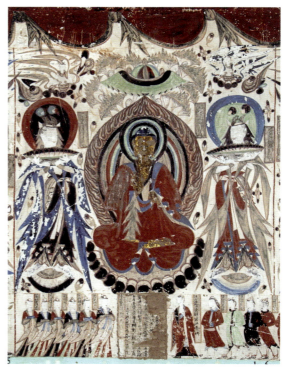

图 4

图 5

〔图 4〕
莫高窟第 254 窟明窗
处重层壁画的叠压
情况

〔图 5〕
莫高窟第 285 窟北壁
说法图
西魏

　　莫高窟第 254 窟前壁门上明窗的周边壁画保存着不同时期的壁画层叠压关系。此窟明窗四周有土红色边框、白底长方形画面的残迹。此残迹明显地叠压在原画千佛的土红底色之上。表层壁画是在封堵了明窗之后加画的。后来封堵的明窗又被重新打开，故表层壁画仅存部分残迹：表层壁画上部有立姿菩萨的裙摆边角和石青色披巾，下部有身穿裤褶的男供养人形象〔图 4〕。从残存的裙角和披巾形式和颜色、供养人的服装和姿态，可以清楚地看到，这些壁画残迹与西魏第 285 窟北壁上段七铺说法图画面中胁侍菩萨的裙角和披巾十分相似〔图 5〕。其时代应大致相同。第 254 窟早于第 285 窟本来就是显而易见的。此窟明窗处重层壁画的上下叠压关系，不仅足以证明第 254 窟相对早于第 285 窟，而且这个地层学上下叠压的证据，可用它来证明与下层第 254 窟壁画相近的一批洞窟，以及与表层第 285 窟壁画相近的一批洞窟旦晚的相对年代。

　　第 285 窟北壁上段共有七铺说法图，西起的第二铺和第七铺说法图下方的墨书发愿文有西魏"大代大魏大统四年（538 年）"和"大代大魏大统五年

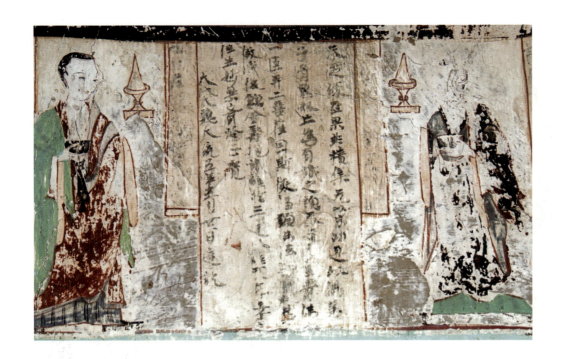

（539年）"的纪年[2]〔图6〕。第285窟的壁画保存的绝对年代，对北朝洞窟相对
年代断代十分重要。因此窟的年代处于莫高窟全部北朝石窟的中间，可依靠
此窟作为标尺，对于推断第285窟之前的洞窟和之后的洞窟相对早晚年代是
重要证据。

第285窟说法图佛和菩萨画像的特点是：佛、菩萨像的形象和面相清瘦，
都穿褒衣博带式衣服；面部以色块晕染两颊（即染高不染低）的中国式晕染；
飞天梳单环髻或双环髻，形象清瘦，面部晕染同菩萨，挺胸，双腿卷曲，长裙
裹足。披巾升腾飘扬，呈火焰状。此窟主龛主尊倚坐佛塑像和两胁侍菩萨塑像
皆形象清瘦，皆穿褒衣博带，菩萨脚上还穿履〔图7〕。

经过分类排序，第288、249、286、247窟佛、菩萨、弟子、飞天的形象、
面相、面部的中国式晕染、衣服及飞天诸特点与第285窟说法图相关，"序列"

〔图6〕
莫高窟第285窟北壁
"大代大魏大统五年"
题记
西魏

2　莫高窟第285窟北壁上段，画说法图七铺，各铺下方正中原均有墨书发愿文一方，现存清晰可见者为西起第二铺和第
　　七铺的发愿文。它们是，北壁西起第二铺为比丘巩化造迦叶佛发愿文："夫至极阒旷正为尘罗所约圣道归趣非积坌何
　　能济拔，是以佛弟子比丘巩化，仰为七世父母所生母父敬造迦叶佛一区并二菩萨，因此微福。愿亡者神游净土，永离
　　三途，现在居眷位太安吉，普及蠕动之类速登常乐。大代大魏大统四年岁次戊午八月中旬造比丘巩化供养时。"北壁
　　西起第七铺为滑黑奴造无量寿佛发愿文："夫从缘至果非积集无以成功，是以佛弟子滑黑奴，上为有识之类敬造无量
　　寿佛一区并二菩萨，因斯微福，愿佛法兴隆，魔事微灭，后愿含灵抱识，离舍三途八难，现在老苦，往生妙乐齐登正
　　觉。大代大魏大统五年五月廿一日造讫"。（敦煌研究院编：《敦煌莫高窟供养人题记》，北京：文物出版社，1986年
　　12月，第114、115、117页）

图7

图8

〔图7〕
莫高窟第285窟
倚坐佛（左）
北壁供养菩萨（右）
西魏

〔图8〕
莫高窟第288窟
倚坐佛（左）
西披飞天（右）
西魏

型式相近。需要说明的是，第288、249、286、247窟的上述这些内容，只是为了与第285窟相应内容对比，并不是仅有这些内容。它们的内容虽与第285窟并不完全相同，但其主尊塑像形象、衣服及其细部特点，壁画佛像的人物形象及衣服，以及图案纹样与第254窟有很多不同，而与第285窟还是相近，可视为同一时期〔图8〕。

在分类排序中，第254窟特点是：佛和菩萨形象健壮，面相均呈长圆形，主尊塑像倚坐佛所穿袈裟为偏袒右肩式袈裟，塑像菩萨上身裸露，肩披长巾，下着长裙；壁画中佛像穿右袒和通肩式袈裟，菩萨像服装也以裙披式为主，人物面部晕染以西域式凹凸法，染鼻、眼、面部轮廓（即染低不染高），飞天面相和面部晕染与菩萨相同，双腿舒展，露出双足。人字披椽间望板多画站立供养菩萨，手持波状藤枝，枝上有椭圆形莲花、忍冬叶组成的图案装饰纹样。显然，第254窟与第285窟特点不同〔图9〕。

同样，经过分类排序，第259、251、257、263、260窟的佛、菩萨、供养菩萨、飞天的形象、面相、面部的西域式晕染、衣服及飞天诸特点，与第254窟相近。上述所列的五个洞窟，除第259窟外，中心方柱形式、五窟的佛龛形式，窟顶前部人字披顶，后部平顶，壁画上部所画天宫伎乐，人字披装饰图案，也均与第254窟相近，可以说它们的组合相同，可视为同一时期，根据前面所述地层叠压关系，此组洞窟相对时期要早于第285窟所代表的那组洞窟〔图10〕。

此外，经过分类排序，第437、435、431、248窟许多因素，既与早于第285窟的第254窟为代表的这期相同，但窟顶人字披的椽间望板装饰图案、中心柱正面上部影塑中的飞天等，已不同于第254窟的第二期，却与第285窟相近，故这四窟应排在第254窟的第二期和第285窟之间，基于此四窟虽有较多的传统遗物的因素，但毕竟已出现了近于第285窟的新因素，说明其相对时代应接近第285窟之第三期，故我们将此四窟置于第285、288、249、286、247窟之前，作为第三期的前期〔图11〕。

北朝石窟第285窟为代表的第三期之后的洞窟，同理，经过分类排序，我们仅以上述相比之内容，来考察这十五窟，可明显说明它们晚于第285窟之第三期，而已接近隋代洞窟的特点。塑像的佛像形象头大、身体敦实、下肢略短，着褒衣博带式袈裟，衣摆层次重叠，摆褶方折；佛像和菩萨像面相方圆，丰颐；胁侍菩萨服饰仍为长裙和披巾，但披巾的披戴形式较第三期、第二期丰富，有交叉、打结、横于腹前、穿环，且腰带长垂，裙摆重叠，摆褶方折；四壁上部的天宫伎乐，除个别洞窟仍保存有"天宫"的形式外，多已不画天宫，只画由方形花砖构成的凹凸凭台，穿中原汉式装束的伎乐天在凌空飞翔。这些特点，已与此组洞窟附近有开皇四年（584年）纪年的第302窟[3]、有开皇五年（585年）纪年的第305窟[4]较为接近〔图12〕。

至于第268、275、272窟，从它们处于最佳位置和同一高度、毗邻建窟、又各不相同而独特

3　莫高窟第302窟中心塔柱北向面下部基座底层中央墨书发愿文："……供……□（中）□（窟）……内心……□（造）□（窟）□□（割）□□（财）□（敬）……一躯及诸……萨圣□（僧）……□（愿）□□□（及）□（所）□（生）□（父）母亲知识含生之类普登正觉开皇四年六月十一日。"（《敦煌莫高窟供养人题记》，文物出版社，1986年12月，第125页）

4　莫高窟第305窟北壁龛下东侧发愿文"□皇五年正月……"，同窟北壁龛下西侧发愿文"□皇五年正月……"（敦煌研究院编《敦煌莫高窟供养人题记》，北京：文物出版社，1986年12月，第127页）。

图9

图10

图11

图12

［图9］
莫高窟第254窟
倚坐佛（左）
西披执莲花供养菩萨（右）
北魏

［图10］
莫高窟第263窟人字披东披南侧
供养天人
北魏

［图11］
莫高窟第435窟人字披西披
莲花飞天
北魏

［图12］
莫高窟第290窟
塑像（左）
窟顶北披天宫伎乐（右）
北周

〔图13〕
莫高窟第272窟
北凉

的洞窟形制、单身塑像，佛像和菩萨像单一的服饰，面相浑圆，飞天笨拙又略显僵硬的姿态，较多的西域影响等特征，都是北朝石窟第二、三、四期及其以后时代所没有的。而一些特征，如阙形方龛、双树圆券龛、佛像和菩萨像肩宽腰细、塑像服装上的贴方泥条纹间刻阴线的衣纹、壁画人物面部和肢体的晕染为西域式凹凸法、天宫伎乐的圆形房屋与凹凸凭台等因素，又与第二期有联系，故定为北朝石窟第一期〔图13〕。

莫高窟北朝石窟根据分类、排序、组合一系列工作，排出其相对年代，可分为四期。三十二窟的分类和进一步的分型分式，以及排序、组合、分期完成后，再分别根据残破或重改较甚的四窟尚存的特点将它们分别纳入相应的时期。

关于莫高窟北朝石窟绝对年代问题。我们在开展莫高窟北朝石窟相对年代分期工作时，就查找并运用莫高窟北朝石窟中的题记和纪年，以及敦煌遗书中相关资料。这种直接的资料，对断定洞窟和分期是最可靠又重要的资料，但仅用这些直接的资料，还是不够，还需要查找史料，既帮助我们深入理解洞窟的题记和敦煌遗书，又可补充重要的历史资料，帮助解决建窟的历史背景。

莫高窟北朝石窟的分期断代结果如下，它们是：

第一期 第268、272、275窟。相当于北凉统治敦煌时期，即公元421至

439年左右。

第二期 第259、254、251、257、263、260、487、265窟。相当于北魏中期，在公元465至500年左右。

第三期 第437、435、431、248窟和第249、288、285、286、247、246窟。相当于东阳王元荣一家统治敦煌时期。即北魏孝昌元年以前至西魏大统十一年，即公元525年以前至545年前后。

第四期 第432、461、438、439、440、441、428、430、290、442、294、296、297、299、301窟，相当于西魏大统十一年至隋开皇四年，即公元545年至585年，主要时代当在北周时期。

20世纪70年代敦煌文物研究所运用考古学方法从事莫高窟北朝石窟分期研究，由当时的考古组马世长、关友惠先生和我三个人共同完成的[5]，并得到了导师北京大学宿白教授[6]的悉心指导。在此之前已有不少前辈做过敦煌石窟年代的研究，如法国的伯希和，俄国的奥登堡，我国的宿白[7]、史苇湘[8]、张大千[9]等先生运用不同方法，对莫高窟洞窟做过有益的年代分期研究，对我们开展考古学分期和断代给予了重要启示。

（本文为在"2015两岸敦煌佛教艺术文化研习营"上的讲稿）

5　樊锦诗、马世长、关友惠：《敦煌莫高窟北朝洞窟的分期》，载《中国石窟·敦煌莫高窟（一）》，北京：文物出版社、东京：平凡社，1981年12月。

6　宿白：《敦煌莫高窟早期洞窟杂考》，载《大公报在港复刊三十周年纪念文集》卷上，1978年；后收于氏著《中国石窟寺研究》，北京：文物出版社，1996年。

7　宿白：《参观敦煌第285号窟札记》，《文物参考资料》1956年第2期.

8　史苇湘：《敦煌莫高窟内容总录》，北京：文物出版社，1982年11月，第117~184页。

9　《张大千先生遗著漠高窟记》，台北"故宫博物院"，1985年。

附表1：敦煌莫高窟十六国北朝石窟各类洞窟形制型式序列表

窟号 \ 型式	禅窟	纵券顶窟	穹隆顶窟	中心柱窟					一龛方形窟			无龛窟	
268	IA												
275		II											
272			III										
259				IVA									
254					IVB								
251					IVB								
257					IVB								
263					?								
260						IVC							
437						IVC							
435						IVC							
431							IVD						
248								IVE					
249									VA				
288							IVD						
285	IB												
286												VIA	
247										VB			
432							IVD						
461													VIB
438									VA				
439											VC		
440										VB			
428								IVE					
430											VC		
290								IVE					
442								IVE					
294									VA				
296									VA				
297									VA				
299									VA				
301									VA				

像								禅僧	弟子	护法	
胁侍菩萨							影塑菩萨			天王	力士
									2		
		IIA4	IIIA2				I				
		IIA7	IIIA				I				
		IIA7					I				
		IIA3					I			1	
		IIB14	IIIB9	IV			II				
		IIB2	IIIB2					III			
		IIB2						III			2
		IIB2	IIIB6	IV2							
		IIB4	IIIB2				II				
		IIB2									
		IIB5	IIIB8		VA	VB					
						VB2					
②		IIB6				VB2	II				
									毁		
							VI		2		
									毁		
)4	ID								8		
②									2		
2	ID						VI2		6		
									5		
									改2		
									改2		
	IE								2		
									2		
									毁		

附表3：敦煌莫高窟十六国北朝石窟各类壁画人物形象型式序列表

窟号 \ 类别·型式	坐佛								立佛	白衣
268										
275										
272	IA									
259	IA									
254	IA	IB①								√
251		IB①								
257			IIA							II
263	IA								IA	√
260	IA		IIA							
437										
435		IB②								√
431			IIA							√
248		IB②								
249									IB	
288	IA		IIA							√
285	IA			IIB	IIIA		IVB	IVC		
286										
247										
432										
461				IIC			IVB			
438										
439										
440										
428	IA				IIIB	IVA			IA	II
430										
290										
442										
294								IVC		
296										
297										
299										
301				IIC						

说明：有√者表示仅有一身，未分式。

菩萨

菩萨	IB	IC	ID	IE	II	III	IV	V	VI
A									
A									VI
A					II	III			
A					II	III	IV		
A					II	III	IV		
A	IB								
A									
A					II	III	IV		
A						III	IV		
	IB								
						III	IV		
					II	III	IV		
	IB				II	III	IV		
					II	III	IV		
	IB				II	III	IV	V	
								V	
							IV		
			ID				IV		VI
			ID						VI
									VI
									VI
		IC							
				IE					
									VI
				IE					

飞天

飞天	IB	IC	ID	II	III	IV
IA						
IA						
IA						
	IB			II	III	
	IB				III	
	IB					
	IB					
	IB					
	IB					
	IB	IC				
	IB	IC				
	IB	IC				
	IB	IC				IV
	IB	IC				
	IB	IC			III	
						IV
		IC			III	
	IB					
					III	IV
	IB					
		IC				IV
	IB	IC	ID			IV
			ID			IV
	IB	IC				IV
		IC	ID			
						IV
	IB	IC				IV
			ID			
			ID			
			ID			

		半跏趺坐佛	影塑千佛		交脚菩萨			思惟菩萨									
					IA 5			IA 2									
		2				IB4			IB			IA① 4					
						IB4						IA① 3					
						IB2											
						IB			IB			IA① 4					
IC2						IB			IB				IA② 5		IB①		
							II			II					IB① 7		
						IB2			IB2				IA② 10				
						IB			IB				IA② 3		IB①		
IIC													IA② 2				
			I	II													
?											毁						
												IA② 2		IA③ 2 ?		?	I
														IA③ 2			
														IA③			
											毁						
	IV4			II										IA③		IB②	
														IA③			
				II			II							IA③ 2		IB②	
				II							毁						
											毁						
											改						
														IA③ 2			
											毁						

窟号	交脚坐佛		倚坐佛				结跏趺坐佛									
268	IA															
272			IA													
275																
259			IA				IA 2		IIA①							
254		IB						IB5	IIA①2	IIA②		IIB2		IIIA3		
251			IA						IIA①			IIB2			IIIB	
257			IA									IIB3			IIIB	
263									IIA①	IIA②2						
260				IB					IIA①		IIA③					II
437			IA					IB			IIA③2			IIIA		
435			IA									IIB		IIIA3		
431			IA						IIA①2		IIA③				IIIB3	
248									IIA①				IIC		IIIB	II
249					IIA											
288		II			IIA				IIA①		IIA③2				IIIB2	
285					IIA											
286																
247																
432						IIB			IIA①		IIA③4				IIIB	
461																
438						IIB										
439						IIB										
440						IIB										
428																
430						IIB										
290						IIB3										
442						IIB4										
294						IIB										
296						IIB										
297						IIB										
299						IIB										
301						IIB										

	弟子				供养人像										
					男						女				
	I				IA			IIA			I				
	I														
	I	II													
	I								IIB			IIA			
	I								IIB			IIA			
	I	II	III	IV					IIB						
	I			IV					IIB			IIA			
	I		III			IB							IIB		
	I								IIB						
			III							III			IIB		
	I		III	IV3		IB				III			IIB		
			III	?3									?		
		II	III	3											
			III	IV3			IC							III	
V			III	IV3			IC			III			IIB		
			III				IC							III	
V			III	IV3			IC			III			IIB		
							IC								
			III	IV3			IC			III			IIB	III	IV
			III	IV3			IC			III				III	IV
			III	IV			IC							III	IV
V			III	IV4			IC							III	IV
			III	IV			IC			III				III	IV

附表5：敦煌莫高窟十六国北朝石窟各类装饰图案型式序列表

窟号	忍冬纹									
	IA	IB	IC	II	III	IV	V	VI	VII	VIIIA
268	IA									
275	IA									
272	IA			II	III	IV				
259	IA	IB	IC		III	IV	V		VII	
254	IA	IB	IC	II	III	IV		VI	VII	
251	IA	IB	IC	II	III	IV			VII	
257	IA	IB	IC	II		IV		VI	VII	VIIIA
263										
260		IB		II	III	IV		VI	VII	VIIIA
437										
435	IA	IB	IC	II	III	IV		VI	VII	
431		IB			*	IV			VII	
248	IA	IB	IC	II		IV	V		VII	VIIIA
249		IB		II				VI	VII	
288	IA	IB	IC	II				VI		VIIIA
285	IA	IB	IC							
286										
247			*	*	*?		*	*		*
432										
461						IV				
438		IB								
439										
440										
428	IA	IB	IC	II	III	IV				
430		IB				IV				
290	IA	IB				IV				
442						IV				
294						IV			VII	
296						IV			VII	
297						IV		VI		
299						IV				
301						IV				

边 饰 类										
				云气纹	鳞纹	几何纹				
					√					
				√	√	I				
				√	√		II	III		VA
				√	√	I	II	III	IV	VA
				√	√	I		III	IV	VA
				√	√	I	II	III	IV	VA
				√	√	I	II	III	IV	
				√	√	I	II	III	IV	VA
	IXA	IXB	X	√	√	I	II	III	IV	VA
				√	√	I	II			VA
	IXA									
	IXA			√	√	I	II	III	IV	VA
							II	III		
	*									
		*								
				√						
*		IXB		√	√					
VIIIB							II			
VIIIB							II	III	IV	
VIIIB			*							
VIIIB		IXB								
VIIIB		IXB	X							
VIIIB			X							
VIIIB			X							
VIIIB										
VIIIB			X							
VIIIB			X							

花...点	四神纹	缠枝花纹	天宫平台装饰					人字披橼间望板装饰纹		四壁下段三角垂帐纹
										√
			IA①							√
√								I		
√	√			IA②				I		
√				IA②				I		
√					IB			I		
			IA①					I		
√		√			IB			I		
					IB				II	
	√				IB				II	*
		√			IB				II	
					IB					
				IA②					II	√
									II	√
									II	
							II			√
		√			IB					
							II			
	√								II	√
							II		II	
		√					II			
						IC				
		√					II			
							II			
		√					II			
		√					II			√
							II			

附表6：莫高窟十六国北朝石窟各类洞窟型式示意表

型式 / 组别	禅窟	纵人字披顶窟	穹隆顶窟	中心柱窟	一龛方形窟	无龛窟
一组	IA	II	III			
二组				IVA、IVB、IVC		
三组 1	IB			IVC、IVD、IVE		
三组 2				IVD	VA、VB、	VIA
四组				IVE	VA、VB、VC	VIB

附表7：莫高窟十六国北朝石窟各类壁画人物型式示意表

型式 / 组别	坐佛									立佛		白衣佛						菩萨
一组	IA												IA					II
二组	IA	IB①	IIA							IA	II	√	IA	IB				II
三组 1		IB②	IIA									√						II
三组 2	IA		IIA	IIB		IIIA		IVB	IVC	IB		√						II
四组	IA				IIC	IIIB	IVA	IVB	IVC	IA	II		IA		IC	ID	IE	

附表8：莫高窟十六国北朝石窟各类塑像型式示意表

型式 / 组别	交脚坐佛	倚坐佛	结跏趺坐佛	影塑千佛	交脚坐菩萨	思惟菩萨	胁侍菩萨	影塑菩萨	弟子
一组	IA	IA			IA	IA			
二组	IB	IA IB	IA IB IIA① IIA② IIA③ IIB IIIA IIIB IIIC		IB	IB	IA① IA② IB① IA① IA①IA①IA①IA① IIAIIBIIIAIIIB IVAIIIAIIIAIIIA	I II	
三组 1		IA	IB IIA① IIA③ IIB IIC IIIA IIIB IIIC		IB II	II	IA② IB① I IIB IIIB IV	II III	
三组 2	II	IIA	IIA① IIA③ IIIB IIIC	I II			IA② IIB IIIB VA VB		
四组		IIB	IIA① IIA③ IIIB IV	II	II		IA① IA② IA③ IB② IC① IC② ID IE IIB VB VI		√

	飞天			弟子				男供养人				女供养人			
VI	IA			I	II			IA		IIA		I			
	IB		II	III	I	II	III	IV			IIB		IIA		
	IB	IC			I		III	IV	IB		IIB		IIA	IIB	
	IB	IC	III	IV	I		III	IV	IB		IIB	III	IIB		
V VI	IB	IC	ID	III	IV	V	II	III	IV	IC		III	IIB	III	IV V

附表9：莫高窟十六国北朝石窟各类塑像和壁画造型面相型式示意表

组别 / 型式	塑像							佛像				
	佛像		菩萨像		弟子							
一组	I		I				I					
二组	I	II	I	II					IIA	IIB		
三组 1		III		III						III		
三组 2		III		III						III	IVA	IVF
四组		IV		III	IV	√						IVF

附表10：莫高窟十六国北朝石窟壁画装饰图案型式示意表

组别 / 型式	忍冬纹													边饰 云气纹	鳞纹
一组	IA			II	III	IV								√	√
二组	IA	IB	IC	II	III	IV	V	VI	VII	VIIIA				√	√
三组 1	IA	IB	IC	II	III	IV	V	VI	VII	VIIIA	IXA	IXB	X	√	√
三组 2	IA	IB	IC	II				VI	VII	VIIIA	IXA			√	√
四组	IA	IB	IC	II	III	IV		VI	VII	VIIIB		IXB	X	√	√

壁　画										
	菩萨像								弟子	
IA									I	
		IIA	IIB	IIC					II	
					IIIA	IIIB	IIIC	IVA	IVB	
					IIIA	IIIB		IVA	IVB	III
VA	VB					IIIB		IVB	V	III	IV

几 何 纹					散花小点	四神纹	缠枝花纹	壁画上部天宫平台装饰			人字披椽间望板装饰	壁画下部三角垂帐纹
								IA ①				√
II	III	IV	VA	VB	√	√	√	IA ①	IA ②	IB	I	
II	III	IV	VA		√	√	√			IB	II	
II	III	IV	VA	VB	√				IA ②	IB	II	√
II	III	IV		VB	√	√	√			IB	IC	II	II	√

三维激光扫描技术在敦煌石窟考古报告中的应用

　　《敦煌石窟全集》是指对全部敦煌石窟（包括敦煌莫高窟、西千佛洞、瓜州榆林窟的全部558个洞窟，其中莫高窟北区的243个洞窟已出版考古报告的除外）分卷编撰出版考古报告的一项工程。根据规划，《敦煌石窟全集》考古报告约一百卷。考古报告编辑出版的宗旨是对现存石窟实物信息的完整保存和对石窟原建和重建历史信息的真实记录，是关于石窟保护和保存的全面、完整、科学的档案，是科学研究的可靠资料。各分卷考古报告要求做到运用文字、测绘和照相等不同记录手段，逐窟记录洞窟位置、窟外立面、洞窟结构、洞窟塑像和壁画、洞窟保存状况，以及附属题记、碑刻铭记等全部内容。《敦煌石窟全集》这项工程事关敦煌石窟各项保护研究工作的基础，要求很高，就报告中的测量和绘图而言，要求其数据准确，又能表现时代和艺术特征。在敦煌研究院（以下简称研究院）与北京戴世达数码技术有限公司（以下简称戴世达）合作运用三维激光扫描技术测绘石窟之前，研究院曾前后采用过小平板、近景摄影、全站仪等测量技术测绘石窟，而这些测量技术所采集的测量数据和手工描绘的测绘图都不够准确，不能准确地表现石窟的特征，无法达到石窟考古报告的要求，且工作繁重、效率不高。因此，研究院只得探求更先进的测绘技术，以保证高质量石窟考古报告测绘图的完成。

　　目前完成的《敦煌石窟全集》第一卷考古报告中的测绘图，由敦煌研究院和戴世达分工合作完成。双方就石窟考古报告测绘图的要求（考古报告测绘图要求是从窟外到窟内系统、准确地记录不同时代原建、原塑、原绘和重建、重塑、重绘的建筑、塑像、壁画的遗迹，也包括坍塌和破坏的所有遗迹），如何根据石窟特征（洞窟特征是空间不大，建筑结构不规整，即相对壁面互不平行，相邻壁面互不垂直，壁面不平整，塑像和壁画不可移动，建筑、塑像和壁画信息量很大，但洞窟及其塑像和壁画经过重建、重修、重塑、重绘，形成建筑结构、塑像和壁画有重层现象，有的塑像和壁画画面已模糊不清）开展测量和绘图，以及以前的测绘为何不准确，进行了反复探讨。双方根据敦煌石窟考古报告测绘图的要求和敦煌石窟特点，采取以三维激光扫描技术为主，其他相关技术为辅，结合各种软件开展测量和绘图，解决了长期以来测绘不准的难题。戴世达使用三维激光扫描仪对洞窟建筑结构、塑像和壁画进行扫描记录和数据采集，又通过多种先进技术精确地记录了相关数据。研究院根据戴世达提供的数据和绘图软件，绘制完成了《敦煌石窟全集》第一卷莫高窟第266～275窟11个洞窟的建筑结构、塑像和壁画等各种测绘图的绘制。

戴世达向研究院提供的是通过三维激光扫描技术取得的洞窟建筑结构、塑像和壁画的三维点云数据（包括带坐标的点云数据）、初绘图（将三维点云数据导入微工作站，在三维点云数据上描图，产生三维的初绘图）和二维带有坐标的点云影像图等数据资料。特别是初绘图的提供，使先进的测量技术和考古绘图要求得到很好结合。研究院再根据准确的数据进一步完成石窟考古绘图。

戴世达为使研究院的考古和绘图人员能够准确使用绘图软件绘图，设置了Cyclone（赛孔）、MicroStation（微工作站）、AutoCAD等绘图软件工具，并对使用绘图软件的考古和测绘人员进行了培训，研究院考古和测绘人员完成的各种洞窟建筑结构、塑像和壁画的考古测绘图，都是在MicroStation的绘图环境中完成的。

敦煌莫高窟年代久远，对已变得模糊的壁画画面，仪器无法深入识别其细部；对塑像被遮挡部分的盲点，仪器无法扫描到；点云数据上叠加的不同时代的重层结构和重层画面，仪器无法区分揭层；仪器不能识别复杂的遗迹，无法深入和细致地记录；扫描专业技术人员难以把握考古对于艺术和时代特征的绘图要求，得出的实测图也无法准确地记录考古遗迹的特征。针对三维激光扫描仪的局限性，敦煌研究院的考古和绘图人员根据三维激光扫描技术提供的三维点云数据、点云影像图，以及洞窟建筑结构、塑像和壁画的初绘图，辅之以数码照片，按照考古测绘的要求，做进一步识别、区分、校对、修改、填充、深入、揭层和描绘。

研究院考古和测绘人员使用戴世达提供的绘图软件，参照国家工程制图标准，执行其规定的线型、线宽，完成了《敦煌石窟全集》第一卷的洞窟建筑结构、塑像和壁画的全部考古线描图。

首先，是对洞窟建筑结构进行验证、修改，并完成绘图。研究院考古和绘图人员利用戴世达提供的三维点云数据，验证、校对初绘图是否准确（即洞窟建筑结构初绘图的尺寸是否与洞窟建筑结构实际尺寸相符），是否有遗漏，是否有描图错误（即将壁画误当结构，结构误当壁画，结构双线误成单线），是否做了层次的区分（所谓层次的区分，是指不同时代的重层壁画或重层塑像，不同时代洞窟建筑结构层次、结构破损和壁画破损）。在洞窟结构图验证、校对完成后，进行洞窟结构图的修改、补充。最后完成洞窟外立面图、洞窟和佛龛的不同高层的平面图、平面立面关系图、窟顶投影图、窟顶仰视图、洞窟纵剖图和横剖图、洞窟四壁立面结构图。此外，还加绘了佛龛展开图和有立体效果的洞窟透视图。

其次，是完成塑像绘图。戴世达为洞窟测绘的每尊塑像都建立了一个独立坐标系，并向研究院提供了每尊塑像初绘图的大轮廓。而其头饰（头部的宝冠、肉髻和头发纹理）、面部五官、衣纹细部（衣纹纹理走向的起始点和消失点）、手脚动态的细部以及盲区（三维激光扫描仪扫描不到，因缺乏数据而形成的空白），三维激光扫描仪都无法清晰地识别。研究院对塑像初绘图的验证、校对方法，与对洞窟建筑结构的验证、校对方法相同，即要校对塑像初绘图的尺寸（包括正视、剖视、侧视、俯视）是否与洞窟塑像实际尺寸相符；根据二维点云影像图，参考数码照片，对塑像初绘图中的头饰、面部五官、衣纹（包括贴泥条纹、阴刻线纹）、手脚细部进行补充；对盲区进行手工测量补充；最后完成洞窟中每尊塑像的正视图、剖视图、侧视图和俯视图。

最后，是完成壁画绘图，包括洞窟四壁壁画、佛龛内和窟顶的壁画。戴世达在提供初绘图之前，虽然已使用MicroStation将研究院提供的数码拼接照片和他们制作的点云影像图做了调整和吻合，但他们提供的壁画初绘图仍只有壁画所在部位的结构和部分较清晰的壁画线条。研究院考古测绘人员在需要MicroStation中利用校正过的点云影像图和数码照片绘制出精细的线描图。在绘图过程中，考古和绘图人员要把点云影像图和数码照片反复对照校正，使两者完全吻合。经过对壁画的反复辨识和对初绘图的细致填充，使模糊的壁画初绘图成为内容充实的考古线描图。根据考古报告的需要，完成不同比例的全部壁画线描图，包括各种整图和局部图。

总之，研究院和戴世达通过反复磨合，密切合作，选用了能满足石窟考古测绘需求的三维激光扫描技术，并且集成和配套了其他多种技术和软件，克服了三维激光扫描仪的局限性，完成了石窟考古报告所需的测量数据和绘图。双方的合作，极大地提高了石窟测绘的质量和效率，保证了《敦煌石窟全集》第一卷考古报告全部测绘图的顺利完成，于数字时代的石窟保护利用具有重要启示意义。

（本文为2012年3月在"数字敦煌——石窟壁画及敦煌研究
数字资源保障体系"国际咨询会上的发言稿）

《敦煌石窟全集》考古报告编撰的探索

一、敦煌石窟考古报告编撰的意义

位于甘肃省河西走廊西端的敦煌莫高窟、西千佛洞、瓜州榆林窟，因相同的地理位置、历史背景、题材内容、艺术特征，共属敦煌佛教石窟艺术范畴，统称为敦煌石窟。

敦煌石窟的建筑、彩塑、壁画历经千余年，由于自然和人为的原因，已患有多种病害，科学的保护工作纵能延长它的岁月，却很难阻止它逐渐发生劣化，很难永远保存。20世纪以来，包括敦煌石窟研究在内的"敦煌学"各研究领域取得了很多成果，仅敦煌研究院研究介绍敦煌石窟的出版物就已有近200种。然而，迄今为止还没有一部全面、完整、系统地著录敦煌石窟全貌的出版物。及早规划并编辑出版多卷本记录性考古报告《敦煌石窟全集》（简称《全集》），对于永久地保存世界文化遗产敦煌莫高窟及其他敦煌石窟的科学档案资料无疑十分重要，对于推动石窟文化遗产的深入研究、满足国内外学者和学术机构对敦煌石窟资料的需求，都具有重要意义。而且，在石窟逐渐劣化甚至坍塌毁灭的情况下，科学、完整、系统的档案资料，将成为永久保存、保护、研究和阐释敦煌石窟信息，乃至全面复原的依据。

二、敦煌石窟的调查和记录工作回顾

将敦煌石窟作为实物对象来考察研究，可追溯到清代末年的西北舆地之学，如清末学者徐松于道光（1821~1850年）初撰写的《西域水道记》[1]，陶保廉光绪辛卯年（1891年）著《辛卯侍行记》[2]

1　[清]徐松著，朱玉麒整理：《西域水道记（外二种）》，卷三，北京：中华书局，2005年，第148~158页。
2　[清]陶保廉著，刘满点校：《辛卯侍行记》，卷五，兰州：甘肃人民出版社，2002年，第349页。

等，在他们沿途的考察中，对所经地域的城镇、人物、风俗、名胜、古迹、碑铭都做了记述，其中已有关于敦煌史地和莫高窟的考察记载。但上述考察只是中国传统的舆地考察和记载，缺乏科学的记录。20世纪初，伴随着西方列强探险家为盗窃藏经洞出土文物来到莫高窟，才开始了现代考古学方法的调查和记录。一个世纪以来主要做了以下工作：

1907年，英国人斯坦因对莫高窟的建筑、雕塑、壁画进行调查摄影，其中对南区的18个洞窟编号，做了文字记录和平面测绘[3]。

1908年，法国人伯希和在莫高窟调查时，对大多洞窟进行编号、记录、摄影，绘制了南区石窟立面图和该区下层洞窟平面图，抄录了部分壁画题榜[4]。

1914～1915年，俄国人奥登堡在伯希和考察记录的基础上，对莫高窟做了更进一步的调查，增补部分洞窟的编号，逐窟测绘、记录、拍摄照片，抄录了部分题榜，摹写了部分壁画。在测绘南区单个洞窟平、立面图的基础上，最后拼合出总平面图和总立面图[5]。

1924年、1925年，美国人华尔纳率哈佛大学考古队两次赴中国西北考察时，也对敦煌石窟进行了调查，其中对榆林窟第5窟（今编第25窟）的壁画做了专题研究[6]。

1925年，北京大学陈万里随华尔纳对敦煌石窟进行了考古调查，回去后著有《西行日记》[7]，这是我国学者对敦煌石窟的第一次科学考察记录。

1941～1943年，张大千对洞窟做了一次清理编号，对洞窟内容做了调查和记录，对年代做了初步判断，后出版《漠高窟记》[8]。在张大千指导下，谢稚柳完成《敦煌艺术叙录》，对敦煌莫高窟、西千佛洞和瓜州榆林窟、水峡口石窟逐窟做了洞窟结构、塑像、壁画、供养人位置及题记的记录[9]。

1942年，何正璜到莫高窟调查，根据张大千编号，记录了305个洞窟的原建、重建、内容布局、时代和保存状况，后发表《敦煌莫高窟现存佛洞概况之调查》[10]。

1942～1944年，中央研究院和北京大学先后组织西北史地考察团、西北科学考察团两度到敦煌考察。其中向达的两次考察，登录了敦煌石窟大部分洞窟内容，抄录碑文、题记，考证洞窟年代，还对敦煌周边古遗址做了调查。他以《瓜沙谈往》为题发表了《西征小记》《两关杂考》《莫

---

3 （英）奥雷尔·斯坦因著，中国社会科学院考古研究所译：《西域考古图记》，桂林：广西师范大学出版社，1988年。

4 （法）伯希和著，耿昇、唐健宾译：《伯希和敦煌石窟笔记》，兰州：甘肃人民出版社，1993年。

5 俄罗斯国立艾尔米塔什博物馆、上海古籍出版社：《俄藏敦煌艺术品》，第Ⅲ～Ⅵ卷，上海：上海古籍出版社，2000～2005年。

6 华尔纳：《万佛峡——一所九、十世纪石窟佛教壁画研究》，坎布里奇：哈佛大学出版社，1938年。

7 陈万里：《西行日记》，北平朴社，1926年。

8 张大千：《漠高窟记》，台北"故宫博物院"，1985年。

9 谢稚柳：《敦煌艺术叙录》，上海：上海古典文学出版社，1957年。

10 何正璜：《敦煌莫高窟现存佛洞概况之调查》，《说文月刊》1943年第10期，第47～72页。

高、榆林二窟杂考》《罗叔言〈补唐书张议潮传〉补正》等四篇文章，并首创了将敦煌文献研究与实地考察调查、考古调查相结合的科学研究方法[11]。

西北史地考察团成员石璋如按照张大千编号，逐窟做了文字记录，绘制平、剖面图，拍摄图版照片，编制莫高窟各家窟号对照及分期表，出版了《莫高窟形》三册[12]。

1944年国立敦煌艺术研究所成立，常书鸿所长立即着手抓基础记录工作，聘请工程师盛其立测绘莫高窟南区立面图；请陈延儒工程师测绘了部分洞窟的平、剖面图；至50年代又由孙儒僩、何静珍完成了莫高窟北区立面图[13]。与此同时，常书鸿还安排史岩、李浴调查记录莫高窟各窟内容[14]和供养人题记[15]，又安排孙儒僩等重新对洞窟进行编号[16]。

1951年，宿白、赵正之、莫宗江、余鸣谦到敦煌石窟勘察，指出了敦煌石窟保护中存在的各种问题和加强保护的建议。还特别提出要加强对石窟建筑、壁画、塑像的研究，形成《敦煌石窟勘察报告》一文[17]。

1957年，在文化部副部长郑振铎主持下，制订了编辑出版《敦煌石窟全集》的计划，由著名的考古学家、历史学家、艺术家、艺术评论家组成了编委会。1958~1959年先后召开三次编委会，制订了出版规划纲要、选题计划、编辑提纲和分工办法等文件的草案。1959年已经编出第285窟的样稿[18]。

1962年9月，宿白先生带领北京大学历史系考古专业学生到敦煌莫高窟实习。在此期间，他在敦煌文物研究所作《敦煌七讲》[19]学术讲座，首次发表了他经过长期思考探索而创立的中国石窟寺考古学理论和方法，特别对石窟寺考古学全面、完整、系统的调查和记录方法做了深入的阐述。并指导学生按照这个科学的方法，选择莫高窟典型洞窟进行实测和文字记录，取得了较好的效果。

11　向达：《唐代长安与西域文明》，北京：生活·读书·新知三联书店，1957年，第337~428页。

12　石璋如：《莫高窟形》，台北："中央研究院"历史语言研究所，1996年。

13　敦煌文物研究所编：《中国石窟·敦煌莫高窟（一）》，北京：文物出版社，1981年。

14　史岩：《千佛洞初步踏实纪略》，1943年油印本（后收录于《中国西北文献丛书续编·敦煌学文献卷》第二十册，兰州：甘肃文化出版社，1999年）；李浴：《莫高窟各窟内容之调查》，1944~1945年油印本（后收录于《中国西北文献丛书续编·敦煌学文献卷》第十九册，兰州：甘肃文化出版社，1999年）。

15　史岩：《敦煌石室画像题识》，比较文化研究所、国立敦煌艺术研究所、华西大学博物馆，1947年。

16　敦煌文物研究所：《莫高窟各家编号对照表》，《文物参考资料》1951年第5期。

17　赵正之、莫宗江、宿白等：《敦煌石窟勘察报告》，《文物参考资料》1955年第2期。

18　黄文昆：《〈敦煌莫高窟〉五卷本出版的前前后后》，载刘进宝主编《百年敦煌学：历史　现状　趋势》，兰州：甘肃人民出版社，2009年，第184~195页。

19　宿白：《敦煌七讲》，1962年（未刊，敦煌文物研究所李永宁、施萍婷、潘玉闪记录整理、张我莎打印）。

对于逐渐衰老退化的敦煌石窟而言，20世纪上半叶诸多敦煌石窟的调查和记录都有重要的历史价值。有的成果还具有开创性意义，如：向达首创的文献研究和实地调查、考古调查相结合的科学研究方法；石璋如的《莫高窟形》运用文字、平剖面图和图版，逐个记录莫高窟各窟，这是首次运用简要的文字、测绘图和照片相结合的方法，对莫高窟进行较为全面、系统的记录和研究。1957年，以文化部副部长郑振铎为代表的众多学者提出的编辑出版《敦煌石窟全集》的计划高瞻远瞩，十分重要。虽然那时提出的还只是个"记录性图录"的计划，但在半个多世纪之前提出这个计划已是难能可贵，对日后按考古报告规范编撰出版全面、完整、系统地记录敦煌石窟文物的《敦煌石窟全集》起到重要的推动作用。

宿白先生作为考古学家，通过对多处石窟的实地调查和研究，参考田野考古发掘记录的方法，总结20世纪上半叶国内外学者对中国石窟的调查、记录和研究工作，并经过长期思考探索创立的石窟寺考古学的理论和方法[20]，使完整、科学、系统地记录敦煌石窟文物和编撰出版《敦煌石窟全集》考古报告成为可能。推而广之，若中国石窟寺都能以此理论和方法为指导，提供全面、完整、系统的科学记录，就能使中国石窟寺的保护、保存、深入研究和复原成为可能。因此，宿白先生创立的石窟考古学的科学理论和方法具有重要的学术价值和指导意义。

敦煌文物研究所在听取和学习了宿白先生《敦煌七讲》之后，正式启动了对莫高窟崖面遗迹的全面测绘和文字记录，以及对敦煌莫高窟洞窟考古报告的文字记录、实测绘图和照片摄影工作，完成了第248窟、第285窟的测绘图和第248窟考古报告初稿。后因"文化大革命"，尚不成熟的敦煌石窟考古报告工作刚刚开始就被迫中断。

三、多卷本考古报告《敦煌石窟全集》编辑出版计划的制订

本着对国家负责、对人类负责、对子孙后代负责的态度，敦煌莫高窟、西千佛洞、瓜州榆林窟三处石窟寺的数百个洞窟均应编撰考古报告，以达到永远留存敦煌石窟完整、科学、系统的档案资料的目的，故绝非只编一两卷而已。因此，敦煌研究院要担负的是编撰出版一部多卷本记录性考古报告之重任。显然，这是一项艰巨、浩繁、长期的系统工程。要完成这样的工程，首先遇到的是如何编排多卷本考古报告各个分卷，各分卷如何组合洞窟，各分卷如何排列顺序，各分卷如何撰写编辑等问题。为保障此项工程的顺利进行，确保《全集》各分卷报告编撰和序列的科学合理，依据多年来对崖面遗迹的考察和断代分期研究成果，20世纪90年代我们认真编制了《敦

20　徐苹芳:《中国石窟寺考古学的创建历程》,《文物》1998年第2期。

煌石窟全集》分卷计划。

如不经意观察敦煌石窟崖面，其石窟群现状排列布局似呈现不同时代参差错杂的现象，石窟群的修造似无统一计划。但依据崖面石窟分布遗迹仍不难看出，"洞窟开凿的早晚和它的排列顺序有极密切的关系"[21]，北朝至唐代期间各个时代洞窟建造的位置和排列大致有序，同时代洞窟或成组，或成列，或各自有其分区的布局。至五代、宋以后，在崖面空间基本饱和的状态下，要继续开凿洞窟，只有或向崖面两端发展，或在石窟上层、下层崖面的空缺处开凿，或在洞窟与洞窟之间填空补缺，或改造、重绘前代洞窟，或破坏前代洞窟另建洞窟。另外，据石窟分期断代的研究，表明不同时代的洞窟既有区别，又有联系；相同时代的洞窟既有建筑形制、洞窟内容、艺术特点、制作材料和制作方法的共同特征，又在建造规模、洞窟形制、艺术水准、制作技术和保存状况等方面存在差异。上述石窟群形成过程的复杂因素，成为制订《全集》编排分卷规划的依据。为了使多卷本的《全集》具有科学性、系统性、学术性，避免编排不当造成撰写时的混乱和重复，避免各册分量的畸轻畸重，避免只重视重点洞窟而忽略其他洞窟的问题发生，我们以洞窟建造时代前后顺序为脉络，结合洞窟排列布局走向与形成，以典型洞窟为主，与邻近的同时代或不同时代的若干非典型洞窟形成各卷的组合，进行全面规划和编排分卷。这是编排分卷的基本原则。这样，可避免过去各种分卷方案的不合理因素。已出版的《敦煌石窟全集》第一卷和今后各卷都是根据这一规划要求做出的安排。

多卷本记录性敦煌石窟考古报告由20世纪50年代的计划发展而来，故仍定名为《敦煌石窟全集》。因敦煌石窟包括敦煌莫高窟、西千佛洞、瓜州榆林窟三处石窟，《全集》拟分为"敦煌莫高窟分编""敦煌西千佛洞分编""瓜州榆林窟分编"分别编写。通盘考虑三处敦煌石窟的数量、体积、保存状况等具体状况，《全集》拟编成一百卷左右。第一卷为《莫高窟第266~275窟考古报告》，即包括公认的敦煌建造最早的"早期三窟"。由此卷开始至第八十六卷为敦煌莫高窟分编，第八十七卷到八十九卷为敦煌西千佛洞分编，第九十卷至第九十九卷为瓜州榆林窟分编，第一百卷为《全集》的总论、总目录、总索引及各专题索引。莫高窟北区除原敦煌文物研究所编第461~465窟外，其他243个洞窟经全面清理发掘，已单独编辑出版了考古报告[22]，不再列入《全集》计划之内。

各分卷逐窟记录洞窟位置、窟外立面、洞窟结构、洞窟塑像和壁画、保存状况，以及附属题记、碑刻铭记等全部内容。记录洞窟内容，包括建筑结构、彩塑和壁画，同时注意区分历史遗迹的层次叠压关系、注意观察和分析对于考古学研究具有意义的各种迹象。附近的舍利塔群和遗

21　宿白：《敦煌七讲》，1962年（未刊，敦煌文物研究所李永宁、施萍婷、潘玉闪记录整理，张我莎打印）。

22　彭金章、王建军：《敦煌莫高窟北区石窟》，第一至三卷，北京：文物出版社，2000年、2004年。

迹、流散在国外的彩塑、壁画，应尽量搜集，也争取编入《全集》。此外，全面、准确的测绘图和详备的照片图版是本书中与文字并重的组成部分。作为《全集》，本书亦不限于对现状的记录，在附录中尽可能收录、汇集前人调查、记录的成果，以及有关洞窟的研究文献目录，还包括相关的科学分析实验报告等。

《全集》使用敦煌研究院前身敦煌文物研究所的洞窟编号，附注伯希和编号、奥登堡编号、张大千编号及史岩编号。

《敦煌石窟全集》的编辑出版是一项浩大的工程，需要几代人的努力才能最终完成。从现在开始，我们将分卷陆续编辑出版这套《全集》，力求将完备的文物资料留存于世。

为了科学地完成百卷本《敦煌石窟全集》各分卷的编撰出版，成立了由敦煌研究院考古研究所、保护研究所、数字中心、信息资料中心的考古、测绘、数字、摄影、化学、物理等多学科的专业人员组成的《敦煌石窟全集》工作委员会和工作小组。

四、《敦煌石窟全集》第一卷石窟考古报告的编撰

本卷报告是多卷本记录性考古报告《敦煌石窟全集》的第一卷——《莫高窟第266～275窟考古报告》。按照《全集》编辑出版计划，通过多学科结合，以文字、测绘图和摄影图版等多种方法，完整、科学、系统地记录了莫高窟第266～275窟共11个编号洞窟的全部遗迹。本卷报告分为两个分册：第一分册的内容包括序言、第一章"绪论"、第二至第六章"第266窟""第268窟（含第267、269、270、271窟）""第272窟（含第272A、273窟）""第274窟""第275窟"、第七章"结语"以及英文提要、附录，并附有插页"敦煌莫高窟近景摄影立面图"和"敦煌莫高窟及周边地区卫星影像图"；第二分册包括测绘图版、摄影图版和数码全景摄影拼图。此书大八开（260毫米×420毫米），780页，2011年11月由文物出版社出版〔图1〕。

《敦煌石窟全集》是20世纪50年代遗留下来而一直未能付诸实施的老课题。数十年来中国考古学的发展表明，在新时代完成这一重要课题，应以考古报告的科学形式整理和公布石窟文物资料，取代20世纪50年代规划的"记录性图录"。《敦煌石窟全集》第一卷，就是采用了考古报告的科学形式。

本卷报告由敦煌研究院考古研究所、保护研究所、数字中心、资料信息中心等部门和北京戴世达数码技术有限公司、北京大学加速器质谱实验室第四纪年代测定实验室通力协作，联合考古学、美术史、宗教学、测绘学、计算机、摄影、化学、物理学、图书馆学等多学科攻关完成。

本卷报告结合测绘图和图版，全面、科学、系统地记录了本卷各洞窟所有的遗迹信息。敦煌石窟大多是以单个洞窟为单位分别建造，也有少量由多个洞窟成组开凿构成组窟；石窟的内容由

〔图1〕
《敦煌石窟全集》第一卷《莫高窟第266～275窟考古报告》

建筑结构、彩塑、壁画组成；大多洞窟初建后，又经过重建、重塑、重绘。故本卷报告的编写体例根据上述敦煌石窟特点，以独立的单个洞窟或成组洞窟为单位分别设章；每个洞窟由窟外而窟内，先洞窟位置，后洞窟结构，再分层分壁记述彩塑、壁画、坍塌破坏和近现代遗迹等，分别依次设节，记录阐述各种遗迹信息，对各种遗迹所在位置、内容、特征、尺寸、制作技术、颜色、保存状况都加以详细记述，有的还辅以表格说明。每章之后，概述洞窟营建历史和内容特征作为小结。报告最后一章为结语，综述本卷各窟的内容、性质、功能、特点，重点阐明早期三窟受到来自西域影响和基于本地传统的各种因素，并分析各洞窟的时代。本卷报告力求以简明、准确的文字记述所有考古遗迹信息，体现科学性和学术性。

本卷报告在学术上至少有以下几个方面的突破：①早期三窟都与坐禅修行、弥勒信仰关系密切，这一观点过去学者多有论述，不乏真知灼见，而本报告就此问题做了进一步阐发，确认这种单纯的弥勒信仰由犍陀罗经中亚的佛教图像的传播路线，与以云冈石窟为代表的典型的北魏石窟图像不完全一致，体现的无疑是相对早期的特点。②通过比对，早期三窟窟形、龛形、塑像、壁画内容、故事画构图、凹凸画法，以及一些细部特征，明显受到西域的影响，与其西的龟兹石窟关系密切，并为此后敦煌北朝二期石窟所继承，给予其东的河西北魏石窟以强烈的影响；另一方面，报告强调本卷石窟中出现的阙形方龛和阙形建筑形象仅见于敦煌莫高窟（早期，并延续至二期，以及邻近的文殊山早期个别洞窟），中原和其他东方各地石窟均无此龛形，与云冈石窟的屋形龛大异其趣，明确与早期三窟同时或更早的敦煌、瓜州墓地频繁出现双阙建筑，敦煌及河西走廊许多砖雕墓葬墙上也雕有双阙形象，进而说明本卷第275窟的阙形方龛体现的其实是敦煌及河西走廊的本地因素，与大同云冈石窟并无关联。③过去认为第275窟原建、重建、重绘有五个时代，经过深入调查研究，报告确认原建、重建、重绘至多有北凉、隋、五代三个时代，没有宋代和西夏。根据遗迹判断，重建、重绘与洞窟坍塌有关，确认重绘的壁画内容、艺术风格和供养人为曹氏归义军的五代时期，从而也证明了此窟坍塌的年代。重绘的五代供养人服饰，说明了重建、重绘由曹氏归义军上层人士主持，他们重绘时悉心保护早期的原作，仅在毁损的部分进行补绘，内容上亦与原作相呼应。第272窟窟外两个小窟原被定为北魏，报告确认其与主窟为同时建成，从其所处位置、形制及造像题材判定，系与主室在统一规划下建造。④本卷洞窟中一向较少受人关注的第266窟，现有的塑像、壁画是在隋代一次完成，因而被定为隋窟。但是考察发现其洞窟形制与早期第272窟十分相似，穹隆形的窟顶具有早期的特点，窟内的图像布局亦与早期第272窟相当一致，早期开窟而隋代补绘的可能性是一个值得考虑的问题。⑤关于壁画技法，通过仔细观察，揭示了北凉、隋至曹氏归义军的五代时期从起稿、敷色、晕染到线描的全过程及其特点，比过去的敦煌艺术研究更加细致，阐述更加明确。此外，发现了一些过去所没有观察到的迹象。例如，注意到早期壁画绘制的起稿、晕染应是在泥壁湿润的情况下完成，属于湿壁画的绘制方法。待泥壁干燥后敷罩白粉，于其上细笔勾勒，描绘细部。因年代久远，含胶的白粉层几乎悉数脱落，早期壁画面目全非，只留下绘制开始阶段变为黑色的粗线勾染和土红色的起稿，可能是湿壁画法的遗迹。如果此说成立，可依此纠正美术史上认为中国古代没有湿壁画的观点。凡此，若非因为编写报告对洞窟迹象做过细致的考古学观察，诸多问题极易被研究者所忽视。考古工作者应视完成考古报告为本职的第一要务。不从周详的考古记录入手从事考古学或美术史的研究，无异于舍本求末，是不值得提倡的。

　　本卷报告测绘图力求准确。由于洞窟建筑结构极不规整，彩塑和壁画造型较为复杂，测绘难度很大。由此，本卷报告改变了原来无法提供准确测量数据的小平板、罗盘、皮尺、方格网的传统测量方法和手工绘图的方法，而采用了先进的三维激光扫描测量技术和计算机软件绘图的方法。通过考古专业人员与测量技术专业人员充分切磋和密切合作，即敦煌研究院考古专业人员根据敦煌洞窟的特点提出明确的石窟考古测绘要求，测量专业技术人员在充分理解石窟考古测绘要求的基础上，做到三维激光扫描测量仪器选型准确，并集成使用全站仪、全球定位仪、水准仪等多种测绘仪器，利用三维激光扫描仪的高精度坐标点和点云影像校正下的纹理图像绘制矢量线图，在石窟文物测绘图上以方格网线做控制示意，各窟以平立面关系图校正夹角误差，又利用GPS技术取得测图基点的大地坐标数值。考古学测绘中这种先进技术的成功运用在我国尚属首

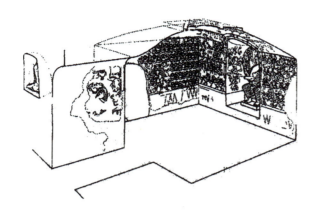

图2

图3

[图2]
莫高窟第272窟透视图

[图3]
莫高窟第275窟南壁佛龛测绘图

次。虽然通过三维激光扫描技术能够采集精确的测绘数据，但壁画画面年久模糊，造型复杂的塑像总有被遮挡无法扫到的盲点；点云影像图上不同时代的重层遗迹无法用仪器来分辨；测量专业技术人员很难把握考古测图描绘的要点和时代特征。为了克服三维激光扫描仪的局限性，考古绘图人员根据三维激光扫描技术提供的点云影像图，按照考古测绘的要求做进一步分析、校对、修改，区分层位、辨别形象、把握特征，进入洞窟反复核对，必要时还通过手工测量加以弥补和填充。考古绘图人员在测量专业技术人员的帮助下，采用MicroStation（微工作站）、Cyclone（赛孔）、AutoCAD等计算机辅助设计软件描绘成图，并参照我国国家工程制图标准，执行其规定的线型、线宽，在电脑中完成了本卷报告的全部测绘图。先进的测量技术和绘图方法是石窟考古测绘的重大突破，不仅保证了测绘图数据准确，而且提高了绘图的质量和效率。[图2、图3]

　　本卷报告的摄影图版，是通过摄影取得的洞窟所有遗迹信息的图像资料。鉴于洞窟结构和洞窟各种遗迹的复杂性，要做到全面记录，且能使摄影记录与测绘记录和文字记录相统一，所以它是完全不同于石窟艺术的摄影。本卷摄影图版根据石窟考古的要求，不仅表现了洞窟的分布位置、整体面貌、洞窟结构、彩塑、壁画及其全部细节，而且还表现了不同遗迹之间的空间关系，对重修、重塑和重绘的迹象及其早晚层次的叠压关系、不同时代的施工工艺、近现代遗迹都给予了充分的表现，并注明了每张照片的拍摄年份。本卷报告摄影图版对于科学性的追求，不仅与以往的各种石窟图录大不相同，也超越了以往的考古报告。

　　本卷报告除采用以往考古报告中文字、测绘图、摄影图版等传统的记录方法以外，还收录了塑像等值线图、敦煌莫高窟近景摄影立面图、数码高清全景摄影拼图、碳十四年代测定数据、壁画和塑像制作材料分析数据等，试图采用更多不同学科的技术与方法以提升考古报告的科技含量。

　　附录是对本卷石窟考古报告的重要补充。附录一、二是本报告出版前发表过的对于本卷洞窟的全部文字记录及图像资料，用于与洞窟现状进行对照分析。附录三为本卷洞窟相关论著、资料目录。附录四可作考古分期断代的佐证。附录五是对于先进测绘技术应用的说明。附录六是采用多项分析技术，对塑像骨架、壁画彩塑的地仗、原绘重绘不同层次颜料的分析结论。

　　本卷报告是根据《敦煌石窟全集》编辑出版计划安排，经过反复探讨研究，付出巨大劳动编辑出版的系列报告中的第一卷，也是国内石窟考古界第一本具有科学性和学术性的考古报告。它采用多学科结合的方法，提供了所述各窟完整、科学、系统的档案资料，对敦煌石窟的永久保存、永续研究利用，满足国内外学者和学术机构研究需要，推动敦煌学深入发展以及完善石窟保护，都具有重要价值。甚至在石窟逐渐劣化以至坍塌毁灭的情况下，可以成为全面复原的依据。本卷报告为敦煌研究院今后进一步完成《敦煌石窟全集》各分卷奠定了基础。敦煌研究院已将《敦煌石窟全集》的编辑出版作为重要的基础工作，列入敦煌研究院研究工作长远规划和每年的工作计划，会坚持不懈地进行下去。

（原载于《敦煌研究》2013年第3期）

捌 · 壁画内容考释

VIII

Interpretation
on
the
Murals

莫高窟第290窟的佛传故事画

　　莫高窟第290窟窟顶佛传故事画规模宏大、构图复杂、内容丰富，在敦煌北朝石窟艺术中是很有特色的壁画作品。过去，对于这一佛传故事画的具体内容以及绘画所依据的经典，一直没有完全查清，因此难以做深入的研究。本文试对有关的问题进行探讨[1]。

一、第290窟的内容和年代

　　第290窟位于莫高窟北朝石窟群的北侧。其南有西魏第285、286、288等窟，其北有北周第294、296、297、299、301等窟。

　　第290窟坐西向东，由于窟前崖面崩塌较甚，原来有无前室已不明，甬道和主室东壁大部已毁，其余保存尚好。主室平面略呈纵长方形，东壁长4.26米，西壁长5.56米、南壁长5.52米、北壁长5.50米。窟室前部顶为人字披式，距窟底高为3.45米；后部为平顶，高为3.31米〔图1〕。

　　后部中央凿成方形中心塔柱，由窟底通连窟顶。塔柱四面各开一圆券形浅龛，东、南、北三面龛内各塑一倚坐佛，两侧塑二弟子，龛外两侧塑二菩萨〔图2〕。西向面龛内塑交脚菩萨，两侧塑四菩萨。塔柱基座东、南、西、北四边长分别为2.45、2.30、2.78、2.31米。中心柱四面上部贴模制影塑千佛（均已脱落无存），四个龛的龛楣、龛柱和龛内佛光俱为浮塑，其上施彩绘。塔

1　段文杰：《十六国北朝时期的敦煌石窟艺术》，载敦煌文物研究所：《敦煌研究文集》，兰州：甘肃人民出版社，1982年；《敦煌石窟艺术的内容及其特点简述》，载兰州大学敦煌学研究组编《敦煌学辑刊（第二集）》。莫高窟第290窟佛传故事画临本，1982年在日本的"中国敦煌壁画"展览中展出。笔者撰写此图说明、曾列述各画面内容。参《中国敦煌壁画展》，每日新闻社，1982年；载《敦煌研究》试刊第二期，兰州：甘肃人民出版社，1983年。

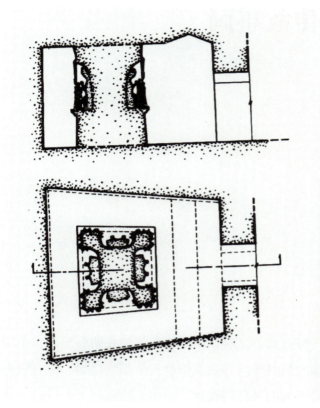

图1

图2

柱基座四面壁画均分上、下两段：上段以东向面以中央发愿文榜题为中心、画两列供养人〔图3〕；下段画力士。

　　前部人字披顶满绘佛传故事画，后部平顶影作斗四平棋。四壁壁画分上、中、下三段：上段画天宫伎乐绕窟一周；中段画千佛十一排；下段与塔柱基座相仿，上为供养人，下为奏乐、舞蹈的力士形象〔图4〕。

　　第290窟的开凿年代，长期以来众说纷纭。小野玄妙氏认为此窟为法良禅师所开[2]。向达先生认为是北魏正光时开凿[3]。福山敏男氏认为是西魏时期建窟[4]。学者依向先生之说居多。据向达《西征小记》：此窟"北壁壁画下发愿文已漫漶，而'时正光□年'诸字犹隐约可见。莫高窟诸窟题识年代无早于此者"。这方发愿文榜题高24.2、宽28.7厘米，黄白地色，多年来仅存斑驳浅淡的墨

〔图1〕
莫高窟第290窟平面、剖面示意图

〔图2〕
莫高窟第290窟中心塔柱东向龛

2　（日）小野玄妙：《敦煌的艺术和佛教》，《现代佛学》一卷七号至二卷十二号，1924年11月至1925年4月；后收于氏著《大乘佛教艺术史之研究》，东京：金尾文渊堂，1943年。

3　向达：《西征小记》，载《国学季刊》第七卷第一期，1950年7月；后收于氏著《唐代长安与西域文明》，北京：生活·读书·新知三联书店，1957年4月。

4　（日）福山敏男：《试论敦煌石窟的编年》，载《建筑史研究》第七号，1952年。

图 3

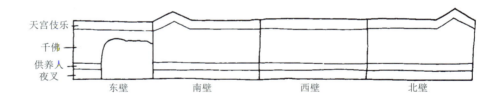

图 4

[图 3]
莫高窟第 290 窟中心
塔柱基座东向面供养
人

[图 4]
莫高窟第 290 窟四壁
内容布局示意图

痕。自 1942 向达先生来莫高窟考察发现"正光"题识之后，这方发愿文一直为研究者所瞩目，但经多人多次反复观看揣摩，文首、文尾俱不见有"正光"字迹，仅文的中部偏右处隐约可见字迹，是否为"正光"纪年，亦难以确认。莫高窟所见发愿文纪年，多题写在文尾或文首，文中抑或有年代，一般并非凿窟纪年。因此，所谓"正光"纪年题识，似不足凭信。与此同时，不少人依据此窟的窟形、塑像和壁画的内容和风格，对"正光"说提出了疑义。

〔图5〕
莫高窟第290窟南壁
上段伎乐飞天
（局部）

近年我们以北朝仅有的第285窟北壁西魏大统四年至五年（538～539年）纪年题识为标尺，采用考古学排比分析的方法，将莫高窟北朝石窟分为四期[5]。根据第290窟的基本特征，我们将它排列在第四期，即相当于北周时期。

第290窟中，中心塔柱四面都只开一龛，而不作上、下两层的双龛；龛式皆作圆券形，而无阙形方龛；塑像作一佛二弟子二菩萨的组合；塑像形体比例趋向于头大腿短、面相方圆；人字披顶上画故事画，故事画上、下分段作"S"形成长卷式构图形式；四壁上段天宫伎乐已无"天宫"建筑，而成为凹凸凭台上伎乐飞天顺次飞行的形式〔图5〕。这些都是莫高窟北朝第四期石窟的典型特征，晚于第三期，即晚于包括正光年间在内的北魏晚期和稍迟于正光年间西魏时期。一些特征为隋代石窟所沿用和发展[6]。但总的来说，应早于隋初（开皇四至五年）。

二、佛传故事画的内容

第290窟佛传故事画绘于主室前部人字披形窟顶的东、西两斜披，包括人字披与披西中心柱之间的一段狭长的平顶上。人字披东披南北长4.17、东西

5　樊锦诗、马世长、关友惠：《敦煌莫高窟北朝洞窟的分期》，载《中国石窟·敦煌莫高窟（第一）》，东京：平凡社，
　　1980年（日文版）；北京：文物出版社，1981年（中文版）；后收于敦煌文物研究所编《敦煌研究文集》，兰州：甘肃人
　　民出版社，1982年。

6　樊锦诗、关友惠、刘玉权：《莫高窟隋代石窟分期》，载《中国石窟·敦煌莫高窟（第二）》，东京：平凡社，1981年
　　（日文版）；北京：文物出版社，1983年（中文版）。

高0.88米，西披南北长4.38、东西高0.74米，平顶部分南北长2.45、东西高0.30米。东、西两披画面各分为上、中、下三段，故事情节由东披上段南端起，至北端转入中段，又到中段南端转下段，再由下段北端转接西披上段北端；在西披依东披同样的"S"形走向，最后至西披下段南端，转接平顶的画面，全图方告结束，总共87个画面，总长27.50米。每一画面均以人物活动为主体。建筑、山峦、树木等景物描绘，既表现每一情节的特定环境，又是区分不同画面的间隔。每个画面上有榜题，书写画面的内容，现只有榜题13方尚残存墨书遗迹，余皆漫漶不清〔图6〕。

　　为弄清这一佛传故事画的具体内容和所依据的佛经，特按照佛传故事情节发展的顺序，对画面依次编号，然后顺次逐一分述画面于下，同时引录尚能辨识的榜题和有关的佛经经文，以便同画面内容对释。

（一）东披上栏〔图7〕

　　1画面：右侧一贵妇拱手向曲尺形庭院行来。一座四阿式顶的建筑内，一贵妇和被仰卧而睡，旁立一侍者，外侧两屋中两侍者拱手相对而坐。

　　经文："于是能仁菩萨化乘白象，来就母胎。用四月八日，夫人沐浴，涂香，着新衣毕，小如安身。梦见空中有乘白象，光明悉照天下，弹琴鼓乐，弦歌之声，散花烧香，来诣我上，忽然不现。"[7]

　　内容：入梦受胎。

7　[东汉]康孟详、竺大力译：《修行本起经》，《大正藏》第三卷。以下所引经文，凡不注出处者，皆出此经。

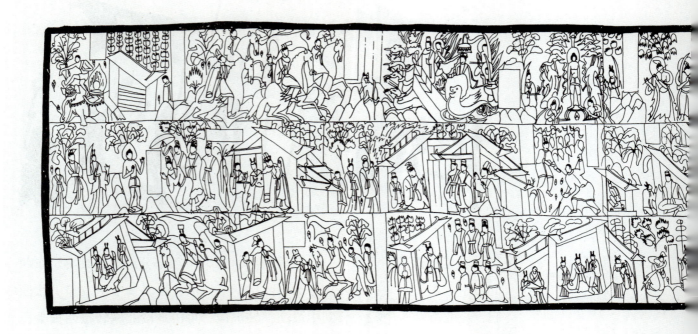

2画面：在重檐四阿式顶的建筑内，一王者，上举左手，与拱手端立的贵妇对话，旁立二侍者。

经文："夫人惊寤。王即问曰：'何故惊动？'夫人言，向于梦中见乘白象者空中飞来，弹琴鼓乐，散花烧香，来在我上，忽不复现，是以惊觉。"

内容：摩耶说梦。

3画面：一圆腹贵妇坐于树下，前面水池中莲花盛开，后立三侍者。

经文："王意恐惧，心为不乐，使召相师随若耶（碛砂藏本为'随若那'）占其所梦。相师言：'此梦者，是王福庆，圣神降胎，故有是梦。生子处家，当为转轮飞行皇帝；出家学道，当得作佛，度脱十方。'王意欢喜。于是夫人身意和雅……十月已满，太子身成，到四月七日，夫人出游，过流民树下，众花开化。"

内容：出游观花。

4画面：右侧曲尺形院落中央一四阿式顶的建筑内，有一贵妇，后立一侍者；院落前面四阿式顶的建筑中盘坐一贵妇，身体倾斜，低着头，一手按腿，一手抬起。又，左侧树下站一贵妇，左臂依偎侍者，右手攀缘树枝，婴孩从贵妇右胁下坠，旁有二侍者一跪一立，作举手相接状，后立一侍者。

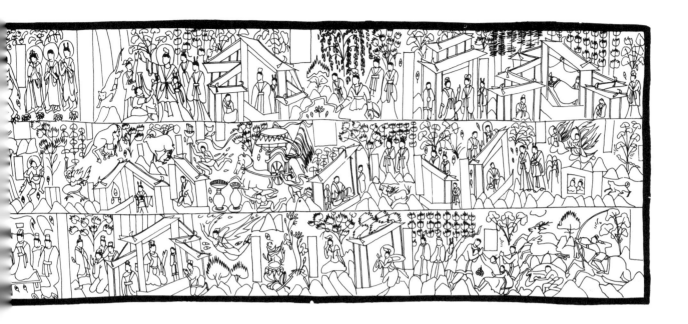

经文："明星出时，夫人攀树枝，（太子）便从右胁生堕地。"

内容：树下诞生。

5 画面：中央一太子，作行走和举手上指状，脚下和身后俱有莲花。两侧七人，相对而立，六名菩萨装者，或合十敬礼，或奏箜篌，或吹横笛。一六臂穿犊鼻裤者，两手合十，两手分持日月，两手下垂。

经文："（太子）行七步，举手而言：'天上天下，唯我为尊。三界皆苦，吾当安之。'应时天地大动，三千大千刹土莫不大明。释梵四王与其官属、诸龙鬼神、药叉、犍陀罗、阿须伦皆来侍卫。"

"……菩萨渐渐从右胁出，于时树下亦生七宝七茎莲花，大如车轮，菩萨即便堕莲花上，无扶侍者，自行七步，举其右手，而师子吼：'我于一切天人之中，最尊最胜，无量生死，于今尽矣，此生利益一切人天。'" [8]

内容：步步生莲。

6 画面：中立太子，其上和两侧九龙围绕，作张嘴喷吐状，下为两普萨装者合十跪拜，两边各立一穿俗装者弹奏箜篌。

8　[宋]求那跋陀罗译：《过去现在因果经》，《大正藏》第三卷。

经文："有龙王兄弟，一名迦罗、二名郁迦罗，左雨温水，右雨冷泉，释梵摩持天衣裹之。天雨花香，弹琴鼓乐，熏香烧香，持香泽香，虚空侧塞。"（《修行本起经》）

"天帝释梵忽然来下，杂名香水洗浴菩萨，九龙在上而下香水，洗浴圣尊。洗浴竟已身心清净。"（《普曜经》）

内容：九龙灌顶。

7画面：怀抱婴儿的贵妇乘坐四龙车向前驶去，上有华盖遮蔽，前有驭者驾驭龙车，车右有狻猊奔腾，车左车后二伎乐飞天合十礼拜，弹奏箜篌。

经文："夫人抱太子，乘交龙车，幢幡伎乐导从还宫。"

内容：母子还宫。

8画面：一骑马王者，迎着四龙车奔驰而来，一骑马侍者为国王张持伞盖，余三臣属骑马相随。

经文："王闻太子生，心怀喜跃，即与大众百官群臣、梵志、居士、长者、相师俱出往迎。"

内容：国王出迎。

9画面：一门户洞开的四阿式顶建筑内，堆放许多物品，旁一人向里探视。

经文："王马足触地，五百伏藏一时发出。"

内容：宝物悉现。

10画面：一人牵着身驮宝珠的象辇前行。

经文："海行兴利。"

内容：经商得利。

（二）东披中栏

11、12画面：中立一太子，前一王者向其跪拜。三臣属侍立王者身后。中立者身后站一贵妇，旁立一奏箜篌者、一侍者。

经文："于时集至梵志、相师，普称万岁，即名太子号为悉达（汉言财吉）。王见释梵四王、诸天龙神弥满空中，敬心肃然，不识下马礼太子。"

内容：太子得名，王礼太子。

13画面：一梵志（相师）模样者怀抱婴儿，举步向曲尺形院落内四阿式顶的建筑走去。后一奏乐者、一侍者。

经文："时未至城门，路侧神庙，一国所宗（碛砂藏本为'祟'）梵志相师咸言：'宜将太子礼拜神像。'即抱入庙，诸神形象皆悉颠覆。梵志相师、一切大众皆言：'太子实神实妙，威德感化天神归命。'咸称太子号'天中天'。"

内容：礼拜神庙。

14画面：左侧贵妇怀抱婴儿，向着曲尺形院落走去，身后两侍者相随。右侧曲尺形院落中一座重檐四阿式顶的建筑，内坐一王者，上举两手，与另一四阿式顶建筑内双手抱婴儿的相师对话。

经文："于是还宫。"

内容：还宫、占相。

15画面：平地上一片树木。

榜题：白地，竖行墨书"……瑞庁……"

经文："天降瑞应三十有二，一者地为大动，丘墟皆平。"

内容：瑞应一、大地震动，丘墟皆平。

16画面：两持帚者躬身扫地；地面上有数朵大花蕾。

经文："二者道巷自净。""五者陆地生莲花，大如车轮。"

内容：瑞应二、巷道自净，瑞应五、陆地生莲。

17画面：一座四阿式顶的建筑内蹲一出恭者。

经文："二者……臭处更香。"

内容：瑞应二、臭处变香。

18画面：一曲尺形院落左侧一片树木。

榜题：白地，右起竖行墨书三行"……皆ㄎ……敷苗……"

经文："三者国界枯树皆生花叶。"

内容：瑞应三、枯树生叶。

19画面：一曲尺形院落右侧的上部，一片树木。

榜题：白地，竖行墨书"四……"

经文："四者苑园自然生奇甘果。"

内容：瑞应四、园生奇果。

20画面：曲尺形院落内左侧一座四阿式顶的建筑，内坐一大臣，上举右手，与一跪者对话，后立一侍者；右侧建筑中，一人跪坐捧视宝珠。

榜题：白地，竖行墨书"六□□□……"

经文："六者地中伏藏悉自发出；七者中藏宝物开现精明。"

内容：瑞应六、七宝藏自现，呈射异光。

21画面：一座建筑前的架子上挂着各色衣物，旁侍立一人。

榜题：白地，右起竖行墨书二行"八者苦ㄟ祇ㄋ王……"

经文："八者箧笥衣被披在柁架。"

内容：瑞应八、衣被满架。

22画面：一条蜿蜒的河流。

经文："九者众川万流停住澄清。"

内容：瑞应九、川流澄清。

23画面：左侧有圆头光，穿犊鼻裤、肩挂披巾的天神，作向上举手状；右侧一穿犊鼻裤、肩上长翼挂披巾的天神，作向空中举爪状。

榜题：白地，竖行墨书三行"……🀫……🀫🀫……"

经文："十者风霁云除，空中清明。十一者天为四面细雨泽香。"

内容：瑞应十、风停云散，十一、普降香雨。

24画面：白色母马低头舐抚着吃奶的白马驹。

经文："太子生日……厩生白驹。"[9]"当尔之时，诸释种姓，亦同一日，生五百男，时王厩中，象生白子，马生白驹。"（《过去现在因果经》）

内容：马生白驹。

25画面：黄色母羊与吃奶的小羊羔。

经文："厩生……及黄羊子。"（《太子瑞应本起经》）"牛羊亦生五色羔犊，如是等类，数各五百。"（《过去现在因果经》）

内容：黄羊生羔。

26画面：一座四阿式顶的建筑内，有一放光宝珠。

经文："十二者明月神珠悬于殿堂。"

内容：瑞应十二、明月神珠。

27画面：四阿式顶的建筑，内一头梳双童髻、穿裙襦的持物者。

经文："十三者空中火烛为不复用。"

内容：瑞应十三、夜如白昼。

28画面：空中左为一轮太阳、右为一轮弯月，弯月上，画有建筑物。

经文："十四者日月星辰皆住不行。"

"十八，日月宫殿停住不进。"（《普曜经》）

内容：瑞应十四、众星不行。

29画面：在四阿式顶的建筑内，坐一太子，空中一头有圆光、身穿犊鼻裤、肩挂披巾的天神从天而降。

经文："十五沸星下现，侍太子生。"

9　〔吴〕支谦译：《太子瑞应本起经》，《大正藏》第三卷。

内容：瑞应十五、沸星下观。

30画面：前一画面的天神上空挂一幢和一长幡。

经文："十六天梵宝盖弥覆宫上。"

内容：瑞应十六、宝盖覆宫。

31画面：一辆装有车盖、挂牙旗的马车奔驰而来，旁有天神驾驭。画面下部的左侧有二瓶状物，下部右侧一天神振臂飞奔。

经文："二十，天神牵七宝交露车至"；"十八，天百味饭自然在前"；"十九，宝瓮万口悬盛甘露"；"十七，八方之神奉宝来献。"

内容：瑞应十七、神送宝车，十八、佳肴自生，十九、瓮盛甘露，二十、天神奉宝。

32画面：一座四阿式顶的建筑内坐一太子，两旁各立一侍者；其前群山中蹲一对白狮。

经文："二十二，五百白师子从雪山出，罗住城门。"

内容：瑞应二十二、白师入城。

33画面：山峦上方两身穿裙襦的女子拱手侍立。

经文："二十三，天诸婇女现伎女肩上。"

内容：瑞应二十三、婇女自现。

34画面：榜题左侧，三名头梳双童髻、身穿裙襦的女子，绕四阿式顶的建筑侍立。榜题右侧侍立两名梳双童髻、身穿裙襦的持物女子，太子坐于四阿式的建筑内。

经文："二十四，诸龙王女绕宫而住；二十五，天万玉女把孔雀拂现宫墙上。"

内容：瑞应二十四、龙女绕宫，二十五、玉女执拂。

35画面：两头梳双童髻、身穿裙襦、捧器物的女子。

榜题：白地，竖行墨书二行"……□三……"

经文："二十六，天诸婇女持金瓶，盛香汁，列住空中侍。"

内容：瑞应二十六、玉女持香汁金瓶。

36画面：两奏箜篌的飞天徐徐飞翔。

经文："二十七，天乐皆下，同时俱作。"

内容：瑞应二十七、天乐齐奏。

37画面：群山中一座方形建筑，内有二名赤身者，建筑外有一犬。

经文："二十八，地狱皆休，毒痛不行。"（同上）

内容：瑞应二十八、刑狱废弛。

38画面：大树下爬行一长蛇。

经文："二十九，毒虫隐伏，吉鸟翔鸣。"

内容：瑞应二十九、毒虫隐伏。

（三）东披下栏

39、40画面：右侧群山中一骑猎者弯弓射二奔鹿；山下一捕鱼者向河撒网，左侧四人互相携手搀扶，旁立一举火把者。

经文："三十，渔猎怨恶一时慈心。"

内容：瑞应三十、渔猎生慈。

41画面：左侧二名梳大首髻、身穿裤褶的男子拱手端立。左侧一名有头光、披巾、系裙者，面向四阿式顶的建筑跪拜。

经文："三十一，境内孕妇生者悉男，聋盲喑哑、癃残百疾皆悉除愈。"

内容：瑞应三十一、孕者生男。

42画面：树下坐一菩萨装天神，头微低，右手上指。

经文："三十二，树神人现，低首礼侍。当此之时，十六大国莫不雅奇，叹未曾有"。

内容：瑞应三十二、树神出现。

43画面：群山中大莲花上蹲卧一狮。

经文："于是香山有道士，名阿夷，中夜觉天地大动，观见光明辉赫非常，山中有花，名优昙钵（青莲花），花中自然生师子王，堕地便行七步，举头而吼，闻四十里，其中飞鸟、走兽、蜎飞、蚑行、蠕动之类莫不慑伏。"

内容：青莲生狮。

44画面：右侧上方一身穿袈裟的道人向着曲尺形院落飞来。院落中央一座四阿式顶建筑内，坐一王者上举双手，与一跪者对话。旁立一侍者，左侧建筑内一王者和一侍者向外行走。画面左侧一王者向身穿交领袈裟的道人跪礼，王者身后二臣属侍立。

榜题：白地，竖行墨书二行"……▨▨▨……王……"

经文："阿夷念言，世间有佛，应现此瑞。今世五浊盛恶，何故有此吉祥瑞应？天晓飞到迦维（罗）卫国，未及国城四十里外，忽然落地，心甚惊喜，此必有佛，于我无疑。步诣宫门，门监白王，阿夷在门。王愕然曰：'阿夷常飞，今者何故在门求通？'王即出礼拜迎。澡洗沐浴，施新衣服，问讯：'今日临顾，劳屈尊圣。'阿夷答言：'闻大王夫人生太子，故来瞻省。'（王）敕其内人抱太子出。侍女白言：'太子疲懈，始得安眠。'阿夷喜悦，便说偈言：'大雄常自觉，觉诸不觉者。历劫无睡卧，岂当眠寐乎！'于是侍女抱太子出。"

内容：阿夷瞻省太子。

45画面：胡床上坐一王者，上举两手，与坐莲花座抱视婴儿的阿夷对话。王者上有伞盖和扇子障蔽，后有两臣属侍立。

经文："阿夷猛力，回伏百壮士，方抱太子，筋骨委震。见奇相三十二、八十种好，身如金刚，殊妙难量，悉如秘谶，必当成佛，于我无疑，泪下哽咽，悲不能言。时王惶怖，请问：'太子有不祥乎？吉凶愿告，幸勿有难。'阿夷自抑制，即便说偈言：'今生大圣人，除世诸灾患。伤我自无福，七日当命终。不见神变化，说法雨世间。今与太子别，是故自悲泣。'"

内容：阿夷观相。

46 画面站立的太子，上举两手，与跪礼的阿夷对话，后立一侍者。

经文："太子举手言：'五道十方人，吾当尽教化，皆令得其所，本我意所愿，当度萨和萨，一人不得道，吾不入泥洹。'于是，阿夷喜，重礼太子足。"

内容：阿夷礼太子。

47 画面：曲尺形院落中央一座四阿式顶建筑内，坐一太子，旁立两侍者。右侧建筑内二弹箜篌、吹排箫者，左侧建筑内二弹琵琶、吹笛子者。

经文："白净王怖止，欢喜而说偈言：'太子有何相，当何治于世。愿为一一说，诸相有何福。'时阿夷以偈答王言。于是王深知其能相，为起四时殿，春秋冬夏各自异处。于其殿前列种甘果树；树间七宝浴池，池中奇花色色各异，譬如天花；水类之鸟数十百种；宫城牢固，七宝楼观悬铃幡幢，门户开闭声闻四十里；选五百伎女，择取温雅礼仪备者，供养娱乐育养太子。"

内容：修四时殿。

48 画面：四阿式顶建筑内，坐一王者，上举两手，与前面分坐两边的六名臣属对话，旁立一侍者。

经文："太子在宫，不乐愦闹，志思闲燕。王问侍女：'太子乐乎？'侍女白言：'供养伎乐不失时节，观省太子不以欢乐。'王用（因）愁忧，即召群臣，（白言）阿夷相言：'（太子）必成佛道，以何方便，使太子留，令无道志？'有一臣言：'唯教书疏，用系志意。'"

内容：王与臣议，命太子学书。

49 画面：左侧四阿式顶的建筑前一教书师与身后一侍者拱手侍立。右侧一骑马的太子上举左手，与跪礼的教书师对话。太子上有伞盖张持，后有二侍者相随。

经文："（太子）即与其仆五百人俱共诣师门。师闻太子至，即出拜迎。太子问言：'此为何人？'臣言：'是国教书师也。'太子问言：'阎浮提书凡有六十四种，今用何书，以相教示？'梵志惶怖，答太子言：'六十四种己所未闻，唯持二书以教人民。'即时归命，愿赦不及。"

内容：太子赴学。

50 画面：骑马的太子与二侍者前行。院落中央一座重檐四阿式顶的建筑内，太子低头而坐，旁立二侍者。

经文："于是太子与诸官属即回还宫。至年十七，妙才益显，昼夜忧思，未曾欢乐，常念出家。"

内容：太子回宫，思念出家。

〔图8〕
佛传故事全图之二

（四）西披上栏〔图8〕

51画面：一座四阿式顶的建筑内，坐一王者，上举两手，与前面四名跪礼的臣属对话，旁立二侍者。

经文："王问其仆：'太子云何？'其仆答言：'太子日日忧悴，未尝欢乐。'王复愁忧，召诸群臣（言）：'太子忧思，今当如何？'有一臣言，令习兵马。或言：'当习手搏射御。'或言：'当令案行国界，使观施为，散诸意思。'有一臣言：'太子已大，宜当妻娶，以回其志。'"

内容：王与臣议，为太子纳妃。

52画面：一王者向前述画面端坐的王者跪礼，旁立一侍者。画面左侧院落中一座四阿式顶建筑内，坐一王者，作右手支颐低头沉思状，前一穿裙襦女子，拱手端立。

经文："王为太子采择名女，无可意者。有小国，王名须波佛（汉言善觉），有女名裘夷，端正皎洁天下少双。八国诸王皆为子求，悉不与之。白净

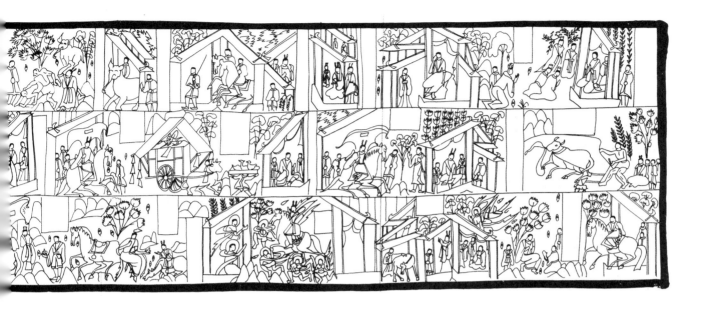

王闻，即召善觉，而告之曰：'吾为太子聘取卿女。'善觉答言：'今女有母及诸群臣、国师、梵志、当卜所宜，别自启白。'善觉归国，愁忧不乐，绝不饮食。女即问王体力不安，何故不乐？父言：'坐汝令吾忧耳。'女言：'云何为我？'父言：'闻诸国王来求索汝，吾皆不许。今白净王为太子求汝，若不许者，恐见诛罚。适欲与者，诸国怨结。以是之故，令吾忧戚。'女言：'愿父安意，此事易耳。我却七日自处出门。'善觉听之，表白净王：'女即七日，自出求处。国中勇武技术最胜者，尔乃为之。'"

内容：召善觉王求聘，裘夷献计试艺。

53画面：一座重檐四阿式顶的两层建筑，上层两人临窗而立；下层中坐一弹箜篌者，旁立二侍者。

经文："至其时日，裘夷从五百侍女诣国门上。诸国术士，普皆云集。（裘夷言：）'观最妙技礼乐备者，我乃应之。'"

内容：裘夷观艺。

54画面：曲尺形院落右侧一侍者，后墙太子和一侍者，院落左侧四向式顶建筑内的两骑马者都作向外行走状，另一持棍状物的侍者在前面导引。

经文："王敕群臣，当出戏场观诸技术。王语优陀：'汝告太子，为尔娶妻，当现奇艺。'优陀受教，往告太子：'王为娶妻，今试礼乐，宜就戏场。'

太子即与优陀、难陀、调达、阿难等五百人，执持礼乐射艺之具，当出城门。"

内容：太子赴戏场。

55画面：在重檐四阿式顶的建筑下，站一大象，旁立二侍者。

经文："安置一象，当其城门，决有力者。"

内容：象塞城门。

56画面：右侧太子一手举起大象；左侧梳双童髻、穿犊鼻裤者将另一赤裸者扑翻在地，旁立一侍者。

经文："调达先出，见象塞门，叉之一拳，应持（"持"应为"时"）即死。难陀寻至，牵着道侧。太子后来，问其仆曰：'谁枉杀象？'答言：'调达杀之。''谁复移者？'答言：'难陀。'菩萨慈仁，徐前按象，举掷城外，象即还苏，更生如故。调达到场扑众力士，莫能当者，诸名勇力，皆为摧辱。王问其仆：'谁为胜者？'答言：'调达。'王告难陀：'汝与调达二人相扑。'难陀受教，即扑调达，顿躄闷绝，以水灌之，有顷乃苏。王复问言：'谁为胜者？'其仆答言：'难陀得胜。'王告难陀与太子决。难陀白王：'兄如须弥，难陀如芥子，实非其类。'拜谢而退。"

内容：掷象、相扑。

57画面：左侧群山中的靶场上，立七架，上悬七面圆鼓，旁有一骑马者；右侧四阿式顶建筑内，太子等三名射者面向悬鼓弯弓射箭，旁立四名侍者。

经文："复以射决，先安铁鼓，十里置一，至于七鼓。诸名射者，其箭力势，不及一鼓。调达放发，彻一中二。难陀彻二，箭贯三鼓。其余艺士无能及者。太子前射，挽弓皆折，无可手者。告其仆曰：'吾先祖有弓，今在天庙，汝取持来。'即往取弓，二人乃胜。令与众人，无能举者。太子张弓，弓声如雷，传与大众，莫能引者。太子揽，牵弹弓之声，闻四十里。弯弓放箭，彻过七鼓；再发，穿鼓入地，泉水涌出；三发，贯鼓着铁围山。一切众会叹未曾有。"

内容：比试射艺。

58画面：右侧骑马的太子向曲尺形院落而来，上张持伞盖和扇。后有四侍者相随，前有奏箜篌、吹横笛、弹琵琶、击腰鼓的乐队。左旁侧院落中央，一座重檐四阿式顶的建筑，门旁立二侍者。

经文："太子殊胜，椎钟击鼓，弹琴歌颂，骑乘还宫。"

内容：得胜回宫。

59画面：曲尺形院落前立一王者，举双手，与一跪者对话。上有伞盖障蔽，后有臣属数人侍立。左侧曲尺形院落内的数重四阿式顶的建筑里，各有二名穿裙襦的女子，院墙外的太子向院内作举手状，后三侍者相随。

经文："优陀语善觉言：'太子技艺事事殊特，卿女裘夷今为所在？'善觉答言：'从五百侍女在城门上。'优陀白太子言：'宜现奇特。'太子脱身珠璎，欲遥掷之。优陀言：'众女大多，今掷与谁？'太子言：'珠璎着颈则是其人。'寻便掷珠，即着裴夷。一切众女皆称妙哉，甚为奇特，世之希有。于是善觉严办，送女诣太子宫，众伎侍从凡二万人，昼夜娱乐，绝世之音。"

内容：掷璎娶妃。

60 画面：一座四阿式顶建筑内，坐一王者，上举双手，与两拱手端立的臣属对话，旁立一侍者。

经文："太子志意不以为欢，常欲弃舍，静修道业，济度众生。王问其仆：'太子迎妃以来意趣云何？'仆答王言：'忧思不乐，身体羸瘦，转不如前。'王心愁忧，即召群臣，（言）'太子不悦，当如之何？'诸臣议言：'宜复娉娶，增其伎乐，傥能回志，乐于世间。'"

内容：王与臣复议聘嫁。

（五）西披中栏

61 画面：左侧两女子共坐一辆辀车向前疾驶，上有伞盖障蔽，车旁有三侍者和奏箜篌、弹琵琶、吹横笛的乐队相随。右侧曲尺形院落中一座四阿式顶建筑内，太子独坐。身后立两侍者，两侧建筑内各坐两人，演奏箜篌、排箫、琵琶。

经文："即复为娉妙女，一名'众称昧'，二名'常乐意'。其一夫人者，二万婇女，三夫人者，凡有六万婇女，端正妙好，天女无异。"

内容：聘娶二妃。

62 画面：一座四阿式顶建筑内，坐一王者，上举两手，与跪者对话，后立二侍者。

经文："王问裴夷：'太子今有六万婇女伎乐供养，太子宁乐乎？'答言：'太子夙夜专精志道，不思欲乐。'"

内容：裴夷回禀。

63 画面：一座重檐四阿式顶建筑内，坐一王者，上举两手，与一跪者对话，旁有五臣属侍立。

经文："王闻忧惨，召诸群臣，复共议言：'今供太子尽世珍奇，而故专志，未曾欢乐。必如阿夷言乎？'诸臣答言：'六万婇女极世之乐，不以为欢，宜使出游，观于治政，以散道意也。'"

内容：王与臣议，使太子出游。

64 画面：左侧在重檐四阿式顶建筑下，骑马的太子出行，上有伞盖和扇障蔽，后有两侍者相随，马前站一侍者，回头后视一弯腰拄杖的老者，并举手与太子对话。

经文："于是王告太子，当行游观。太子念言，久在深宫，思欲出游，审得所愿。王敕国中，太子当出，严整道巷，洒扫烧香，悬缯幡盖，务令鲜洁。太子导从千乘万骑始出东城门，时首陀会天，名难提和罗，欲令太子速疾出家，救济十方三毒火然，愿雨法水，以灭毒火。难提和罗化作老人，踞于道傍（旁），头白齿落，皮缓面皱，肉消脊偻，支节萎曲，眼泪鼻涕，涎出相属，上气肩息，身色黧黑，头手疣掉，躯体战慄，恶露自出，坐卧其上。太子问言：'此为何人？'天神寤仆，仆言：'老人。''何等为老？'曰：'夫老者，年耆根熟，形变色衰，气微力竭，食不消化，骨节欲离，坐起须人，目冥耳聋，便旋即忘，言辄悲哀，余命无几，故谓之老。'太子叹曰：'人生于世，有此老患，愚人贪爱，何可乐者？物生于春，秋冬悴枯，老至如电，身安足恃。'

"尔时太子与诸官属前后导从，出城东门。国中人民闻太子出，男女盈路，观者如云。时净居天化作老人，头白背伛，拄杖羸步。太子即便问从者言：'此为何人？'从者答曰：'此老人也。'太子又问：'何谓为老？'答曰：'此人昔日曾经婴儿、童子、少年，迁谢不住，遂至根熟，形变色衰，饮食不消，气力虚微，坐起苦极，余命无几，故谓为老。'太子又问：'唯此人老，一切皆然？'从者答曰：'一切皆悉应当如此。'尔时太子闻是语已，生大苦恼，而自念言：'日月流迈，时变岁移，老至如电，身安足恃，我虽富贵，岂独免耶，云何世人，而不怖畏。'太子从本以来，不乐处世，又闻此事，益生厌离。"（《过去现在因果经》）

内容：出东门，见老人。

65画面：一座四阿式顶建筑内，太子静坐，旁立三侍者。

榜题：褐黑地，竖行墨书三行"王囧……盥图曰……⊿图人王房……"

经文："于是太子即回车还，愍伤一切，有此大患，忧思不乐。王问其仆：'太子出游，何故速还？'其仆答言：'道逢老人，伤念不乐，还宫愁思。'"

内容：回宫不乐。

66画面：左侧基本同画面64。右侧地上半卧半靠一上身袒裸的羸瘦者，中部二侍者察视右侧卧者，一侍者与骑马的太子对话。

榜题：褐黑地，竖行墨书四行"太二……」心……宣侧身」以腹……"

经文："数年小差，复欲出游。王敕国中，太子当出，禁诸臭秽，莫在道侧。于是太子驾乘出南城门，时净居天，化为病人，在于道侧，身瘦腹大，躯体黄熟，咳嗽呕逆，百节痛毒，九孔败漏，不净自没，目不见色，耳不闻声，呻吟呼吸，手足摸空，唤呼父母，悲恋妻子。太子问曰：'此为何等？'其仆答言：'病人也。''何如为病？'答言：'人有四大，地、水、火、风，大有百一病展（辗）转相钻，四百四病同时俱作。此人必以极寒极热，极饥极饱，极饮极渴，将节失所，卧起无常，故致斯病。'太子叹曰：'吾处富贵，极世所珍，饮食快口，放心自恣，淫于五欲，不能自觉，亦当有病，与彼何异！'"

内容：出南门见病人。

67画面：基本同画面65。

经文："于是太子回车还宫，思念一切有此大患。"

内容：回宫不乐。

68、69画面：左侧基本同画面64。右侧为一辆行进的丧车，方形车箱上有作两面披的车盖，上画乘龙持节的方士，前有一牛拉车，旁有一驭者，车前一人高举牺牲。中部一侍者，与左侧骑马的太子对话。

经文："数年小差，复欲出游。王敕国中，太子当出，平治臭处，无令近道。（太子）出西城门，时净居天，化作死人，扶舆出城。室家随车，啼哭呼天：'奈何舍我，永为别离！'太子问曰：'此为何等？'仆言：'死人。''何如为死？'答言：'死者尽也，精神去矣，四大欲散，魂神不安，风去息绝，火灭身冷，风先火次，魂灵去矣，身体挺直，无所复知。旬日之间，肉坏血流，膖（膀）胀烂臭，无一可取。身中有虫，虫还食之，筋脉烂尽，骨节解散，髑髅异处，脊胁肩臂、脾胫足指各自异处，飞鸟走兽竞来食之。天龙鬼神、帝王人民、贫富贵贱无免此患。'太子长叹。"

内容：出西门见死人。

70画面：基本同画面65。

经文："于是太子回车还宫，愍念众生有老病死苦恼大患，忧思不食。"

内容：回宫不乐。

71画面：左侧基本同画面64，右侧树旁立一僧人，正中立一侍者。

经文："数年小差，复欲游观。（太子）严驾出城门。时净居天，复化作沙门，法服持钵，行步安详，目不离前。太子问曰：'此为何人？'其仆答曰：'沙门也。''何等为沙门？'（答：）'盖闻沙门之为道也，舍家妻子，捐弃爱欲，断绝六情，守戒无为，得一心者，则万邪灭矣。一心之道，谓之罗汉，罗汉者，真人也。声色不能污，荣位不能屈，难动如地，已免忧苦，存亡自在。'太子曰，'善哉！唯是为快。'"

内容：出北门见僧人。

72画面：基本同画面65。

经文："于是太子即回车还，忧思不食。"

内容：回宫不乐。

73画面：左侧一片土地上，一农民正在扶犁驱牛耕地，行走中的耕牛吞食着长蛇和孔雀。太子坐地旁树下，作右手支颐沉思状，后立三侍者。

经文："王问其仆：'太子又出，意岂乐乎？'仆言：'行见沙门，倍更忧思，不飨饮食。'王闻大怒，举手自击（言）：'前敕修道，复令太子，辄见不祥，罪应刑戮。'即召群臣各使建议，设何方术，当令太子不出学道？有一臣言：'宜令太子监农种植，役其意思，使不念道。'便以农器犁牛作具，仆从小吏相率上田，令监课之。太子坐阎浮树下，见耕者垦壤出虫。天复化令牛领兴坏，虫下淋落，鸟随啄吞；又作虾蟆，追食曲蟮（蟺）；蛇从穴出，吞食虾蟆；孔雀飞下，啄吞其蛇；有鹰飞来，搏取孔雀；雕鹫复来，搏撮食之。菩萨见此众生品类展（辗）转相吞，慈心愍伤，即与树下得第一禅。日光赫奕，树为曲枝，随荫其躯。"

内容；树下观耕。

（六）西披下栏

74画面：右侧一骑马王者，从四阿式顶建筑中出行，后随两侍者。左侧太子坐于树下，上举两手，与前一跪礼的王者对话，两者身旁各立一侍者。

经文："王念太子常在宫中，未曾执苦，即问其仆：'太子何如？'对言：'今在阎浮树下一心禅定。'王曰：'吾令监作，欲乱其思，然故禅定，在家何异？'王敕严驾，便往迎之。遥见太子，树枝曲荫，神曜非常，不识下马为作礼，时即与俱还。"

内容：王礼太子。

75画面：曲尺形院落右侧四阿式顶建筑内，太子与裘夷对坐交谈，后立一侍者，上空一飞天向下飞来。院落中央一建筑内，中立太子，上举右手与拱手端立的侍者对话。院落左侧一建筑内，太子以手抚马背。

经文："是时太子还宫思惟，念道清净，不宜在家，当处山林，研精行禅。至年十九（疑二十九）四月七日，誓欲出家，至夜半后，明星出时，诸天侧塞虚空，劝太子去。时裘夷见五梦，即便惊觉。太子问之：'何故惊寤？'对曰：'向者梦中见须弥山崩，月明落地，珠光忽灭，头髻坠地，人夺我盖，是故惊觉。'菩萨心念，此五梦者，应吾身耳，念当出家。告裘夷言：'须弥不崩，月明续照，珠光不灭，头髻不落，伞盖今在，且自安寐，莫忧失盖。'于是诸天言：'太子当去。'恐作稽留，召乌苏慢（汉言厌神）适来入宫，国内厌寐。时难提和罗化诸宫殿尽为冢墓，裘夷、伎女皆成死人，骨节解散，髑髅异处，膖（膀）胀烂臭，青瘀脓血，流漫相属。太子观视宫殿，悉作冢墓，鵄鸺狐狸、豺狼鸟兽，飞走其间。太子观见一切所有，如幻如化、如梦如响，皆悉归空，而愚者保之。即呼车匿，急令鞁马。车匿言：'天尚未晓，鞁马何疾？'太子即为车匿而说偈言：'今我不乐世，车匿莫稽留，使我本愿成，除汝三世苦。'于是车匿即行鞁马，马便跳踉，不可得近。还白太子：'马今不可得鞁。'菩萨自往拊拍马背，而说颂言：'在于生死久，骑乘绝于今。蹇特送我出，得道不忘汝。'"

内容：裘夷说梦，天神劝请，决心出家。

76、77画面：右侧四阿式顶建筑内空无一人；画面中部四天神托举白马四足拔地而起，马上坐太子。左侧四阿式顶建筑内，两天神向骑马的太子合十跪拜。

经文："于是鞁马讫，蹇特自念言，今当足蹋地，感动中外人。四神接举足，令脚不着地。马时复欲鸣，使声远近闻。天便散马声，皆令入虚空。太子即上马，出行诣城门。诸天龙神、释梵四天皆乐导从，盖于虚空。时城门神人现，稽首言：'迦维罗卫国天下最为中，丰乐人民安，何故舍之去？'太子以偈答言：'生死为久长，精神经五道。使我本愿成，当开泥洹门。'于是城门自然便开，出门飞去。"

内容：逾城出家。

78画面：树下坐菩萨装的太子，左手持冠，右手上举，与其前侍者对话。侍者身旁一白马，低头舐太子足。

经文："天晓，行四百八十里，到阿奴摩国。太子下马，解身宝衣、璎珞、宝冠，尽与阐特（应为"车匿"），告言：'汝便牵马归，上谢大王及国群臣。'阐特言：'今当随从供给所须，不可独还，放马令去。山中多有毒虫、虎狼、师子，谁当供养饮食水浆，床卧之具当何从得要？当随从与并身命。'阐特长跪，泪出舐足，见水不饮，得草不食，鸣啼流涕，徘徊不去。"

内容：命车匿还。

79、80画面：一座重檐四阿式顶建筑前，一王者上举双手，与右手持冠、左手牵马的车匿对话。王者上有伞盖遮蔽，后有四臣属侍立。王者右侧有一双手抱白马马颈的女子，后立一侍者。

榜题：褐黑地，竖行墨书"……匿空……｜……"

经文："太子复说偈言：'身强得病催，气盛老至衰，死亡生别离，云何乐世间。'于是，车匿悲泣礼足，牵马辞还。未至国城，四十里外，白马悲鸣，其声彻国中。国中皆云太子来还，举国人民络绎出迎，但见车匿牵马空还。裘夷见此，自投殿下，抱马歔欷，泪下交横。王见裘夷泣，五内皆摧伤，自抑告言曰：'吾子学自然。'国中臣民见王及裘夷哽咽悲泣，莫不为摧伤。"

内容：车匿还宫、裘夷痛哭、举国悲恸。

81画面：一座四阿式顶建筑内，坐一王者，上举双手，与五跪礼臣属对话，后立二侍者。

榜题：褐黑地，竖行墨书二行"人王口E……次令……追……昕……匿……"

经文："裘夷日夜思，王便召群臣，（言：）'吾有一太子，舍我而入山，卿曹令差次，令数满五人，共追侍太子，慎勿中来还。'"

内容：王命五人追侍太子。

82画面：群山中，四人骑马前行。

榜题：褐黑地，竖行墨书"五匚……"

经文："王命阿若拘邻等五人追太子，随侍数年，五人苦之。"（《太子瑞应本起经》）

内容：五人追寻。

83画面：曲尺形院落中央，一座重檐四阿式顶的建筑内，站一王者，上举两手，与前站两人对话，旁立二侍者。院落左侧一建筑内，有二拱手站立者。

按：画意与经文待考。

84画面：环境大体同上画，中央一头梳双童髻、身穿长袍者（？），上举两手，似与上画二站者对话。旁有一弹箜篌者，后立二侍者，右侧有二拱手前行者。

按：画面与经文待考。[10]

85画面：群山环抱之中，树下坐一菩萨装的释迦，上举两手，与四名跪礼者对话。

经文："佛便已可梵天之念，谁可先度者？昔日父王遣五人侍我，今在山中，即复道还。五人见佛，自相谓言：'是人来者，慎莫与语也。'佛到，五人皆起，不觉作礼。"（《太子瑞应本起经》）

"尔时世尊即复前行，往波罗奈国，至憍陈如，摩诃那摩、跋波阿舍、波阇、跋陀罗阇所止住处。时彼五人遥见佛来，共相谓言：'沙门瞿昙弃舍苦行，而还退受饭食之乐，无复道心。今既来此，我等不须起迎之也。亦勿作礼，敬问所须，为敷坐处。欲欲坐者自随其意。'作此语竟，而各默然。尔时世尊，来既至已，五人不觉各从座起，礼拜奉迎，互为执事，或复有为持衣钵者，或有取水供盥漱者，或复有为澡洗脚者，各违本誓，犹故称佛，以为瞿昙。"（《过去现在因果经》）

内容：五人礼释迦。

86画面：环境大体同上画，正中一佛作结跏趺坐，坐于莲花座上，两侧弟子四人，二跪、二立。

经文："时佛言：'卿等持心，何无牢固，属言莫起，何以作礼？'五人不对，愿为弟子，佛即手摩其头，以为沙门。"（《太子瑞应本起经》）

内容：释迦成道、五人皈依。

（七）平顶〔图9〕

87画面：正中一结跏趺坐佛，右手作施无畏印，左手作与愿印。前卧二鹿，旁有弟子四人，二跪二立，上空佛光两侧一边挂日，一边挂月，各有四飞天飞翔。

经文："佛告比丘：'尔时如来为颁宣诸法，说十二因缘根本所起……是故敷演十二缘起而转法轮。拘邻知之，以灭尽者则成三宝，佛法圣众是三宝名，畅布天下，音彻梵天，如来今日转于清净法轮，护世至真兴显三宝，世难所致。拘邻之等五比丘、六十亿天得法眼净……八万世人来会观者亦法眼净，皆度众苦。时佛音响彻闻十方，虚空天神闻柔和音，是释迦文十力世尊，仙人之处鹿苑之中，敷演法轮说十二缘，咸使知之。'"（《普曜经》）

"尔时世尊观五人根堪任受道，而语之言……当佛三转四谛十二行法轮时，阿若憍陈如，于诸法中，远尘离垢，得法眼净。时虚空中，八万那由他诸天，亦离尘垢，得法眼净。尔时地神，

---

10 按：81、82国王命五人追寻太子，85释迦成道后五人礼太子，由81、82、85画面推断，83、84画面似与追寻太子有关。《修行本起经》无五人追寻太子的内容，《普曜经》《瑞应本起经》《异出菩萨本起经》等只有简单的叙述，唯《过去现在因果经》有较翔实的叙述，但都与画面不甚符合。

〔图9〕
佛传故事全图之三

见于如来，在其境界，而转法轮，心大欢喜，高声唱言，如来于此转妙法轮。虚空天神，既闻此言，又生踊跃，展（辗）转唱声，乃至阿迦腻吒天。诸天闻已，欣悦无量，高声唱言：'如来今日与婆罗奈国鹿野苑中仙人住处，转大法轮，一切世间，天人魔梵，沙门、婆罗门所不能转。'尔时大地十八相动，天龙八部于虚空中，作众伎乐，天鼓自鸣，烧众名香，散诸妙花，宝幢幡盖，歌呗赞叹，世界之中，自然大明……时彼五人见道迹已，顶礼佛足，而白佛言：'世尊我等五人已见道迹，已证道迹，我等今者欲于佛法出家修道，唯愿世尊，慈愍听许。'于时世尊唤彼五人，善来比丘，须发自落，袈裟着身，即成沙门。……于是，世间始有六阿罗汉、佛阿罗汉，是为佛宝。四谛法轮，是为法宝。五阿罗汉，是为僧宝。如是世间三宝具足，为诸天人第一福田。"（《过去现在因果经》）

内容：鹿野苑初转法轮。¹¹

通过对第290窟佛传故事画87个画面的释读可知，该画大量内容及内容排列顺序，主要取材于东汉昙果、康孟详、竺大力所译《修行本起经》；仅有少量内容取自《普曜经》《瑞应本起经》和《过去现在因果经》，以为补充。为了说明问题，我们将画面诸项内容与上述北周以前的九部佛传译述列表对照比较如下：

11　第85、86、87三个画面，比丘数俱不足5人，可能出于画面构图对称、均衡的需要，仅画了4位比丘，内容仍然是释迦得道后赴鹿野苑度五比丘。

第290窟佛传故事画与汉译佛传内容顺序对照表

画面顺序	画面内容	修行本起经	中本起经	太子瑞应本起经	普曜经	异出菩萨本起经	过去现在因果经	佛所行赞	佛本行经	释迦谱
1	入梦受胎	1		1	1		1	1	1	1
2	摩耶说梦	2			2		2		2	
3	出游观花	3								
4	树下诞生	4		2	28	1	3	2	3	10
5	步步生莲	5		3	29	2	4	3	4	11
6	九龙灌顶	6		4	30	3	5	4	5	12
7	母子还宫	7								
8	国王出迎	8								
9	宝物悉现	9					36			13
10	经商得利	10					37			14
11	太子取名	11		36		4	38	16	11	15
12	王礼太子	12								
13	礼拜神庙	13			36		33		6	20
14	回宫、占相（?）	14						8		
15	瑞应一	15		5	24		6	5		
16	瑞应二、五	16、19		6、9	4		9			3
17	瑞应二	16		6	4					
18	瑞应三	17		7	5		7	9		4
19	瑞应四	18		8	3		8			2
20	瑞应六、七	20、21		10、11	7		10、11			6
21	瑞应八	22		12	21	-	12	7		
22	瑞应九	23		13	15		13	12		
23	瑞应十、十一	24，25		14、15	9		14、15	13、6	9	8
24	白马生驹			39	31		34			16
25	黄羊生羔			40	32		35			17
26	瑞应十二	26		16	19					
27	瑞应十三	27		17	20		16	8		
28	瑞应十四	28		18	16		17			

续表

画面顺序	画面内容	修行本起经	中本起经	太子瑞应本起经	普曜经	异出菩萨本起经	过去现在因果经	佛所行赞	佛本行经	释迦谱
29	瑞应十五	29		19	17		18			
30	瑞应十六	30		20	18		19			
31	瑞应二十、十八、十九、十七	34、32、33、31		24、22、23、21	6、10		23、21、22、20			5、9
32	瑞应二十二	35		25	8		24			7
33	瑞应二十三	36		26						
34	瑞应二十四、二十五	37、38		27、28	11、12		26			
35	瑞应二十六	39		29	13		27			
36	瑞应二十七	40		30	14		25		10	
37	瑞应二十八	41		31	23		28			
38	瑞应二十九	42		32	22		29		7	
39	瑞应三十	43		33	25		30	10	7	
40	瑞应三十	43		33						
41	瑞应三十一	44		34	26		31	11		
42	瑞应三十二	45		35	27		32			
43	青莲生狮	46								
44	阿夷瞻省太子	47			33		39	14	12	
45	阿夷观相	48		37	34	5	41	15	13	18
46	阿夷礼太子	49					40			
47	修四时殿	50		38	35	6	42	18	16	19
48	王与臣议命太子学书	51								
49	太子赴学	52		41	37		43			21
50	太子回宫、思念出家	53								
51	王与臣议为太子纳妃	54					50		14	
52	召善觉王求聘、裴夷献计试艺	55								

续表

画面顺序	画面内容	修行本起经	中本起经	太子瑞应本起经	普曜经	异出菩萨本起经	过去现在因果经	佛所行赞	佛本行经	释迦谱
53	裴夷观艺	56								
54	太子赴戏场	57								
55	大象塞门	58					44			
56	掷象、相扑	59、60		43	39、40		47、45			22、23
57	比试射艺	61		42	41		46			24
58	得胜回宫	62								
59	掷璎娶妃	63		50	42	15	51	17	15	25
60	王与臣复议娶聘	64								
61	聘娶二妃	65								
62	裴夷回禀	66								
63	王与臣议使太子出游	67								
64	出东门见老人	68		46	43	11	52	19	19	26
65	回宫不乐	69		47	44	12	53	20		27
66	出南门见病人	70		44	45	7、9	54	21	18	28
67	回宫不乐	71		45	46	8、10	55	22		29
68	出西门见死人	72		48	47	13	56	23	20	30
69	出西门见死人	72								
70	回宫不乐	73		49	48	14	57	24	21	31
71	出北门见僧人	74		51	49		58	26	22	32
72	回宫不乐	75		52						33
73	树下观耕	76		56	38	19	48	25	23	
74	王礼太子	77		55		18	49		24	36
75	裴夷说梦、天神劝请、决心出家	78		53	50	16	59	27	17	34
76	逾城出家	79		55	51	17	60	28	25	35
77	逾城出家	79								
78	命车匿还	80		57	52	20	61	29	26	37

续表

画面顺序	画面内容	修行本起经	中本起经	太子瑞应本起经	普曜经	异出菩萨本起经	过去现在因果经	佛所行赞	佛本行经	释迦谱
79	车匿回宫，裴夷痛哭，举国悲恸	81		58	53	21	62	30	27	38
80	车匿回宫，裴夷痛哭，举国悲恸	81								39
81	王命五人追侍太子	82		59	54	22				40
82	五人追寻	83		60	55	23	63			41
83	？									
84	？									
85	五人礼释迦	11		61	56	24	64	31	28	
86	释迦成道、五人皈依	22		62	58	25	65	32	29	
87	鹿野苑初转法轮	33			57		66			

表格内每种佛经名下所列数字，是用来标明佛传故事情节在该经文中先后出现的序列；表内的空格，则表示在佛传故事画中的这项内容不见于该经。

三、佛传故事画和《修行本起经》

东汉末年至南北朝晚期，汉译佛教经典中，涉及释迦牟尼一生事迹的典籍数量很多。其中较系统、较集中地记载释迦传记的译述，主要有：东汉昙果、康孟详、竺大力译《修行本起经》[12]，

---

12 ［东汉］康孟详、竺大力译：《修行本起经》，《大正藏》第三卷，第461～472页。［梁］僧祐：《出三藏记集》卷三在失译经录内。隋费长房《历代三宝记》（《长房录》）卷四载："二卷，昙果与康孟详译，于迦维罗卫国斋梵本来，沙门竺大力以建安二年三月于雒阳译，孟详度为汉文。"梁慧皎《高僧传·支娄迦谶传》载："先是沙门昙果，于迦毗罗卫国得梵本，孟详共竺大力译为汉文。安公（道安）云，孟详所出奕奕流便，足腾玄趣也。"

东汉康孟详译《中本起经》[13]，吴支谦译《瑞应本起经》[14]，西晋竺法护译《普曜经》[15]、西晋聂道真译《异出菩萨本起经》[16]，刘宋求那跋陀罗译《过去现在因果经》[17]、马鸣撰、昙无谶译《佛所行赞》[18]，马鸣撰、释宝云译《佛本行经》[19]，萧梁僧祐撰《释迦谱》[20]等等。

上述各经叙述的方式各有不同，但内容常有雷同之处，有的甚至还是同本异出。

从前表可以看出，只有《修行本起经》名下的数字系列连贯，仅中间两个和最后5个空格（画面24、25、83～87）。说明该经与佛传故事画内容的发展序列基本是一致的。而表中其余各经数字序列，或时断时续，或顺序倒置不相连贯，且空格也较多。这表明其余诸经与佛传故事的内容不甚一致。

从比较表中还可以看到，佛传故事画的某些内容，仅见于《修行本起经》，而为其他各经所不载。这些画面是3、7、8、12、43、53、54、60～63，计15个场面。因此，佛传故事画的上述画面，只能源于《修行本起经》。

此外，画面5、6、14、28、64的情节与《修行本起经》经文细节虽不完全一致，但从整体看，这部分内容在故事画中所占比例较小。

通过上述比较，我们可以认为，第290窟佛传故事画的内容主要是根据《修行本起经》画出

---

13 《中本起经》，《大正藏》第四卷，第54～115页。《祐录》卷二载"中本起经二卷"，注云："或云太子中本起经。"又谓："汉献帝建安中，康孟详译出。"《长房录》卷四载："中本起经二卷（注云：'亦云太子中本起经。'）。释道安云，沙门昙果于迦维罗卫国得此梵本，来至雒阳，建安十二年翻，康孟详度语。"

14 《太子瑞应本起经》，《大正藏》第三卷，第472～483页《祐录》卷二载："瑞应本起经二卷。"魏文帝时，支谦以吴主孙权黄武初至孙亮建兴中所译出。"《长房录》卷五载："与康孟详出者小异。"

15 《普曜经》，《大正藏》第三卷，第483～538页。《祐录》卷二载："普曜经八卷。"西晋竺法护永嘉二年（308年）五月译出。

16 《异出菩萨本起经》，《大正藏》第三卷，第617～620页。《祐录》卷四在"失译经录"内，谓"异出菩萨本起经一卷"，又载"今并有其本"。《长房录》卷六载："异出菩萨本起经一卷，聂道真译，惠帝之世始，太康年迄永嘉末，其间询禀语承，法护笔受之外，及护没后，真遂自译前件杂经，诚师护出，真当其称，颇善文句，辞义分炳。此并见在别录所载。"

17 《过去现在因果经》，《大正藏》第三卷，第620～653页。《祐录》卷二载："过去现在因果经四卷"，"宋文帝时天竺摩诃乘法师求那跋陀罗，以元嘉中及孝武帝时，宣出诸经，沙门释宝云及弟子菩提法勇传译"。《长房录》卷十载："与汉世竺大力、吴世支谦所出《本起》《瑞应》等本，□大同，文少异。"

18 《佛所行赞》，《大正藏》第四卷，第1～54页。《祐录》卷二载："佛所行赞五卷。"注云："一名马鸣菩萨赞，或云佛本行赞。"又载："宋孝武皇帝时，沙门释宝云于六合山寺译出。"同书卷四在"失译经录"内。《长房录》卷十载："佛所行费经五卷，宝云于六合山寺出。"唐道宣《大唐内典录》卷七载"佛所行赞传"，注云："五卷九十纸马鸣菩萨赞"，"东晋宝云于杞都译"。唐智昇《开元释教录》卷四载"佛所行赞传五卷"，注云："或云经无佛字。"或云传无经字，马鸣菩萨造，亦云佛本行经，见长房录。"昙无谶译。

19 《佛本行经》，《大正藏》第四卷，第54～115页。《祐录》卷四在"失译经录"内。又载："新集所得，今并有其本。"《长房录》卷九载："佛本行经五卷第二出，昙无谶译。"《内典录》卷三记"佛本行经五卷"，昙无谶。同书卷七载："佛本行经。"注云"七卷一百一十四纸"，"宋元嘉年宝云于杨都译"。《开元录》卷五"佛本行经七卷"，注云："或云佛本行赞传，于六合山出。或云五卷，见信祐、宝唱、内典等录，高僧传云佛行赞经。"宝云译。《佛所行赞》《佛本行经》两经，各家目录记述的经名与译者互不相同。据周一良《汉译马鸣佛所行赞的名称和译者》考证，今本佛所行赞，全篇为释迦牟尼传记，毫无赞的功用，原名因为佛本行经，译者从《祐录》说，应列为失译本。今本佛本行经的文体，大有被称为"赞"的资格，应为佛所行赞，译者从《祐录》说，为宝云译。今从周一良先生说（周一良：《魏晋南北朝史论集》，中华书局，1963年）。

20 《释迦谱》，《大正藏》第五十卷，第1～84页。[梁]僧祐撰：《祐录》卷第十二《释迦谱五卷》。

的。佛教故事画其内容应以佛经经文为依据，这是不同地区、不同时代的画工都要遵循的一条。但我们还应注意到，经文内容变成绘画或雕刻的艺术形象必须通过画工、塑匠们的艺术实践来完成。具体的绘画（或雕刻）作品，其表现形式和艺术处理的手法等，不能不受到画工们对经文的理解和认识，自身的艺术修养以及当时同类题材作品的影响。因此在其作品中出现一些不完全拘泥于经文描述的场面，也是可以理解的。譬如表现释迦树下诞生、步步生莲、九龙灌顶、出游四门、逾城出家等内容的佛传故事，在石窟的雕刻、绘画和造像碑中是习见而为人们所熟知的题材。现存北周以前佛传内容的艺术品中也不乏这样的实例。因此画工在创作290窟佛传故事画时，在某些画面的处理上，背离经文细节的描述，而采用内容近似，情节略有出入的同类内容的表现形式，也是完全有可能的。

四、第290窟佛传故事画的特点

第290窟佛传故事画，通过宏伟的篇幅、细腻的叙事性笔调、民族风格的艺术形式，表现了释迦的成佛过程；作为连环故事画，其内容丰富、情节复杂、故事完整，堪称莫高窟北朝壁画之最。下面试就画面的内容和表现形式的特点，作一些探讨。

（一）佛传故事画的主题

这铺佛传故事画的内容，可分作三个部分：

第一部分，表现释迦的超凡入圣，共64个画面。释迦出生前的托梦投胎，众花开放，预示圣神即将降生人间。接着是不同寻常的腋下诞生，落地即能行走、说话，有天神伺候、龙王助浴。母后怀抱回宫，父王率众出迎，又有宝藏开现。父王礼拜、神像倾倒。凡此种种，释迦非同常人的圣神形象逐步被烘染出来，此后逐个描绘天降三十二瑞应，便使释迦的形象完全被神化了。于是通过阿夷观相，点明了释迦乃是圣神再世，未来将要成佛。在这里，故事画运用的是连续铺排、层层渲染的手法，为后面的厌世出家、修行成佛作了铺衬。为了神化释迦形象，画面舍弃了《修行本起经》中一些内容，又根据其他经典和通常流行的画法，对该经某些内容的情节，作了加工。如画面5释迦诞生即能行走和说话的画面，增加了步步生莲的形象。画面6龙王兄弟为释迦沐浴，由二龙改为九龙，除此以外，还增加了画面2白马生白驹和25黄羊生羔的情节。

第二部分，表现释迦居宫厌世，专志出家，共34个画面，约占全画篇幅的一半。这部分故事情节是通过释迦思念出家及白净王阻止其出家的一系列冲突而逐步展开的。一方面，几次重复出现释迦居宫忧愁、思念出家的画面。另一方面，紧接上述画面数次出现了白净王为阻止释迦出家，召集群臣谋划对策的画面。随着每次矛盾的发生，都相应出现了学书、求婚、试艺、纳妃，再娶二女、游观四门等解决矛盾的画面。但是，不论荣华富贵，还是名位声色，都无法改变释迦出家修行的意愿，出家与阻止出家的矛盾愈益尖锐。故事发展到画面73释迦受命监农观耕，及74白净王看到树下坐禅的释迦，不觉下马礼拜的画面，已告诉人们，白净王阻止其出家苦心的破灭。最后通过裴夷入梦、释迦抚慰、车匿备马、逾城出家、车匿空还、举国悲恸等画面，将故事的发展推向了高潮，以释迦出家愿望的最终实现，使矛盾冲突得到解决。这部分画面，通过连续运用矛盾冲突的手法，加强了故事情节的戏剧性，跌宕起伏，引人入胜。

第三部分仅7个画面，概括表现了释迦得道成佛和转法轮普度众生，而不像佛经那样详尽地叙述修行、得道、成佛、度化众弟子的具体事迹。从这个意义上说，这部分画面尽管不多，但主题思想的表现，却比《修行本起经》更为丰富和完整；大部分内容取材于其他佛经，以补充《修行本起经》的不足。最后的释迦鹿野苑初转法轮的画面，安排在中心塔柱正面的上方，显然是要突出这个内容。礼佛者观看了该窟中心塔柱四面的塑像和四壁千篇一律的千佛之后，势必被窟顶丰富而生动的佛传故事画所吸引。看过了人字披的故事画，视线自然就移到位置特别突出的鹿野苑说法画面。莫高窟的壁画内容，每个洞窟都有统一的整体布局，而壁画往往是主体塑像的补充和图解。莫高窟290窟人字披顶佛传故事画、中心柱正壁龛上方的鹿野苑初转法轮与龛内的彩塑佛说法像相结合，突出表现释迦修行成佛、为众生说法，以教化普度众生的思想。这是释迦一生为之追求的目标，似乎也是整个290窟所要表现的主题。整个佛传故事画，从托梦投胎开始，以初转法轮为结局。在内容的选择上，大量舍弃了佛经中释迦出家以后的事迹，以便重点表现释迦的世俗形象和出家前的曲折经历。其用意显然是劝诫世人要以释迦为榜样，仿效他出世离俗，修持佛法。

（二）佛传故事画的艺术特点

早于莫高窟第290窟，以佛传为题材的艺术品主要有：古老的山奇第一塔浮雕、巴尔胡特的浮雕、犍陀罗出土的公元二三世纪的雕刻、阿玛拉瓦提出土的三世纪初期的四相图、撒尔那特出土的五世纪四相图和八相图等。其中或者画面不多、情节简单，或者内容虽多，但重点是修行成佛后的事迹，出家前的情节表现比较简略，其故事的完整性与连续性都不能同第290窟佛传故事画相比。

北朝时期，我国遗存的表现佛传内容的造像碑也较多，但一般都画面不多，内容比较简单。新疆拜城克孜尔石窟第110窟（即德人称之为台阶洞者），是一个纵券顶的方形窟，其正壁和左右两侧壁画佛传故事。画面分为三列，每列分隔为若干幅。原有画面当为57～60幅，其中保存较好的画面多被德人切割盗走。整窟壁画以佛传为主，表现释迦从诞生到涅槃的主要事迹。可辨识出画面内容的有20余幅，为树下诞生、二龙灌顶、占相、太子试艺、掷象、射箭取胜、出游四门、树下观耕、宫中娱乐、车匿备马、逾城出家、犍陟吻足、车匿告别、乳女奉糜、二商奉食、四天王献钵、降魔成道、初转法轮、涅槃等。其余画面多已漫漶不清。山西大同云冈石窟第6、7、8、12、48、53窟均有佛传雕刻。第6窟现存41幅（原来应不少于51幅）[21]，其中从诞生到出家为29幅，内容亦较莫高窟第290窟简略，且整体布局上缺乏波澜起伏的矛盾冲突。出家后的事迹虽篇幅不算多，但将降魔和说法等内容安排在主要位置上，同克孜尔第110窟一样，出家后的内容是表现的重点。此外，南响堂山第2窟中心柱、洛阳龙门石窟古阳洞和莲花洞中，也有佛传雕刻，但规模更不如克孜尔和云冈。

莫高窟北周以前，见于壁画的佛传，除第290窟外，尚有北凉第275窟南壁出游四门，北魏第254窟南壁降魔，第263、260窟南壁降魔和北壁鹿野苑初转法轮，第431窟中心塔柱南向龛两侧乘象入胎、逾城出家，第428窟西壁诞生、涅槃及北壁降魔。北周稍后，隋代有第307窟窟顶涅槃，第295窟窟顶涅槃，第397窟窟顶乘象入胎、逾城出家，第278、283、383窟西壁乘象入胎、逾城出家，第280窟西壁乘象入胎、成道说法及窟顶涅槃。显然内容都比较简单。

综上所述，莫高窟第290窟佛传故事画以其鸿篇伟制出现在北朝，确实具有独特的价值。

第290窟佛传故事画具有浓郁的中国风格。

它采用长卷式横幅构图，每一画面上有榜题一方，书写所绘内容，无疑是对我国汉晋绘画传统形式的继承和发展。

人物的造型主要采用我国传统的线描。色彩晕染则是中原染色法与西域凹凸法的结合。前者在两颊涂染色块，后者则是沿轮廓线涂染，现经变色已形成黑圈。

画面上共有200多个人物，除神佛仙人外，世俗人物以中原汉式衣冠为主。国王、太子、大臣、嫔妃等，除骑射时穿胡服外，俱着汉装。白净王和善觉王都穿中国帝王的服装，头戴通天冠、身穿交领大袖深衣袍，并有曲领中单和蔽膝，足着大履。悉达多太子头梳双童髻，亦着王服。大臣头戴笼冠，着深衣袍。摩耶夫人裘夷及众宫女都穿汉地妇女的交领大袖襦服和长裙。梵志一类人物则穿胡汉混合装，头戴少数民族的卷沿高帽，身着汉装，外披大裘。庶民和侍从穿胡服裤褶。伎乐飞天亦不乏汉装者。

图中的建筑，几乎是清一色的汉地式样。单体建筑分台基、屋身、屋顶三部分。台基是青砖垒砌的。台基上的屋身，见有柱子和墙壁。屋顶为四阿式或四阿重檐式，上覆青瓦，饰以鸱吻。成组的建筑，以一两座立体建筑为主，绕以曲尺形的围墙，形成院落。此图的建筑形象，已比北魏、西魏故事画中更富浓郁的汉地风格，与隋代壁画中的建筑形象十分接近。

此外，画上的车舆、器物，甚至某些习俗也是汉地形式。如画面7摩耶夫人乘坐的交龙车（云车），画面61二夫人乘的马车（辎车），画面69丧车，画面31盛甘露的瓮，以及很多的画面

---

21 杨泓：《云冈第六窟本行故事雕刻》，《现代佛学》1963年第2期。

中国王或太子使用的伞盖和羽扇，还包括各种动物的形象，均继承了汉晋绘画中的传统形象。画面69丧车上出现乘龙持节的方士，表示引导死者升天；车前有人高举牺牲、表示为死者祭祀，这显然是中国道家思想和传统丧葬习俗在佛画中的反映。

敦煌艺术的创造者，按照中华民族所熟悉的传统的表现形式、表现技法及人物形象、衣冠服饰、风物习俗绘制佛画，给人以亲切之感。这样的宗教宣传，应当是更易于为人们所接受的。

五、佛传故事画出现的历史背景

莫高窟第290窟的这幅佛传故事画，其内容的组织是较为独特的。它为何出现于北周时期，是个令人玩味的问题。从北周时期佛、道两教的激烈斗争中似乎可以找到解开答案的一些线索。

北周时期，佛、道之争，可以说是绵延不断。北周立国之初，明帝之世（557~560年）沙门僧猛与"黄巾之徒"的问对争辩，揭开了北周时期佛、道两教斗争的序幕[22]。其后皇帝也直接参与了两道之争，使争辩愈演愈烈。

天和四年（569年）二月，周武帝集"百僚、道士、沙门等讨论释老之义"[23]。同年三月十五日，"召有德众僧、名儒、道士、文武百官两千余人，帝御正殿量述教"[24]。同月二十日，"依前集论，是非更广"[25]。周武帝崇道抑佛的态度已甚明朗，他说："儒教、道教此国常尊，佛教后来，朕意不立，佥议如何？"[26]

同年"又敕司隶大夫甄鸾，详度佛道二教，定其深浅，辩其真伪"[27]。到天和五年（570年）"鸾乃上《笑道论》三卷"[28]，嘲讽道教荒诞不经。同年五月十日，"帝大集群臣详鸾上论，以为伤蠹道法。帝躬受之，不惬本图，即于殿庭焚荡"[29]。甄鸾之论，不合武帝的本意，佛教不免遭到贬斥。

"建德二年（573年）十二月癸巳，集群臣及沙门、道士等，帝升高座，辩释三教先后，以儒教为先，道教为次，佛教为后"[30]。

在佛教地位急剧下降的情况下，一些名僧大德为使佛教免遭议论，不惜冒犯圣颜、抗旨力

22 《续高僧传》卷二十三《隋京师云华寺释僧猛传》，《大正藏》第五十卷，第631页。
23 《周书·武帝纪》。
24 道宣撰《广弘明集》卷八《周灭佛法集道俗议事》，《大正藏》第五十二卷，第135~136页。
25 道宣撰《广弘明集》卷八《周灭佛法集道俗议事》，《大正藏》第五十二卷，第135~136页。
26 道宣撰《广弘明集》卷八《周灭佛法集道俗议事》，《大正藏》第五十二卷，第135~136页。
27 道宣撰《广弘明集》卷八《周灭佛法集道俗议事》，《大正藏》第五十二卷，第135~136页。
28 道宣撰《广弘明集》卷八《周灭佛法集道俗议事》，《大正藏》第五十二卷，第135~136页。
29 道宣撰《广弘明集》卷八《周灭佛法集道俗议事》，《大正藏》第五十二卷，第135~136页。
30 《周书·武帝纪》。

争。建德三年（574年）五月，武帝召令高僧、道士集会，以讨论佛道两教的废留。益州高僧释智炫，与武帝及道士张宾进行舌战，"虽处大节，曾无惧颜"[31]。佛教徒的抗争，仍未能避免佛教被废的命运。

"建德三年五月丙子，初断佛道二教，经像悉毁，罢沙门道士，并令还民。并禁诸淫祀，礼典所不载者，尽除之。"[32]

佛教被禁灭，佛教僧徒并不善罢甘休，不断抗争进表，以求佛法的复兴。

建德六年（577年）春，武帝在邺城"召前修大德并赴殿集，帝升御座，序废立义"[33]。存立儒教，废除佛道。时高僧人慧远，抗诏争辩。并诅咒武帝灭佛，当坠阿鼻地狱。[34]同年十一月，佛弟子任道林为废佛事，上表进谏[35]。大象元年（580年）二月，佛图澄弟子王明广上表请兴佛法[36]。

北周时期佛道二教，为了求得帝王的支持，取得合法或领先的地位，彼此间进行了长期的攻伐和辩论。佛、道二教孰先孰后是论争的主题之一。道教徒强调"道教旧来本有，佛法近自西来"[37]。佛教徒则反驳说，佛教传入历史久远，"佛教东传，时过七代"，"其汉魏晋世，佛化已弘，宋赵苻燕久习崇盛"[38]。

莫高窟北周时期的第290窟，佛传故事画的内容，既不采用竺法护在西北地区译出的《普曜经》，也不用距北周时间最近的僧祐撰的《释迦谱》，而特意选用梵本取自天竺迦维罗卫国的汉地最早译本《修行本起经》[39]，不是没有原因的。意在表明，这幅佛传故事画的内容是天竺梵本所传、真实可信。此经早已译出，证明佛教传入历史悠久。这可能与当时佛道先后之争有关，或者说是受到这一论争的影响。

在佛道论争中，还常常涉及教主地位的高下问题。道教徒炮制的《老子化胡经》，成为历代道教徒攻击佛教的根据之一。北周时期同样如此，佛教徒则反唇相讥，贬低老子，美化释迦。道安在《二教论》中，借孔子之口，推崇释迦为圣人[40]。甄鸾在《笑道论》中亦引此说，谓"孔子以

---

31 《续高僧传》卷二十三《益州孝爱寺释智炫传》，《大正藏》五十卷，第631～632页。

32 《周书·武帝纪》。

33 《续高僧传》卷八《京师净影寺释慧远传》，《大正藏》第五十卷，第489～492页。

34 道宣《广弘明集》卷十周祖平齐召僧叙废立抗争事："远抗声曰：'陛下今恃王力自在破灭三宝，是邪见人。阿鼻地狱不简贵贱，陛下何得不怖？'"《大正藏》第五十二卷，第154页。《集古今佛道论衡》卷二亦载此事，《大正藏》第五十二卷，第374页。

35 《广弘明集》卷十《周祖巡邺请开佛法事》，《大正藏》第五十二卷，第154～157页。

36 《广弘明集》卷十《周祖天元立对卫元嵩上事》，《大正藏》第五十二卷，第157～160页。

37 《续高僧传》卷二十三《益州孝爱寺释智炫传》，《大正藏》五十卷，第631～632页。

38 《广弘明集》卷十《周祖巡邺请开佛法事》，《大正藏》第五十二卷，第154～157页。

39 《高僧传》卷一《雒阳支娄迦谶传》，《大正藏》第五十卷，第324页。

40 《广弘明集》卷八道安《二教论》"道仙优劣第六"，《大正藏》第五十二卷，第138页。又《广弘明集》卷一《归正篇》"商太宰问孔子圣人"条，《大正藏》第五十二卷，第98页。

佛为圣，不以道为圣也"[41]。

莫高窟290窟的佛传故事画，第一部分以大量画幅表现释迦降生时的种种祥瑞，竭力描绘释迦不同常人的超凡入圣的事迹，以表明释迦出世之不凡。故事画的第二部分，则着重表现释迦不慕世荣、不重名位，坚持出家的行为。这些正是佛教徒所标榜的："盖发肤微嗣，世人之所重，而沙门遗之如脱履；名位财色有情之所滞，而沙门视之如秕糠。斯乃忍人所不能忍，去人所不能去。可谓超世之津梁，弘道之胜趣也。"[42]佛传故事画中的释迦，抛弃名位，弃绝声色，执意出家，俨然是人间圣贤的典型。

佛传画事画的第三部分，是释迦修行成道，初转法轮，度化比丘。释迦不仅自己大彻大悟，还教化众生，超脱尘世以修佛果。这些正是佛教徒所宣扬的"佛经人人修行，皆得佛果"[43]、"救兹五浊、特拔三有，人中天上，六道四生，莫不皈依回向，受其广悟"[44]的形象说明。

北周时期，佛道之争不能不对莫高窟洞窟的开凿兴修有所影响。第290窟佛传故事画从依据经典的选择，到画面情况的安排，突出释迦诞生时的祥瑞，以表现其非同常人的出世。其后又抛弃名位，冲破种种阻拦，坚持出家，最终成道。通过释迦的这些事迹，不仅表现他为追求出家成道的曲折经历，更塑造他超世脱俗的高大形象。整个画面寄托了佛教徒们对佛祖崇敬思慕的宗教感情，也为信徒们树立了以资效仿的典范。

通过上述的简单分析，可以说明第290窟佛传故事画的出现，并非偶然。它和北周时期的宗教论争有着千丝万缕的联系。任何时期的佛教壁画题材的流行都有其特定的社会原因和历史背景，莫高窟290窟佛传故事画的出现，自然也不例外。

（本文为樊锦诗、马世长合著，原载于《敦煌研究》1983年第3期；
后收于《陇上学人文存·樊锦诗卷》，甘肃人民出版社，2014年）

41　《广弘明集》卷九甄鸾《笑道论》，《大正藏》第五十二卷，第143～152页。

42　《广弘明集》卷八释道安《二教论》"依法除疑第十二"，《大正藏》第五十二卷，第143页。

43　《广弘明集》卷九甄鸾《笑道论》，《大正藏》第五十二卷，第143～152页。

44　《广弘明集》卷十"周祖巡邺请开佛法事"，《大正藏》第五十二卷，第154～157页。

莫高窟北朝洞窟本生、因缘故事画补考

　　莫高窟北朝洞窟中的本生、因缘故事画是洞窟壁画的主要题材之一。经过多年研究，其内容大多已查明，但仍有少数壁画内容待考，有的壁画内容也还存在不同意见。这些内容不明或有分歧看法的画面，多属单情节的单幅壁画，画面情节简单，加之面积较小，易被人们忽略。随着石窟研究工作的深入，特别是新疆拜城克孜尔石窟丰富的本生、因缘故事画，半数以上已考证出具体内容[1]。这为我们对莫高窟北朝洞窟的本生、因缘故事画进行比较研究提供了有益的线索。经过对北朝洞窟中六幅本生、因缘故事画的画面情节的辨识考查，结合佛典记载，现仅就其内容，提出初步看法，供研究参考。

　　至此，莫高窟北朝洞窟中的本生、因缘故事画的内容已基本考证出来，具体情况参见文后附表[2]。本文补考的六幅壁画是：①快目王施眼本生（第257窟）；②弊狗因缘（第257窟）；③化跋提长者姊缘（第285窟）；④度恶牛缘（第285窟）；⑤独角仙人本生（第428窟）；⑥梵志夫妇摘花失命缘（第428窟）。以下分别对六幅壁画的画面进行描述，然后引录有关佛教经文，以考定其内容。其余问题另文论述，文中不再赘述。

1　马世长：《克孜尔中心柱窟主室券顶与后室的壁画》，载《中国石窟·克孜尔石窟（二）》，东京：平凡社，1984年，第174～226页。

2　莫高窟北朝洞窟本生、因缘故事画的内容，过去已有不少论述，但散见于不同的论著中。现笔者列表将这个时期已知的十二种20幅本生故事画、九种11幅因缘故事画做一介绍。见本文莫高窟北朝洞窟本生故事画统计表和莫高窟北朝洞窟因缘故事画统计表。

一、快目王施眼本生

第275窟（北凉）北壁中段通壁安排本生故事组画。过去我们知道此壁西侧自西向东的四个故事为：毗楞竭梨王本生、虔阇尼婆梨王本生、尸毗王本生、乾夷王施头本生。北壁东侧部分，因宋代的土坯隔墙和壁画覆盖，内容不为人们所知。现由于北壁东侧表层的宋代壁画逐渐剥落，部分原画已露出，经仔细辨认画面，查阅佛经，可以确定这幅画面是快目王施眼本生。

画面 一着菩萨装者盘腿而坐，头有圆光，上身袒露，肩挂披巾，腰系长裙，两手置胸前。面前另有一手臂，正持一针状物向这着菩萨装者的眼部刺来〔图1〕[3]。

内容考释 前述第275窟北壁西侧四个本生故事画的特点为：着菩萨装盘坐者均为王者；王者前一持物者均为施刑者；画面内容均是佛前生为某国王时忍辱牺牲的故事；画面均是具有典型意义的一个或两个情节。据此，可知本画面的内容，系据元魏慧觉等译《贤愚经》卷六《快目王施眼缘品》[4]而绘：

〔图1〕
莫高窟第275窟北壁
快目王施眼本生
北凉

> 此阎浮提，有一大城，名富迦罗拔。时有国王，名须提罗（汉译快目）。……王有慈悲，愍念一切。养育民物，犹如慈父。……尔时边裔，有一小国，其王名曰波罗陀跋弥，恃远傲慢，不宾王化。……（快目王）告下诸国，选择兵众，克日都集，往彼波罗陀跋弥王国。……波罗陀跋弥闻是消息，愁闷迷愦，莫知所如。……共辅相言："我闻快目王，自誓布施，唯除父母，不以施耳，其余一切，不逆来意。今此国中，有盲婆罗门，当劝勉之往乞王眼。若能得者，军兵足却。"王闻是语，即然可之，寻遣辅相，往求晓之。辅相即时，遣人往唤，寻使来而告之曰："……须提罗王，欲合兵众来伐我国。若当来者，我等强壮，虽能逃避，犹忧残戮，况汝无目，能得脱邪？彼王有誓：'一切布施，随人所须，不逆人意。'往从乞

---

3 现在能见到的画面，是此画的东侧部分；其西侧部分，应是持针状物者的身躯部分，由于壁面被宋代土墙覆盖，故无法窥其全貌。

4 《大正藏》第四卷，第390~392页。

眼，庶必得之，若得其眼，兵众可息。此事苟办，当重募汝。"婆罗门言："今我无见，此事云何？"王重劝勉，我当遣人将护汝往。即给道粮行道所须，引路而去。……时婆罗门渐到大城，径至殿前，高声唱言："我在他国承王名德，一切布施，不逆人意。"……王闻是语，即下问讯："……一切所须，皆当给与。"婆罗门言："外物布施，福德不妙。内身布施，果报乃大。我久失眼，长夜处冥。承闻大王，故发意来，欲乞王眼。"王闻欢喜，语婆罗门："若欲得眼，我当施与。"……正语左右："可挑我眼。"左右诸臣，咸各言曰："宁破我身，犹如芥子，不能举手向大王眼。"王语诸臣："汝等推觅其色正黑谛下视者，便召将来。"诸臣求得，将来与王。王即授刀，敕语令剜。剜得一眼，着王掌中，王便立誓："我以此眼，以用布施，誓求佛道！"……王语婆罗门："今与汝眼，令汝得视。后成佛时，复当令汝得慧眼见。"将婆罗门，入宝藏中恣取一担，发遣去还到本国。波罗陀跋弥自出迎之，已见先问："得眼不耶？"答言："得眼。我今用视。"复问言曰："彼王今者，为存为亡？"答言："诸天来下，寻即誓愿，眼还平复，眼好于前。"波罗陀跋弥以闻此语，恼闷愤结，心裂而死。佛告阿难："欲知尔时须提罗王，今我身是。波罗陀跋弥，今调达是。时乞我眼婆罗门者，今此会中，盲婆罗门得道者是。"

二、弊狗因缘

壁画位于北魏第257窟南壁中段西端，即介于南壁《沙弥守戒自杀品》和西壁《九色鹿王本生》之间。全画自西向东由两幅画面组成。

画面　大树下圆拱状门形建筑，门前坐一比丘，两膝屈起，左手后伸支地，右手抚于膝前。有一狗，低头欲舔比丘状。山洞前的床上右卧一比丘，右臂支床，右掌托腮，左臂置于体侧〔图2〕。

内容考释　画面的内容，过去曾释作《沙弥均提品》。如将画面对照此经，不难发现画面上门旁一狗欲低头舔比丘，床上右卧比丘的情节均不见于《沙弥均提品》[5]。既然画面与《沙弥均提品》不甚相合，其内容就可能另有所本。

根据画面提供的特定情节，似与《经律异相》第四十七卷《弊狗因一比丘得生善心品》[6]的内容比较接近。经云：

5　敦煌文物研究所编：《敦煌莫高窟内容总录》，"第257窟"条，北京：文物出版社，1982年，第91页。《沙弥均提品》经文《贤愚经》卷十三，《大正藏》第四卷，第444～445页。

6　《大正藏》第五十三卷，第249页。

图2   图3

有一长者财富无数，（家）有一弊狗常喜啮人，凡人不得妄入其门。有一比丘聪明善慧，圣达难当逮，入其门乞，值狗出卧不觉入。时长者设食。狗觉方见，念出卧不觉沙门得入，今既已坐当奈之何？若（他）独食者出，必啮杀，噉其腹中而食善膳；若分我食乃原之耳。沙门知其心念，自食一揣与狗一揣。（狗）善生慈向于沙门，前舔其足。后（狗）出门卧，曾被其啮人剑斫其头。其狗即生长者夫人腹中。生后短命寻复终亡，复生彼国余长者家。年十余岁，见一沙门前迎为礼，启其父母请为我师，施设供养寻受经戒，再化家中一切大小诵经念道。因报二亲求为沙门，不受具足，供养和尚日夜不懈，和尚灭后仍受戒德。

画面中表现弊狗舔比丘和弊狗转生后求为沙门的情景。弊狗因缘在克孜尔石窟也有，如克孜尔石窟第80窟主室券顶南壁的一幅：一狗卧一座上，在佛旁听讲法，狗的下方有一钵。另一侧是一人持剑作欲砍状。这幅画表现弊狗被啮人剑砍其头和狗食一钵食等情节〔图3〕。

三、化跋提长者姊缘

画面位于西魏第285窟南壁东禅窟东侧中段上部。

画面　空中倒悬一比丘；比丘右侧有二射手弯弓上射；地面上站立一比丘，一手托钵上举，一手扬掌作说话状，比丘前跪一俗装女子，两手置地似作俯伏聆听状，比丘与女子之间有一小水池〔图4〕。

〔图4〕
莫高窟第285窟南壁
化跋提长者姊缘
西魏

内容考释　本画面的内容，过去曾释作《沙弥守戒自杀缘品》的乞食部分。经与经文对比，上述画面诸情节均不见于《沙弥守戒自杀缘品》[7]，而与《经律异相》卷第十三《阿那律等共化跋提长者及姊》[8]的内容较为接近。经云：

阿那律、大迦叶、目连、宾头卢共议：今王舍城有不信乐佛法僧者，我等当共令其信乐。作是议已，遍观远近，唯见跋提长者及姊不信三宝。上三声闻言：“能化跋提。”……

上三声闻语宾头卢：“我等今者已化跋提，令其信法。汝今宜行次化其姊。”时宾头卢晨朝持钵往到其舍。时长者姊手自作饼，忽见来乞，便语之言：“决不与汝，一心视钵欲以何为？”宾头卢便身中烟出。（长者姊）复语言：“举身烟出，亦不与汝。”宾头卢便举身火然。复语言：“举身火然亦不与汝。”宾头卢便飞腾虚空。复语言：“飞腾虚空亦不与汝。”宾头卢便倒悬空中。复语言：“倒悬空中亦不与汝。”宾头卢作是念：“世尊不

7　敦煌文物研究所编著：《敦煌莫高窟内容总录》，“第285窟”条，北京：文物出版社，1982年。又《中国石窟·敦煌莫高窟（第一卷）》，图版133，北京：文物出版社、东京：平凡社，1981年，第102页。《沙弥守戒自杀缘品》经文《贤愚经》卷五，《大正藏》第四卷，第380～382页。
8　《大正藏》第五十三卷，第68～69页。

听我等强从人乞。"便自出去。王舍城不远有大石，宾头卢坐其上，合石飞入王舍城。城中人见皆大怖惧，恐石落地莫不驰走。至长者姊上便住不去，彼见是已即大恐怖，白言："愿施我命，反石于先，我当与食。"宾头卢便持石还着故处，至其前往。长者姊作是念："我不能以大饼施之，当更作小者与之。"便作小丸辄反成大，如是三反转大于前，乃作念言："我欲作小皆反成大，我今便可趣与一饼。"即以一饼而受（授）与之，诸饼相连并至饼器；以手捉器，手亦着之，便语宾头卢言："汝若须饼，尽以相与。全出与不惜，何须我为，而令我手着？"答言："我不须饼，亦不须器，亦不须汝。我等四人共议度汝及弟二人，已化汝弟，我应度汝，所以尔耳。"问言："今欲令我何所施作？"答言："姊妹可戴此饼，随我施佛及千二百五十比丘，皆悉饱满犹故不尽。"（长者姊）持往白佛："我此少饼供佛及僧，皆悉饱满，犹故不尽。今当持此着于何处？"佛言："可着无生草地，若无虫水中。"彼女人便持着无虫水中。水沸作声，如以热铁投于小水，便生恐怖。还至佛所，佛为说法，得法眼净，即受归戒如弟子无异。

画面表现了宾头卢倒悬空中、乞食及跂提长者姊以饼布施、持着无虫水中等三个情节。画面右侧的二射手，疑与上方《五百盲贼得眼》画面有关。

四、度恶牛缘

画面位于西魏第285窟南壁东禅窟东侧中段的下部，即位于上述《化跂提长者姊缘》画面之下。

画面　水池旁有一棵大树，树下一侧有一牛作俯伏状；另一侧一比丘结跏趺坐，比丘头戴帷帽，身穿袈裟，两手相叠于腹前，作禅定修习状〔图5〕。

内容考释　本画面的内容，过去曾释作《沙弥守戒自杀缘品》，而《撰集百缘经》卷六《佛度水牛生天缘》[9]的内容，与画面情节较接近。经云：

佛在憍萨罗国，将诸比丘欲诣勒那树下。至一泽中，有五百水牛。复有五百放牛之人，遥见佛来，高声叫唤："唯愿世尊莫此道行，此水中有一恶牛牴突伤人，难可得过。"尔时佛告放牛人言："汝等今者莫大忧怖。彼水牛者设来牴我，吾自知。"……

时比丘语言之顷，恶牛卒来，翘尾抵（牴）角，刨地吼唤，跳踯直前。尔时如来于五指端化五师子。在佛左右四面周匝有大火坑。时彼水牛甚大惶怖，四向驰走，无有去处。唯

9　《大正藏》第四卷，第232页。

佛足前有少许地宴然清凉，驰奔趣向，心意泰然，无复怖畏，长跪伏首，舐世尊足，复便仰头视佛，喜不自胜。……

尔时世尊知彼恶牛心已调伏，即便为牛而说偈言。……时彼水牛闻世尊说是偈已，深生惭愧，欻然悟解，盖障云除，知其先身在人道中所作恶业，倍生羞耻，不食水草，即便命终，生忉利天。……佛即为其说四谛（种种）法，心而意解，得须陀洹果。绕佛三匝，还于天宫。……

时放牛人于其晨朝而白佛言："昨夜光明，为是释梵四天大王二十八部鬼神将耶？"佛告放牛人："亦非释梵诸神王等来听法也。乃是汝等所导恶牛，以见我故，命终生天，来供养我，是其光耳。"……

[图5]
莫高窟第285窟南壁
度恶牛缘
西魏

时五百放牛人闻佛语已，各相谓言："彼恶水牛，尚能见佛，得生天上，况我等辈今者是人，云何不修诸善法耶？"作是语已，设诸肴膳，请佛及僧。供养已讫，佛即为其种种说法，心开意解，各获道迹，求索出家。佛即告言："善来比丘，须发自落，法服着身，便成沙门，精勤修习，得阿罗汉果，三明六通，具八解脱。诸天世人所见敬仰。"……

时诸比丘见是事已而白佛言："今此水牛及五百放牛人宿造何业，生水牛中？复修何福，值佛世尊，出家得道？"尔时世尊告诸比丘："……有一三藏比丘，将五百弟子游行他国。在大众中而共论议，有难问者，不能通达，便生瞋恚。"返更恶骂："汝等今者无所晓知，强难问我，状似水牛，牴突人来。"时诸弟子，咸皆然可，以为非他。作是语已，各自散去。以是恶口业因缘故，五百世中生水牛中，及放牛人共相随遂。乃至今者故来得脱。"佛告诸比丘："欲知彼时三藏比丘者，今此群中恶水牛是；彼时诸弟子者，今五百放牛人是。"

壁画表现恶牛被调伏而俯首静卧和牧牛人求索出家、法服着身、精勤习修两个情节。这一故事画在克孜尔石窟也多处出现，画面表现的情节是，恶牛以角牴比丘的场面，或恶牛被调伏，卧于佛旁，静听讲法的情景。

五、独角仙人本生

画面位于北周开凿第 428 窟东壁南侧中段。

画面 一人拄杖而行，在其肩上坐骑一人〔图6〕。

内容考释 画面表现的是独角仙人本生。《大唐西域记》卷二 "健驮逻国跋虏沙城" 条记载："仙庐西北行百余里，越一小山，至大山，山南有伽蓝，僧徒鲜少，并学大乘。其侧窣堵波，无忧王子所建也，昔独角仙人所居之处。仙人为淫女诱乱，退失神通，淫女乃驾其肩而还城邑。"[10] 这一内容出于后秦鸠摩罗什译《大智度论》卷第十七[11]和梁僧旻、宝唱等集《经律异相》卷第三十九《独角仙人情染世欲为淫女所骑》[12]等。《大智度论》卷第十七独角仙人条云：

> 过去久远世时，波罗㮈国山中有仙人，以仲秋之月于藻槃中小便，见鹿麀合会，淫心即动，精流槃中。麀鹿饮之，即时有妊。满月生子，形类如人，唯头有一角，其足似鹿。鹿当产时，至仙人庵边而产，见子是人，以付仙人而去。仙人出时见此鹿子，自念本缘，知是己儿，取己养育。及其年大，勤教学问，通十八种大经。又学坐禅，行四无量心，得五神通。一时上山，值大雨泥滑，其足不便，躄地破其军持，又伤其足。便大瞋恚，以军持盛水，咒令不雨。仙人福德，诸龙鬼神皆为不雨。不雨故，五谷五果尽皆不生。人民穷乏无复生路。波罗㮈国王忧愁懊恼，命诸大臣集议雨事。明者议言："我传闻仙人山中有一角仙人，以足不便故，上山躄地伤足，瞋咒此雨令十二年不堕。"王思惟言："若十二年不雨，我国了矣，无复人民。"王即开募，其有能令仙人失五神通属成为民者，当与分国半治。是波罗㮈国有淫女，名曰扇陀，端正无双，来应王募。问诸人言："此是人非人？"众人言："是人耳，仙人所生。"淫女言："若是人者我能坏之。"作是语已，取金盘盛好宝物，语国王言："我当骑此仙人项来。"……

> 淫女即时求五百乘车，载五百美女；五百鹿车载种种欢喜丸，皆以众药草和之，以众彩画之，令似杂果；及持种种大力美酒，色味如水。服树皮衣草衣，行林树间，以像仙人，于仙人庵边作草庵而住。一角仙人游行见之，诸女皆出迎逆，好华妙香供养仙人，仙人大喜。诸女以美言敬辞问讯仙人，将入房中坐好床褥，与好清酒以为净水，与欢喜丸以为果蓏。食饮饱已，语诸女言："我从生以来初未得如此好果好水。"诸女言："我一心行善故，天与我

---

10 [唐]玄奘；《大唐西域记》，上海：上海人民出版社，1977年，第54页。

11 《大正藏》第二十五卷，第183页。

12 《大正藏》第五十三卷，第209～210页。

图6

图7

〔图6〕
莫高窟第428窟东壁
独角仙人本生
北周

〔图7〕
克孜尔石窟第17窟
主室券顶东壁 独角仙
人本生
约公元6世纪

愿，得此好水好果。"仙人问诸女："汝何以故肤色肥盛？"答言："我曹食此好果，饮此美水，故肥盛如此。"女白仙人言："汝何以不在此间住？"答曰："亦可住耳。"女言："可共澡洗？"即亦可之。女手柔软触之心动，便复与诸女更互相洗，欲心转生，遂成淫事，即失神通。天为大雨七日七夜，令得欢乐饮食。七日以后酒食皆尽。继以山水木果，其味不美，更索前者。答言："已尽，今当共行，去此不远有可得处。"仙人言："随意。"即便共出。去城不远，女便在道中卧言："我极不能复行。"仙人言：汝不能行者，骑我项上，当担汝去。女先遣信白王："王可观我智能。"王敕严驾出而观之。

　　画面选取独角仙人为淫女所骑这一典型情节来描述。独角仙人本生在克孜尔见于第17窟主室券顶东壁和69窟主室券顶西壁，画面均为一女人坐骑于一男人的肩上，作行走状〔图7〕。图6和图7两者在构图形式上有着惊人的相似之处。

六、梵志夫妇摘花失命缘

画面位于北周第428窟东壁门道南侧中段的北端，与本文《独角仙人本生》画面相邻。

画面 一片树木中，有一棵树盛开着花；树上有一人一手攀附树枝，一手摘花下递；另有一人在树旁盘腿席地而坐，一手持花，一手作接花状〔图8〕。

内容考释 关于采花的题材，在佛经因缘类故事中较多见。经比较，西晋法世和法立等译《法句譬喻经》卷第四《生死品》第三十七"梵志夫妇摘花坠死缘"条[13]与画面情节最为接近。此内容还见于梁僧旻、宝唱等集《经律异相》卷第四十"梵志夫妇采花失命佛为说其往事"第十一[14]。《法句譬喻经》"梵志夫妇摘花坠死缘"条云：

昔佛在舍卫国祇洹精舍，为天人国大臣广说妙法。有一梵志长者居在路侧，财富无数。只有一子其年二十，新娶妇未满七日，夫妇相敬言语相

13 《大正藏》第四卷，第605～606页。

14 《大正藏》第五十三卷，第214页。

顺。妇语其夫欲至后园中看戏，为得尔不。上春三月夫妇相将至后园中，有一椋树高大花好，妇欲得花无人取与。夫知妇意欲得椋花，即便上树正取一花，复欲得一，展（辗）转上树乃至细枝，枝折坠地伤身即死。居家大小奔波跳走，往趣儿所，呼天号哭断绝复苏。……

于是世尊愍伤其愚往问讯之。……佛告长者，乃往昔时有一小儿，持弓箭入神树中戏。边有三人亦在中，看树上有雀，小儿欲射，三人劝言，若能中雀者世间健儿。小儿意美引弓射之，中雀即死坠地。三人共笑，助之欢喜而各自去。经历生死无数劫中。所在相遭共会受罪；三人中，一人有福今在天上；一人生海中为化生龙王；一人今日长者身是。此小儿者，前生天上，为天作子；命终来下，为长者作子；坠树命终生海中，为龙王作子。即以生日，金翅鸟王取而食之。

壁画表现的是长者子为其妇上树摘花的情景。克孜尔第69窟主室券顶西壁也画有这一故事。画面中，一人以手攀缘树干，登树采花，树下横卧一人。这是将长者子上树采花和坠树而死两个情节，集中于一个画面中表现。

（本文为樊锦诗、马世长合著，原载于《敦煌研究》1986年第1期；后收于《陇上学人文存·樊锦诗卷》，甘肃人民出版社，2014年）

附表一：莫高窟北朝洞窟本生故事画统计表

内容	窟号和位置	时代	所据佛经
毗楞竭梨王本生	第 275 窟北壁	北凉	《贤愚经》卷一《梵天请法六事品》，《大正藏》第四卷，第 350 页。
虔阇尼婆梨王本生	第 275 窟北壁	北凉	《大智度论》第十一卷《释初品》中檀相义第十九，《大正藏》第二十五卷，第 143 页。
尸毗王本生	第 275 窟北壁	北凉	《六度集经》卷一《菩萨本生》，《大正藏》第二十五卷，第 87～88 页。
	第 254 窟北壁	北魏	《贤愚经》卷一，《大正藏》第四卷，第 351～352 页。
乾夷王施头本生	第 275 窟北壁	北凉	《六度集经》卷一《乾夷王本生》，《大正藏》第三卷，第 2 页。
快目王施眼本生	第 275 窟北壁	北凉	《贤愚经》卷六《快目王施眼缘品》，《大正藏》第四卷，第 390～392 页。
九色鹿王本生	第 257 窟西壁	北魏	支谦译《佛说九色鹿经》，《大正藏》第三卷，第 452～454 页。
摩诃萨埵太子舍身饲虎本生	第 254 窟南壁	北魏	北凉昙无谶译《金光明经》卷四《舍身品》第十七，《大藏经》第十六卷，第 353～356 页。
摩诃萨埵太子舍身饲虎本生	第 428 窟东壁	北周	北凉昙无谶译《金光明经》卷四《舍身品》第十七，《大藏经》第十六卷，第 353～356 页。
	第 299 窟窟顶	北周	
	第 301 窟窟顶	北周	
须达拏太子本生	第 428 窟东壁	北周	西秦圣坚译《太子须大拏经》，《大正藏》第三卷，第 418～421 页。
	第 294 窟窟顶	北周	
独角仙人本生	第 428 窟东壁	北周	《大唐西域记》卷二 "健驮罗国跋虏沙城" 条，上海：上海人民出版社，1977 年，第 54 页；《大智度论》卷第十七 "独角仙人" 条；《大正藏》第二十五卷，第 183 页。
须阇提太子本生	第 296 窟北壁	北周	《贤愚经》卷一《须阇提品》，《大正藏》第四卷，第 356～357 页。
善事太子本生	第 296 窟窟顶	北周	《贤愚经》卷九《善事太子入海品》，《大正藏》第四卷，第 410～415 页。
睒子本生	第 462 窟西壁	北周	西秦圣坚译《睒子经》，《大正藏》第三卷，第 438～443 页。
	第 438 窟窟顶	北周	
	第 299 窟窟顶	北周	
	第 301 窟窟顶	北周	

附表二：莫高窟北朝洞窟因缘故事画统计表

内容	窟号和位置	时代	所据佛经
须摩提女因缘	第 257 窟西壁北壁	北魏	前秦昙摩难提译《增一阿含经》卷二十二《须陀品》，《大正藏》第二卷，第 660 ～ 665 页。
弊狗因缘	第 257 窟南壁	北魏	《经律异相》第四十七卷《弊狗因一比丘得生善心品》，《大正藏》第五十三卷，第 249 页。
沙弥守戒自杀缘品	第 257 窟南壁	北魏	《贤愚经》卷五《沙弥守戒自杀品》，《大正藏》第四卷，第 380 ～ 382 页。
	第 285 窟南壁	西魏	
施身闻偈	第 285 窟南壁	西魏	《大般涅槃经》卷十四圣行品，《大正藏》第十二卷，第 450 页。
宾头卢度跋提长者姊	第 285 窟南壁	西魏	《经律异相》卷第十三《阿那律等共化跋提长者及姊》，《大正藏》第五十三卷，第 68 ～ 69 页。
度恶牛缘	第 285 窟南壁	西魏	《撰集百缘经》卷六《佛度水牛生天缘》，《大正藏》第四卷，第 232 页。
五百盲贼得眼故事	第 285 窟南壁	西魏	昙无谶译《大般涅槃经·梵行品》，《大正藏》第十二卷，第 458 页。
	第 296 窟南壁	北周	《大方便报恩经》卷五《慈品》第七，《大正藏》第三卷，第 150 页。
微妙比丘尼缘品	第 296 窟窟顶	北周	《贤愚经》卷三《微妙比丘尼品》，《大正藏》第四卷，第 367 ～ 368 页。
梵志夫妇摘花坠死缘	第 428 窟东壁	北周	《法句譬喻经》卷第四《生死品》第三十七"梵志夫妇摘花坠死缘"，《大正藏》第四卷，第 605 ～ 606 页。

简谈佛教故事画的民族化特色

　　大凡古老的民族，在他们长期劳作生息的土地上，为了反映他们对自然界神秘力量的幻想，表现征服自然的憧憬，阐发对社会生活的哲理认识，总在不断地创造丰富的神话、寓言、童话故事。这些故事表现了古代人民对自然和社会的朦胧认识，凝聚了古代人民的智慧。土生土长的民间故事，有着强大的生命力，在民间长期广为流传，深得人民喜爱。几乎所有的宗教，为了弘扬自己的教义，总是要借用本民族人民创造、为人民喜爱的传统的神话、寓言、童话加以改造，渗入宗教思想，以达到向人民群众宣传教义的目的。许多宗教为了扩大本宗教的影响，往往采用造型艺术，将能够反映宗教教义的故事加以再创造，进行形象生动的宣传。但无论宗教思想、宗教故事或是宗教艺术，由于时代的变迁、社会的发展、民族的差异，总是以不同方式变化发展。

　　早在佛教诞生之前，古代印度人民创造了许多优美动人的神话、寓言、童话故事，在民间广泛传播，并在印度文学史乃至世界文学史上产生了重大影响。公元前6至公元前5世纪，印度一位哲人释迦牟尼为了反对婆罗门的神权统治和种姓制度，创造了佛教，主张追求涅槃，以解脱现实的痛苦。他一生从事宣讲佛教，传播佛教的活动。他擅长辞令，善于巧妙地应用民间的故事作譬喻，以说明佛法和教义。释迦牟尼在世时，佛教思想已开始在印度各阶层人民中得到了弘扬。释迦牟尼去世后，他的弟子们汇集他生前对佛教教义的讲述。他生前宣讲佛教教义所举的喻言故事也被收集进去，在佛经中得到了保存。传译或讲习佛经时，这些故事也随之得到了传诵。

　　释迦牟尼去世后，他一生的经历、言论、行动便开始在他的弟子和信徒们中传诵。他的事迹也成了信徒们修行、效法的楷模，学习佛教的教材。随着佛教的传播、蔓延，释迦牟尼被信徒们不断地渲染、加工，他的形象越来越高大，他的事迹也逐渐被神化，产生了内容丰富又带神奇色彩的传记故事，即所谓的佛传故事。与此同时，释迦牟尼前世无数次行善积德的故事（本生故事）及释迦牟尼及其弟子们度化众生的佛法神通故事（因缘故事），也不断地被佛教徒编纂出来，又都假托释迦牟尼亲自口述，堂而皇之地成为佛教经典。诚然，这些佛教故事，渗透着坚持修行、修持六度（布施、忍辱、持戒、精进、禅定、智慧等六种修行方法）、因果报应、轮回转世、隐恶扬善、仁智信义、报恩孝养等的佛教思想。如剔除故事中的宗教成分，玩味揣摩，不难看出它们是一些优美动人的文学故事。

　　本集《敦煌壁画故事》入选的睒子（商莫）孝养父母的故事，见于不少汉译佛经，如吴康僧会译《六度集经》卷第五《睒道士本生》、元魏吉迦夜共昙曜译《杂宝藏经》卷一第二则《王子以肉济父母缘》里昙摩迦的本生故事、苻秦僧伽跋澄等译《僧伽罗刹所集经》里失译的《佛说菩萨睒子经》、西晋圣坚译《佛说睒子经》、乞伏秦圣坚译《睒子经》、姚秦圣坚译《睒子经》等等。独角仙人本生故事有后秦鸠摩罗什译《大智度论》卷十七"独角仙人"条，梁僧旻、宝唱等集《经律异相》卷三十九《独角仙人情染世欲为淫女所骑》等。后来在玄奘《大唐西域记》卷二中也记述这两个故事。完成于约公元前2至公元前1世纪的印度佛教遗址巴尔胡特、山奇雕刻，建于公元3世纪的新疆克孜尔石窟，敦煌莫高窟6世纪的洞窟壁画里都有表现。无疑这是两个十分流行的佛教故事。如我们翻阅印度古代著名史诗《罗摩衍那》的《童年篇》《阿逾陀篇》，也可见到这两个情节大致相同的故事。不同的是佛经中的睒子和独角仙人都成了释迦牟尼的前身，而史诗中则说明了别的问题。学者研究表明，佛教经典和佛教艺术，同史诗《罗摩衍那》故事题材的相同，并非互为抄袭。它们都是流而不是源。同是产生于印度本土的佛经和史诗《罗摩衍那》的成书，都经历了产生、成熟、形成的较长过程，在成书过程中共同地都会去采集当地口耳相传、生动优美、具有教诫意义的故事，加以改造，丰富自己。性质不同的著作不约而同地采集利用的这两个故事，这无疑是早在佛教经典和《罗摩衍那》问世之前已在印度民间广泛流传的文学故事。因此不难理解，数量宏富的佛经故事的来源，或者说，是根据古代印度人民在自己生活的土壤上创造的宏富的民间文学作品——神话、童话、寓言。那么，卷帙浩繁的佛教经典不啻成为蕴藏印度古代民间故事的宝藏。可惜，佛经梵文原本和中亚数种文字翻译的文本大多已失传，唯汉译《大藏经》较好地被保存下来。

　　最迟约公元前2世纪开始，印度的艺术家就采用本土传统的建筑和雕刻艺术形式创造佛教艺术。如公元前2世纪至公元前1世纪，印度最古老的佛教建筑与雕刻巴尔胡特、山奇大塔周围石质栏杆上的雕刻，公元前2世纪的阿旃陀石窟壁画等等。这些佛教雕刻和壁画艺术中的故事题材都是释迦牟尼的传记、本生、因缘故事。表现的主题思想是崇拜释迦牟尼及其事迹，宣传修行、觉悟、涅槃、成佛。构图有单幅单情节、单幅单情节组画、单幅多情节、多幅多情节等形式。故事人物造型比例准确，丰乳细腰、腰肢扭曲，身体多半裸或裸体，面相为印度本土型。印度的佛教艺术随佛教传入亚洲各国，其北传的佛教艺术直接影响到中亚、龟兹地区的佛教艺术。丝绸之路东段的敦煌莫高窟早期壁画艺术又直接受到龟兹石窟壁画艺术的影响。

任何民族都毫无例外地要从外来文化中汲取有益营养，丰富发展自己，创造本民族更新的文化。没有不同文化的交流，则任何文化的发展将要受到抑制。自东汉初佛教和佛教思想通过丝绸之路传入我国，佛教艺术也相继传入，许多重要的佛教寺庙和石窟寺，如敦煌莫高窟、天水麦积山石窟、大同云冈石窟、洛阳龙门石窟等，都建立于丝绸之路上。佛教及佛教艺术对我国哲学、文学、建筑、绘画、雕刻等都产生了广泛而深刻的影响。但中国对外来文化的态度，总是按当时社会的理解和需要引进和传播。佛教和佛教艺术经过漫长的流传、吸收、融合过程，逐渐地发生变化，最终改造成为中国文化的一部分。中国早在佛教传入以前，以发达农业经济为基础，政治统一、民族融合的秦汉帝国已创造了世界上高度发达的古代文明。以后随着封建社会的不断发展，得到持续的发展繁荣。佛教和佛教艺术在中国得到较大发展的时期，正值历史上的三国、魏晋南北朝时期。此时，中国虽然出现了长期分裂的局面，但深厚的历史文化传统，中国固有的文明不仅没有中断，而且还得到继续繁荣，是取得巨大成就的时期。当时哲学思想十分活跃，除儒教思想外，玄学兴起，佛教进一步传播，道教也有所发展。绘画艺术方面，则是百花齐放、人才辈出的局面。如曹不兴、顾恺之、陆探微、张僧繇、谢赫等著名画家，他们在汉画传统的基础上，进行总结和探索，创造了具有划时代的意义，并对隋唐的绘画风格和绘画理论产生了重大影响。在这样的文化背景下，佛教为了自身的传播，与玄学相调和，还吸取儒家的思想。西域佛教艺术既深刻地推动了中国雕刻绘画艺术的发展，又逐渐地被融合吸收。

敦煌处于丝绸之路的枢纽地位，东通西达，不论是传统的汉文化艺术还是伴随着佛教而来的西域、印度艺术，都在这里留下了痕迹。敦煌莫高窟壁画艺术正是东西文化交流汇集的产物和结晶。它的产生、发展、繁盛的历程，反映了佛教艺术吸收、融合又逐渐民族化的过程。

敦煌莫高窟最早的十六国时期的壁画中，佛教题材已经完备。佛传故事有释迦牟尼出游四门，见到老、病、死、僧，决心出家的故事。本生故事有毗楞竭梨王身钉千钉、虔阇尼婆梨王身燃千灯、尸毗王割肉救鸽、月光王施头、快目王施眼。表现的主题思想为坚持出家修行，修持六度，特别强调布施、忍辱等修行的方法。构图为西域式单幅单情节的组画。图中人物造型比例准确，面相为西域型，衣冠西域装，身体半裸，晕染为表现明暗的西域凹凸法。最早的敦煌佛教故事画，从思想内容到人物造型、表现形式，充分地吸取西域佛教艺术营养，但人物造型均胸平身直，并无西域雕刻或壁画佛教故事人物那种丰乳细腰、腰肢偏耸的造型。敦煌石窟开始吸收西域佛教艺术营养，就有选择和取舍，对与中国传统的道德观念、伦理思想相左者做了扬弃。稍晚的敦煌北魏时期的故事画题材，佛传有降魔成道、鹿野苑初转法轮等。本生故事有尸毗王割肉救鸽、萨埵那舍身饲虎、九色鹿的故事。因缘故事有沙弥守戒自杀、须摩提女请佛等等。表现的思想为坚持布施、忍辱、持戒的修行方法，以及宣传惩恶扬善、因果报应、佛法威力等。构图为西域式单幅多情节和多幅多情节，画面中出现以成组的山作故事的背景和情节的间隔。故事人物面相除西域型外，出现汉式中原型；衣冠除西域装外，还出现汉胡混合装；晕染依然是西域凹凸法。说明此时壁画佛教故事的汉化已有端倪。北魏孝文帝追慕江左南朝的典章文物，施行太和汉化政策，给敦煌石窟的西魏、北周佛教故事画的汉化以决定性的影响，出现许多新题材。佛传故事表现佛祖从诞生至涅槃的一生事迹。本生故事有萨埵那舍身饲虎、施身闻偈、须达拏太子施象、睒子孝养父母、须阇提割肉济父母，善事太子入海求宝、独角仙人等。因缘故事有五百强盗成佛、微妙比丘尼等。表现的主题思想，既有佛教的布施财物，甚至不惜牺牲亲生骨肉和自己的肉体生命的修行方法，宣传佛法威力，还有在佛教故事内容中渗透着忠君、孝悌、仁爱、和顺、父子恩等的传统儒家思想。构图用较大篇幅自如地组织复杂的故事情节，画面中的房屋、建筑、器具、车马、山石、树木无不具有汉地风格。故事人物面相原有的西域型，已被汉地南方清瘦型和中原型代替，衣冠为宽袍大袖遮蔽全身的中原汉装或胡汉混合装。晕染为汉地中原晕染法，即表现面部自然色泽的两颊晕染，或中西晕染法合璧使用。不言而喻，至北朝晚期，壁画佛教故事从形式到主题思想已充分地汉化。民族化了的印度佛教故事其人、其事、其地如同发生在中国国土上的故事一般。诚然，采用中国人熟悉的民族化的艺术形式，会对佛教在中国的传播和普及产生积极作用。十六国北朝时期的敦煌壁画佛教故事的思想内容、构图形式、人物造型面相、衣冠服饰、表现手法的变化发展，反映了印度佛教艺术经过西域传入我国后，吸收、改造、融合异域艺术，以适应中国人民的文化传统、思想感情、风土人情、审美情趣的状况和特点。

中国不仅善于吸收，改造异域传入的佛教艺术为我所用，而且还发展创造了中国特色的佛教艺术。隋唐时代是中国佛教和佛教艺术的鼎盛时期，统治阶级对佛教的提倡和支持，使寺院经济得到极大发展。雄厚的寺院经济，为佛教独立发展提供坚实的经济基础。佛教传入后，经过蔓延、发展、消化、吸收的漫长过程，中国的佛教徒调和印度和中国的传统思想，有了自己对佛教教义的各自不同理解，产生了不同的佛教宗派，并有了阐述各自宗派学术的大量著述出现。至此，中国佛教走上了独立发展的道路。中国佛教艺术以汉晋绘画艺术传统为基础，经过数百年融汇国内各民族艺术成果及吸收融合西域佛教艺术的营养，得到长足进展，中国风格和中国气派的佛教壁画艺术的产生臻于娴熟。中国特点的佛教与佛教绘画艺术的形成与相互作用，便创造了中国自己的经变画和佛教史迹故事画。

经变画是佛经变为图相的意思，简称"经变"或"变"。笼统地说，一切佛经变为图相，均可称经变画，我们现在所指的经变画是专指中国独创以大乘佛经所变的图相。大乘佛经中的《阿弥陀经》《维摩诘经》《妙法莲华经》《弥勒上生经》《弥勒下生经》《涅槃经》早在北朝已开始流行。在洛阳龙门、天水麦积山、敦煌莫高窟等处石窟中都有根据上述佛经创作的阿弥陀经变、维摩诘经变、法华经变、涅槃经变等，只是大多内容较少，场面简单，无法同唐代经变相比。隋唐时代，中原相继建立佛教宗派。各宗派竞相将自己的主要经典绘制成图，与俗讲相配合，以招徕群众。西京长安、东京洛阳的各大佛寺无不图壁经变，著名画家也多在寺院壁画中一展才华，遂使经变画在各地得到繁盛发展，并影响到唐以后的各时代佛教艺术。两京地区唐代寺庙及其壁画经变早已荡然无存，现保存经变画最富者为敦煌莫高窟。隋唐时代经变画已不同于北朝时代那种场面不大，构图简单，画面平列，主题简单，提倡六度修行成佛为主题，以释迦牟尼为中心的佛传、本生、因缘故事画，而是主题多样，规模宏大，内容丰富，构图复杂，故事情节逼真，色彩灿烂，经变画种类繁多，共计有 30 多种。有宣传净土宗净土信仰的阿弥陀经变、观无量寿经变、弥勒上生经变、弥勒下生经变、弥勒上生下生经变、药师经变等；有宣传天台宗最高最圆满的大乘佛法、一切众生都能成佛的法华经变；有宣传禅宗思想的天请问经变、思益梵天请问经变、金刚经变、楞伽经变等等；有宣传华严宗因果缘起、理事法界思辨理论的华严经变等，有宣传密宗持咒诵经的千手千眼观音经变、不空羂索观音经变、如意轮观音经变等。经变崇拜对象众多，有释迦牟尼佛、弥勒佛、阿弥陀佛、药师佛、毗卢遮那佛、观音菩萨等。经变画在隋唐及以后各时代的石窟中独领风骚，每一窟之中，四壁和佛龛布满了各种经变，形成一变一壁，一变一窟的巨型结构。把每铺经变所要表现的佛教内容包罗无遗。如《妙法莲华经》共二十八品，法华经变入画者有序品、幻城喻品、见宝塔品、普门品、法师品等二十余品，构图完整，富于变化。不同的经变有不同的构图形式，如阿弥陀经变、弥勒上生下生经变，以佛及菩萨为中心，四周穿插净土世界的各种故事情节，画面浑然一体。又如观无量寿经变、东方药师经变，中间以净土世界为主体，两侧以对联形式的立轴画分别表现经中的故事；如《观无量寿经》中的未生怨、十六观；《药师经》中的九横死、十二大愿的内容。画面主次分明。故事画作为经变的一个部分，为装饰的需要而形成了较为规整的连环画形式。另外，又如维摩诘经变表现维摩居士与文殊菩萨共论佛法；劳度叉斗圣变表现外道劳度叉和佛弟子舍利弗神变斗法。画面分成左、右，使其各成主体，围绕两方主体人物，交织各种神变故事，内容丰富，引人入胜。这类经变具较强的叙事性，情节丰富，以主要人物为中心，中间穿插画出各个情节，场面和气势宏大，不仅全面地表现故事内容，而且又较成功地塑造了一些重要的人物形象。如维摩诘论辩时，激动善辩的面部表情，充分地刻画出人物的个性。另外如劳度叉斗圣变中的劳度叉及诸外道的形象也塑造得非常出色。通常经变画总是以说法会为中心，两侧分列各大菩萨、天龙八部众神等，同时还注意刻画生动活泼的飞天、载歌载舞的乐舞伎形象，使画面充满生气。在法华经变、报恩经变等经变中则穿插了众多的故事内容，使经变画内涵更为丰富。这些故事经过画家的加工，其意义往往超出了佛经的范畴，更具有艺术性了。如本集所选的化城取宝的故事是根据《法华经》的化城喻品画出的，故事讲众人欲到宝城取宝，但路途遥远艰辛。众人走了一程，畏难欲退，一位聪明的导师以神力化出一城让众人休息。休息之后，导师隐去化城，引导众人继续前进。画面没有按经文"回绝多毒兽，又复无水草"的险恶场景处理，而是画成取宝人马行进在青山重叠、树木葱茏、河流蜿蜒、山花烂漫、春意盎然的环境之中，这是中国青绿山水画和人物画的良好结合。

经变画体现了中国古代艺术家驾驭复杂题材，创作大型壁画、鸿篇巨制的杰出水平，画家善于通过雄伟壮观的宫殿楼阁，绮丽多姿的山水景致来创造辽阔的境界，同时善于应用丰富、灿烂的色彩来造成一种金碧辉煌的效果。以此来表现佛国净土的美妙世界。在雄伟壮阔的场景中又注意细致入微地刻画不同的人物。经变画的兴盛也促进了故事画的空前繁荣。

中唐以后，洞窟里兴起了另一种故事画的形式——屏风画。屏风是中国传统的一种家具，最初是作为堂屋中的屏障，后来渐渐地具有了装饰陈设的意义，特别是汉魏六朝以后，贵族家庭往往以联屏陈设于堂屋，以示风雅，屏风上都题有书法或绘有山水、人物等内容。莫高窟初唐的洞窟中就已出现了屏风画的形式，在新疆吐鲁番等地出土的盛唐墓室壁画中出现以六连屏来绘制花鸟画的形式，屏风画已影响到了西域一带，屏风的形式进入洞窟，反映了佛教艺术在中国进一步世俗化的趋向。中唐以后，洞窟的经变画格局出现了一系列的变化，一壁之中往往画出三铺、五铺甚至更多的经变画，经变画以表现净土世界为主，经变中的故事画则完全在下部的屏风画中表现。屏风画发展到五代，具有了更大的独立性，常常以连续屏风表现故事，出现了像98窟贤愚经变故事、61窟的佛传故事等大规模的连屏故事画。61窟的佛传故事以33幅屏风连续画出，创造了情节最多、画面最长的故事画典范。屏风画每一幅都有一定的独立性，大多以山水、房屋为背景，讲究构图的完整性和画面的完美，如果抛开故事的内容，即可看作是一幅幅山水人物立轴，这也反映了时代艺术的变迁。

佛教史迹故事画，包括佛教历史故事、高僧故事、佛教遗址遗迹故事、佛教造像故事。这些故事根据史书、僧传、集录、游记、行记等佛教文献绘成图像。因其中有些故事在历史上有具体的人物、事件、地点，对研究中国佛教史、中西文化交流有史料价值，故名佛教史迹故事画。中国具有史料汇集、整理的传统。自佛教传入我国，中国的佛教文献除持续不断地传译、汇集印度佛教典籍，从理论上注释经典、著书立说外，同时也纂集记载中国自己的佛教流传历史、高僧大德弘教事迹，以及佛教遗址、遗迹、造像的传说。及至隋唐时期，随着佛教的兴盛发展，这类佛教文献越来越多，后来以至影响到佛教以外的中国文学作品，如小说笔记类的《广异记》《冥祥记》《报应记》《太平广记》等，足见其影响之广。

隋唐时代是佛教思想最活跃的时期，也是佛教信仰最普及的时期。此时，为了扩大影响，深入民间，广泛吸引上至王公贵族、下至村民愚妇不同文化层次的佛教信徒，佛教艺术趋于多样化、世俗化、大众化。有佛、菩萨的塑绘供奉，有大乘佛教经典的经变画，也有选择佛教史上有影响的人物、事件绘制的佛教史迹故事画。它们各有用处，前者是对佛和大乘思想的生动宣传，后者则是对佛教信仰的宣传。如本集[1]入选的"毗沙门天王决海""阿育王拜塔""于阗牛头山的故事""佛图澄""刘萨诃""双头佛像""于阗萨迦耶仙寺瑞像的故事""于阗毗摩城瑞像的故事"等。由于它们或真有其人，或真有其事，或真有其地，又能显示神异色彩、感通灵验，降福于人间，这比谁都未见过的佛、比一些理性思辨的佛教经典更能打动知识不多的中国普通人民那种祈福禳灾、实用功利的心理，因此更有市场。所以，只要有灵验，又能造福的高僧、圣迹、造像，皆被人信之。对佛教而言，宣传看得见、摸得着的高僧、圣迹、造像的神通灵验，实际上达到了宣传佛教扩大影响、招徕信众的目的。于是能普及和传播佛教，又能使信者受益的佛教史迹故事及其变相遂在隋唐和隋唐以后得到发展。虽然佛教史迹画有捕风捉影、夸大不实甚至神秘的色彩，但也从侧面反映了一定的史实以及那个时代人们对某些历史事件的认识，如"刘萨诃""佛图澄"的故事等。这些故事虽然大多是单情节结构，但画家以山水环境来衬托故事情节，就显得画面完整而富有意境，这不能不说是受到中国山水画传统的影响所致。

总之，佛教作为外来的宗教，为了在中国发展，它充分利用了文学和艺术的手段来传播其教义。佛教故事的大量传播，更强化了其宣传效果。故事画作为一种佛教艺术，在佛教传播中具有重要的意义，从敦煌壁画中可以看出佛教故事画从内容到形式一步步走向民族化的进程。各个时代的故事画对于我们认识各时代的佛教思想及艺术的发展提供了丰富的资料，而且更重要的是很多丰富而生动的佛教故事画至今仍然具有很强的生命力。

（原为于忠正、曹昌光主编《漫画丝绸之路·敦煌壁画故事》"序言"，

中国文学出版社，1994年；后收于《敦煌研究》1995年第1期）

---

1 本集，即《敦煌壁画故事》。

玄奘译经和敦煌壁画

玄奘是唐代著名的高僧，一代佛教宗师，学术巨匠，其影响十分深远。玄奘法师西行和东归，都途经甘肃河西走廊及瓜（今瓜州县）沙（今敦煌市）地区；西行前曾在凉州（今武威市）讲经；回国后的译经，又流布各地，也包括凉州地区。位于凉州西陲的敦煌，地处丝绸之路之重镇，以莫高窟为代表的敦煌石窟群是具有悠久传统的佛教圣地。玄奘法师的译经与学术思想对敦煌的影响，随着敦煌佛教史研究特别是对敦煌石窟壁画内容和敦煌藏经洞佛教典籍研究的不断深入，已逐渐明晰起来。已有敦煌学研究成果说明，玄奘的译经和佛学思想对敦煌石窟均有较大影响。本文以前人取得的敦煌壁画研究成果为基础，主要围绕上述两个方面作简要论述。

一、玄奘的生平及其成就

玄奘生于隋文帝仁寿二年（602年），自幼"聪悟不群"，少年出家，法名玄奘。从师学《涅槃经》《摄大乘论》，打下了佛学的基础。至唐代初年，他已精通佛教各部要理，誉满京邑。但玄奘自己深觉未能解其玄理，大师们也无法解其质疑。"徧（遍）谒众师，备飡其说，详考其义，各擅宗途，验之圣典，亦隐显有异，莫知适从，乃誓游西方以问所惑。"上表请求西行求法，朝廷不准。贞观二年（628年）冬，或贞观三年正月从长安出发，踏上了西行求法之路。经过在印度十七年的游历和求法生活后，他取道丝绸之路回国，于贞观十八年（644年）抵达于阗。遂上表朝廷，报告自己"私往天竺"，"历览周游一十七载"，今已归还，"达于于阗"。唐太宗敕令曰："闻师访道殊域，今得归还，欢喜无量。可即速来，与朕相见。其国僧解梵语及经义者，亦任将来。朕已敕于阗等道使诸国送师，人力鞍乘应不少乏。令敦煌官司于流沙迎接，鄯善于沮沫迎接。"太宗便遣使至沙州（今甘肃敦煌）迎接，玄奘法师于贞观十九年（645年）回到长安。

法师回国后，将其在西域各地所得肉舍利、佛像，佛经五百二十夹六百五十七部，全部送往弘福寺安放。当年，法师即组织译场，开始翻译佛经。辗转弘福寺、慈恩寺、西明寺、玉华宫译场，历时二十年，从不间断，至高宗麟德元年（664年）二月病逝，共完成译经七十四部一千三百三十五卷[1]。

在译经的同时，玄奘还传教弟子，广授学僧。慧立、彦悰《大慈恩寺三藏法师传》卷七云：

自二圣序文出后，王公、百辟，法、俗、黎庶手舞足蹈，叹咏德音，内外揄扬，未及浃辰，而周六合……归依之徒波回雾委。所谓上之化下，犹风靡草，其斯之谓乎！如来所以法付国王，良为此也。

据汤用彤先生论证，玄奘的学术思想，至五代依然有僧人在阐发。玄奘及其弟子创立的唯识学派，对唐五代中国佛教思想的发展影响很大，其影响自然也远被河西和沙州。

二、根据玄奘译经绘制的敦煌壁画

采用玄奘译经作为壁画题材，是玄奘译经对敦煌最早、最直接的影响。通过研究人员对敦煌石窟壁画的调查、考证，我们从中找出了据玄奘法师译经入画的全部壁画，共七类，分别介绍于下：

（一）《药师琉璃光如来本愿功德经》、藏经洞保存的药师经变榜题底稿与药师经变

关于药师佛的经典，东晋已有译本。莫高窟早在隋代和初唐洞窟已有药师经变的壁画。它们分别据东晋帛尸梨蜜多罗译《灌顶章句拔除过罪生死得度经》、隋达摩笈多译《药师如来本愿经》绘制，但仅绘画了5铺。唐代以后，由于玄奘译经的影响，药师经变十分广泛地流传开了。玄奘译《药师琉璃光如来本愿功德经》，主要内容为药师琉璃光如来发十二大愿，令众生所求，都能得到；凡信受奉行、恭敬供养药师琉璃光如来、称颂药师琉璃光如来名号的种种功德，能使解脱一切苦难[2]。

敦煌莫高窟藏经洞保存有《药师琉璃光如来本愿功德经》130多件，现分藏于北京、伦敦、巴黎等地图书馆[3]。此外，S.2544v、P.3304v两件文书中有两篇药师经变榜题底稿，其内容取自于玄奘译经[4]。

1　[唐]慧立、彦悰著：《大慈恩寺三藏法师传》，《大正藏》第五十卷，第220～280页。

2　《大正藏》第十四卷，第404～408页。

3　敦煌研究院编：《敦煌遗书总目索引新编·索引》，北京：中华书局，2000年7月，第148页；方广锠："药师琉璃光如来本愿功德经"辞条，载季羡林主编《敦煌学大辞典》，上海：上海辞书出版社，1998年，第664页。

4　王惠民：《敦煌遗书中的药师经变榜题底稿校录》，《敦煌研究》1998年第4期；《〈敦煌遗书中的药师经变榜题稿校录〉补遗》，《敦煌研究》1999年第4期。

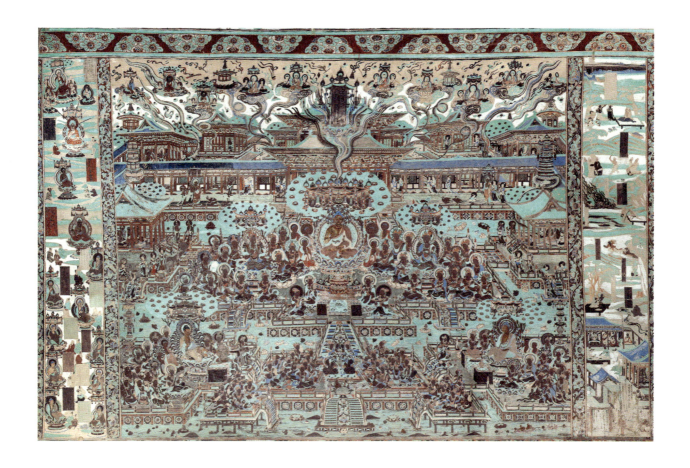

〔图1〕
莫高窟第148窟
药师经变
盛唐

　　盛唐第148窟及其以后的许多药师经变，大多依据玄奘译《药师琉璃光如来本愿功德经》绘制，藏经洞中又保存玄奘译经，以及取自经文，用于绘制经变的榜题底稿，足以说明玄奘《药师琉璃光如来本愿功德经》中唐之后在敦煌的影响之大。据《敦煌莫高窟内容总录》，敦煌石窟中绘有完整的药师经变及其中的一些代表场景的有近100个洞窟，其中的一些药师经变是根据《药师琉璃光如来本愿经》绘制；后来，施萍婷先生根据画面内容和榜题文字，进一步阐述了莫高窟不同的药师经变所依据的不同译经，阐明了中唐以后药师经变，多据唐玄奘译经以及经变的基本特征[5]；在此基础上王惠民先生对敦煌石窟的药师经变做了系统的梳理和研究，认为最早据玄奘译《药师琉璃光如来本愿功德经》绘制的药师经变是建于盛唐768～776年的莫高窟第148窟〔图1〕，此后约100铺药师经变，以及藏经洞的纸、绢本药师经变大部分是依据玄奘译本绘制的[6]。

5　施萍婷：“药师经变”辞条，载季羡林主编《敦煌学大辞典》，上海：上海辞书出版社，1998年，第125～126页。

6　王惠民：《敦煌石窟全集·弥勒经画卷》，香港：商务印书馆（香港）有限公司，2002年。

莫高窟盛唐第148窟依据玄奘译经绘制的药师经变，其构图形式和内容为：正中绘药师佛说法，两旁以条幅形式画"九横死"和"十二大愿"。药师佛说法这部分描绘药师佛居中说法，周围眷属围绕；背景描绘了东方药师净土世界，上方乐器高悬空中，不鼓自鸣；下方有楼台亭阁，宝池化生，舞伎和乐队。画面表现了玄奘译经所说的："彼佛土一向清净，无有女人，亦无恶趣及苦音声，琉璃为地，金绳界道，城阙宫阁轩窗罗网皆七宝成，亦如西方极乐世界，功德庄严等无差别。"[7]说法会下方两旁画有十二药叉大将，是药师经变不同于其他净土经变的一个特点。"九横死"和"十二大愿"部分具体表现了经文的内容，每一场面旁插有榜题，书写药师经经文的相关内容。第148窟药师经变的构图形式和内容，被中唐、晚唐、五代、宋代、西夏绘制的药师经变所沿用。

（二）《天请问经》、天请问经变榜题底稿与天请问经变

玄奘译《天请问经》主要讲佛在室罗筏国誓多林给孤独园时，有一"天"来到佛所，顶礼佛足，提出问题，请问于佛，佛一一作答。通过偈语形式的九问九答，阐发四谛、六度、持戒的义理[8]。

敦煌藏经洞出土的《天请问经》有20多件，分藏于北京、伦敦、巴黎、圣彼得堡、东京等地的图书馆[9]。另外还有如P.2135、北6662、北续编316、散1326等四种文轨撰《天请问经疏》和S.1397v、P.3352v、北图5408v三种天请问经变榜题底稿[10]。

莫高窟、榆林窟共有38铺天请问经变，最早绘画的是盛唐第148窟〔图2〕，此后中唐、晚唐、五代、宋代持续绘制。《天请问经》中只有佛和天两个人物，内容都是一问一答，问与答讲的都是义理，缺乏可表现的生动情节。敦煌石窟的天请问经变，与其他经变一样，同样是大幅经变，采用石窟中已成熟的传统的经变画构图形式。大部分天请问经变由两个部分组成：正中是大型的佛说法会，两侧或下方安排若干组小型说法图。佛说法会这部分，佛居中而坐说法，周围弟子、菩萨、护法，与听法诸眷属围绕听法，"天"驾祥云飞下，跪于佛前问法，闻法之后"天"又驾祥云飞回天上；若干组小型说法图部分，千篇一律都是"天"跪佛坐，作"天"问佛答之状，佛与"天"都有若干侍从相随，每一小组画面表示一个问答。每一个画面旁插有榜题，榜题的文字取自《天请问经》的经文，内容详略不一，最详的洞窟将九问九答的经文无一遗漏全部抄录[11]。玄奘

---

7 《大正藏》第十四卷，第404～408页。

8 《大正藏》第十五卷，第124～125页。

9 敦煌研究院编：《敦煌遗书总目索引新编·索引》，北京：中华书局，2000年，第32页；方广锠："天请问经"辞条，载季羡林主编《敦煌学大辞典》，上海：海辞书出版社，1998年，第707～708页。

10 王惠民：《关于〈天请问经〉和天请问经变的几个问题》，《敦煌研究》1994年第4期。

11 李刈：《敦煌壁画中的〈天请问经变相〉》，《敦煌研究》1991年第1期；王惠民：《关于〈天请问经〉和天请问经变的几个问题》，《敦煌研究》1994年第4期。

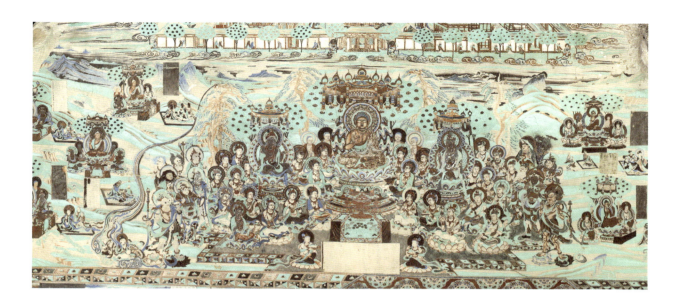

〔图2〕
莫高窟第148窟
天请问经变
盛唐

译《天请问经》和据《天请问经》绘画的天请问经变在敦煌石窟保存最多，流传时间达150多年。

（三）《十一面神咒心经》与十一面观音经变

玄奘译《十一面神咒心经》主要内容为：佛住室罗筏竹笋道场，观自在菩萨来到佛所，宣说十一面神咒心有大威力，能使众生获大利益，解脱众生所有病苦障难；还宣说诵咒之法，以及造作观自在菩萨像和诵咒求愿的成就法[12]。

敦煌藏经洞保存玄奘译《十一面神咒心经》7件及十一面观音图像9幅，分藏于北京、伦敦、巴黎〔图3〕、列宁格勒（圣彼得堡）等地图书馆、博物馆[13]。

据彭金章先生的研究，敦煌莫高窟、安西榆林窟和东千佛洞的十一面观音经变的绘制开始于初唐，继而盛唐、中唐、晚唐、五代、宋代、西夏各时期均有绘制，共绘有41铺（其中壁画32铺，藏经洞保存的绢、麻、纸画9铺）。只有晚唐第14窟绘画的十一面观音经变〔图4〕，正中表现主尊十一面观音，周围则采用19个小幅画面具体地表现玄奘译经的经文内容[14]，其他十一面观音经变，只

12 《大正藏》第二十卷，第152～154页。

13 敦煌研究院编《敦煌遗书总目索引新编·索引》，北京：中华书局，2000年，第1页；方广锠："十一面神咒心经"辞条，载季羡林主编《敦煌学大辞典》，上海：上海辞书出版社，1998年，第699页；大英博物馆监修、Dr.Roderick Whitfield编集，上野アキ译：《西域美术·大英博物馆スタイン·コレクシヨン》（1-3卷），日本：讲谈社，1982～1984年。

14 彭金章：《莫高窟第14窟十一面观音经变》，《敦煌研究》1994年第2期，第89～97页。

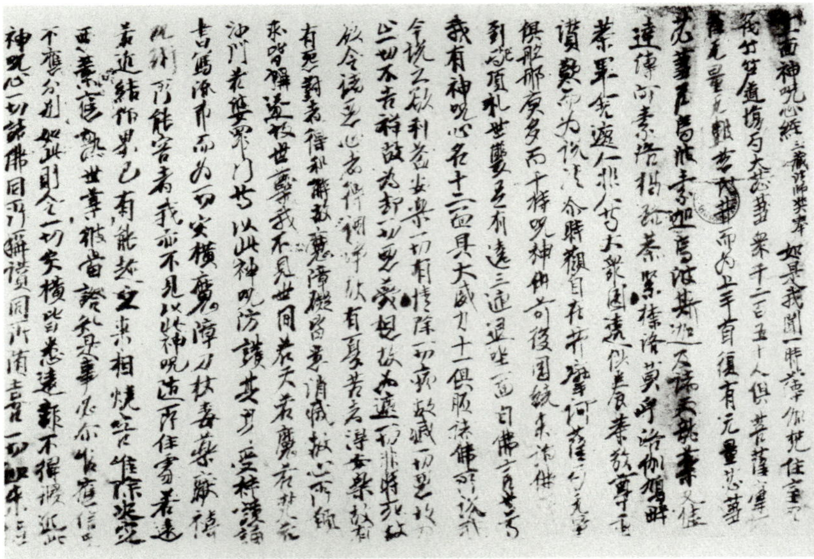

图3

图4

〔图3〕
《十一面神咒经》
（P. 2951 V）

〔图4〕
莫高窟第14窟十一
面神咒心经变
晚唐

有主尊观自在菩萨像及其眷属，无经文的具体内容描绘。根据各铺十一面观音经变的姿态、十一面面相及其排列、十一面观音的手臂数及手中所持法器宝物与所结手印、所属眷属、经变朝向等不同特征和前后变化，并对照四种十一面观音经译本的内容，作者认为敦煌石窟所绘十一面观音经变不拘泥于四种十一面观音经中的某一种佛经[15]，而是吸收了《十一面观音经》各经、轨的内容，还吸收了《千手千眼观音经》及其《轨》的内容，但"敦煌石窟的十一面观音经变基本上是按玄奘译《十一面神咒心经》绘制的。从藏经洞发现的四部《十一面神咒心经》均为玄奘所译也可得到证明。这一发现反映了玄奘所译《十一面神咒心经》曾广泛传播于敦煌地区"[16]。

（四）《不空羂索神咒心经》与不空羂索观音经变

玄奘译《不空羂索神咒心经》主要内容是说佛在布恒落迦山观自在宫殿时，观自在菩萨在大众中向佛说，他于过去九十一劫在世主王如来处所，受持不空羂索大神咒心，此神咒力可获得种种功德，以及应诵之神咒和持诵、观

---

15 除玄奘译本外，还有〔北周〕耶舍崛多译《佛说十一面观世音神咒经》、〔唐〕阿地瞿多译《佛说陀罗尼集经》卷四《十一面观世音神咒经》、〔唐〕不空译《十一面观自在菩萨心密言念诵仪轨经》。

16 彭金章：《敦煌石窟十一面观音经变研究》，载敦煌研究院编《段文杰敦煌研究五十纪念文集》，北京：世界图书出版公司北京公司，1996年，第72~86页。

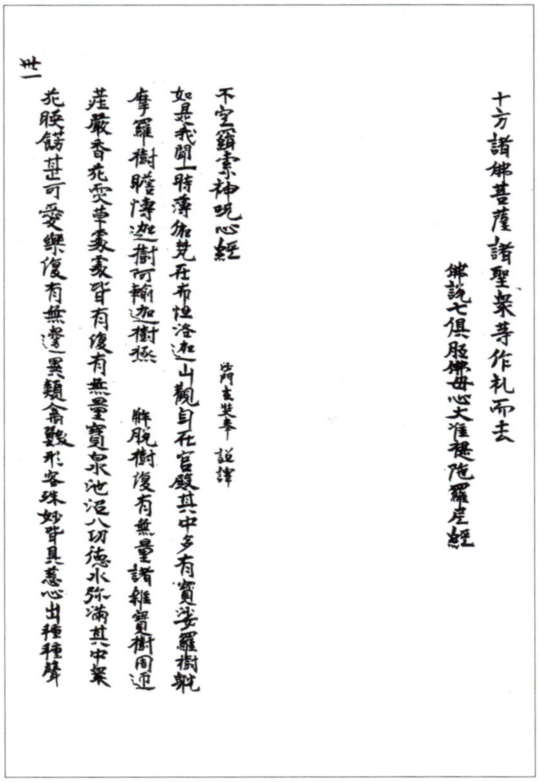
十方諸佛菩薩諸聖衆等作礼而去
佛說七俱胝佛母心大准提陀羅尼經
不空羂索神呪心經
沙門玄奘奉　詔譯
如是我聞一時薄伽梵在布怛洛迦山觀自在宮殿其中多有寶娑羅樹[illegible]
多羅樹瞻博迦樹阿輸迦樹[illegible]　解脫樹復有無量諸雜寶樹周匝
莊嚴香花雲草處處皆有復有無量寶泉池沼八功德水彌滿其中衆
花映飾甚可愛樂復有無邊異類禽獸形容殊妙皆具慈心出種種聲
廿一

〔图5〕
不空羂索神咒心经
（P.3916e）

修、供养神咒的方法等[17]。

敦煌藏经洞保存有《不空羂索咒心经》2件，即P.3835b、P.3916e〔图5〕[18]。敦煌石窟的各石窟和藏经洞皆有不空羂索观音画像。已有研究成果，认为敦煌石窟壁画和藏经洞绢画所绘不空羂索观音画像，都是依据唐景龙三年（709年）南印度沙门菩提流志译《不空羂索神变真言经》[19]。

宿白先生《敦煌莫高窟密教遗迹札记》云：

> 第148窟：不空羂索观音龛内主像原为不空羂索观音塑像，龛后、左、右三壁皆绘不空羂索神咒诸品屏风。龛顶画欢喜藏摩尼宝胜佛、地藏菩萨和药王菩萨。这两个龛是莫高窟出现最早的密教龛。据树立在该窟前室的《唐陇西李府君修功德碑》的记载，知此窟竣工于大历十一年（776年）。[20]

宿白先生文章指出此龛后、左、右三壁皆绘不空羂索神咒，所说极是。莫高窟盛唐修建的第148窟主室北壁龛绘塑的不空羂索观音经变，应是据玄奘译《不空羂索神咒心经》所绘制〔图6〕。《大唐陇西李府君修功德碑》对此窟的题材有如下记载："素（塑）涅槃像一铺，如意轮菩萨、不空羂索菩萨各一铺"；"画……如意轮、不空羂索菩萨各一铺"。现有的涅槃像是此窟主室唯一仅存的塑像，主室南、北壁龛中残留了塑像的像座残迹，其他壁面均无塑像；两龛壁画的内容与尚存的榜题文字，分别绘画的正是碑文记载的如意轮观音、不空羂索观音的内容，说明南、北两壁龛中原有的塑像，应就是碑文记载的如意轮菩萨、不空羂索菩萨塑像。那么，盛唐第148窟北壁龛无疑应是绘塑结合的不空羂索观音经变，既是敦煌石窟唯一一铺绘塑结合的不空羂索观音题材，也是

17　《大正藏》第二十卷，第402～405页

18　敦煌研究院编：《敦煌遗书总目索引新编·索引》，北京：中华书局，2000年7月，第33页。

19　施萍婷："不空羂索观音画像"条，载季羡林主编《敦煌学大辞典》，上海：上海辞书出版社，1998年，第163～164页；彭金章：《敦煌石窟不空羂索观音经变研究》，《敦煌研究》1999年第1期。

20　宿白：《中国石窟寺研究》，北京：文物出版社，1996年，第284页。

最早的不空羂索观音经变。我们认定第148窟北壁龛是据玄奘译《不空羂索神咒心经》的经变，主要是根据其画面及其所插榜题文字，理由有两个：①至776年第148窟竣工时，已有七个不空羂索观音经的汉译本它们经名各异[21]，唯第148窟榜题明确称"如是不空羂索神咒心经"，且各经对咒的称名也各不相同，唯有第148窟不空羂索观音经变榜题

〔图6〕
莫高窟第148窟 不空羂索神咒心经变龛
盛唐

对咒的称名曰"不空羂索菩萨神咒""不空羂索大神咒""大神咒心""神咒心"，与玄奘译《不空羂索神咒心经》一致，其他不空羂索观音经无此称名；②此龛后、左、右三壁共有8幅屏风，分绘17个画面，每个画面均插有榜题，文字完整或不完整的榜题共保存12条，经核对榜题文字，均抄自玄奘译经经文，但榜题文字只是经文的摘录，次序与经文亦不相同，且多断章取义[22]。

（五）《法住记》、十六罗汉图榜题底稿与十六罗汉图

《法住记》，是玄奘译《大阿罗汉难提蜜多罗所说法住记》的简称。此经主

21　隋阇那崛多译《不空羂索经》、唐玄奘译《不空羂索神咒心经》、长寿二年（693年）菩提流志译《不空羂索咒心经》、宝思惟译《不空羂索陀罗尼自在王兜经》、圣历三年（700年）李无谄译《不空羂索陀罗尼经》、景龙三年（709年）菩提流志译《不空羂索神变真言经》、不空译《不空羂索毗卢遮那佛大灌顶光真言》。《大正藏》第二十卷。

22　第148窟北龛不空羂索神咒心经变榜题录文如下：①"无量净居天众、自在天众、大自在天众、大梵天王及余天众恭敬供养，叹观世音菩萨说此大神咒心，令众生取无上等觉依心菩提，如是功德力，将诸天□及宝珠供养。"②"复有自在天、大自在天、梵天王而为上首，与十二亿诸天神众，常共守护供养。持咒者不令暴恶诸鬼神等游止其中。随其国邑，流行如是不空羂索神咒心经。当知此中诸有情类，于诸佛所种诸善根，承大愿力。"③"此人专心时，不空羂索大神咒白月八日乃至一千八□□□□□□□□□利……"④"持是不空羂索菩萨神咒者，受八戒不离异□，或复得八种法。"⑤"若念咒□□□□□□若一日，乃至七日，命终之□□□地狱，若闻此神咒，生悔恨□□□诸苦皆得免离。"⑥"若有四姓四种等□□□□神咒经，书写赞说□□□□□般勤念诵□经□□□□分别故，平等心故，十万佛……"⑦"□□□□八种法□□□□□□观世音菩萨作比丘□来现。"⑧"□□□□□常诵念此经，□□□□□递次地狱□□□□□□投火中。"⑨"若患温疟种种病，或被厌祷在身怖畏者，当受持读诵此咒咒水廿一遍，即得解脱。"⑩"若令国宅使无灾厄，于他及己不生嫌嫉，亦取莲花供养贤圣，一咒一投火中，障难自散。"⑪"若常诵念此神咒心，有四量五逆谤法□障□□□尔时应□药丸一百八枚，各咒一遍，投火坛内，所求成就。"⑫"若人所求不称意，及患疮肿、种种恶障，依法咒药丸一百八遍，病苦便得除愈。"

图7

图8

要内容为：在佛涅槃八百年后，执师子国有个阿罗汉，名叫难提蜜多罗，应众比丘之请，宣说佛涅槃时付嘱十六大阿罗汉护持正法，使不没灭，介绍十六大阿罗汉的名字和住处，以及十六大阿罗汉护持正法饶益众生之事；十六大阿罗汉灭度后，弥勒如来出世，为声闻众三会说法，若诸国王、大臣、长者、居士、男女一切施主，在正法中能为佛事、法事、僧事种下善根，恭敬供养，便得善果[23]。

　　敦煌藏经洞未发现此经译本，但却保存有4件绘画十六罗汉图的榜题底稿，即S.1589v、P.3504v、北0838、北0839，内容与莫高窟第97窟沙州回鹘时绘十六罗汉图相同[24]。

　　《敦煌莫高窟内容总录》将第97窟主室南、北、东壁的西夏壁画的内容列为"戍博迦""宾度罗跋罗堕阇"等十六罗汉。壁画南、北壁各绘六身，东壁门的两侧各绘二身。十六身罗汉的年龄、姿态、场所各不相同，每身罗汉像前插有榜题，题写罗汉的名字和赞颂[25]〔图7、8〕。据王惠民先生研究，榜题的前半部分题写罗汉的名字和简介，后半部分题写赞颂。简介部分是出于《法住记》，赞颂部分是根据《法住记》内容改编而成。盛唐开始盛行绘制十六罗汉图，与

23　《大正藏》第四十九卷，第12～14页。

24　王惠民：《敦煌壁画〈十六罗汉图〉的榜题研究》，《敦煌研究》1993年第1期，第25～36页。

25　敦煌研究院编：《敦煌莫高窟内容总录》，北京：文物出版社，1982年，第31页。

玄奘译出《法住记》有关。晚唐、五代时，从十六罗汉图又发展为十八罗汉、五百罗汉图，史载10世纪的僧人画家贯休和尚（832～912年）曾画有《十八罗汉图》，敦煌西千佛洞五代第19窟、敦煌莫高窟沙州回鹘第97窟壁画与元代第95窟、安西榆林窟沙州回鹘第39窟，均有罗汉像的绘塑[26]。

有意思的是，日本学者山口瑞凤在其大作《伴虎十八罗汉图的来历》一文中，认为第十七位难提蜜多罗（汉译名：庆友）即《法住记》的原著者，而第十八位宾头卢即《法住记》的译者玄奘。

三、玄奘译经及其学术思想的传入和影响

上述以第148窟为开端，在敦煌壁画中出现以药师经变和天请问经变为代表的依玄奘所译经典创作的壁画题材，并不是偶然的，而是有着广阔的历史和思想背景的。从历史的角度来看，与吐蕃入侵及统治敦煌有关；从思想背景来看，当与玄奘译经和其学术思想 —— 唯识思想的传入和影响有关。

（一）玄奘译经的传入和莫高窟第148窟的开凿

莫高窟第148窟的开凿，是有其历史和信仰背景的。755年安史之乱发生后，吐蕃从宝应元年（762年）前后开始，不断侵扰陇右，河西走廊各州先后被攻陷。目前学界多认为吐蕃攻陷沙州时间在786年[27]，从安史之乱发生，到沙州被吐蕃攻占期间，有大量军民避乱西移。在西移潮中，有一些僧人从长安来到沙州。关于长安僧人西来沙州的问题，上山大峻先生、姜伯勤先生都有精辟的研究[28]。从敦煌藏经洞资料看，有昙旷、乘恩等西来的僧人。

首先从长安来沙州的是"西明寺沙门昙旷"。《昙旷自序》云：

> ……余以冥昧，滥承传习。初在本乡，切唯识、俱舍，后游京镐，专起信、金刚。次于凉城，造起信广释。后于甘州，撰起信销文。后于敦煌，撰入道次第开诀，撰百法论开宗义记。所恐此疏，旨奥文幽，学者难究。遂更傍求众义，开诀疏文。使夫学徒，当成事业。其

26　敦煌研究院编：《敦煌石窟内容总录》，北京：文物出版社，1996年，第202、37、220页。

27　（日）池田温：《五年十二月僧龙藏牒》，载《山本博士还历纪念东洋史论丛》，1972年；陈国灿：《唐朝吐蕃陷落沙州的时间问题》，载《敦煌学辑刊》1985年第1期。

28　（日）上山大峻：《敦煌佛教研究》，东京：法藏馆，1990年；姜伯勤：《敦煌本乘恩帖考证》，载氏著《敦煌艺术宗教与礼乐文明》，北京：中国社会科学出版社，1996年，第380～394页。

时巨唐大历九年岁次寅三月二十三日。[29]

昙旷在长安学习了法相宗唯识学的主要经典《大乘起信论》，他最晚于763年已到敦煌，并撰写《大乘起信论略述》，以弘扬唯识学说。

其次是乘恩和尚。《宋高僧传》卷六《唐京师西明寺乘恩传》：

> 释乘恩，不知何许人也。……恩乐人为学，不忘讲导。及天宝末，关中版（板）荡，因避地姑臧。旅泊之间，嗟彼密迩羌虏之封，极尚经论之学。恩化其内众，勉其成功，深染华风，悉登义府。自是重撰百法论疏并钞，行于西土。其疏祖慈恩而宗潞府，大抵同而少闻异。终后弟子传布。

《乘恩传》说明乘恩来自长安法相宗唯识学府西明寺，还著有《百法论疏》《百法论疏钞》，对法相宗的重要经典《大乘百法明门论》作注疏。

莫高窟第148窟建于768～776年。此时正值755年安史之乱之后，河西凉州、甘州与肃州、瓜州于764、766、776年相继陷于蕃，沙州（敦煌）也处于吐蕃进逼的危急形势之下。与此同时，也是以昙旷、乘恩为代表的一批学僧逃离长安，由东而西，辗转来到敦煌。这些学僧在长安研习法相唯识，离开长安，来到敦煌，继续撰述，阐发唯识的起信、百法等经典，弘扬唯识学说。据上山大峻先生《敦煌佛教研究》指出，敦煌藏经洞保存昙旷撰述的阐发唯识学经典的著作，有十余部之多[30]。上据《乘恩传》载，乘恩"撰百法论疏并钞"，身后其弟子还在传播，以致到张氏归义军政权时，张议潮还将其著述奏报朝廷，朝廷批准"定堪行用"。可见玄奘的唯识学在敦煌影响之大，唯识学僧传播之力。根据玄奘译《药师琉璃光如来本愿功德经》《天请问经》《不空羂索神咒心经》，绘制的药师经变、天请问经变、不空羂索神咒心经变，同时第一次绘于第148窟，既是解救敦煌紧急形势的需要，也与长安西来的信奉玄奘唯识学的学僧有关。

据玄奘译经绘画敦煌经变画推测，传播玄奘的法相唯识之学的僧人，在敦煌不仅传播了唯识学说，也在向敦煌传播玄奘所译方便致用的佛经。药师经变所依据的玄奘译《药师琉璃光如来本愿功德经》云：药师琉璃光如来所发之愿，是"无量最广大愿"，其"行愿善巧方便无有尽也"；"若能至心忆念彼佛，恭敬供养，一切怖畏，皆得解脱。若他国侵扰，盗贼反乱，忆念恭敬彼如

29 [唐]昙旷撰：《大乘百法明门论开宗义决》，《大正藏》第八十五卷，第1068页。
30 （日）上山大峻：《敦煌佛教の研究》，东京：法藏馆，1990年。

来者，亦皆解脱"。"令其国界即得安稳，风雨顺时，谷稼成熟。一切有情无病欢乐。"[31] 又如据以绘画天请问经变的玄奘译《天请问经》云"福能与王贼，勇猛相抗敌"。再如据以绘画不空羂索神咒心经变的玄奘译《不空羂索神咒心经》云"持咒者不令暴恶诸鬼神等游止其中"，"诸苦皆得免离"，"障难自散"。从前述内容中，不难看出根据玄奘译《药师琉璃光如来本愿功德经》《天请问经》《不空羂索神咒心经》，绘制的药师经变、天请问经变、不空羂索神咒心经变，都首次集中绘于莫高窟盛唐兴建的第148窟。与竖立于此窟前室的大历十一年《大唐陇西李府君修功德碑记》记载的"素□□像一铺，如意轮菩萨、不空羂索菩萨各一铺，画……天请问……东方药师……不空羂索菩萨"内容完全相符。上述运用于绘画莫高窟第148窟壁画的玄奘译经，都符合当时沙州拯灾救难的需要。玄奘是当朝著名的高僧，他享有崇高的威信，他所译的佛经的权威性，自然最能令人信服，又经过唯识学僧的传播弘扬，既能救助当时敦煌的危急，又适合老百姓致福消灾的要求，显然很容易被危急中的敦煌所接受，很快被绘制于正在修建中的第148窟，这是不难理解的。

（二）吐蕃占领时期依玄奘译经所绘药师经变、天请问经变之流行

据统计，吐蕃统治时期，壁画中绘有完整的药师琉璃光如来本愿功德经变（简称药师经变）及其中的一些代表场景有近30个洞窟、绘天请问经变有11个洞窟[32]〔表1〕。

从附表1可以看出，依玄奘译经绘出的这两种经变骤然增多，而且还表现出以下的规律性：①多画于一些新建的大、中型洞窟；②药师经变往往与观无量寿经变或阿弥陀经变中的一个经变相对而画，其数量较多，以表示东方、西方两个净土；③敦煌有的世家大族，甚至僧侣修建的洞窟中两个经变均有绘画，药师经变画居多。

如果说在修建莫高窟第148窟时，由长安来敦煌的唯识学僧刚刚到敦煌，初传唯识学说，介绍玄奘译经的话，那么，到吐蕃统治时期，在吐蕃内部也由于印度僧人的倡导，唯识学思想和唯识学派非常活跃，加上敦煌汉地僧人的大力宣传，玄奘的上述译经又继续得到传播。

这一时期，在吐蕃委派的蕃都统主持下，敦煌设立了专门负责译经的"译场"，不断向唐朝求取佛经，进行翻译。此外，还特意从唐朝延请善讲僧到河西向各汉族聚居区百姓宣讲佛法。

根据上山大峻先生《敦煌佛教研究》考证，昙旷撰述《大乘百法明门论开宗义决》（774年著述）自序中提到自己的晚年，即786年以后，在沙州臣服于吐蕃统治时，他为回答当时吐蕃赞普的提问，曾撰述过《大乘二十二问》。从中推测昙旷至晚在786年吐蕃攻占了沙州以后还健在。

31 《大正藏》第十四卷，第404～408页。
32 敦煌研究院编：《敦煌莫高窟内容总录》，北京：文物出版社，1982年；王惠民：《敦煌石窟全集·弥勒经画卷》，香港：商务印书馆，2002年。

表 1　吐蕃占领时期敦煌药师经变及天请问经变统计

内容／窟号	药师琉璃光如来本愿功德经变			天请问经变	备注
	药师经变	十二大愿	九横死		
44				东壁	重修
92	南壁				
112	北壁				
134	东壁				
135				西壁	
138				东壁	
154	南壁		正壁龛内	东壁	
159	北壁	正壁龛内	正壁龛内	北壁	
200	北壁	正壁龛内	正壁龛内		
202					
222	北壁		正壁龛内		
231	北壁			南壁	
236	北壁				
237	北壁			北壁	
238	北壁				
240	北壁			南壁	
358	北壁		正壁龛内	北壁	
359	北壁		正壁龛内		
360	北壁			北壁	
361	北壁				
369	北壁	正壁龛内			
370	北壁				
386	北壁			北壁	重修
471	北壁		正壁龛内		重修
93		正壁龛内	正壁龛内		
475			正壁龛内		

那么，由此可知昙旷在敦煌传播唯识学的活动时间应在763～786年，或之后的时间里。这可从敦煌藏经洞中保存的大量昙旷唯识撰述为证，如《金刚般若经旨赞》（S.721V、S.2437v、S.2744、S.2782、P.2082V、P.2627V、P.4910）和《大乘起信论广释》《大乘起信论略述》《大乘入道次第开决》《大乘百法明门论开宗义记》《大乘百法明门论开宗义决》《大乘二十二问》《唯识三十论要释》《维摩经疏》等。

因此，上山大峻先生认为"从敦煌遗留的昙旷同时代的唯识系文献来看，可给我们如下启示：即与昙旷同处西明寺系的学僧，如圆测、圆晖、文轨等人的文献较多。这些经典流入敦煌似与昙旷相关"，"从敦煌曾发现有四卷《楞伽疏》（P.2198），得知圆晖思想与昙旷思想如出一辙。又昙旷在《大乘百法明门论开宗义决》中还曾两度引用圆晖著作"[33]。此外，藏经洞还保存了受业于昙旷的弟子的听课笔记，也说明了唯识学思想这时在敦煌的影响。

姜伯勤先生推定，在766年（甘州陷落）至817年前后，来自长安西明寺的唯识学高僧乘恩，曾担任沙州僧团的"都教授"，"九世纪初吐蕃管辖时期，沙州都教授主判各种教团事务"。曾主持在灵图寺商议莫高窟弥勒像的大修工程。乘恩作为成长中的高级僧官活跃在敦煌，和昙旷等一起代表了8世纪末在沙州兴起的来自长安西明寺的唯识学潮流。[34]

此外，洪辩也是精通唯识学的一位高僧。《沙州文录·吴僧统碑》（即S.0799v"大蕃沙州释门教授和尚洪辩修功德"）记载：

蹈解脱之轨途，弃人间之小利，童子出家，长成僧宝矣。……遂使知释门都法律兼摄引教授十数年矣。则圣神赞普，万里化均，四邻庆附，边虞不诚，势胜风清。佛日重晖，圣云布集，和尚以诱。声闻后学，宏开五部之宗；引进前修，广说三乘之旨。维摩唯识，洞达于始终；横宗竖宗，精研于本末。加以知色空而明顿悟，了觉性而住无为。鏖绝两边，兼亡不二，得使返邪迷质，所望知津，回向众生，真心授记。当知应世之半千，必及一时之法会。又承诏命，迁知释门都教授。……凿七佛之窟，帖金画彩。……十二大愿，九横莫侵……

莫高窟第17窟《洪辩告身碑》：

敕河西都僧统、摄沙州僧政、法律三学教主洪辩，入朝使、沙州释门义学都法师悟真等。盖闻先出自中土，项因及瓜之戍，陷为辫发之宗。

---

33 （日）上山大峻：《敦煌佛教研究》，东京：法藏馆，1990年。

34 姜伯勤：《敦煌本乘恩帖考证》，载氏著《敦煌艺术宗教与礼乐文明》，北京：中国社会科学出版社，1996年，第380～394页。

据姜伯勤先生研究，S.6028《写经勘经名签》中有"道正、洪辩一遍了，惠炬第二遍了"，"张善、惠炬勘了，洪辩了"。又引竺沙雅章先生的研究，此件文书时在800年前后。前述的817年《乘恩帖》中列有"洪辩律师"之名。

《吴僧统碑》《洪辩告身碑》《乘恩帖》和《写经勘经名签》说明，洪辩自幼在敦煌出家为僧，也洞达维摩唯识。在吐蕃统治时期的800年前后担任过佛经校勘者，817年顷任"律师"，之后任"都法律兼摄引教授"，据李永宁、马世长研究，他是莫高窟第365窟的窟主，此窟建于832～834年[35]。那么，洪辩任"释门都教授"，应在832～834年前后。综上所述，说明洪辩除宣讲义理，信奉唯识外，还参与了乘恩主持在灵图寺商议莫高窟弥勒像的大修工程，自己也开窟造像，窟内绘画了药师经变。

法成是吐蕃统治时期的译经大师，他是继昙旷、乘恩、洪辩之后的又一位精通唯识学的高僧。

据P.4660（25）《大唐沙州译经三藏大德吴和尚邈真赞》：

> 松叶教化，传译汉书。孰能可测，人皆仰归。圣神赞普，虔奉真如。诏临和尚，愿为国师。黄金百镒。使亲驰……愿谈唯积……

法成曾先后在沙州永康寺、甘州修多寺等处译经。[36]

据敦煌文书P.4660、P.4638《大蕃故敦煌郡莫高窟阴处士公修功德记》文末纪年"岁次己未四月壬子朔十五日丙寅建"，知敦煌莫高窟第231窟建于唐开成四年（839年）。窟主是阴嘉政，其父阴伯伦在吐蕃政权中担任过管理敦煌道教的"沙州道门亲表部落大使"[37]，其弟嘉义、嘉珍，也在吐蕃政权中任职，又有弟离缠出家为僧，任"都法律"。据写于821年的敦煌文书P.3301v《僧人分配布施单》记载，灵图寺"洪辩、离缠……"知离缠与"宏开五部之宗"（《吴僧统碑》）的洪辩，都信仰律宗，都是灵图寺的僧人、沙州上层的僧官。此窟北壁绘药师经变，南壁绘天请问经变，与P.4660、P.4638《大蕃故敦煌郡莫高窟阴处士公修功德记》"南墙画……天请问……北墙画药师"的记载相符。

综上所述，说明吐蕃统治时期，昙旷、乘恩、洪辩、法成确实在沙州兴起了唯识学的潮流，也足以说明玄奘所开创的唯识学在沙州的影响。这时依据玄奘译经绘画的药师经变、天请问经

35　李永宁：《敦煌莫高窟碑文录及有关问题（一）》，《敦煌研究》1981年试刊第1期。

36　（日）上山大峻：《敦煌佛教研究》，东京：法藏馆，1990年。

37　姜伯勤：《沙州道门亲表部落释证》，载氏著《敦煌艺术宗教与礼乐文明》，北京：中国社会科学出版社，1996年，第253～265页。

变在沙州的流行，看来与唯识学高僧的提倡有关，洪辩在他所建的第365窟中绘画药师经变的内容，就是证明。此外，阴嘉政是敦煌的世家大族，其家族中出有与洪辩共事的僧官，其家族所开洞窟也依据玄奘译经绘画药师经变、天请问经变，说明吐蕃时期玄奘及其译经在敦煌的影响。

除了上述因素外，与敦煌长时期以来有不断吸收与保存中原正统文化的传统有关。特别在8世纪中长安发生安史之乱和786年吐蕃攻占沙州以后，至848年张议潮收复河西和瓜、沙地区，这期间，敦煌与中原王朝交通阻隔，反而使敦煌成为保存大乘佛教的圣地或中心。848年中原会昌法难，敦煌尚在吐蕃占领时期，灭佛运动无法西被敦煌；传到敦煌的唐前期盛行于中原的各宗派尊奉的经典，也在敦煌保留下来；尽管此时玄奘的唯识学在中原尽管风靡过后已近沉寂，但由昙旷等学僧带来的唯识学，作为新来的佛学思想，在敦煌不仅得以保存，还在吐蕃时期得以继续传播。

（三）张氏、曹氏归义军时期玄奘译经及唯识学与敦煌的壁画

据统计，莫高窟张氏归义军时期绘药师经变的洞窟有30个以上，天请问经变的洞窟有10个〔表2〕；敦煌莫高窟和安西榆林窟曹氏归军时期绘药师经变的洞窟有36个之多，绘天请问经变的洞窟有18个〔表3〕：

表2　张氏归义军时期敦煌药师经变及天请问经变统计

窟号 \ 内容	药师琉璃光如来本愿功德经变			天请问经变	备注
	药师经变	十二大愿	九横死		
8	东壁				
12	北壁			北壁	
14	中心柱南向面				
18	北壁				
20	北壁				
54		正壁龛内			
57	甬道顶				重修
85	北壁				
94	？				已覆盖
107	南壁			南壁	

续表

内容 窟号	药师琉璃光如来本愿功德经变			天请问经变	备注
	药师经变	十二大愿	九横死		
128	南壁			南壁	
132	北壁				
138	北壁			南壁	
139				西壁	
141	北壁			?	
143				?	
144	北壁				重修
145	北壁	正壁龛内			
147	北壁				
150	东壁				
156	北壁	正壁龛内	正壁龛内	北壁	
160	东壁				
167	北壁				
173	东壁				
177	东壁				
190	西侧壁				
192				北壁	
196	北壁				
227	北壁				
232	正壁龛内两铺				
337	东壁				
338	甬道顶				重修
343	西侧壁				
473	北壁				

表3 曹氏归义军时期敦煌药师经变及天请问经变统计

时代 / 窟号		药师琉璃光如来本愿功德经变			天请问经变	备注
	内容	药师经变	十二大愿	九横死		
五代	4				东壁	
	5	北壁			北壁	
	6	北壁				
	22	北壁				
	53				窟顶	
	61	北壁			北壁	
	98	北壁			北壁	
	100	北壁			北壁	
	108	北壁				
	113	甬道顶				重修
	119	前室窟顶				重修
	120	甬道顶				重修
	146	北壁			北壁	
	205	前室			甬道南壁	重修
	288	甬道顶				重修
	294	甬道顶				重修
	296	前室窟顶				重修
	334	前室南壁				重修
	384	甬道北壁				重修
	428	前室窟顶				重修
	446	东壁				重修
	468	北壁				重修
	474	北壁				重修
	榆16				北壁	
	榆19				南壁	
	榆31				南壁	
	榆34				北壁	

内容 时代 / 窟号	药师琉璃光如来本愿功德经变			天请问经变	备注
	药师经变	十二大愿	九横死		
宋代 7	南壁			北壁	重修
15	北壁				重修
55	北壁			北壁	
76	北壁				重修
118	北壁				重修
170	前室北壁				重修
264	甬道顶				
449	北壁			南壁	
452	北壁				
454	北壁			北壁	
榆 38				北壁	
西夏 88	北壁				重修
164	南壁、北壁				重修
235	西壁				重修
400	北壁				重修
408	东壁				重修
418	南壁				重修

从表2、3可以看出：归义军政权统治时期石窟中绘画的药师经变和天请问经变的数量比吐蕃时期更多，还继承了前代已形成的构图形式以及两种经变被安排在主室北壁位置的传统，不仅在新建的大、中型洞窟中绘画，而且一批重绘的洞窟中也作了绘画。

这种状况，与这一时期的敦煌僧界和世家大族对玄奘译经及其学术思想的大力弘扬密不可分。

据P.4660（25）《大唐沙州译经三藏大德吴和尚邈真赞》载："自通唐化，荐福明时。司空奉国，固请我师。愿谈唯识，助化旌麾……"上山大峻先生在《敦煌佛教研究》中，据哥本哈根图书馆藏《瑜伽师地论》（智惠山本）卷一所记"大中九年三月十五日"，认为法成于855年开始宣讲《瑜伽师地论》，讲座设在沙州开元寺；S.6483明照写《瑜伽师地论》第五十五卷尾题记有"大中十三年（859年）岁次己卯四月二十四日，比丘明照随听写记"；859年之后则不见其写本。

　　玄奘译《瑜伽师地论》，是唯识学的著名经典。据方广锠先生研究，敦煌藏经洞保存《瑜伽师地论》写本共100余号[38]。上山大峻先生指出藏经洞保存法成述《瑜伽师地论分门记》和《瑜伽师地论手记》写本，40余号，上述写本分藏于北京、东京、巴黎、伦敦等地。《瑜伽师地论分门记》和《瑜伽师地论手记》写本都是法成讲义笔录。法成讲了百卷《瑜伽师地论》其中的六十一卷，写本中做笔记的听讲者，有姓名可查者，至少有谈迅、福慧、法镜、一真、洪真、明照、恒安七人[39]。这反映了张氏归义军政权初期，在张议潮的"愿谈唯识，助化旌麾"的推动下，玄奘译《瑜伽师地论》唯识学名著在沙州流行的盛况。

　　《乘恩传》载：

　　　　……迨咸通四年三月中，西凉僧法信精研此道（即慈恩宗唯识学），禀本道节度使张义潮，表进恩之著述，敕令两街三学大德等详定，定堪行用，敕依。

　　从《乘恩传》得知，咸通四年（863年）归义军节度使张议潮曾将乘恩著《百法论疏》《百法论疏钞》上报朝廷，唐懿宗下令两街三学大德审定后"定勘行用"。此事说明859年之后，不见法成讲《瑜伽师地论》的写本，推测此时法成可能已故去。张议潮在请法成宣讲《瑜伽师地论》之后，又将已故去多年的乘恩的撰述上报朝廷，请求批准使用，可见归义军政权对唯识学重视的程度。这表明，张氏归义军政权初期，张议潮为了利用佛教巩固统治，稳定沙州的局势，提倡"愿谈唯识，助化旌麾"，使玄奘译《瑜伽师地论》唯识学名著得以在沙州进一步流行。另一方面，848年中原会昌灭法之后，佛教受到沉重打击，缺少佛教经典，唐懿宗下令对乘恩著述"定勘行用"，说明乘恩的著述也被中原推行采用。从中原传到沙州的唯识学说又从沙州返回中原，对中原产生了影响。

　　张氏和曹氏各代归义军节度使无不修窟造像，几乎都绘有药师经变和天请问经变。在张氏、曹氏归义军节度使统治时期，也即晚唐、五代、宋代时期所修建绘有药师经变和天请问经变的洞窟中，根据石窟供养人题记和藏经洞敦煌文书，有20个洞窟可考其窟主和修建的年代[40]〔表4〕。

　　这些洞窟，不是张家窟就是曹家窟，或者是张氏或曹氏政权中的官员、僧官、望族所建。其中，除第54、196、468、108窟仅绘药师经变，第53窟仅绘天请问经变外，其余各窟均绘画药师经变和天请问经变。据P.3720、S.5630《张淮深造窟功德碑》记载，绘画药师经变"十二上愿，定

38　季羡林主编：《敦煌学大辞典》，上海：上海辞书出版社，1998年。

39　（日）上山大峻：《敦煌佛教研究》，东京：法藏馆，1990年。

40　贺世哲：《从供养人题记看莫高窟部分洞窟的营建年代》，载敦煌研究院编《敦煌莫高窟供养人题记》，北京：文物出版社，1986年，第209页。

表4　归义军时期世家大族开窟统计

窟号	建窟年代	窟主	药师经变	天请问经变
156	861～867	张议潮	北壁	北壁
85	862～867	翟法荣（僧统）	北壁	
192	867年前后	朱再靖、曹善僧等	北壁	北壁
12	869年前后	索法律（议巩）	北壁	北壁
107	871年前后	归义军押衙正兵马使藏子之父	南壁	南壁
94	876～888	张淮深	已覆盖	
54	881	康通信	正龛龛内	
196	893～894	何法师	北壁	
138	900～905	阴家窟	北壁	南壁
468	907	朱家窟	北壁	
98	923～925	曹议金	北壁	北壁
100	935～940	"大王天公主"李氏（曹元德建）	北壁	北壁
108	936～940	张淮庆（曹议金姻亲）	北壁	
22	940～947	曹元深	南壁	南壁
61	957年前后	曹元忠及夫人浔阳郡翟氏	北壁	北壁
55	962年前后	曹元忠	北壁	北壁
53	974	曹元忠及同辈姐妹		窟顶
5	957	杜彦弘	北壁	北壁
454	980	曹延恭及夫人慕容氏	北壁	北壁
449	曹延禄时期	社人合建	北壁	南壁

国安人。能随喜于所求，必鉴心于至信"。还有，P.2641《莫高窟再修功德记》云：

> 药师三会，设志愿以拯生；天王四宫，观威稜而护世。金刚地藏，助卫仙岩；十方圣
> （诸）圣，保安莲塞。[41]

这些记载，都明确道出了归义军政权的统治者为何无不在洞窟中绘画药师经变的目的。

41　郑炳林：《敦煌碑铭赞辑释》，兰州：甘肃教育出版社，1992年，第534页。

四、其他相关问题

（一）莫高窟《大唐西域记》、瑞像图壁画底稿和瑞像图

玄奘奉敕撰写的《大唐西域记》，记载了唐太宗想要知道的丝绸之路西域各国的政治、经济、历史、地理、宗教、风土人情。玄奘根据自己的所见所闻，对西域128国的忠实记录，无疑成为研究古代历史地理不可多得的珍贵资料[42]，玄奘的《大唐西域记》，也就被国际学界视为一部影响深远的不朽之作品。藏经洞保存有《大唐西域记》3件，即S.2695va（卷一）、P.3814（卷二）、S.0958（卷三）[43]。

《大唐西域记》丰富的佛教遗迹和遗物的记载中，不乏关于瑞像的资料。玄奘《大唐西域记》所载瑞像，无疑专指西域地区，即印度、尼婆罗、于阗的瑞像，而不包括汉地产生的张掖、酒泉、江南等地的瑞像。

所谓瑞像，应该是具有灵异的释迦或圣者真容的摹写像。由于佛徒们深信优填王所造的旃檀佛像是释迦在世的真容，早在佛教传入之初，佛像也包括瑞像，也早已传入中国。西域和中国的佛教徒都深信和敬仰佛的圣迹及其真容，故在其大、小乘佛经及其译本早有记载，如《增一阿含经》《观佛三昧海经》《大乘造像功德经》；甚至疑伪经《大方便佛报恩经》也加以传播；佛教史著作如《魏书·释老志》《佛祖统记》，甚至一些佛教的集成之作，《广弘明集》《集神州三宝感通录》《经律异相》《法苑珠林》等，也不厌其烦地加以记载。《梁书》记载，梁武帝天监十八年（519年）扶南国遣使所送天竺旃像即被称为"天竺旃檀瑞像"。而且，西行求法的高僧，去西域几乎无一例外要巡礼圣迹，他们求法回国后，必然要把西行佛教圣地所见之圣迹（包括瑞像）著录于文字，所以许多僧传和行记，如《高僧传》《法显传》《洛阳伽蓝记》《大慈恩寺三藏法师传》《大唐西域记》等，都不厌其烦地一再记载圣迹和瑞像[44]。

敦煌藏经洞中保存的P.3033V、P.3352、S.5659、S2113等绘制瑞像图的壁画榜题底稿和绢本的释迦瑞像图[45]，以及中唐开始敦煌石窟壁画绘有释迦的瑞像图〔图9、10〕，是否与玄奘有关呢？虽

---

42 [唐]慧立、彦悰：《大慈恩寺三藏法师传》卷六，《大正藏》第五十卷，第254页。

43 敦煌研究院编：《敦煌遗书总目索引新编·索引》，北京：中华书局，2000年，第8页。

44 敦煌石窟中又有20多个洞窟保存丰富的瑞像图的资料，多年来学者们在对瑞像资料的研究方面取得了不少成果：张广达、荣新江：《敦煌"瑞像记"瑞像图及其反映的于阗》，载张广达编《于阗史丛考》，上海：上海书店，1993年，第264页注；（美）索珀：《敦煌的瑞像图》，载《亚洲艺术》第27卷；大英博物馆监修、Dr.Roderick Whitfield编集，上野アキ译：《西域美术·大英博物馆スタイン·コレクション》（1～3卷），日本：讲谈社，1982～1984年。孙修身：《佛教东传故事画卷》，北京：商务印书馆，1998年；史苇湘：《关于敦煌莫高窟内容总录》，载敦煌研究院《敦煌莫高窟内容总录》，北京：文物出版社，1982年；孙修身：《莫高窟佛教史迹故事画介绍》（一），载敦煌文物研究所《敦煌研究文集》，兰州：甘肃人民出版社，1982年；《莫高莫佛教史迹故事画介绍》（二）（三）（四）（五），《敦煌研究》1982年总第1、2、3、5期；《莫高窟佛教史迹故事画考释》（六）（七）（八），《敦煌研究》1986年第2期、1987年第3期、1988年第1期；《莫高窟佛教史迹画内容考释》（九），《敦煌研究》1988年第4期。

45 张广达、荣新江：《敦煌"瑞像记"瑞像图及其反映的于阗》，载张广达编《于阗史丛考》，上海：上海书店，1993年，第212～242页。

图 9 　　　　　　　　　　　　　　　　　　　　　　　　　　　　　　　　　　　　　图 10

[图 9]

莫高窟第 231 窟
旃檀木释迦像
中唐

[图 10]

莫高窟第 231 窟
旃檀木像礼迎释迦
中唐

然说这些瑞像可从佛经和僧传中找到不止一条根据，而不是唯有《大唐西域记》有记载。但保存至今的瑞像遗迹，最早是唐代的瑞像，即洛阳龙门石窟建敬善寺洞和河南巩县石窟在显庆元年（656 年）至乾封年间（666~667 年）所刻的优填王像（所谓"优填王像"，即优填王造的瑞像）。唐代以前仿制的瑞像并未保存下来。慧立、彦悰《大慈恩寺三藏法师传》卷 6 载，玄奘于西域带回"㤭赏弥国出爱王（优填王）思慕如来刻檀写真像刻檀佛像一躯"[46]。龙门石窟和巩县石窟在 7 世纪中集中造优填王像，这似是与玄奘带回瑞像及唐皇室对此高度重视有关。敦煌藏经洞和敦煌石窟在中唐与中唐之后保存有较多的瑞像文书和瑞像图资料，似是受唐都长安的影响。当然也可看成是玄奘西域带回瑞像的影响所及。

（二）西夏壁画中绘画反映民间纪念玄奘的艺术作品——玄奘取经图

玄奘法师不畏艰险、西行求法的事迹，自唐以来就一直流传于民间，而且经过不断地增补丰富，其内容也愈加离奇神异，颇具神话色彩。据研究，最晚至宋时，已经形成了有关的文学作品。如金院本《唐三藏书》、元吴昌龄《唐

46　《大正藏》第五十卷，第 252 页。

图11

图12

三藏书西天取经》、杂剧及古本《西游记》等，特别是明代吴承恩总括前说，创作的《西游记》小说，现被列为中国四大古典名著之一。同时，相关的绘画作品也已出现。北宋景祐三年（1036年）欧阳修与友人在扬州寿宁寺中曾看到描绘玄奘取经的壁画[47]；据载，宋董逌就曾撰《书玄奘取经图》的文字，虽然图本身今已不存，但却告诉我们当时描绘玄奘之类的取经僧的图画作品已经流传于世了[48]。

在敦煌石窟群已发现了六幅唐玄奘取经图，分别绘于榆林窟第2、3、29窟和东千佛洞第2窟内〔图11、12〕，皆为西夏统治瓜沙地区时期所作。这六幅取经图均非独立成画，而是依附于水月观音图或普贤菩萨图中。基本画面为一年轻英俊的僧人双手合十隔云海遥拜菩萨，其身后行者为猴相行者，右手搭凉棚作远眺状，左手牵马。虽然存有争论，但多数学者认为画面中的僧人、猴行者、白马、大梵天、偷桃等许多情节与宋本《大唐三藏取经诗话》的描述相符，即年轻僧人当为玄奘，猴相行者当为其随从。类似的画面不见于莫高窟同时代的壁画，这显然与当年玄奘经过瓜州，在瓜州刺史独孤达和州吏违背圣

〔图11〕
榆林窟第3窟 玄奘取
经图
西夏

〔图12〕
东千佛洞第2窟 玄奘
取经图
西夏

47　霍熙亮：《唐玄奘取经图》，载季羡林主编《敦煌学大辞典》，上海：上海辞书出版社，1998年，第177页。

48　[宋]董逌著：广川画跋卷四，载《文渊阁四库全书》第八一三册，台北：商务印书馆，1988年，第475～476页。

图13 图14

［图13］
行脚僧图
（Ch.00380）

［图14］
莫高窟第308窟行脚
僧图
隋

旨、撕毁捕牒、偷渡玉门关和五烽，只身走出上无飞鸟、下无走兽的八百里流沙，到达伊吾（今新疆哈密）的历史有关，这也说明玄奘西行求法事迹在当地人民影响之深广[49]。

（三）敦煌发现的行脚僧图（玄奘取经图）

学术界认为可能与玄奘西行求法事迹有关的另一种绘画作品为敦煌发现的行脚僧图［图13］，画面为身背经箧，手拄胡杖，作正在行走状的胡僧形象。僧人身旁右侧还伴有一虎。据统计，在敦煌莫高窟发现了6幅这样的作品，它们分别画在第306、308［图14］、363窟甬道南、北壁；在藏经洞发现了12幅，散存于伦敦、巴黎、东京、圣彼得堡。由于这些作品的榜题和一些画面特征，特别是僧人右侧的虎的形象与相关的文字材料不符，故关于其定名存在着不同的说法。秋山光和先生在其《敦煌画中的"伴虎行脚僧"的考察——以伯希和收集品中的二例为中心》一文中，提到了散见于法国、英国、韩国和日本的共计

49 段文杰：《新发现玄奘取经图探讨》，《中国文物报》1990年12月13日；霍熙亮："唐玄奘取经图"条，载季羡林主编《敦煌学大辞典》，上海：上海辞书出版社，1998年，第177页。

7件同一题材的绘画作品，他把它们与几乎同时代的日本镰仓时代的《玄奘三藏像》相对比后认为，其中大部分描绘的当是玄奘三藏[50]。

我们认为，藏经洞发现的这些行脚僧图，即使描绘的不是玄奘本人，但在画师动笔绘画这些画稿的时候，以玄奘为代表的西行求法僧人们不畏艰险、百折不挠的奋斗精神则正是他们要表达的精神意旨。从这个意义上讲，玄奘取经的事迹可谓此类作品的母本。

综上所述，作为一代宗师、中印友好交往的使者，玄奘法师对历史文化的贡献无疑是多方面的，具有世界性的意义。本文仅就他的译经及其学术思想与敦煌佛教文化之间的关系做了一些探讨，以期通过一个很小的侧面，使我们对这位中国古代的文化巨人及其对世界中古文化的影响有一个非常具体的感性认识。

（本文原为"玄奘与丝绸之路国际学术讨论会"论文，印度甘地国家艺术中心，2003年；后发表于《敦煌研究》2004年第2期；后收于《陇上学人文存·樊锦诗卷》，甘肃人民出版社，2014年，）

50　（日）秋山光和：《敦煌画中的"伴虎行脚僧"的考察——以伯希和收集品中的二例为中心》，（日本）《美术研究》1964年第五册，总第238号。

◈ 敦煌艺术中的服饰文化

中国古代服饰研究，主要材料来源有两种：一是各种传世文献资料，二是传世的或考古发现的实物、图像资料。由于各种文献记载有许多模糊、混淆，甚至矛盾的地方，也由于实物、图像资料的缺乏，中国古代服饰研究出现了很多悬而未决的问题，有些领域甚至还是空白。

敦煌石窟（包括莫高窟、榆林窟、西千佛洞）是举世闻名的佛教艺术宝库，其中保存有大量的古代服饰资料。如莫高窟，共有735个洞窟，现存壁画、雕像的洞窟有492个，其中有壁画45000多平方米、雕塑2500多身。这些雕像与壁画中保存了数以万计的人物形象，在这些人物形象中反映了古代不同时代、不同阶级、不同民族的衣冠服饰。

敦煌艺术中的人物服饰大体可分为两类：一类是佛、菩萨、天王、力士、飞天等宗教神灵的服饰，他们是神，是偶像，其形象不同于世俗凡人，除了头上有圆光，脚下踩莲花，被罩上了一层宗教神秘色彩，其衣冠服饰上往往混杂中外元素，具有夸张、想象的成分，与历史真实有一定的距离；另一类是世俗人物服饰，比较写实，相当真实地反映了古代的服饰文化。因此，我们研究敦煌服饰文化，主要是研究世俗人物服饰。

敦煌艺术中的世俗人物真可谓包罗万象，其中既有帝王将相，也有平民百姓；既有农夫渔民、工匠商旅，又有乐人医生、猎人乞丐；既有中原汉族人物，也有大量的西北西南各民族人物，还有中亚、西亚人物，三教九流，无所不有。毫不夸张地说，这些形形色色的世俗人物形象中所展示的古代衣冠服饰资料，构成了一座琳琅满目的古代服饰文化博物馆。另外，敦煌藏经洞及其他石窟所出土的织物、绢画和敦煌遗书中的服饰资料，都极大地丰富了这座古代服饰文化博物馆的内容。

敦煌服饰文化具有十分丰富的内涵，限于我的学力，同时也由于时间的限制，我今天只能讲两个问题。

一、敦煌服饰资料的优势和特色

由于敦煌艺术的博大精深，使敦煌服饰资料与其他方面的资料相比具有许多无与伦比的优势和特色。归纳起来，我想至少有以下几点。

（一）历史悠久，延续不断

大家都知道，以莫高窟为代表的敦煌石窟，从南北朝十六国时期即4世纪中期开始营造，历经北凉、北魏、西魏、北周、隋、唐、五代、北宋、回鹘、西夏等各个朝代，敦煌地区的民众连续不断地开窟营造，绘画塑像，一直到元代即14世纪，延续了1000余年。敦煌艺术中的衣冠服饰资料也同样延续了1000余年，可以说形成了一个千余年的漫长的衣冠服饰画廊，这是其他地方的服饰资料所无法比拟的。

（二）内容丰富，包罗万象

敦煌艺术中保存的服饰资料内容非常丰富。仅仅从服饰的形式来看，既有帝王将相的冠冕衮服，也有平民百姓的布衣短服；既有文臣的宽袍大袖，也有武将的铠甲戎装；既有出家僧尼的僧衣袈裟；也有俗家弟子的家常便服；既有男人的幞头靴衫，也有妇女的大袖裙襦，还有老人孩子的服装等等。总之，古代千余年间各阶层、各种人物的服饰绝大多数都能在这里找到其形象资料。下面让我们看几个典型的例子。

敦煌壁画中保存了帝王将相的堂皇冠冕〔图1、图2〕。

尤其难能可贵的是，敦煌艺术中还保存了在历代官方《舆服志》和其他文献中所不载或少见的平民百姓的服饰。可以说，敦煌服饰具有很强的平民性。敦煌壁画中有大量地反映普通百姓各种生活的场景，诸如婚嫁〔图3〕、丧葬、渔猎、耕获〔图4〕、宴饮、百戏、锻铁舂米、行船背纤等，甚至还有行乞的场景。这些场景所展示的平民服饰资料，非常珍贵。

图1

图2

〔图1〕
莫高窟第220窟
帝王图
初唐

〔图2〕
阎立本《历代帝王图》

图 3

图 4

图 5

图 6

　　另外，由于敦煌自古就是多民族聚居地区，又是丝绸之路上东来西往的交通要道，敦煌艺术中还保存了许多少数民族，如吐蕃、回鹘、西夏、蒙古等民族服饰资料〔图 5、6〕。这方面传世文献大都语焉不详，而他处遗址或考古发现都难以企及。

（三）织物品种多样，工艺门类较多

这里的织物品种，主要是指壁画或塑像所反映出来的形象资料。当然，实物资料也有，如藏经洞、莫高窟北区石窟等处出土的各种织物。从图像上看，敦煌石窟中有锦、绸、缎、罗、纱、麻布、棉布、丝等织物，颜色多样，既有印染提花，也有蜡染夹缬，既有画绘，也有织成。

二、敦煌服饰资料研究的价值

由于地理位置等客观原因，对敦煌艺术中丰富的服饰资料的研究和利用还不够多。随着中国古代服饰研究及相关学科的深入发展，及时有效地利用这批宝贵的服饰资料成为当务之急。我们可以大胆预言，敦煌服饰研究将成为敦煌学研究的一个门类，将成为中国古代服饰研究学科中一个极重要组成部分，并将长期为学界所瞩目。之所以这样说，是因为敦煌服饰资料的研究具有多方面的价值。

首先，敦煌服饰研究对中国古代服饰史学科的建设具有重要意义。

古代许多服饰只见于传世文献记载，只闻其名，不明其形；还有许多服饰在传世的图像或出土文物中只能见到一些零星的不完整的形貌。而借助于敦煌艺术中的比较完整的形象的服饰资料，就可以搞清楚许多有关古代服饰的形制，及其发展演变的情况。如孙机先生在考察唐代女装的加服趋势现象时，他用了一组图，通过这组图，我们能清楚地看到，唐初女装窄瘦，以朴素见长，历武周、开元，女装渐长渐肥，盛唐健美丰硕之风尚，跃然纸上。到了中唐，女装越来越肥，到了无以复加的地步。而孙先生所用的这组图，除第二幅出自西安永泰公主墓外，其余都出自敦煌石窟[1]。再比如，幞头是中国古代男子最常用的首服。在敦煌壁画中保存了从北周到元代七八百年间许多不同形状的幞头的图像资料，清楚地反映了幞头由最早的平顶到逐渐施屋分级，从四脚到二脚，从长脚、软脚逐渐到硬脚、展脚的演变过程。这样的例子还有不少，如古代妇女发髻形式、妇女面部妆饰等等，在敦煌壁画中都有丰富的系统的资料，限于时间，不能一一细说。

于此可见，敦煌服饰完全可独立成一专史，这对于深化和拓宽中国古代服饰史的研究当然是具有十分重要的意义。

其次，敦煌服饰研究对于石窟考古具有重要价值。

服饰及服饰图案像符号一样，记录着时代的风尚和潮流。在帝制时代，统治者根据宗法礼制和等级制度对衣冠服饰强行制定了一整套着装规范，而且这些规范在不同的时代有不同的变化。

1　孙机：《唐代妇女的服装与化妆》，《文物》1984年第4期。

因而使服饰具有十分鲜明的时代特征。也正因为如此，服饰及服饰图案，为考古学提供了重要依据。敦煌服饰也不例外，我们知道，仅莫高窟一处，就有492窟之多，这些洞窟的断代、排年等工作，就离不开洞窟服饰资料提供的重要依据。虽然这项工作经历数十年，经过几代敦煌人的努力，已基本完成，但我们仍希望敦煌服饰等相关学科进一步发展，以期为石窟的断代排年工作的进一步完善提供更为精准的证据。

再次，敦煌服饰研究对于当代服饰工艺美术研究、设计具有启示和借鉴价值。

我们知道，敦煌石窟是一座由古代无数能工巧匠创造的艺术宝库。就服饰方面来说，其中所展示的丰富绚丽的色彩、精美多变的图案、富于奇思妙想的构思设计，不仅充分反映了古代先民高度的聪明才智，而且对我们今天的服饰工艺美术研究、设计仍然具有启示和借鉴价值。我们高兴地看到，已经有一些服饰工艺美术设计者在利用敦煌服饰资料，设计、开发了一些具有敦煌图案风格和特色的服装、围巾、手帕等服饰用品，在市场上也受到了中外顾客的欢迎。当然，现在设计、开发的这些敦煌风格的服饰用品还是初步的，更多的是直接采用敦煌服饰图案，缺乏创新。敦煌服饰资料宝库有待进行深入的研究，其开发利用的前景也将十分广阔。大家今天聚集在这里，可能对这一点最有兴趣。大家都是这方面的行家里手，我就不多说了。我相信，敦煌石窟中不可胜数的服饰资料，必将激发包括诸位在内的无数艺术家的灵感，挥洒妙笔丹青，绘出锦绣华章。

敦煌服饰研究，还将为敦煌民俗研究、敦煌文献研究等学科提供相应的资料和证据，也将推进中国古代礼仪制度研究，尤其是职官制度研究的发展，也会对我国古代历史研究、民族史研究等产生积极影响等等。在此，我就不再一一细说。

总之，敦煌服饰研究，其意义是多方位的，将对我国古代文化研究产生积极而深远的影响。我们期待着这一文化热点的到来！

（本文为在东华大学"2003年上海国际服装文化节国际服装论坛"上的发言稿）

◆ 敦煌石窟如意轮观音经变研究

在古敦煌郡的石窟寺院中，至今仍保存着丰富的密教遗迹。它们是敦煌艺术的重要组成部分，是敦煌学研究中不可缺少的重要一环。对于这些密教遗迹，一些学者曾就某些题材进行过研究，并发表了一批研究成果[1]。但时至今日仍有一些密教题材尚未进行系统研究，如意轮观音经变就是其中之一。本文拟就这一密教题材进行探讨。

一、前言

据史籍记载，《如意轮观音经》汉译本最早出现于初唐时期，当时有5部汉译本传世，它们分别是：义净译《佛说观自在菩萨如意心陀罗尼咒经》[2]，宝思惟译《观世音菩萨如意摩尼陀罗尼经》和《念诵法》[3]，实叉难陀译《观世音菩萨秘密藏如意轮陀罗尼神咒经》[4]，菩提流志译《如意轮陀罗尼经》[5]。此后，盛唐时期又有5部汉译本《如意轮观音经》《轨》面世，一部由解脱师子（即

1　阎文儒：《中国石窟艺术总论》，天津：天津古籍出版社，1987年；刘玉权：《榆林窟第3窟"千手经变"研究》，《敦煌研究》1987年第4期，第13～18页；宿白：《敦煌莫高窟密教遗迹札记》，载氏著《中国石窟寺研究》，北京：文物出版社，1996年，第279～310页；段文杰：《榆林窟党项蒙古政权时期的壁画艺术》，《敦煌研究》1989年第4期，第1～13页；王惠民：《敦煌千手千眼观音像》，《敦煌学辑刊》1994年第1期，第63～74页；彭金章：《千眼照见千手护持》，《敦煌研究》1996年第1期，第1～31页；彭金章：《敦煌石窟十一面观音经变研究》，载敦煌研究院编《段文杰敦煌研究五十年纪念文集》，北京：世界图书出版公司，1996年，第72～86页；彭金章：《敦煌石窟不空羂索观音经变研究》，《敦煌研究》1999年第1期，第1～24页。

2　[唐]义净译：《佛说观自在菩萨如意心陀罗尼咒经》，《大正藏》第二十卷，第196页。

3　[唐]宝思惟译：《观世音菩萨如意摩尼陀罗尼经》，《大正藏》第二十卷，第200～202页；[唐]宝思惟译：《观世音菩萨如意摩尼轮陀罗尼念诵法》，《大正藏》第二十卷，第202页。

4　[唐]实叉难陀译：《观世音菩萨秘密藏如意轮陀罗尼神咒经》，《大正藏》第二十卷，第197页。

5　[唐]菩提流志译：《如意轮陀罗尼经》，《大正藏》第二十卷，第188页。

善无畏）所译《都表如意摩尼转轮圣王次第念诵秘密最要略法》[6]，一部由金刚智所译《观自在如意轮菩萨瑜伽法要》[7]，其余三部均为不空所译的《观自在菩萨如意轮念诵仪轨》[8]《七星如意轮秘密要经》[9]《观自在菩萨如意轮瑜伽》[10]。到了宋代，慈贤译出了《佛说如意轮莲华心如来修行观门仪》[11]。前后共有 11 部《如意轮观音经》及《轨》汉译传世。

据佛经记载，诵持《如意轮观音经》《咒》"一切所为，悉得成就"，"过现造积四重五逆十恶罪障应堕阿毗地狱之者悉能消灭"，"一切疾病，种种灾厄，魑魅鬼神，由经诵念皆得除灭"等。既然诵持《如意轮经》《轨》这么神奇和不可思议，故随着该《如意轮经》及《轨》的汉译和传播，如意轮观音艺术形象也就随之出现于甘肃敦煌莫高窟、瓜州榆林窟与水峡口下洞子、四川资中、重庆大足以及新疆吐鲁番、柏孜克里克等地。其中以敦煌石窟所保存的如意轮观音形象资料最丰富，是密教研究不可多得的珍贵资料。

二、敦煌石窟如意轮观音经变

敦煌石窟现存如意轮观音经变 80 幅，其中有壁画 72 幅，藏经洞所出绢、纸画 8 幅，其时代分别属于盛唐 1 幅、中唐 12 幅、晚唐 19 幅、五代 32 幅、宋代 13 幅、西夏 3 幅。它们是依据《如意轮观音经》及《轨》绘制的，由于该《经》《轨》有 11 个汉译本，而这些汉译本互有差别，故绘制出的如意轮观音经变也就不可能完全一样。现就敦煌石窟如意轮观音经变论述如下。

（一）姿势

在汉译本佛教《经》《轨》中，涉及如意轮观音姿势者有六部。其姿势有"结跏趺坐""坐于月轮中""佛前右边立""菩萨处之而坐，又垂左足，右按左足上"。敦煌石窟如意轮观音的姿势如何？现分析如下：

敦煌石窟 80 幅如意轮观音经变中，其主尊姿势为竖右膝、左膝盘坐（个别例外）的坐式者 60 幅[12]〔图 1、3、4、5〕，呈站立式者 8 幅[13]〔图 2、6、7、8〕，姿势不详者 12 幅。未见结跏趺坐式或半跏趺坐式者，

6　[唐]解脱师子译：《都表如意摩尼转轮圣王次第念诵秘密最要略法》，《大正藏》第二十卷，第 217 页。

7　[唐]金刚智所译：《观自在如意轮菩萨瑜伽法要》，《大正藏》第二十卷，第 211 页。

8　[唐]不空所译：《观自在菩萨如意轮念诵仪轨》，《大正藏》第二十卷，第 203 页。

9　[唐]不空所译：《七星如意轮秘密要经》，《大正藏》第二十卷，第 224 页。

10　[唐]不空所译：《观自在菩萨如意轮瑜伽》，《大正藏》第二十卷，第 206 页。

11　[宋]慈贤译：《佛说如意轮莲华心如来修行观门仪》，《大正藏》第二十卷，第 220 页。

12　敦煌研究院、江苏美术出版社编：《敦煌石窟艺术·莫高窟第 14 窟》，南京：江苏美术出版社，1996 年，图版 136。

13　敦煌研究院、江苏美术出版社编：《敦煌石窟艺术·莫高窟第 61 窟》，南京：江苏美术出版社，1995 年，图版 21。

图1   图2

〔图1〕
莫高窟第384窟
北壁龛外东侧
盛唐

〔图2〕
莫高窟第354窟东壁
门北侧
西夏

〔图3〕
莫高窟第14窟北壁
晚唐

图3

图 4

[图 4]
莫高窟第156窟西壁
龛顶北披
晚唐

[图 5]
莫高窟第468窟
东壁门北侧
中唐

[图 6]
莫高窟第61窟背屏南
向面
五代

图 5 　　　　　　　　　　　　　　 图 6

图7   图8

与《经》《轨》所载多不相同。

　　四川巴中、重庆大足现存如意轮观音经变雕像6幅，其主尊如意轮观音姿势呈结跏趺坐式者3幅，姿势不详者3幅。不见敦煌石窟如意轮观音最流行的竖右膝，左膝盘坐的姿势。

（二）宝冠

　　有关《经》《轨》所记载的如意轮圣观自在菩萨"首戴宝冠，冠有化佛""顶上有化佛""冠坐自在王，住于说法相""顶髻宝庄严，自在王说法""头冠中有化佛，化佛处半月中""顶上住佛身"等。依据这些《经》《轨》雕、塑、绘制的如意轮观音形象是否也如此？下面的具体例子可以做出回答。

　　敦煌石窟所存80幅如意轮观音经变中，其主尊如意轮观音头戴宝冠中有化佛者56幅[14]〔图1、3、4、5、6、7、8〕，无化佛者9幅[15]〔图2〕，不详者15幅。与《经》《轨》记载稍有别。

　　四川、重庆大足石窟如意轮观音所戴宝冠情况不详。

〔图7〕
莫高窟第456窟
西壁龛北壁
隋

〔图8〕
莫高窟第449窟西壁
龛南侧帐扉西壁
中唐

14　敦煌研究院、江苏美术出版社编：《敦煌石窟艺术·莫高窟第14窟》，南京：江苏美术出版社，1998年。
15　敦煌研究院、江苏美术出版社编：《敦煌石窟艺术·莫高窟第158窟》，南京：江苏美术出版社，1998年，图版160。

（三）臂数以及手持法器、宝物和所结手印

在汉译本《如意轮观音经》《轨》中涉及的如意轮观音臂数有二臂与六臂之分。二臂者"左手执开莲花，当其台上画如意宝珠，右手作说法相""右手当捧持，如意摩尼宝，左手当执持，金色大莲花""右手把钩杖，左手持羂索""左手掌摩尼珠，慧舒施愿印"。六臂者"第一手思惟，潜念有情故。第二持意宝，能满一切愿。第三持念珠，为度傍生苦。左一按光明山，成就无倾动。第二持莲手，能净诸非法。第三手持轮，能转无上法"。敦煌石窟所存如意轮观音的臂数以及手持法器、宝物、所结手印是否如上述《经》《轨》所记载那样，现做一具体分析。

在敦煌石窟80幅如意轮观音经变中，其主尊有二臂者2幅[16]，五臂者1幅，六臂者63幅[17]〔图1、2、3、4、5、6、8〕，八臂者2幅〔图7〕，臂不详者12幅。二臂者一手执莲花，一手结手印或一手持宝瓶，或一手不详。五臂者一手思惟，一手持如意轮，一手按光明山，另二手不详（第198窟）。六臂者一手思惟，一手托宝珠，一手执念珠，一手持如意轮，一手持莲花，一手按光明山〔图1、4〕，或一手持羂索，或结手印〔图3〕，或一手持君持〔图5〕。八臂者手托日精摩尼，月精摩尼，手持宝瓶，其余手不详（第194窟），或一手思惟，其余手持金刚铃，持如意轮，持莲花，托宝珠，按光明山，结手印（第456窟）〔图7〕。由此可知，二臂、六臂者基本符合《经》《轨》记载。五臂者可能是画师疏忽所致。八臂者无《经》《轨》记载。值得提出的是二臂或六臂如意轮观音手持法器、宝物或所结手印，有的与《经》《轨》记载不完全相符，其中六臂者有4幅手持羂索，因而颇引人注目。

四川、重庆大足石窟如意轮观音二臂者3幅，四臂者1幅，1幅臂不详，不见六臂和八臂者，手持物有如意轮、莲花或结手印，或不详。与敦煌石窟如意轮观音臂数不完全一样。

（四）眷属

在《如意轮陀罗尼经》中记载了如意轮观音的眷属有圆满意愿明王、白衣观世音母菩萨、大势至菩萨、多罗菩萨、马头观世音明王、一髻罗刹女、四面观世音明王、毗俱胝菩萨、天帝释及诸天众、焰摩王及诸鬼母众、水天王、难陀龙王、乌波难驮龙王及诸龙王众、多闻天王及诸药叉众、火天神及苦行仙众、罗刹王及诸罗刹众、风天王及风天众、大自在天王及宫盘荼鬼众、日天子及七星天众、月天子及七星天众、地天神及诸药叉神、大梵天王及诸梵众天、阿素洛王及阿素洛仆众、始缚婆歌明王等等。

16　大英博物馆监修、Dr.Roderick Whitfield编集，上野アキ译：《西域美术·大英博物馆スタイン·コレクション》（1-3卷），日本：讲谈社，1982～1984年，图版23。

17　敦煌研究院、江苏美术出版社编：《敦煌石窟艺术·莫高窟第14窟》，南京：江苏美术出版社，1998年。

接下来分析敦煌石窟如意轮观音眷属情况。敦煌石窟80幅如意轮观音经变中有眷属者35幅[18]〔图1、3、4、5、7〕，无眷属者11幅〔图2、6、8〕，眷属不详者34幅。从榜题可确认的眷属有"南无婆薮仙""南无功德天"（榆24窟）[19]。"日光菩萨""月光菩萨"（第148窟）。"金刚花菩萨""水天神""风天神""紫贤金刚""定厄金刚""南无月藏菩萨""南无大清莲花香菩萨""南无大宝旃檀香菩萨""南无大持菩萨""南无金刚藏菩萨""星光菩萨""火光菩萨""无菩萨""大清净雨王菩萨""赤星金刚""火神""大花树菩萨""大辩才天女""地神""不休息常供养菩萨""常供养菩萨""婆薮仙""火头金刚""风神""火神""虚空藏菩萨"（榆36窟）。"密迹金刚""无垢菩萨"（水4窟）[20]。从形象看还有龙王、天王、飞天、毗那夜迦、金刚面天、童子等，与《经》中记载的如意轮观音眷属多不相符。

四川、重庆大足石窟如意观音有眷属者2幅，其中1幅眷属多达43身（大足北山第149窟）。眷属身份有观音、白衣观音及诸天神等。无眷属者2幅，眷属不详者2幅。与敦煌石窟如意轮观音的眷属亦有别。

三、如意轮观音经变与相关题材

下面分析如意轮观音经变绘制于洞窟的位置以及在洞窟内与之相对称的经变题材。

绘制于敦煌石窟的72幅如意轮观音经变中，有24幅绘制于主室东壁，7幅绘制于主室南北壁或壁龛，8幅绘制于主室西壁或壁龛，12幅绘制于甬道南北壁，1幅绘制于主室背屏南向面，12幅绘制于前室顶西披，1幅绘制于前室北侧方柱西向面，4幅绘制于前室西壁，2幅绘制于前室北壁。与之相对称的经变题材有不空羂索观音经变58幅，千手千眼观音经变1幅，观世音菩萨1幅。对称题材不详者10幅。无对称者2幅。由此可知，在敦煌石窟中，不空羂索观音经变是如意轮观音经变最流行的对称题材。

四川、重庆大足石窟6幅如意轮观音经变中，其主尊如意轮观音以主像身份出现者有2幅，因而无对称题材。如意轮观音以阿弥陀佛的眷属身份出现者2幅，与之相对称者1幅为不空羂索观音，1幅为宝扇观音。另外2幅对称题材不详。由此可知，四川、重庆大足如意轮观音以主像身份出现于洞窟的情况在敦煌不存在，而与之相对称的题材中有不空羂索观音则与敦煌近似。

18　敦煌研究院、江苏美术出版社编：《敦煌石窟艺术·莫高窟第14窟》，南京：江苏美术出版社，1998年。

19　"榆24窟"，即榆林窟第24窟。下"榆36窟"，同。

20　"水4窟"，即水峡口下洞子第4窟。

四、日本的如意轮观音像

如意轮观音像在日本也有雕造。据日本学者研究，在白凤时代（7世纪）就出现了铜质如意轮观音像（福井小滨正林庵），奈良冈寺的铜质和泥塑如意轮观音像的时代也比较早。之后又陆续雕造，至14世纪及其以前共雕造如意轮观音像21尊，其数量在日本现存密教观音中仅次于千手千眼观音、十一面观音、圣观音，这表明如意轮观音在日本也比较受信仰者欢迎。其特征如下。

（一）姿势

21尊如意轮观音像中，其姿势为竖右膝、左膝盘坐的坐式者11尊，呈半跏趺坐式者10尊，不见站立式，前者与敦煌石窟中的如意轮观音姿势相似，后者与敦煌石窟中的如意轮观音姿势则有别。

（二）宝冠

在21尊如意轮观音像中，头戴宝冠中不见化佛者有17尊，化佛不详者4尊。显然与《经》《轨》记载不符，与敦煌石窟的如意轮观音宝冠中多有化佛亦有别。

（三）臂数以及手持物、所结手印

日本所见如意轮观音中，2臂者有10尊，6臂者11尊，2臂者几乎占总数的二分之一，与敦煌有别。2臂者多数为一手思惟，另一手或施无畏，或结与愿印，或不详。6臂者基本上是一手思惟，一手持如意轮，一手执莲蕾，一手托宝珠，一手按光明山，一手持数珠，与《经》《轨》所载相符。这一情况与敦煌石窟中的六臂如意轮观音大致相仿。

（四）制作材料

日本现存如意轮观音中，以木雕者最多（14尊），铜质其次（3尊），泥塑最少（1尊），另有3尊制作材料不详。木质者占绝大多数是其明显特征。

（五）眷属：均无眷属

从以上论述可知，日本所见如意轮观音像与敦煌石窟中的如意轮观音既有相同之处，彼此间又存在着明显差别。表明在日本雕造的如意轮观音像亦没有拘泥于《经》《轨》规定，并具有鲜明的地域特征。

五、结论

通过以上论述，可得出如下认识：

第一，在敦煌石窟所发现的诸多密教经变中，如意轮观音经变的数量与不空羂索观音经变的数量相同，表明这一密教题材从盛唐晚期至西夏时期深受当地信仰者所喜爱。它无疑是当时人们信奉如意轮观音的具体反映。由于信奉的人多，故在洞窟内留下了丰富的如意轮观音艺术形象。

第二，如意轮观音，顾名思义是持有"如意轮"的观音。据《经》《轨》记载，"第三手持轮"，"能转无上法"，"轮摧障恼故"。这是就六臂如意轮观音而论，也就是说六臂者必有一手持如意轮。但敦煌石窟六臂或八臂如意轮观音并非完全如此。例如第386窟、第194窟如意轮观音手中就不见"如意轮"，却手托宝瓶，而它们又的的确确是如意轮观音。据此可知，"如意轮"不是如意轮观音的唯一标志。另外从千手千眼观音以及部分火头金刚手中也持有"金轮"来看，也说明该法器并非如意轮观音所专有。与"羂索"不是不空羂索观音的标志相类似[21]。既然"如意轮"不是如意轮观音的标志，那么什么法器是该观音的标志呢？下面就来谈谈这个问题。

第三，思惟手是如意轮观音的重要标志。在敦煌石窟所存80幅如意轮观音经变中，其主尊一手呈思惟状者有68幅，不见思惟状者仅2幅，不详者10幅。其中头稍右倾作思惟状者64幅，头稍左倾作思惟状者4幅。据此可知思惟手应是如意轮观音最重要的标志。

第四，如意轮观音在敦煌石窟的出现及其绝迹，均与不空羂索观音同时。不仅如此，两者在石窟内又往往相互对称。在石窟内现存的72幅壁画如意轮观音经变中，居然有58幅与不空羂索观音经变对称，因而显得非常突出。在石窟内，如意轮观音经变与不空羂索观音经变相互对称这一在敦煌十分流行的对称形式也影响到了当时的绢画，如藏经洞所出绢画西大I-18[22]、西吉I-98[23]就如此。除此之外，还有一点值得提出，即凡是如意轮观音的姿势为竖右膝、左膝盘坐的坐式者（个别为竖左膝、右膝盘坐），与之相对称的不空羂索观音姿势则呈结跏趺坐式。若前者呈站立式，后者也必然是站立式。概无例外（第449、61、456窟）。

第五，敦煌石窟现存密教题材有汉密和藏密。其中汉密最早出现于西魏时期的第285窟，之后汉密题材一直延续到元代。但引人注目的是，汉密艺术形象在西夏时期骤然减少，其中如意轮观音、不空羂索观音、十一面观音和千手千钵文殊在元代已不再流行，究其原因与西夏中晚期藏

---

21 彭金章：《敦煌石窟不空羂索观音经变研究》，《敦煌研究》1999年第1期，第1～24页。

22 "西大I-18"为《西域美术·大英博物馆スタイン·コレクシヨン》卷1，图版18之简称。大英博物馆监修、Dr.Roderick Whitfield编集、上野アキ译：《西域美术·大英博物馆スタイン·コレクシヨン》（1-3卷），日本：讲谈社，1982～1984年。

23 "西吉I-98"为《西域美术·ギメ美术馆ペリオ·コレクシヨン》卷1，图版98之简称。ジヤン·フランソワ·ジヤリージュ、秋山光和监修、ジヤック·ジエス编集、秋山光和等译：《西域美术·ギメ美术馆ペリオ·コレクシヨン》（1-2卷），日本：讲谈社，1994～1995年。

传佛教的传播有直接关系。据史籍记载，西夏历代统治者均笃信佛教。西夏初期，主要吸收中原佛教，但到西夏中晚期则对吐蕃佛教采取兼收并蓄的态度，西藏佛教嘎玛嘎举派藏索哇和萨迦派回巴瓦国师觉本，于夏仁宗在位期间（1139～1193年）先后到西夏传播藏传佛教的经义和仪轨，很受宠信，被西夏帝王尊为上师，促使藏传佛教在西夏全境迅速传播开来，并得到了很大发展。藏密相对于汉密来讲更神秘、更深奥，因而对信徒有更大的吸引力和迷惑性，它于西夏中晚期传播于瓜、沙二州后，汉密也就不再为人们所重视，并逐渐退出了历史舞台。代之而出现的是藏传佛教艺术形象，她作为中华民族的艺术瑰宝、中国佛教艺术的奇葩，至今仍放射着耀眼的光辉而为世人所称道。

（本文为樊锦诗、彭金章合著，原载于古正美编《唐代佛教与佛教艺术》，觉风佛教艺术文化基金会，2006年）

附录：敦煌石窟如意轮观音经变一览表

时代	窟号 绢画号	姿势			冠			臂数	手持法器宝物、所结手印	
		坐	立	不详	有化佛	无化佛	不详			
盛唐	148			√			√	？	不详	
中唐	117	√			√			6	右思惟、宝珠、与愿印，左如意轮、莲花、光明山	
	129	√				√		6	右思惟、宝珠、数珠，左如意轮、莲花、光明山	
	176	√				√		6	右思惟、宝珠、数珠，左如意轮、莲花、光明山	
	285	√			√			6	右思惟、宝珠、手印，左如意轮、光明山，不详	
	200	√			√			6	右思惟，不详②，左如意轮、莲花、光明山	
	386	√			√			6	右不详③，左宝瓶、光明山'不详①	
	358	√			√			6	右思惟、手印②，左如意轮、宝珠、光明山	
	158	√				√		6	右思惟、宝珠、羂索，左如意轮、莲花、光明山	
	384	√			√			6	右思惟、宝珠、手印，左如意轮、莲花、光明山	
	471	√			√			6	不详	
	榆24	√			√			6	右思惟、宝珠、数珠，左如意轮、手印、光明山	
	西大 I-16			√			√	？	可见右思惟，左如意轮	
晚唐	336	√			√			6	右思惟、宝珠，不详，左如意轮、不详②	
	138	√			√			6	右思惟、手印，不详，左如意轮、宝珠、光明山	
	198	√			√			5	右思惟，不详②，左如意轮、光明山	

眷属		绘制于洞窟位置	洞窟内与之相对称的题材	洞窟开凿或重修时代	备注
数量	名称				
6	不详	主室南壁龛	不空羂索观音经变	盛唐	李太宾为窟主"李家窟"
2	龙王②	主室东壁门南	不空羂索观音经变	盛唐中唐	头右倾
16	日、月光菩萨、飞天②、菩萨④、大辩才天、婆薮仙、忿怒尊②、龙王②、夜迦神②	主室东壁门北	不空羂索观音经变	盛唐中唐	头右倾、日光菩萨乘五鹅座、月光菩萨乘五马座
2	龙王②	主室东壁门上	无	中唐修	头右倾
6	天王②、菩萨②、忿怒尊②	甬道北壁	不空羂索观音经变	中唐修	头右倾
15	日、月光菩萨、天王④、龙王②、菩萨⑦	主室东壁门北	不空羂索观音经变	中唐	头右倾，日光、月光菩萨乘莲花座，水池下有三菩萨，其中之一在本尊之下
?	可见日、月光菩萨、龙王②	甬道南壁	不空羂索观音经变	中唐修	头右倾，不见如意轮，却见一宝瓶
19	飞天②、菩萨⑦、天王④、婆薮仙、辩才天、忿怒尊②、龙王②	主室东壁门北	不空羂索观音经变	中唐	头右倾，本尊上部一佛二弟子未计眷属数
4	菩萨②、天王②	主室东壁门上	无	中唐	头右倾，右手持羂索
8	日、月光菩萨、龙王②、忿怒尊②、夜迦神②	主室北壁龛外	不空羂索观音经变	盛唐中唐	头右倾，日月光菩萨莲花座，出现夜迦神
?	不详	主室东壁门北	不详	中唐	头右倾
6	菩萨②、婆薮仙、功德天、忿怒尊②	主室西壁	不详		头右倾，洞坐南朝北，榜题为南无婆薮仙，南无功德天
?	不详		与不空羂索观音对称		头右倾，藏经洞所出药师净土变中的如意轮观音（残）
?	可见天王①、菩萨①、忿怒尊①	主室西壁	不空羂索观音经变	晚唐	头右倾
?	可见天王①、菩萨⑤、忿怒尊②	前室北侧方柱西向面	不空羂索观音经变	晚唐	右倾头，建于张承奉任归义军节度使期间（900～905年）建造的"阴家窟"
4	日、月光菩萨、婆薮仙、功德天	主室东壁门南	不空羂索观音经变		头右倾，有5只手，左手少1只，日、月光菩萨莲花座

时代	窟号 绢画号	姿势			冠			臂数	手持法器宝物、所结手印	
		坐	立	不详	有化佛	无化佛	不详			
	232	√			√			6	右思惟、宝珠、数珠，左如意轮、莲花、光明山	
	20			√	√			？	右思惟，其余不详	
	145	√			√			6	右思惟、莲花、数珠，左宝瓶、宝珠、光明山	
	147	√			√			6	右思惟、手印、数珠，左如意轮、宝珠、光明山	
	192	√			√			6	右思惟、宝珠、手印，左如意轮、莲花、光明山	
	194			√	√			8	手托日、月、宝瓶，其余不详	
晚唐	340	√					√	？	可见数珠、光明山	
	54			√		√	？	？	可见如意轮	
	14	√			√			6	右思惟、手印②，左如意轮、宝珠、光明山	
	9	√					√	9	可见数珠，其余不详	
	156	√			√			6	右思惟、宝珠、手印，左如意轮、莲花、光明山	
	107			√			√	6	右思惟、手印，不详，左如意轮、不详②	

眷属		绘制于洞窟位置	洞窟内与之相对称的题材	洞窟开凿或重修时代	备注
数量	名称				
31	日、月光菩萨、天王②、婆薮仙、功德天、菩萨㉑、忿怒尊②、龙王②	主室东壁门南	不空羂索观音经变	晚唐	头右倾，日光菩萨五马座，月光菩萨五鹅座，三菩萨在水池下
？	可见日、月光菩萨	主室东壁门南	不空羂索观音经变	晚唐	头右倾，日、月光菩萨莲花座
13	日、月天、天王②、功德天、婆薮仙、龙王②、菩萨⑤	主室东壁门北	不空羂索观音经变	晚唐	头右倾，日、月天不见菩萨形象，不见如意轮，却见一口出莲花之宝瓶，水池下三菩萨
6	日、月光菩萨、龙王②、菩萨②	主室东壁门北	不空羂索观音经变	晚唐	头右倾，日、月光菩萨莲花座
6	飞天②、龙王②、忿怒尊②	主室东壁门南	不空羂索观音经变	晚唐	头右倾，此窟由朱再靖、曹善僧等30多个社人合修的
？	可见天王②、菩萨①	甬道北壁	不空羂索观音经变	晚唐修	一手托日，一手托月，一手宝瓶，不见如意轮，其余不详，8臂
？	可见功德天、婆薮仙、龙王②、夜迦神②、菩萨③、忿怒尊②	前室顶西披北侧	不空羂索观音经变	中晚唐修	上部残
？	不详	主室东壁门南	不详		大部不清
30	日、月光菩萨、飞天②、天王④、菩萨⑭、龙王②功德天、夜迦神②、婆薮仙、忿怒尊②	主室北壁	不空羂索观音经变	晚唐	头右倾，日、月光菩萨莲花座，本尊头上部之一佛二弟子未计眷属
？	可见天王①、龙王②	前室顶西披南侧	不详	晚唐	
12	菩萨⑩、天神②	主室西壁龛顶北披	不空羂索观音经变	晚唐	头右倾。榜题："金刚花菩萨、不空□菩萨、风天神、水天神。窟主张议潮"
？	可见菩萨①	主室东壁门北	不详	晚唐	咸通十二年或十三年（871或872年），窟主是归义军节度押衙正兵马使藏子的父亲，姓名不详。东壁门北下部，两身女供养人题名为"……愿舍贱从良及女喜和母一心供养"

时代	窟号绢画号	姿势			冠			臂数	手持法器宝物、所结手印	
		坐	立	不详	有化佛	无化佛	不详			
晚唐	榆 30	√			√			6	右思惟、不详②，左如意轮、宝珠、光明山	
	西大 I-23		√		√			2	左莲花，右手印	
	西大 I-18	√			√			6	右思惟、宝珠、手印，左如意轮、手印、光明山	
	西大 II-5	√			√			6	右思惟、不详②，左如意轮、不详①、光明山	
五代	83			√			√	6	右思惟、不详②，左如意轮、不详②	
	402	√			√			6	右思惟、宝珠、手印，左如意轮、手印、光明山	
	303	√			√			6	右思惟、手印②，左如意轮、宝珠、光明山	
	299	√			√			6	右思惟、不详②，左如意轮、光明山、不详①	
	468	√			√			6	右思惟、手印、君持，左如意轮、宝珠、光明山	
	396	√			√			6	右思惟、不详②，左如意轮、光明山、不详①	
	305	√			√			6	右思惟、不详②，左如意轮、光明山、不详①	
	225			√	√			6	右思惟、不详②，左如意轮、光明山、不详①	
	388	√			√			6	右思惟、数珠、不详①，左如意轮、宝珠、光明山	
	119			√	√			?	右思惟，左如意轮、不详②	
	99	√			√			6	右思惟、手印、不详，左如意轮、宝珠、光明山	

眷属		绘制于洞窟位置	洞窟内与之相对称的题材	洞窟开凿或重修时代	备注
数量	名称				
18	飞天②、天王②、菩萨⑩、童子②、忿怒尊②	主室南壁	千手观音	晚唐	
无	四观音和文殊普贤图中的如意轮观音			晚唐	藏经洞所出绢画。榜题："大圣而意轮菩萨咸通五年（864年）"。立式2臂
无			本身作为千手观音之眷属出现，与不空羂索观音相对称（千手千眼观音经编中的如意轮观音）	晚唐	藏经洞所出绢画
?	可见菩萨④			晚唐	藏经洞所出绢画
?	可见天王②、菩萨①	甬道北壁	不详	五代修	头右倾
4	菩萨②、忿怒尊②	甬道北壁	不空羂索观音经变	五代修	头右倾
12	天王②、菩萨②、婆薮仙、功德天、龙王②、忿怒尊②、夜迦神②。	甬道南壁	不空羂索观音经变	五代修	头右倾
?	天王②、菩萨④	前室西壁门北	不空羂索观音经变	五代修	头右倾
13	日、月光菩萨、菩萨⑤、婆薮仙、功德天、天王②、龙王②	主室东壁门北	不空羂索观音经变	中唐五代	头右倾，水池下一眷属为菩萨，日、月光菩萨为莲花座
?	可见菩萨②	甬道北壁	不详	五代修	头右倾
12	天王②、比丘②、菩萨④、功德天、婆薮仙、忿怒尊②	甬道南壁	不空羂索观音经变	五代修	头右倾
?	可见菩萨④、日、月天	前室西壁门北上部	不空羂索观音经变	中唐五代修	头右倾，日、月天不见菩萨形象
12	天王②、菩萨④、婆薮仙、功德天、龙王②、忿怒尊②。	甬道北壁	不空羂索观音经变	五代修	头右倾
?	不详	甬道北壁	不空羂索观音经变	五代修	头右倾
?	可见飞天②、菩萨②	主室东壁门北	不空羂索观音经变	五代	头右倾，本尊之右侧从上至下有4幅小画面，1为诵持如意轮神咒获得功德

时代	窟号 绢画号	姿势			冠			臂数	手持法器宝物、所结手印
		坐	立	不详	有化佛	无化佛	不详		
	205	√					√	6	右思惟、手印、数珠，左如意轮、宝珠、光明山
	125		√		√			6	右思惟、手印、不详，左如意轮、宝珠、光明山
	45	√					√	？	右思惟、不详，左宝珠、光明山
	288	√			√			6	右思惟、宝珠、手印，左如意轮、手印、光明山
	329	√			√			6	右思惟、手印②，左如意轮、宝珠、光明山
	379	√					√	6	右思惟、宝珠、不详，左如意轮、手印、光明山
五代	387	√				√		6	右思惟、手印②、左如意轮、宝珠、光明山
	294	√			√			6	右思惟、手印、数珠，左如意轮、宝珠、光明山
	332	√			√			6	右思惟、宝珠、数珠，左如意轮、手印、光明山
	197	√			√			6	右思惟、不详、羂索，左如意轮、不详、光明山
	197	√				√		6	右思惟、宝珠、数珠，左如意轮、光明山、不详
	61		√		√			6	右思惟、莲花、光明山，左如意轮、宝珠、数珠
	榆20	√			√			6	右思惟、手印、数珠，左如意轮、宝珠、光明山

眷属		绘制于洞窟位置	洞窟内与之相对称的题材	洞窟开凿或重修时代	备注
数量	名称				
?	可见天王①、菩萨⑥、婆薮仙、功德天、龙王②、忿怒尊②、夜迦神②	前室顶西披北侧	不空羂索观音经变	中唐五代修	头右倾
无		前室北壁	不详	五代修	头右倾、立式
?	可见菩萨⑤、龙王②、忿怒尊②	前室顶西披北侧	不空羂索观音经变	中唐五代修	头部残
?	可见日、月光菩萨、天王①、菩萨①、功德天①、龙王②、忿怒尊①	甬道北壁	不空羂索观音经变	唐五代修	头右倾，日光菩萨乘五马，月光菩萨乘五鹅
?	可见天王①、菩萨⑤、忿怒尊③、婆薮仙、功德天、龙王②、夜迦神②	前室顶西披北侧	不空羂索观音经变	五代修	头右倾，923～936年重修，"施主大唐河西归义军节度使管内左马……青□禄大夫……骑常侍……史大夫上柱国清□（河）入……养"
7	菩萨③、功德天、婆薮仙、忿怒尊②	前室顶西披北侧	不空羂索观音经变	盛、中唐五代修	头右倾，因位置所限，左右侧眷属不对称，主尊右侧多绘一菩萨
无		甬道北壁	不空羂索观音经变	五代修	头右倾，因绘制面积所限无眷属，934年康家重修（？）祝愿"府主大王曹公保安"
17	日、月天、天王②、菩萨④、飞天③、婆薮仙、功德天、龙王②、忿怒尊②	前室顶西披北侧	不空羂索观音经变	五代修	头右倾，日、月天不见菩萨形象，眷属不对称，为填空而多绘一飞天
?	可见天王①、菩萨④、婆薮仙、功德天、龙王②、忿怒尊③、夜迦神②	前室顶西披北侧	不空羂索观音经变	五代修	头右倾
9	可见天王①、菩萨①、龙王②、忿怒尊①	甬道北壁	不空羂索观音经变	五代修	头右倾，右下手持羂索
无		主室东壁门北	观世音菩萨	五代	头右倾
1	飞天	主室背屏南向面	不空羂索观音经变	五代	头右倾，右下手按光明山，飞天为填空而绘，立式
?	可见菩萨④、婆薮仙、功德天、童子②、忿怒尊①	主室西壁门南	不空羂索观音经变	五代修	头右倾

时代	窟号 绢画号	姿势			冠			臂数	手持法器宝物、所结手印	
		坐	立	不详	有化佛	无化佛	不详			
五代	榆 31	√			√			6	右思惟、不详②，左如意轮、宝珠、光明山	
	榆 35			√			√	?	不详	
	榆 36	√			√			6	右思惟、不详、数珠，左如意轮、宝珠、光明山	
	榆 40	√					√	6	右思惟、手印②、左宝珠、光明山、如意轮	
	水 4	√			√			6	右思惟、宝珠、手印，左如意轮、手印、光明山	
	西吉 1-81	√			√			6	右思惟、宝珠、羂索，左如意轮、无物、光明山	
	西吉 1-99	√			√			6	右如意轮、手印、光明山，左思惟、宝珠、数	
	西大 II -74	√				√		2	左宝瓶，右不详	
宋	275			√	√			?	右思惟，左如意轮	
	25	√			√			6	右思惟、手印②，左如意轮、宝珠、光明山	
	122	√			√			6	右思惟、手印②，左如意轮、宝珠、光明山	
	302	√			√			6	左思惟、不详②，右如意轮、不详、光明山	

眷属		绘制于洞窟位置	洞窟内与之相对称的题材	洞窟开凿或重修时代	备注
数量	名称				
28	天王②、菩萨⑳、功德天、婆薮仙、忿怒尊②、龙王②	主室北壁	不空羂索观音经变	五代修	头右倾，眷属中未包括十方佛（实际绘制了11尊佛，左上6尊，右上5尊）
?	可见日、月天、龙王②、忿怒尊④、功德天、菩萨③	前室顶南侧	不空羂索观音经变		
32	飞天②、菩萨⑱、忿怒尊④、水、地、火、风神、龙王②、功德天、婆薮仙	主室南壁东侧	不空羂索观音经变	五代	头右倾，眷属中未包括十方佛，为眷属最多者，许多榜题清晰可见
?	可见天王①、菩萨④、婆薮仙、功德天、忿怒尊②、夜迦神②、龙王②	前室顶北侧	不空羂索观音经变	五代	头右倾
?	可见忿怒尊③、日、月光菩萨、天王②、龙王②、菩萨⑫、飞天	主室东壁南侧	不空羂索观音经变	五代	头右倾，眷属中未包括十方佛
10	日、月光菩萨、童子②、功德天、婆薮仙、龙王②、忿怒尊②			五代	头右倾，藏经洞所出绢画。右手持羂索，日光菩萨五马座，月光菩萨五鹅座
无			与千手观音对称（不空羂索观音曼陀罗中心的如意轮观音）	五代	头左倾，右侧手按光明山，持如意轮，藏经洞所出绢画
无			与金刚藏菩萨对称（以药师如来佛眷属身份出现的如意轮菩萨）	五代	藏经洞所出纸画，立式，2臂
?	可见天王②、菩萨③、龙王①、忿怒尊①	主室东壁门南	不空羂索观音经变	宋修	不空羂索观音经变，原在主室东壁门南，现移至北壁东侧
?	日、月光菩萨、菩萨⑪、天王②、婆薮仙、功德天、龙王②、忿怒尊①	主室东壁门南	不空羂索观音经变	宋	头右倾，日、月光菩萨莲座，十方佛未按眷属计
12	菩萨⑧、婆薮仙、功德天、忿怒尊②	前室北壁	不空羂索观音经变	宋修	
14	日、月、飞天②、天王②、菩萨⑥、忿怒尊②	前室西壁门南	不空羂索观音经变	宋修	头左倾，左思惟，右如意轮、明山，左膝呈"A"形的坐式，异样

时代	窟号绢画号	姿势			冠			臂数	手持法器宝物、所结手印
		坐	立	不详	有化佛	无化佛	不详		
宋	231	√			√			6	右思惟、宝珠、不详，左如意轮、莲花、光明山
	456		√		√			8	左思惟、手印②、金刚铃，右如意轮、莲花、宝珠、光明山
	437	√			√			6	右思惟、不详②，左宝珠、不详②
	335	√					√	?	?
	234		√				√	6	右思惟、手印、不详，左不详、宝珠、光明山
	西吉1-98	√				√		6	右思惟、手印、数珠，左如意轮、宝珠、光明山
	449		√		√			6	右思惟、手印、宝瓶，左如意轮、宝珠、光明山
	178	√			√			6	右思惟、不详②，左如意轮、宝珠、光明山
	230			√			√	?	?
西夏	354		√			√		6	左思惟、不详、光明山，右如意轮、宝珠、手印
	235	√			√			6	右思惟、手印、不详，左如意轮、宝珠、光明山
	355	√				√		6	右思惟、手印②，左如意轮、宝珠、光明山

眷属		绘制于洞窟位置	洞窟内与之相对称的题材	洞窟开凿或重修时代	备注
数量	名称				
22	飞天②、天王④、龙王②、婆薮仙、功德天、菩萨⑫	前室顶西披北侧	不空羂索观音经变	宋修	中唐阴嘉政修"报恩君亲"窟
9	飞天①、菩萨⑤、天王③（位置所限眷属不对称）	主室西壁龛北壁	不空羂索观音经变		头左倾，左思惟，右如意轮、光明山，立式，异样，眷属左右不对称，8臂
?	可见菩萨④、忿怒尊①	前室西壁门北上部	?	宋修	
?	可见菩萨①、功德天、婆薮仙、龙王②、忿怒尊②	前室顶西披北侧	不空羂索观音经变	中唐宋修	
8	菩萨⑧	主室北壁	不空羂索观音经变	宋	头右倾，立式
无	（以千手观音眷属身份出现。本身无眷属）		与不空羂索观音相对称	宋	
无		主室西壁南侧北壁	不空羂索观音经变	宋	头右倾。榜题："南无而意轮菩萨"。立式
8	菩萨④、天王②、忿怒尊②	主室西壁	不空羂索观音经变	宋	头右倾
?	?	主室东壁门南	不详	宋	?
无	面积所限	主室东壁门北	不空羂索观音经变	西夏	头左倾，右如意轮，左思惟，立式
?	童子④、菩萨⑨、龙王②	主室东壁门南	不空羂索观音经变	西夏修	头右倾
无	洞小、面积所限	主室西壁龛北壁	不空羂索观音经变	西夏	头右倾

◆ 北周时期的敦煌壁画艺术

    534年，北魏分裂为两部分。高欢拥立孝静帝，建都邺城，史称东魏。魏孝武帝离开洛阳，西入长安，不久，宇文泰毒死孝武帝，于535年另立元宝炬为帝（文帝），改元大统，建立与东魏抗衡的西魏政权。557年，宇文泰之子宇文觉"受禅"建立了北周，至581年杨坚代周，北周政权共25年，北周的政治体制与西魏是完全一体的，所以，北周的历史文化不能不从西魏说起。

    在北魏分裂形成东西对峙的过程中，西魏—北周由弱到强，为隋朝的最终统一中国打下了强实的基础。这期间，宇文泰是一个十分关键的人物，他是鲜卑族宇文部人，曾随贺拔岳入关镇压关陇起义，贺拔岳死后，他被推举为首领，号令关中。西魏建立之初，东边的东魏、南边的萧梁在经济、军事实力等方面都处于明显的优势，宇文泰不得不采取一系列改革措施，以求生存。在军事上，推行府兵制，加强了军队的战斗力。在政治上，他任用了一批关陇士族人物，如韦孝宽、梁士彦、苏绰、卢辩等，特别是在苏绰、卢辩等人的参与下，推行了一系列具有进步意义的封建改革措施，除了继续推行均田制外，又颁布了计账和户籍制度，并下达了"六条诏书"，进一步用封建理论思想整顿吏治。"六条诏书"的主旨是要求各级官吏"治心与治身，敦教化，尽地利，擢贤良，恤狱讼，均赋役"[1]。接着，宇文氏又按《周官》的规定来改革官制，仿照《周礼》建立"六官"，此外，在朝仪、车服、器用等方面进行了不少改革。

    这些政治改革，充满了浓厚的儒家思想，表面看来带有很强的复古色彩，实质大都是基于当时实际情况的具有富国强兵性质的措施。西魏—北周的建立，以河陇一带为主要根据地。这个地区，自汉代以来就是儒学文化非常发达的地区，魏晋以后，中原儒学废弛，而在西北的河

---

1 《周书·苏绰传》。

陇地区却以家学的形式得以维系[2]。北魏以来，鲜卑等少数民族入主中原，为了推进自身的文明发展，以利对抗南朝，统治者非常重视利用汉族儒生，出谋划策，推行各种政治改革，于是使儒家思想进一步得以在北方发展。但与此同时，统治集团内部保守势力的抑制也经常发生，如东魏高欢集团就采取了恢复鲜卑旧制的做法，以赢得旧贵族的支持。西魏宇文泰则坚定不移地采用儒家礼制，任用儒生，这一点形成了西魏—北周的文化基调。宇文氏集团清醒地意识到要富国强兵，必须继续利用关陇地区既有的封建统治方式；而要巩固其封建统治，就必须推行儒学。史载周文帝宇文泰"雅好经术"[3]，明帝宇文毓亦"崇尚文儒"[4]，武帝宇文邕"重道尊儒"，列儒为三教之首[5]，不仅如此，宇文氏还大量任用儒生，"尽其智能，赞成其事"[6]。见诸史载的儒生不胜枚举，除卢辩、苏绰外，又如范阳卢诞、卢光，河东樊深、乐逊、裴汉，陇西辛庆之，东平吕忠礼，清河崔彦博等等。这些儒家知识分子对于西魏—北周政权的施政方针、典章制度以及文化建设方面都产生了重要的影响，可以说是推动北周由弱到强的中坚力量。这种浓厚的儒家思想氛围影响到佛教壁画，以致出现了宣扬儒家忠孝思想的内容。

西魏—北周政权与东部的东魏—北齐及南部的南朝处于敌对状态，战争时有发生，因此宇文氏便努力与西域诸国搞好关系，以巩固后方。西域的波斯、突厥、龟兹等国都与西魏—北周政权有来往。政治上的来往必然带动了经济文化的广泛交流，西域的文化艺术对北周也产生了一定影响，敦煌壁画中也同样反映出这种西域的影响。

北周时代的佛教，由于统治者不懈地倡导而得以广泛地传播发展。北周诸帝都崇信佛教，明帝宇文毓曾下诏营造大陟岵、大陟屺二寺，并广度僧尼[7]。即便是后来灭佛的武帝，最初也很信仰佛教，曾造释迦像等220躯。武成二年（560年）造一丈六尺高的释迦像，并"菩萨、圣僧、金刚狮子、周回宝塔二百二十躯"，又于"京下造宁国、会昌、永宁三寺，飞阁跨中天之台，重门承列仙之观"，规模宏大、壮丽，以至"见者忘归，睹者眩目"。又"度僧尼一千八百人，所写经论一千七百余部"[8]。武帝在位18年，只是到了他临死前四年才开始灭佛。至宣帝即位第二年，即大象元年（579年），"初复佛像及天尊像。至是，帝与二像俱南面而坐，大陈杂戏，令京城士民纵观"[9]。另外，包括皇后在内的统治阶层有很多人竞相出家，上自帝王贵族，下至庶民百姓，兴起

2　陈寅恪：《隋唐制度渊源略论稿》，北京：中华书局，1936年。

3　《周书·文帝纪》。

4　《周书·明帝纪》。

5　《周书·武帝纪》。

6　《周书·苏绰传》。

7　《广弘明集》卷二八，《大正藏》第五十二卷，第327～328页。

8　法琳《辩正论》卷三。

9　《周书·宣帝纪》。

了造寺、建塔、写经的热潮。当时北周境内名僧云集，各地佛教石窟、寺院的兴建，盛况空前。从现存的遗迹看，秦州（今甘肃天水市）由大都督李允信在麦积山建造了规模宏大的七佛阁（又名散花楼）；原州（今宁夏固原）开凿了须弥山石窟；此外在陇中的拉梢寺、炳灵寺等处均有开窟或摩崖造像。在瓜州（敦煌）则有建平公造一大窟，有的学者推测，建平公窟即今莫高窟第428窟[10]，由此可见北周佛教之隆盛。周武帝灭佛，虽然在长安及其附近造成极大的破坏，但是在其他地区，破坏的程度则很有限，敦煌莫高窟至今还保存北周洞窟14个，是莫高窟北朝各时期保存洞窟最多的。

一

莫高窟北周洞窟的窟型有三种：

（一）方室单龛窟，平面为方形，窟顶呈覆斗形，正面开一大龛〔图1〕，龛内造像。这种窟型西魏始出，北周成为主型，直到隋唐依然流行。

（二）北魏以来流行的中心塔柱窟，虽然仍有，但是塔柱结构已简化，数量显著减少，已现衰落的趋势〔图2〕。

（三）还有一种方形单龛窟，窟顶前部为人字披形，后部为平顶，这种窟型实为方形单龛窟与中心塔柱窟结合而变化的形式[11]。

北周彩塑通常为一佛二弟子二菩萨的组像，与北魏、西魏相比，增加了两身弟子像。主尊佛像通常为倚坐相。弟子、菩萨像为佛像的左右胁侍像。北周塑像面相丰圆，方颐，细眉小眼，五官集中，面含微笑。头较大，与身躯不完全合乎比例。弟子、菩萨像造型活泼，特别是弟子的塑造，艺术家能注意到对个性的刻画，较好地表现出大弟子迦叶老成持重和年轻弟子阿难天真单纯的个性特征。

北周洞窟的壁画从内容上可分为五类：佛教尊像画、民族传统题材画、佛经故事画、供养人画像、装饰图案画。

（一）佛教尊像画

佛教尊像画主要包括佛、菩萨、弟子、药叉、飞天等像。

在洞窟里佛像是主要的膜拜对象，是洞窟的主体。敦煌石窟的特点在于绘塑一体，塑像与绘

10　施萍婷：《建平公与莫高窟》，载敦煌文物研究所编《敦煌研究文集》，兰州：甘肃人民出版社，1982年。

11　樊锦诗、马世长、关友惠：《敦煌莫高窟北朝洞窟的分期》，载《中国石窟·敦煌莫高窟（一）》，北京：文物出版社，1982年。

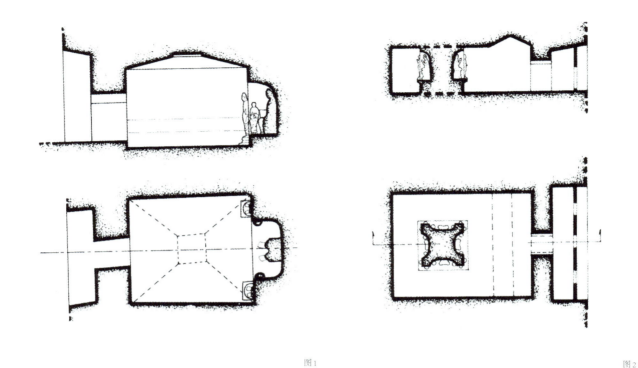

[图1]
莫高窟第296窟平、剖面示意图

[图2]
莫高窟第428窟平、剖面示意图

图1　　　　　　　　　　　　　　　　图2

画互为补充，有时也用绘画来代替塑像，如第461窟没有开龛塑像，而是在正壁画出佛龛和佛像，因此，壁画中的佛像与彩塑佛像同样重要。佛像除了画释迦牟尼外，还画释迦多宝并坐说法图，这是根据《妙法莲华经·见宝塔品》画出的，北魏以来流行于云冈、麦积山、炳灵寺等石窟，莫高窟北魏第259窟的彩塑主像就是释迦多宝并坐说法像，北周第461、428窟也都画出了这一题材，特别是第461窟，释迦多宝并坐说法图画在正壁中央，显然是全窟的主体。卢舍那佛，是北周出现的新题材，卢舍那意为光明遍照，是释迦的法身，即所谓"三身佛"之一。他身着通肩袈裟，站立作说法相，他的袈裟上面画出"三界"：上部为天，其中有天宫、佛像、阿修罗、飞天等；中部为人间，画出人的活动情况；下部为畜生道和地狱道，画出各种牲畜的劳作和刀山剑池等景象。千佛，是各个时期都常见的题材，北周洞窟除大多画在四壁中段外，有的洞窟还画到窟顶，表现出光光相接、色彩万千的景象。菩萨和弟子像通常都是在佛说法图中成组地画出。北周的说法图，人物增多，地面较大，佛居中央，两侧是众多的听法菩萨和弟子。胁侍菩萨的形象不像西魏那样身体修长，变得身材粗短、健壮，面相圆润。佛弟子像通常在佛龛内画出两身，有的洞窟画出了十身，以表现佛的十大弟子，如第461窟。

夜叉，也称金刚力士，是佛的护法神，通常画在洞窟的四壁最下部，具有护法镇窟的意味。夜叉大多赤身裸体，仅穿犊鼻裤，露出发达的肌肉，性情剽悍，体质强健。他们的体态动感很强，且富有舞蹈的韵律，融强悍与稚拙于一体。

伎乐与飞天、乾达婆与紧那罗是佛教的乐神，早期都绘在四壁上部的天宫中，或演奏乐器，或作舞蹈。北周时期，只有少数洞窟仍画出天宫伎乐，大多数洞窟的天宫已消失，在栏墙内由翱翔的飞天代替了天宫伎乐，这个变化影响到以后的隋代洞窟。第428窟在窟顶接近中心塔柱顶部的位置上，画出了一批载歌载舞的伎乐，他们演奏着箜篌、琵琶、横笛等，洋溢着热烈欢快的气氛。

（二）民族传统题材画

主要有中国古代传说中的东王公和西王母。根据《山海经》《穆天子传》等神话著作，东王公就是西周穆王，他曾到西海会见西王母，乐而忘返。这是中国汉代以来绘画中常见的题材，可以说是当时人们极为熟悉的故事。佛教传来后，佛经中有帝释天、帝释天妃。画家们便把东王公、西王母与帝释天、帝释天妃对应起来，用人们熟悉的东王公、西王母的形象来表现佛教的帝释天、帝释天妃。敦煌石窟中最早的是西魏第249窟窟顶场面宏大的《东王公与西王母出行图》，此后北周、隋代均有描绘，形式上基本沿袭了第249窟的样式。如北周第296窟，在西壁佛龛南侧画西王母乘凤车，前有乌获开道，车旁有众多的飞天护卫；龛北侧的东王公与西王母相对，东王公乘龙车，也有乌获开道，飞天护持。两处皆场面热烈，行进疾速。

（三）佛经故事画

佛教为了吸引更多的信众，仅靠那些抽象的教义显然不能使普通民众产生兴趣，因此，就利用那些生动感人的故事，潜移默化地宣传佛教思想，这就具有了宣传教义的意义。北朝早期壁画的佛经故事画，因是重要的内容而被大量地绘制，北周达到了高潮，不仅数量最多，而且艺术上也达到了较高的水平。佛经故事承袭北魏、西魏的，可分为三类，即本生故事、因缘故事、本行（佛传）故事。

1. 本生故事

本生故事主要指释迦牟尼前世所做的各种善事，著名的有萨埵太子本生、睒子本生、须阇提本生、须达拏太子本生、善事太子本生等。萨埵太子本生讲萨埵太子舍身救饿虎，早在北魏就已流行，其他几则故事都是新出现的。

须达拏太子本生讲的是古印度叶波国太子须达拏乐善好施，有求必应。一次他将叶波国的国宝白象施舍给了敌国，国王大怒，将他驱逐出国。须达拏携妻子儿女驱车进山修行，沿途又把车、马、衣物等施舍殆尽。全家来到了檀特山中，结草为庵，静心修行。不久又有婆罗门来乞要太子的两个孩子，须达拏就把孩子也施舍给了婆罗门。婆罗门辗转将两小儿带到了叶波国出卖，国王知道了甚为悲伤，便将孙子赎回，又迎太子回国，任其继续布施。敌国在须达拏太子善行的感召下，回心转意，化干戈为玉帛，送还了宝象。

睒子本生是说，古代迦夷国青年睒子，父母均是盲人。睒子事父母至孝，每日在溪边取水，到林中采果供养父母。一日，睒子身披鹿皮正在溪边取水，国王到山中打猎，误射睒子，睒子临死前请国王代为奉养父母。睒子的孝行感动了天神，天神以神通力复活了睒子，又使睒子父母眼睛复明。

须阇提太子本生是说，古印度特叉尸利国王提婆有十个王子，各主领一个边地小国。大臣罗睺造反，杀国王自立，并派兵逐杀各小国之王。善住小王闻讯，即携妻、子逾城出逃，去邻国求救，不幸误入歧路，中途断粮，尚有七日路程，太子须阇提以己身之肉给双亲充饥。每天从自己身上割取三份肉，父母各得一份，留一份自用。七日后，善住王到达邻国，借兵平定了叛乱。天神恢复须阇提身肉如初。

善事太子本生是讲，善事太子为了使人民丰衣足食，历尽艰辛，寻找摩尼宝珠。

2．因缘故事

因缘故事，是通过一些故事来宣扬佛教的因果报应思想，主要有微妙比丘尼因缘、五百盲贼得眼的故事、梵志夫人摘花失命缘，等等。

微妙比丘尼故事，是说微妙前世为人妻，自己无子，嫉妒妾生子，担心自己失宠和将来家财旁落，用针刺死妾所生的幼婴，妾疑心微妙所为而责问她，但微妙矢口否认，并赌咒发恶誓。微妙前生恶誓于今生一一应验：初嫁生二子，小儿被狼吃，大儿水淹死，丈夫被蛇毒死，父母也被火烧死；二嫁醉鬼丈夫，生孩子时被丈夫毒打，丈夫又油煎婴儿逼她吃掉；三嫁不久丈夫暴病身亡，她被陪葬埋入坟墓，盗墓贼掘墓，她得以生还；四嫁盗墓贼首，掘墓事发，盗墓贼首被官府处决，她又被陪葬埋入坟墓，野狼扒墓吃尸，她又苏醒活命。微妙遭受种种折磨和巨大痛苦之后皈依了佛门，削发为尼。

3．佛传故事

佛传故事也是北朝早期石窟流行的题材。北凉到西魏一般只选取佛传中的几个情节绘画，如出游四门、乘象入胎、夜半逾城、降魔成道、鹿野苑初转法轮等。北周壁画中，在第290、294窟绘了长篇连续的佛传故事，第290窟描绘释迦牟尼一生的宏幅巨制，共画了87个情节，是敦煌早期画面最长的故事画，在中国石窟中也是很独特的。

第290窟的佛传故事，主要根据是东汉昙果、康孟详、竺大力所译的《修行本起经》，绘有摩耶夫人梦见能仁菩萨（释迦牟尼前身）乘白象来就母胎到释迦牟尼鹿野苑初转法轮的经历[12]。第428窟还画出了佛传故事的一些情节，如释迦降生、降魔、涅槃等具有代表性的场面。

从北周壁画内容看，佛经故事画是一类重要的内容。值得注意的是，故事中除继续宣扬布施、牺牲等佛教思想外，还出现了不少宣扬忠孝伦理思想的故事，如睒子本生、须阇提太子本生等，反映了北周时期佛教艺术的新趋向。佛教为了适应中国固有的文化环境，不得不向在中国占有主导地位的儒家思想做出一些让步，努力找出与儒家思想相一致的故事，加以渲染，以此来协调佛教与儒家的思想矛盾，这样也就进一步促进了佛教的中国化。

南北朝时期，一方面佛教在中国得到了广泛的传播，另一方面也遭到了中国传统的儒家、道家思想的抵制，特别是道教与佛教针锋相对，斗争激烈。北周时期，佛道之争更为广泛和激烈，帝王、大臣都参与了这场宗教斗争。周武帝时，于天和四年（569年）集百僚、道士、沙门等，讨论释老之义[13]。此后，凡七次，召集百官、道士、沙门来讨论佛道问题。

天和五年（570年），司隶大夫甄鸾上《笑道论》三卷，嘲讽道教荒诞不经[14]，但是不合武帝本意，当庭焚毁《笑道论》。建德二年（573年），武帝集群臣及沙门、道士等，帝升高座，辩释三教先后，以儒教为先，道教为次，佛教为后[15]。北周时期，佛、道都为取得合法地位，进行了长期的互相攻伐和辩论。在三教之中，只有儒教的地位是至高无上的，因此，佛教就一方面攻击道教，一方面则努力向儒教靠拢，由于儒教思想已成为中华民族精神的主体，佛教若得不到中国作为统治思想的儒家思想的承认，则在中国也就没有地位了。道安在《二教论》中，企图借孔子之口，推崇释迦为圣人[16]。甄鸾在《笑道论》中，亦说"孔子以佛为圣，不以道为圣也"[17]，把儒家的圣人搬出来，以证明佛教的合法性。这都说明佛教徒们深深明白，如果没有儒家的认可，就无法在中国生存发展，于此我们也就不难理解为什么佛教壁画中画出具有忠孝思想的故事。只有这样，佛、儒思想才能在一定程度上协调起来，从而使更多的深植儒教思想的中国人能够接受佛教。

东汉以后，到南北朝时期佛传故事已经有了很多的新译本，如吴支谦译的《瑞应本起经》、西晋竺法护在西北译的《普曜经》、西晋聂道真译的《异出菩萨本起经》、刘宋求那跋陀罗译的《过去现在因果经》、刘宋宝云译的《佛本行经》、萧梁僧佑译的《释迦谱》等等。第290窟的佛传

---

12 樊锦诗、马世长：《莫高窟第290窟的佛传故事画》，《敦煌研究》创刊号，1983年。

13 《周书·武帝纪》。

14 《广弘明集》卷八，《大正藏》第五十二卷，第225～226页。

15 《周书·武帝纪》。

16 《广弘明集》卷八，《大正藏》第五十二卷，第138页。

17 《广弘明集》卷八，《大正藏》第五十二卷，第143～152页。

故事画，不选用众多的最新译本，而采用了一个古老的译本，即东汉时期翻译的《修行本起经》，用此译本，有两个目的：一方面意在表明这个故事是天竺梵本所传，真实可信[18]，此经译出最早，用以证明佛教传入中国的历史悠久；另一方面弘扬佛祖释迦牟尼一生的神圣事迹，意在抬高佛教的地位，这与当时的佛、道之争的历史背景密切相关的。

（四）供养人画像

出资造窟的人叫供养人，洞窟中常常要把供养人也画出来，这就是供养人画像。供养人像特别是他们的题名结衔，对于研究石窟营建历史具有重要的价值，可惜由于时代久远，绝大部分供养人的题记都已泯灭。早期的供养人画像大致都是千人一面，不一定是写实的肖像画，但从他们的服饰、神态等，我们可以了解到那个时代人物形象的大体情况。北周的供养人像是北朝各期石窟中最多的，仅第428窟就达1186身。通常供养人像都画在四壁下部或佛龛下，一列或数列，人物排列整齐，动作、神态基本一致，从位置、服饰上可区分出供养人的身份地位。有的洞窟不仅画出人物、车马，还有音乐、舞蹈，如第297窟佛龛下部，中央两人扭腰跳着舞，旁边三人演奏着箜篌、琵琶等，生动地再现了当年民间乐舞的状况。第290窟的中心塔柱还画出马夫驯马，马夫是高鼻深目的胡人形象，他一手紧攥缰绳，一手扬鞭，马的一只前蹄提起，头使劲低下去，身体向后蹲坐，表现出遭到鞭打而极力躲避的动作和神态。马夫和马的动作都非常生动真实。

（五）装饰图案画

这是洞窟中不可缺少的。画家用美丽的图案纹样联系起各种内容壁画，完美地融合成一体，使石窟统一和谐，绚丽辉煌。装饰图案主要有以下几种：

平棋和藻井装饰，主要画在洞窟的顶部、中心塔柱窟的后部平顶，通常画出一个个连续的平棋，都由三层方井交错重叠，中心画一朵大莲花，四边岔角画出忍冬、火焰或飞天，四边的边饰也以忍冬为主，还有几何纹等。方形覆斗顶窟的窟顶中央经常画一藻井，看起来像一个平棋图案，但图案纹样却比平棋丰富得多，如第296窟等，中央大莲花，四角四身飞天。由中心方井向外，分别画千佛、忍冬纹、鳞纹、垂角纹和帷幔等。藻井外又有一层忍冬纹，一层千佛，紧接着是故事画，整个窟顶层次丰富，华丽灿烂。

人字披图案，中心塔柱窟的前部窟顶是仿汉式屋顶建筑作人字披形，人字披的两披也画出仿木构建筑的一道道椽子。这些椽子之间的望板上，画出了丰富多彩的忍冬、莲花图案。第428窟是最突出的一例，画家把忍冬纹夸张、变形、拉长，仿佛是自然长出的一种叶子，又把莲花组合

18　樊锦诗、马世长：《莫高窟第290窟的佛传故事画》，《敦煌研究》创刊号，1983年。

在其中，长长的莲茎与忍冬叶非常协调。其中还把飞天、禽鸟动物等也组合进去，显得异常丰富而活泼。

龛楣图案，北周的佛龛通常作圆券形，龛外上部浮出莲瓣形龙楣，装饰图案通常以莲花、忍冬纹为主，有的中间穿插化生，图案均对称布局，龛楣边缘以火焰纹装饰。

佛光图案，为了衬托佛的神圣，彩塑佛像的头光和背光向来都是精心绘制的。北周时期的佛光图案，一般是交错画出忍冬纹、火焰纹，有的也将千佛组合进去，画家善于运用颜色、形体的变化，佛光图案都是华丽灿烂的，第428、297窟的佛光图案就是其代表。

二

敦煌地处丝绸之路的要冲，是汉地中原与西域各国经济文化交流的都会，文化上受汉地中原和西域两方面的影响，这在敦煌佛教艺术中更为明显地表现出来。佛教从印度经西域沿丝绸之路传入中原汉地，敦煌是较早接触佛教的地区，因此，敦煌早期的佛教艺术具有浓厚的西域艺术风格。北魏皇室在都城平城附近建造了规模宏大的云冈石窟，孝文帝迁洛后，又于洛阳附近建造龙门石窟。"云冈模式""龙门模式"先后以都城为中心，外向各地传播。敦煌也自然而然地受到来自中原汉地艺术的影响。敦煌早期艺术中，西域风格与中原风格并存，并逐步向中原风格转化，到了北周，中原风格的影响逐渐占了主导地位。

西域风格，是流行于西域一带的艺术风格，主要是龟兹、于阗等地的画风。在佛教传入中原汉地之前，西域一带的佛教艺术已经开始发展，如龟兹地区的克孜尔千佛洞等石窟，早在2世纪前后已经开窟造像。众所周知，印度本土的佛教艺术并没有直接流传到中原汉地，而是首先传入西域，在那里与当地的艺术相结合，形成了不同于印度本土风格的佛教艺术，然后再传入中原汉地。莫高窟最早的北凉时期洞窟的壁画，就是受来自西域佛教艺术的影响，带有明显的西域风格。其后，虽然中原风格与本土风格逐渐融合，但是西域风格仍然继续影响着敦煌艺术。

第428窟为大型中心塔柱窟，是一个深受西域风格影响的典型洞窟。此窟绝大部分壁画明显地出现了新的西域风格特征，佛、菩萨面相丰圆，身体短壮，菩萨体态略呈"S"形的曲线美，上身半裸，下身着长裙，有的斜披天衣，披巾缠绕双肩，自然下垂，头戴西域式花蔓冠，眼睛较大，表情庄严。窟顶围绕中心塔柱边缘的一周，还画出天宫伎乐。这个位置画天宫伎乐，就是受西域风格的影响[19]；这些天宫伎乐，有的弹奏琵琶、箜篌等乐器，有的做出各种舞蹈动作，有的

---

19 段文杰：《十六国、北朝时期的敦煌石窟艺术》，载敦煌文物研究所编《敦煌研究文集》，兰州：甘肃人民出版社，1982年，第1～42页。

持花或合掌供养。他们的造型同样身体粗壮，面形丰圆。南壁说法图中的一组飞天，共四身，分别弹奏着琵琶、箜篌、横笛，拍打腰鼓；他们上身半裸，下着长裙，裙下露出赤脚，身体直角弯曲，披巾不像中原式的飞天那样繁复。上述身体强健、衣带简单、动作夸张，略显笨拙的菩萨和飞天就是西域风格的特征。第290窟顶部靠近中心塔柱东向面的地方，画的一组飞天，中央的佛是鹿野苑说法相，两侧各有四身飞天向着佛飞来。这些飞天均上身半裸，着长裙，赤脚，他们手托莲花，身体呈直角弯曲，动作幅度很大，在湛蓝的地色上，以红、黑等强对比色渲染，愈显强烈的西域风格。

　　晕染是表现人物立体感的重要技法。敦煌石窟在北周以前采用了西域式表示明暗的凹凸法，即以朱色沿人物轮廓由外向里作圆圈叠染，在鼻梁和眼睛部位涂以白粉。但由于年久氧化变色，大部分晕染的颜色严重变黑，今为很粗的黑色线条，仅保存了涂白的部分，形成所谓的"小"字脸。至北周，除沿用原有的晕染方法之外，第428窟数尊佛像的面部还出现了白鼻、白眼、白连眉、白齿、白下颔［图3］，第290窟还出现了额部、两颧、颈部、胸部、腹部、臂部涂白的人物形象。这种加强人物面部和躯体立体感的新晕染，显然是西域艺术风格的新影响。

　　中原风格，始于北魏晚期。孝文帝改革，大力倡导学习汉文化，特别是迁都洛阳以后，距离南方汉文化中心更近了，更便于吸收南朝的文化艺术，龙门石窟造像艺术就是在南朝艺术风格影响下产生的。当时南方正是顾恺之、陆探微一派绘画艺术在民间广泛影响的时期。画史记载顾恺之曾于瓦棺寺画维摩诘像，有"清羸示病之容，隐几忘言之状"[20]。流传至今的顾恺之《洛神赋图》《女史箴图》等，虽说是后人摹本，但基本上传达了顾画人物形象的特征。这样的画风、这样的审美情趣传到了北方，便在石窟造像中出现了人物体形修长、面庞清秀、褒衣博带、潇洒超脱的特点，这就是以龙门石窟为代表的中原风格。中原风格北魏时尚未开始进入敦煌石窟，到西魏十分盛行，著名的第249、285窟就是其典型的代表。这一时期的菩萨等形象，身材修长，面貌清瘦，眉目疏朗，嫣然含笑，身着褒衣博带的汉式服装，飘飘欲仙，宛如南朝名士［图4］。

20　［唐］张彦远：《历代名画记》卷二。

图 4　　　　　　　　　　　　　图 5　　　　　　　　　　　　　　　　　　　　　　　　图 6

这种典型的中原艺术风格到了北周时期，得到进一步深化。第 461 窟正壁的佛、菩萨、弟子体形较长，衣带较多，色彩简单，面部的晕染由两颊中心向四周晕染，基本上采用了中原式的画法。中原式晕染法主要是人物面部用粉红色由中央向四周晕染的方法。相对来说，西域式是所谓"染低不染高"，中原式则是"染高不染低"，皆可形成立体效果。北周后期，画家们将两种晕染法结合在一起，形成了一种混合式晕染法〔图5〕。从山西出土的北齐娄叡墓壁画〔图6〕中，我们可看到画家表现人物颧、额、颌等突面，都是"以淡红晕染，将立面突现出来"[21]。在宁夏固原出土的北周李贤墓壁画中[22]，也用同样的晕染画法。

北周时期的供养人画像，不像西魏那样有意夸张身长而造出过分矫饰的形象，通常都很写实，人体比例适中，衣纹简练，面部采用中原式晕染法，即于脸中央晕染粉红色，表现出红润的面庞，与西域式晕染法完全不同。第 428 窟主要壁画的人物形象都采用西域画法，而供养人的描绘则是中原式的画法。这些供养人面庞清秀、饱满，衣纹简练，面部不施晕染〔图7〕。

北周时代是中国绘画的繁荣时期，这时南方有以萧梁张僧繇为代表的一批杰出画家，北方有曹仲达、杨子华、田僧亮等画家。画史记载张僧繇"善

〔图 4〕
莫高窟第 285 窟 北壁
菩萨
西魏

〔图 5〕
莫高窟第 301 窟 西壁
菩萨
隋

〔图 6〕
山西太原北齐娄叡墓
壁画人物

21　山西省考古研究所、太原市文物管理委员会：《太原市北齐娄叡墓发掘简报》，《文物》1983 年第 10 期；陶正刚：《北齐东安王娄叡墓的壁画和雕塑》，《美术研究》1984 年第 1 期。

22　宁夏回族自治区博物馆、宁夏固原博物馆：《宁夏固原北周李贤夫妇墓发掘简报》，《文物》1985 年第 11 期。

[图7]
莫高窟第428窟供养
人像
北周

图塔庙，超越群工，朝衣野服，今古不失，奇形异貌，殊方夷夏，实皆参其妙"[23]，"张公思若涌泉，取资天造，笔才一二，而像已应焉，周材取之，今古独立。像人之妙，张得其肉，陆得其骨，顾得其神"[24]。张僧繇的绘画特点是"点曳斫拂，依卫夫人《笔阵图》，一点一划，别是一巧，钩戟利剑森森然，又知书画用笔同矣……张吴之妙，笔才一二，像已应焉，离披点划，时见缺落，此虽笔不周而意周也，若知画有疏密二体，方可议乎画"[25]。曹仲达"本曹国人也，北齐最称工，能画梵像"[26]，"佛有曹家样、张家样及吴家样"[27]。杨子华在北齐号称画圣，唐代画家阎立本称"自像人已来，曲尽其妙，简易标美，多不可减，少不可逾，其唯子华乎"[28]。张、曹、杨都是自成一派的画家，在佛教绘画中产生了深远的影响。特别是张僧繇，改变了顾恺之、陆探微一派细密精致的画体而开创了疏体，吸取了书法艺术的特点，在画中赋予了笔法很强的表现力，以简练而有变化的线条表现了生动的形象。无独有偶，北齐的杨子华的画也具有"简易标美"的特点，这是这个时代的审美倾向，南北方的绘画艺术都近乎同步发展，当然也相互影响与交流。

23　[南朝陈]姚最：《续画品》。

24　[唐]张彦远：《历代名画记》卷七。

25　[唐]张彦远：《历代名画记》卷二。

26　[唐]张彦远：《历代名画记》卷八。

27　[唐]张彦远：《历代名画记》卷二。

28　[唐]张彦远：《历代名画记》卷八。

〔图8〕
娄叡墓道壁画出行线描图
（局部）

这个时代的著名画家真迹未能保存下来，但近年来出土的北齐、北周的墓室壁画却为我们认识这个时代的绘画艺术提供了珍贵的资料。其中较有代表性的是北齐娄叡墓、北周李贤墓壁画。山西太原南郊出土的北齐东安王娄叡墓（葬于570年），墓室全部绘满壁画，残存70余幅，200余平方米，画面色彩鲜艳，线条清晰，是现存北朝墓室壁画内容最丰富的。其内容包括墓主人生活和天象两部分，前者是绘于墓道的出行、回归、商驼、鼓吹等以及墓室内的墓主人坐帐内观歌舞等〔图8〕，后者是绘于墓室及甬道上层的天象、墓主人升天、十二生肖及神兽等。壁画线描、用色等都达到了较高的水平，被认为是杨子华画派的代表作。宁夏固原出土的北周李贤墓（葬于569年）的墓道、过洞、天井、甬道、墓室等处壁画，现存24幅，主要有门楼、武士、侍从、伎乐等，这些壁画具有用笔简练、造型生动、晕染细腻等特点。娄叡墓和李贤墓壁画虽然在内容及艺术表现上各有不同，但是体现出了"笔才一二，像已应焉"，"简易标美"的时代审美风尚。

不难看出，敦煌北周壁画出现新的艺术风格应是受到来自中原新的绘画模式的影响。北周壁画的人物画法虽然仍保留西域式的传统，但是大多已采用了中原式线描造型的画法，特别是在故事画中，人物多以土红线画出，色彩简淡，艺术形象更趋生动。这里，线条在造型中具有了重要的意义。西域式画法中虽然也用线描，但是那种粗细均匀没有变化的线画出的物象，尚不足以充分表达对象的韵致。而在中原式的画法中，线条是有生命的东西，画家通过一根根富有表现力的线条来反映人物的动势、情态、物象的质感，甚至可以不

［图9］
莫高窟第290窟胡人
驯马图
北周

施彩。线条本身几乎可独立成为艺术，在线条的粗细、转折变化和运笔的疾、徐过程中体现物象的精神面貌。这些线条，明显的一波三折，注重运笔的起、承、转、合。一些中锋用笔犹如篆书的笔法等，可以感受到中国书法的用笔特色。在第290、296等窟中，我们可以看到线描的成功表现。如第290窟中心塔柱下面的胡人驯马［图9］，胡人紧拉缰绳，扬鞭怒目的神情和马害怕而低头后退的动态，都以寥寥数笔的土红线表现出来了；同窟四壁上部的飞天也是通过如行云流水般的线描表现出生动活泼的飞舞形象。第296窟北壁的须阇提本生故事、南壁的五百盲贼得眼故事，画家不仅清晰地表现出故事的发展脉络，而且充分发挥线描造型简练生动的优势，通过线的疾徐、粗细变化，表现了人物不同的神采。南齐谢赫提出的"六法"把"骨法用笔"放在很重要的地位，且成为南北朝以来评价中国画的重要标准，说明中国画向来重视用笔。所谓"骨法用笔"，是说在线描中体现物象的骨力和精神。这种以线描造型的技法，在敦煌北周壁画中达到了一个高峰。这个时期的线描使人们似乎感受到杨子华那种"多不可减，少不可逾""简易标美"的特色。画家为了突出线描的精神，色彩用得极为单纯，主要是黑、白、土红、石绿等数种，依然表现了各种生动的形象，特别是马队的一种强烈的气势，这种效果可以与北齐娄叡墓壁画相媲美。娄叡墓壁画中最宏伟的是出行图和回归图，壁画分三栏画出商驼运输、主

图 10

图 11

人骑乘队伍及鼓吹仪仗等。在长卷式画面上，表现的骑乘群像，造型准确，前呼后应，特别是鞍马遇惊，骑者惊惶失措，回首顾盼，刻画出了不同的神情、不同人物的内心活动。画面还通过浩浩荡荡的乘骑队伍，表现了一种雍容而壮阔的气势。敦煌莫高窟第296窟的须阇提太子本生〔图10〕和五百盲贼得眼故事，长卷式构图，线描造型，人物面形趋于修长椭圆〔图11〕，这一切以及骑乘的气势等都与娄叡墓壁画基本一致。只是娄叡墓画面较大，气势宏大，笔法更见功力；第296窟壁画，画面虽小，但描绘却更细腻。敦煌壁画虽说是佛教艺术，处于西北偏远地区，但它与东部中原的北齐艺术有许多相近之处，说明敦煌北周艺术确实是在很大程度上接受了中原艺术的影响。

〔图10〕
莫高窟第296窟北壁
须阇提太子本生
（局部）
北周

〔图11〕
莫高窟第296窟南壁
五百盲贼得眼
（局部）
北周

三

　　故事画是北周壁画艺术中成就最高者。早期石窟寺中，故事画具有重要的意义，亦有多种表现形式。敦煌北朝时期故事画，由单幅构图发展到长卷式连续构图，到了北周，取得了空前的艺术成就。这时，根据洞窟布局，仍然袭用一些单幅构图，如第428窟北壁的降魔变，以释迦牟尼为中心，四周绘出各种狰狞恐怖的魔军向释迦进攻，下部左侧是三个美貌魔女诱惑释迦，右侧画出释迦牟尼将三个美丽娇艳的魔女变成丑陋不堪的老妪。画面对称布局，周围是骚乱的魔军，中央是平静庄严的释迦牟尼，一动一静，对比衬托，突出了主题。长卷式连环画是北周时期故事画的主要表现形式。如第296窟的须阇提太子本生、五百盲贼得眼故事等，按顺序画出故事发生、发展、高潮、结局的一个个相连续的情节，清清楚楚地展现出故事发展的脉络，使人一目了然。第299窟顶部的睒子本生故事稍有不同。由于画面藻井的边缘，画面呈"凹"字形，采用由两头到中间发展的顺序，从左起表现国王与侍从到山野树林中打猎、国王射箭误中睒子等，接着改从右起，表现国王在山中告知盲父母，盲父母到溪边抚尸痛哭，天人下降复活睒子等，这样把故事高潮和结局放在画面中央，突出并强调了主题。此故事也绘在第461窟龛楣上，因地制宜，基本上按顺序从左至右交代了故事的过程，结局画在最后。从讲述故事来说，是很清楚明白的，但作为一种绘画的艺术来看，当然就不如第299窟那样主题突出了。

　　故事画的表现形式不断地发展，画家们依经据典努力构思并表现更为详尽的情节，第428窟的萨埵太子本生和须达拏太子本生，都是三条横卷式构图。如萨埵太子本生，在北魏的第254窟里采用单幅多情节的构图形式，共描绘了7个情节，而在这里描绘了14个情节，其顺序呈"S"形，脉络清晰，叙事明了。通过人物行进的方向暗示出故事发展的顺序，并以山水、草木分隔出一个个的场景，同时这起伏绵延的山峦又将故事情节联系起来，形成内容完整、构图均衡的长卷画，此即长卷式连环画的基本特征。同窟的须达拏太子本生，也采用同样的方法，画出了17个情节。

　　第296窟顶部的微妙比丘尼因缘、善事太子本生，是两道横卷平行并列式构图，故事的情节顺序上下跳跃安排。这是画家在艺术创作上的一种新尝试。篇幅最长、情节最多的第290窟佛传故事，通过87个情节，详细地表现了释迦从出生到成佛的全过程〔图12〕，不仅在敦煌壁画中，而且在全国佛教艺术中也是绝无仅有的，堪称长卷式连环画之最。北周的故事画，最大的特点就是描绘细腻真实，富有生活气息，如第290窟佛传故事画描绘太子宫中生活、相扑、箭射七鼓以及太子观耕等，形象地再现了古代宫廷乐舞、民间体育比赛、农民耕作等状况。又如第296窟五百盲贼得眼图中的作战场面，第296窟福田经变的造塔、绘壁画、饮马、牵驼商队等〔图13〕，都真实地再现了古代的社会生活。

图12

〔图12〕

莫高窟第 290 窟佛传故事

北周

〔图13〕

莫高窟第 296 窟福田经变

北周

图 13

故事画中，人物的衣冠服饰完全中国化，尽管释迦牟尼传记及其他本生、因缘故事是古印度的，但是为了使中国普通信徒易于接受，画家把人物画成汉人的形象，服装也是汉式的深衣大袍或鲜卑服，大臣们戴着当时流行的笼冠，宫殿建筑则完全是汉式院落庑殿形式。不仅如此，人物画法基本也是中原画法。线描在这时具有重要的绘画语言的意义。故事画，画面较窄，人物较小，以土红线描造型，施淡彩。清晰明朗的线条，则表明画家功力之深厚。

敦煌佛经故事画从最早的北凉时代出现，至北周发展到了高潮，表现手法上也从单幅画发展到了多幅的连环画，这种长卷式连环画既是继承汉画传统又是汲取西域艺术营养创新的新成就。山水画在北周也有了很大的发展。印度和西域绘画，都以人物为主，对山水景物基本不予描绘。中国自古以来就有对山水自然美的爱好。特别是魏晋时期，玄学流行，人们寄情于大自然，抒发自己对山水景物的情感，出现了大量的山水诗，绘画艺术也逐渐发展出具有独立意义的山水画。佛教艺术本来是以宣扬佛教教义为宗旨的，以描绘佛教诸神及佛教故事为要事，在中国就不能不受到中国传统审美思想的影响，山水画也就很自然地出现在佛教壁画中。敦煌壁画中的山水画主要在故事画中，虽然不是故事画的主体，但是山水画面之大、数量之多是很突出的。第428窟的萨埵太子本生和须达拏太子本生故事画，山水与故事情节画面基本上是交织在一起的。通过一座座平列的山峦分隔出一个个故事情节。在这里山峦、树木为故事发生的背景，意在表现人物活动的场所，又由于山峦互相联系，把一个个独立的情节又联系在一起形成了完整的长卷式画面。这些山峦造型简单，由红、蓝、黑几种颜色交错排列而成，在长卷全景中是极富有装饰性的。这种装饰性的山峦与汉代画像石中的山峦韵味是一致的，前者可以看作是对后者的继承与发展。

第296窟的须阇提太子本生和五百盲贼得眼两图中，连续的山峦像波浪一样起伏，极富装饰趣味，高大的树木又有多种不同的树形，这些树和山峦相配合，也分隔出一个个情节的画面，使故事脉络清晰〔图14〕。由于要突出人物和故事，山水就不可能与人物比例协调，画家总是画成"人大于山"的效果。这里没有独立的山水画，然而山水又无处不有。第299窟睒子本生故事画中的山水表现得比较成功，画面中部，睒子正在溪边取水，一条弯曲的溪流，两旁有起伏的山峦，还有茂盛的树，几头鹿在山间奔跑，树丛中还有几只不知名的野兽，表现出山林静谧的意境；在这种安静的环境里，描绘着悲剧性的国王拉弓射箭而误伤睒子。安静平和的环境与悲剧的发生、睒子父母痛哭固然是故事本身所固有的，但画家通过山水、树木、人物的描绘，很好地渲染烘托了这种戏剧性的效果，不能不说绘画艺术是成功的。值得注意的是，北周壁画中，树木造型的种类大大增加了。北周以前壁画中不同树木一律表现为单纯的"伸臂布指"的形式，这时对于树木不同种类形态的表现，也大大地丰富起来了〔图15〕。这既反映了山水画的进步，又显示了山水画走向相对独立发展的趋势。

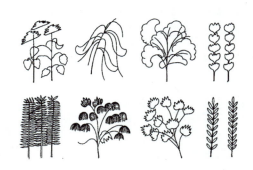

图14

图15

［图14］
莫高窟第296窟须阇
提太子本生之山水
北周

［图15］
壁画的不同树形

总之，山水画的广泛运用，强化了故事画的表现效果，形成了敦煌特有的连续故事画的形式。同时，山水画作为中国特有的艺术画科在佛教洞窟中的普及，也正反映了北周佛教艺术的进一步中国化。

四

北周时期的敦煌壁画艺术，在西魏—北周这个独特的时代文化背景下，充满了浓厚的儒家审美精神。

这个时代，具有儒家忠孝思想的故事画开始大量出现。虽然这些故事出自佛经，但是所欣赏、所强调的却是儒家忠孝的精神。艺术表现上，出现了与前期不同的表现方法，如著名的萨埵太子本生，北魏第254窟通过单幅画表现了故事的全过程，突出表现萨埵刺项、投崖、饲虎等情节，特别是虎吃萨埵这一血淋淋的场面，具有强烈的悲剧效果，这是富有西域风格的表现方法［图16］。北周第428窟同题材画法却截然不同，而是三段长卷式的连环画的形式，画出14个场面，详细刻画每一个情节［图17］。这样就削弱了那种大起大落的悲剧色彩。另外如睒子本生等故事，虽然也有悲剧意味，但是更强调结局的美好。同样是外来的佛教故事内容，由于艺术表现方法的不同，效果也不大一样，对于悲剧性的淡化处理，正体现出儒家所标榜的"乐而不淫，哀而不伤"的审美精神[29]。

29　《论语·八佾》。

图16

图17

图18

从壁画中的佛、菩萨等形象来看，北朝早期的壁画较多地受到西域艺术的影响，除佛像外，菩萨、天神等多裸露，动作幅度大，富有舞蹈性等特征。北魏晚期到西魏，受到中原绘画的影响，出现了清瘦、飘逸、神采飞扬、衣饰繁多的特征。北周时期的形象既不像北魏早期那样较多地刻画裸露的身体、强烈的动作，也不像西魏壁画那样衣饰繁复，飘飘欲仙的神态，而是表现一种敦厚、平和而质朴的精神面貌，如第 428、290、297 等窟的供养人像〔图18〕，表现出谦逊、安详、举止端庄的特征，比起西魏第 285、249 等窟的供养人像，已没有那种衣饰飘举、风流洒脱的气息。如果说北朝早期的壁画人物形象体现的是西域少数民族的豪强，西魏壁画形象体现的是道士或清谈家的潇洒，那么北周的壁画人物则近于温柔敦厚、谦谦君子之风的儒生形象。北周的人物形象与受到东晋顾恺之、陆探微一派画风影响的所谓中原风格是完全不同的，而是直接来自儒学的影响。敦煌地区汉晋以来深受儒学影响，这种儒家传统思想在北周时期得到了进一步的发展，绘画艺术必然受到儒家审美观念的影响。孔子说："质胜文则野，文胜质则史，文质彬彬，然后君子。"[30] 儒家所欣赏的是外表与内在的统一。东晋南朝可以说是"文胜于质"的年代，人们竞相追求华丽的服饰、潇洒的风度，为了清瘦美，甚至节食。绘画中的人物形象，也是夸张地表现为秀骨清像、褒衣博带、飘飘欲仙的样子。相比之下，北周的壁画就显得较为写实，更注重刻画人物的内在气质，改变了从北魏晚期到西魏那种过分夸张以至矫揉造作的神态，给人以敦厚、稳重之感。孟子说："充实之谓美。"[31] 正是强调内在的美。北周壁画为了达到这种审美境界，常常在壁画中仅用极少的色彩，只靠土红、石青、黑、白等为数极少的几种颜色来描绘，这与西魏华丽明亮的色彩相比，显得质朴和有些单调，而这正好与人物内在精神相协调。这样的美学精神及表现方法，为隋唐壁画艺术那种质朴、雄强、生机勃勃的气质开了先河。

（原载于段文杰、樊锦诗主编《中国敦煌壁画全集·北周》，天津人民美术出版社，2006年）

30　《论语·雍也》。
31　《孟子·尽心》。

P.3317号敦煌文书与莫高窟第61窟佛传故事画关系之研究

笔者在做莫高窟佛传故事画的课题[1]时，找到了法藏敦煌文书P.3317号《佛本行集经第三卷已下缘起简子目号》[2]（下简称《简子目号》）〔图1〕，其文字存56行，首尾完整，墨书竖写，不移行

1　樊锦诗：《敦煌石窟全集·佛传故事画卷》，香港：商务印书馆（香港）有限公司，2004年。
2　法国国家图书馆编：《法藏敦煌西域文献·第23卷》，"P.3317号《佛本行集经第三卷已下缘起简子目号》"，上海：上海古籍出版社，2002年12月，第172～173页。

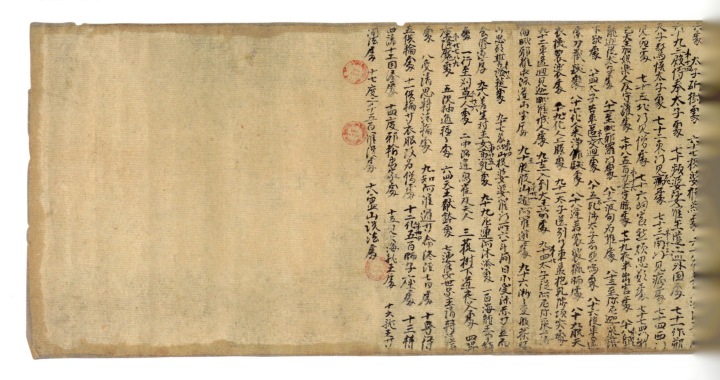

分段。书写条目性文字共118条，每条文字极其简短。全部条目文字前面均冠以一个数字，按自然数字一至一百和一至十八（因前面的数字为"一至一百"，故紧接"一百"数字后的"一至十八"，当称"一百零一至一百一十八"）的数序连续排列。条目末端均缀以"处"字。

《简子目号》有少量条目简短文字的右侧，书写比条目文字更小的文字"第××"的数字序号，它们是：第2行之一条目旁写"第三"；第9行之十六条目旁写"第四"；第15行之廿三条目旁写"第五"；第16行之廿九条目旁写"第七"；第19行之卅五条目旁写"第八"；第20行之卅六条目旁写"第九"；第21行之卅八条目旁写"第八"；第24行之册四条目旁写"第九"；第25行之册五条目旁写"第十一"；第29行之五十四条目旁写"第十二"；第36行之六十三条目旁写"第十三"；第39行之六十九条目旁写"第十四"；第40行之七十三条目旁写"第十五"；第42行之七十八条目旁写"第十六"；第42行之八十条目旁写"第十七"；第44行之八十四条目旁写"第十八"；第47行之九十四条目旁写"第廿"；第48行之九十五条目旁写"第廿一"；第49行之九十六条目旁写"第廿二"；第49行之九十七条目旁写"第廿四"；第50行之九十八条目旁写"第廿五"；第51行之一条目（实一百零一条目）旁写"第廿六"；第52行之四条目（实一百零四条目）旁写"第廿七、八、九"；第54行之十二条目（实一百一十二条目）旁写"第卅四"。其他条目的简短文字的右侧旁均未写数字序号。

[图1]
P.3317号敦煌文书佛本行集经第三卷已下缘起简字目号

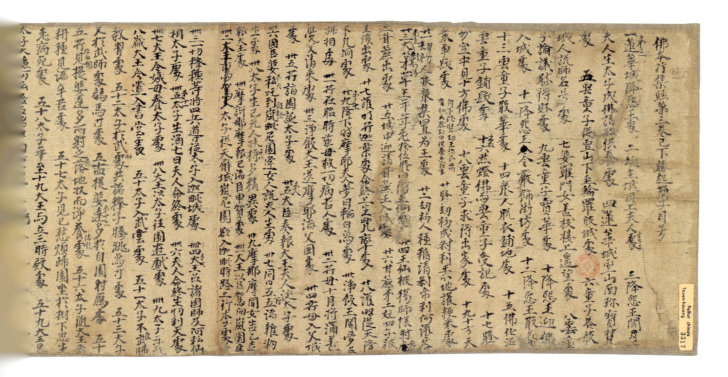

经查对，发现《简子目号》条目简短文字右侧所写的"第××"数字序号，与隋天竺三藏阇那崛多所译六十卷《佛本行集经》[3]中"卷第××"的卷次号相适。如：《简子目号》第2行之一条目右侧旁写的"第三"，是来自《佛本行集经》"卷第三"；《简子目号》第9行之十六条目右侧旁写的"第四"，是来自《佛本行集经》"卷第四"。这是《简子目号》书写条目文字旁卷次时省略《佛本行集经》卷次号中"卷"字的简写。依此类推，凡《简子目号》条目的简短文字旁书写"第××"数字序号，都是《佛本行集经》相关卷次号的简写。《简子目号》条目简短文字右侧旁书写的"第××"数字序号包括虽未写明而经查出卷次号的，共有《佛本行集经》相应的卷第三、卷第四、卷第五、卷第七、卷第八、卷第九、卷第十一、卷第十二、卷第十三、卷第十四、卷第十五、卷第十六、卷第十七、卷第十八、卷第二十、卷第二十一、卷第二十二、卷第二十四、卷第二十五、卷第二十六、卷第二十七、卷第二十八、卷第二十九、卷第三十、卷第三十二、卷第三十三、卷第三十四、卷第三十五、卷第三十七、卷第三十八、卷第四十二等31卷。《简子目号》中的五条目（实一百零五条目）至十七条目（实一百一十七条目），除其中的十二条目（实一百一十二条目）旁写有"第卅四"外，其余条目旁未写数字序号，经查为《佛本行集经》卷第三十、卷第三十二、卷第三十三、卷第三十五、卷第三十七、卷第三十八、卷第四十二等的卷次号。有的未写明数字序号的条目，随同其前面已写明数字序号条目的数字序号。

综上所述，P.3317号《佛本行集经第三卷已下缘起简子目号》，不仅明确了《简子目号》的所有条目源自《佛本行集经》，而且通过《简子目号》条目简短文字旁的数字序号，进一步具体写明了某个条目来自《佛本行集经》所选31卷范围内的某卷经文。并最终在以上所列《佛本行集经》31卷中选择了佛（释迦牟尼）传一生事迹中的118条主要情节，逐一编写为条目性的极简文字，形成了《简子目号》佛传一生事迹118条主要情节的目录。

五代建造的莫高窟第61窟主室南壁中部下段，转西壁下段，再转至北壁中部下段的壁面，在由33扇屏风连接而成的连屏上，也是依据隋天竺三藏阇那崛多译《佛本行集经》所绘制的连环画式佛传故事画情节画面、所书写的佛传故事榜题[4]（榜题是书写于壁画故事情节上的文字，用以说明壁画的内容，具体见附录一：莫高窟第61窟佛传故事画和榜题位置示意图）。

这里，笔者把源自《佛本行集经》经文编写成的《简子目号》118条佛传生平主要事迹的目录，与第61窟连环画式128条佛传故事画情节画面及其榜题进行相互对比分析。

在《简子目号》118条条目中，有8条条目[十条、卅六条、卅九条、冊条、六十三条、七十六条、八十二条、六条（实一百零六条）]与第61窟佛传故事画情节画面及其榜题并不完全

---

3 《大正藏》第三卷，第655~932页。

4 敦煌文物研究所整理：《敦煌莫高窟内容总录》，北京：文物出版社，1982年，第21页。

相符。另有两个卅五条，条目重复。此外，《简子目号》的六条目与七条目被合并用于第 61 窟佛
传故事画的第二屏 2 画面及榜题，廿九条目与卅条目被合用于第七屏 3 画面及榜题，八十四条目
与八十五条目被合用于第二十六屏 4 画面及榜题（见附录二：莫高窟第 61 窟佛传故事画画面及榜
题与 P.3317 号《佛本行集经第三卷已下缘起简子目号》条目对照表）。故《简子目号》其余 106 条
条目的佛传一生事迹的主要情节，与第 61 窟佛传故事画情节和佛传故事榜题存在着相应关系。

第 61 窟佛传故事画情节画面及榜题共有 128 条[5]（见附录一：莫高窟第 61 窟佛传故事画和榜题
位置示意图），其中第三十一屏的 6 画面及榜题，第三十二屏的 1、2、3 画面及榜题，第三十三
屏的 1、2、3、4 画面及榜题，计有 8 个画面和榜题取自于其他佛经[6]。此外，第 61 窟佛传故事画情
节画面及榜题中，有 13 条画面及榜题（即第二屏 3、第三屏 4、第八屏 1、第十屏 1、2、第十一屏
3、第十六屏 2、3、第二十屏 1、第二十四屏 3、第二十五屏 2、第二十六屏 2、第三十屏 1）在《简
子目号》文书中没有条目文字显示。故第 61 窟实有 107 条佛传故事画情节画面及榜题，与《简子
目号》106 条佛传主要事迹条目存在着相应关系（见附录二：莫高窟第 61 窟佛传故事画画面及榜
题与 P.3317 号《佛本行集经第三卷已下缘起简子目号》条目对照表）。

《简子目号》118 条条目的简短文字，是根据《佛本行集经》所选 31 卷范围内经文编写的佛传
事迹主要情节，并不是直接抄录或摘录的《佛本行集经》经文，条目文字极为简短，仅有几个字
到十余字，达到或超过 20 字的条目只有 4 条。相比而言，第 61 窟每条佛传故事画上书写的榜题，
则是直接抄录或摘录与《简子目号》118 条条目文字相对应的《佛本行集经》卷次中的经文，大
部分保存基本完好的榜题文字都写得较多，少者也有三四十字，多者则有 100 多字的，最多者达
200 多字。尽管两者文字有多与少的差异，但两者都出于《佛本行集经》相关卷次中的经文，证
明两者确有关系。

通过上述《简子目号》条目文字与第 61 窟佛传故事画情节及榜题的相互对比分析，可说明以
下两个问题。

第一，《简子目号》条目，既不是藏经洞保存的文书榜题底稿，也不是莫高窟第 61 窟佛传故
事画上书写的榜题。

榜题与榜题底稿有联系又有区别。榜题是书写于壁画故事或经变上的文字，用以说明壁画的
内容。藏经洞保存的榜题底稿是写于纸张上与经变有关的文字，用于抄写到壁画经变上的草稿。

5　万庚育：《敦煌莫高窟第 61 窟壁画〈佛传〉之研究》，载敦煌文物研究所编《1983 年全国敦煌学术讨论会文集：文史·遗书编》上册，兰州：甘肃人
　民出版社，1985 年 4 月，第 84～164 页。
6　第 61 窟佛传故事画第三十一屏第 6 个画面，第三十二屏第 1、2、3 画面，第三十三屏第 1、2、3、4 画面，共八个画面，分别取材于 [姚秦] 鸠摩
　罗什译《法华经·序品》（《大正藏》第九卷）、[唐] 义净译《根本说一切有部毗奈耶杂事》（《大正藏》第二十四卷）、[唐] 若那跋陀罗译《大般涅
　盘经后分》（《大正藏》第十二卷）；中国人撰《佛母经》（《藏外佛教文献》第一辑，北京：宗教文化出版社，1995 年）。

研究发现，藏经洞有一些榜题底稿与莫高窟一些洞窟经变画的榜题相适，有的还能与具体洞窟经变画及榜题对上，说明榜题底稿是用于书写壁画榜题文字的草稿。

方广锠先生撰写的《敦煌学大辞典》"佛本行集经第三卷已下缘起简子目号"条[7]，认为《简子目号》"内容为将《佛本行集经》第三卷至第三十四卷主要情节逐一条目化"，"从形式看，每一条目的最后都缀'处'字，故为壁画榜题"。

本文前面对《简子目号》做过介绍和分析。从内容看，虽《简子目号》的十二条目（实一百一十二条目）旁注有"第卅四"，是《简子目号》最后一个数字序号，此后的条目旁再未注明数字序号。经查对，《简子目号》文书中的五条目（实一百零五条目）至十七条目（实一百一十七条目），除其中的十二条目（实一百一十二条目）旁注有"第卅四"外，经查对其余条目，有出自《佛本行集经》卷第三十、卷第三十二、卷第三十三、卷第三十五、卷第三十七、卷第三十八、卷第四十二等的卷次号。遗憾的是，这些条目旁漏写了数字序号。因此，《简子目号》内容应该为《佛本行集经》第三卷至第四十二卷，实际是在 42 卷中的 39 卷内选择了 31 卷的主要情节，逐一条目化，以极简短文字编写了佛（释迦牟尼）传一生事迹的主要情节的内容，是写在纸张上，而不是写在壁画上。

至于方广锠先生认为的"从形式看，每一条目的最后都缀'处'字，故为壁画榜题"，同样不能成立。因为《简子目号》是在纸张上书写的文书，条目末端缀以"处"字，绝不是壁画榜题。即便与《简子目号》文书有关系的第 61 窟佛传故事画上书写的佛传故事榜题，句尾也无一条缀以"处"字，而是缀以"时"字，有的榜题句尾甚至连"时"字都不缀。

敦煌莫高窟壁画榜题和藏经洞发现的一批壁画榜题底稿中，在句尾确有缀以"处"字或"时"字的现象，但也有许多壁画榜题底稿在句尾并不缀以"处"字或"时"字，如法藏 P.4966 背的弥勒经变壁画榜题底稿[8]。由此再来看，一些学者认为大凡最后缀以"处"字的敦煌文书都是壁画榜题的观点，似太过绝对。依拙见，应对缀以"处"字的文书内容进行具体分析，才能判断文书的性质。

第二，《简子目号》是第 61 窟连屏上绘画佛传故事画情节画面和书写佛传故事榜题的文字设计稿；又是第 61 窟三十三扇连屏上布局佛传故事画情节画面和佛传故事榜题的文字设计稿。

经过上述《简子目号》与第 61 窟佛传故事壁画的对比，可确认以下两点：其一，《简子目号》118 条条目的简短文字，虽在《佛本行集经》经文中找不到其完全对应的文字，但其条目的相关数字序号，明确了条目文字无疑是根据《佛本行集经》相应卷次经文编写出来的佛传事迹的主要

7　方广锠："佛本行集经第三卷已下缘起简子目号"条，载季羡林主编《敦煌学大辞典》，上海：上海辞书出版社，1998 年，第 750 页。

8　王惠民：《敦煌遗书中的药师经变榜题底稿校录》，"附注"，《敦煌研究》1998 年第 4 期，第 18 页。

情节；其二，第61窟128处佛传故事画情节画面及榜题，与《简子目号》118条条目编写所依据《佛本行集经》的卷次经文相同，说明《简子目号》118条条目所编写的佛传情节目录和第61窟壁画的佛传故事情节及榜题无疑互有关系。两者之间应是设计者和被设计者的关系，即《简子目号》是第61窟连屏上绘制佛传故事画情节画面及榜题的文字设计稿，第61窟佛传故事画与榜题是基于《简子目号》的设计而创作出的绘画。《简子目号》118条条目又是布局第61窟连屏上绘画佛传故事画情节画面及榜题的文字设计稿。

设计者面对在第61窟完整表现佛陀一生事迹的故事画面及全部榜题这样纷繁复杂的任务，必然要先从《佛本行集经》第三卷至第四十二卷浩瀚的经文中寻找挑选出佛陀一生的全部资料。然后，从这些《佛本行集经》已备资料再提炼出佛陀一生的全部主要情节，以易懂明白的简短文字逐一编写这些情节，形成条目；再后，编排好条目前后次序，在各个条目前端依次冠以数字序号，末端缀以"处"字，形成总的文字设计稿；最后，在简短文字条目旁注明数字序号，以表明此条目源于《佛本行集经》经文的某卷次号。至此，《佛本行集经第三卷已下缘起简子目号》的文字设计稿才告完成。

设计者要有序准确地布局好第61窟三十三扇连屏上每个佛传故事画情节画面和每个佛传故事榜题，就要先将第61窟南、西、北壁下段的45.9平方米壁面分为33扇相连的屏风，每扇屏风高1.6、宽0.87米。然后，在33扇屏风上规划绘画128个情节画面和书写128条榜题文字。由于佛传故事的情节画面丰富，榜题文字数量也很多，而连屏整体面积有限，每扇屏风不可能只绘制一个情节、书写一则榜题，必然要绘制两个或更多情节画面，书写两条或更多榜题文字。因此一定要事先做好整体规划，对全部情节画面和全部榜题文字在三十三扇连屏上的位置与相互关系做出具体布局。

为了使《简子目号》所设计的118条中每个条目的具体情节和榜题准确无误地安排到连屏上已规划好的相应位置，就要将前端冠以有序数字、末端缀以"处"字的《简子目号》各条条目，按照数字序号次序分别提前标写在连屏的相应屏风上，以标明某扇屏风应是绘画某条目情节及榜题的位置，这样就可保证情节绘制和榜题书写准确到位。这里需要说明的是，随着连屏上已被准确定位的情节壁画和内容榜题的完成，画面势必会覆盖标写在连屏上冠以数字和缀以"处"字的相关条目，这也是现在已无法在连屏上看到这些标有数字和缀以"处"字的《简子目号》条目的原因。幸运的是，藏经洞保存下了《简子目号》情节文字设计稿的底稿。

从本文所附的《莫高窟第61窟佛传故事画及榜题与P.3317号〈佛本行集经第三卷已下缘起简子目号〉条目对照表》来看，《简子目号》作为文字设计稿并未照单采用，而是做了少量取舍。如《简子目号》条目中有9条条目未被第61窟佛传故事画采用，而第61窟佛传故事画又增选了一些情节、增加了13个画面。说明在对佛传故事画做出整体布局和写成画面定位之前，曾做出过调整，原因可能是强调故事性、趣味性，避免一些故事情节的重复。

我们目前尚未发现莫高窟第61窟佛传故事画的设计画稿，故只能暂且认为绘画者是根据规划设计好的画面布局，依据《简子目号》情节设计稿确定的画面情节和《佛本行集经》所选经文的要求，加上自己的理解和想象进行构思，然后去创作故事画的画面情节。

第61窟佛传故事画大多画面上的榜题文字较多，需占有一定的面积，所以不太可能是在画面完成后随意找空白处写上去的，而很可能是事先在每个画面的设计和绘制时候就已为书写榜题文字适当留空。设计者或榜题书写者根据《简子目号》情节设计稿相关条目旁所注写的《佛本行集经》相应卷次经文，抄录或摘录出故事情节要点，通过编纂加工形成榜题文字，然后书写于各个画面的留空处。

《简子目号》情节文字设计稿条目的故事情节涵盖了第61窟第一屏至第三十屏的全部画面及榜题和第三十一屏的5个画面及榜题。第三十一屏的第6个画面及榜题，第三十二、三十三屏共8个故事情节画面及榜题则取材于其他佛经，但其画面构图、绘画风格和榜题格式与前三十一屏完全一致，表明最后两屏和前三十一屏的壁画是统一设计、统一布局、统一绘画、统一书写的，推测最后两屏也应有类似《简子目号》同样的情节设计稿。

总之，《简子目号》作为第61窟佛传故事画情节画面和画面上的榜题，文字设计稿自始至终指导着佛传故事画绘制的全过程。

如果对《简子目号》条目作为第61窟佛传故事画的情节文字设计稿的分析与判断无误，人们不禁要问，是莫高窟只第61窟一铺佛传故事画有情节文字设计稿呢？还是其他壁画也都有类似《简子目号》这样的情节文字设计稿呢？笔者推想似不太可能是孤例。P.3352号敦煌文书的第三部分[9]是一个值得注意的例子，它可作为《简子目号》研究的佐证。据施萍婷先生的研究[10]，此文书"写得很潦草，也不规整"，"既非题记，亦非壁画榜书底稿，而是某种壁画构图之文字稿"〔图2〕。

施萍婷先生认为："对照莫高窟壁画，这似乎就是壁画《千手千眼观世音经变》构图时的文字稿。不过，到目前为止，我们还没有找到榜书与此相同者（在莫高窟，同一经变，没有一幅是完全相同的）。但是，藏经洞出土的绢画，有不少榜书清楚易认，与上述构图的文字稿基本能对上，只是人物的多寡不同而已。如大英博物馆藏《千手千眼观音经变》、德里中亚博物馆藏《千手千眼观世音菩萨经变》、巴黎吉美博物馆藏太平兴国六年《千手千眼观音经变》。"[11]

9　施萍婷：《敦煌随笔之四》录文，《敦煌研究》1987年第4期，第26~28页。

10　施萍婷：《敦煌随笔之四》录文，《敦煌研究》1987年第4期，第26~28页。

11　（日）松本荣一著，林保尧、赵声良、李梅译：《敦煌画研究》，附图167、169、174，杭州：浙江大学出版社，2019年9月。

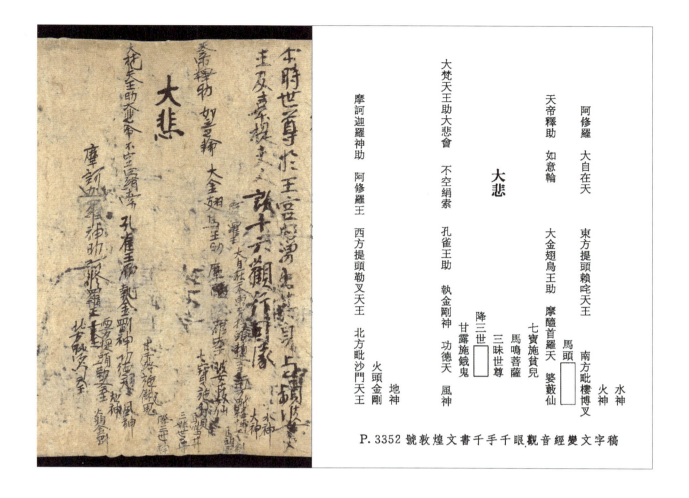

摩訶迦羅神助　大梵天王助大悲會　天帝釋助　阿修羅

阿修羅王　不空絹索　如意輪　大自在天

西方提頭勒叉天王　孔雀王助　大金翅鳥王助　東方提頭賴咤天王

　　大悲

北方毗沙門天王　執金剛神　摩醯首羅天　南方毗樓博叉

甘露施餓鬼　七寶施貧兒　婆藪仙　馬頭

降三世　馬鳴菩薩　水神

三昧世尊

火頭金剛　地神　功德天　風神　火神

P.3352號敦煌文書千手千眼觀音經變文字稿

［图2］
P.3352号敦煌文书千
手千眼观音经变文字
稿及其录文

　　施萍婷先生根据P.3352号敦煌文书第三部分所示之图，认为："根据第十一行'大梵天王助大悲会'，我们可以得知，这种过去定名为《千手千眼观音经变》的画，又可称《大悲会》。把经变画称为'会'，在晚唐时期就有，如莫高窟第12窟北壁正中的《药师变》，榜书尚清晰，题曰《东方药师净土会》。此卷从字体和内容来看，应是曹氏统治敦煌时期的遗物，亦即五代、宋时期之物。"

　　笔者通过对《简子目号》为莫高窟第61窟佛传故事画情节及榜题文字设计稿的研究，受施萍婷先生所揭示的P.3352号敦煌文书第三部分为"壁画构图之文字稿"的启示，有一些不成熟的想法：第61窟是莫高窟五代、宋时期瓜沙曹氏归义军政权建造的大型代表洞窟之一。《简子目号》既然是第61窟佛传故事画的情节榜题设计稿，那么此《简子目号》无疑应该产生于曹氏归义军政权统治的瓜沙时期。

　　用于绘制第61窟佛传故事画的《简子目号》情节设计稿，从佛传故事画情节设计、壁面布局到完成绘画和书写榜题，自始至终都起着指导作用，那么这份情节设计稿的设计者应该既熟悉佛经、又精通绘画艺术，如此复杂和繁重的设计工作似应该由画院高级画师来承担。

向达先生根据瓜州榆林窟西崖第33、35窟供养人题名结衔[第35窟供养人像题名"□主沙州工匠都勾当画院使归义军节度押衙银青光禄大夫检校太子宾客（竺？）保一心供养""□□节度押衙知画手银青光禄大夫检校太子宾客武保琳一心供养"，第33窟供养人像题名"清信弟子节度押衙□□相都画匠作银青光禄大夫白般緤一心供养"]推测，疑瓜、沙曹氏之世盖设有画院[12]。

姜伯勤先生《敦煌的"画行"与"画院"》论曰："敦煌本金统二年（公元881年，金统是唐末黄巢起义军大齐政权的年号）《东面壁记》，内容系设计敦煌某一处壁画的草案，分成若干格，每格开列应画内容及颜色，间有佛头画稿。[13]"

姜伯勤先生也引用了向达先生的榆林窟第33、35窟的供养人题名结衔，并说："从事画业的'沙州工匠'，组织为'画行'以外，又与官设'画院'有关。""从敦煌所出大量壁画、绢画、白画、粉本画像来看，唐末五代宋初，敦煌画业兴盛。画匠或画人在唐末五代的身份地位已有所提高。高级画师往往处于设计者的地位。"[14]

向达先生和姜伯勤先生以实证说明了唐末五代宋初的敦煌已设有画院。这个画院既是专门供奉曹氏归义军衙门的机构，也是管理、组织绘画事务的机构。画院中有为归义军衙门供奉的画院使、知画手、都画匠作、画匠等不同级别人员构成的专业绘画队伍。从唐末开始，敦煌壁画从设计到绘制完成显然有一定的规范和程序，而这样的组织工作可能还是由曹氏画院来承担。莫高窟第61窟是曹氏政权开凿的重要洞窟，就此窟包括佛传故事画在内所有壁画的设计和绘制而言，似应由曹氏归义军政权所设立的画院来承担完成。我们是否可以这么类推，曹氏归义军政权时期建造的一批洞窟，其壁画的设计和绘制都是由归义军政权所设立的画院有组织地去完成。

拙文承敦煌研究院施萍婷先生指正帮助，谨致以感谢！

（原载于《华学》第九、十合辑第三卷，上海古籍出版社，2008年；现为作者删减修订稿）

12　向达：《莫高、榆林二窟杂考》，载氏著《唐代长安与西域文明》，北京：生活·读书·新知三联书店，1957年，第413～414页。

13　姜伯勤原文有注："史树青：《敦煌遗书概述》，《历史教学》1964年第8期，第27页。"

14　姜伯勤：《敦煌的"画行"与"画院"》，载敦煌文物研究所编《1983年全国敦煌学术讨论会文集：石窟·艺术编》下册，兰州：甘肃人民出版社，1987年2月，第172～191页。

附录一：莫高窟第61窟佛传故事画榜题位置示意图

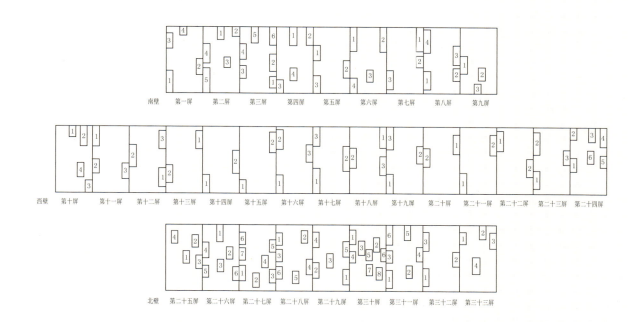

附录二：莫高窟第61窟佛传故事画及榜题与P.3317《佛本行集经第三卷已下缘起简子目号》条目对照表

佛传故事画内容	佛传故事画榜题内容	"简子目号"条目录文
屏一1　降怨王封日主婆罗门为王	漫漶	第三（卷） 一、莲花城降怨王处
屏一2　然灯菩萨降胎于日主王之月上夫人	……来兜兜率下降……世上……相师相云童子者……皆……	二、埏主城月上夫人生太子处
※※ 屏一3　降怨王迎然灯佛	漫漶	三、降怨王闻月上夫人生太子成佛请欲供养处
屏一4　云童子辞珍宝梵志师	尔时莲花城雪山南面有一……百弟子围绕供水中有一……彼众中为上首端正聪明一闻便领一时……和上品德术智已尽今欲还家和尚心恋童子不欲……盖革履金叉木金瓶金钵上下……白彼梵志作如是言我于此处……即便辞师而去时	四、莲花城雪山南珍宝梵（志）处

续表

佛传故事画内容	佛传故事画榜题内容	"简子目号"条目录文
屏二1 云童子至输罗波城祭祀德大婆罗门无遮会所	尔时云童子从雪山下安详而至输罗波城祭祀……婆……无遮会所时有六万诸婆罗门遥见……言大梵天至时云童子语彼六万婆罗门……非是梵天婆罗门言汝既非是梵天为人者汝之……是甚人耶在何处住	五、云童子从雪山下至输罗波城处
屏二2 云童子答梵波罗门问言祭祀德女向云童子顶礼求愿	时云童子答梵婆罗门言雪山南面有一梵志名曰珍宝有五百弟子彼众之中有一上足弟子名云德术具足共师无异乃至其声如梵天音其云童者即此身是时婆罗门众既识知已更复欢喜发大声言善哉时祭祀德女楼上遥见云童子顶礼求愿	六、童子答彼城人说师名号处
		七、婆罗门女善枝楼上遥望处
屏二3 云童子以毗陀论答上座婆罗门▲	时云童子至祭祀德婆罗门会已于上座婆罗门问言仁者诵持如何经论时彼六万诸婆罗门答童子言一切诸论悉已诵持时云童子答上座言汝虽诵念婆罗门家医方技艺但我师资别有一论名曰毗陀知汝等辈未曾得闻时六万人答言未闻	
屏二4 云童子受布施	……座前立诵彼先有毗陀论□时会……受我……受……上座受于……称……如……	八、云童子论议（取）胜得财处
屏二5 云童子求华	尔时彼人报童子……莲花城说法教化云童子……我当以华奉献……言……华汝……见青衣取水婢子……言汝……供养……百银钱买华	九、云童子卖（买）华处
屏三1 降怨王迎然灯佛	漫漶	十、降怨王迎佛入城处 ※
		十一、降怨王令严饰街坊处 ※
屏三2 降怨王散花	……茎莲华……来顶上……宝盖	十二、降怨王散花处
屏三3 云童子散华发愿	尔时云童子见彼然灯佛生敬心已将此七茎优钵罗华散于佛上发此愿言若我来世得作佛时如今然灯佛得法所散之华住虚空中华叶向下华茎向上当佛顶随佛行住我见如来神通德力复于信敬之心华上叶下成盖	十三、云童子散花处
屏三4 降怨王与人民以衣覆地请佛而过▲	尔是然灯佛多陀阿伽度阿罗呵三藐三佛陀从外来入莲华城时降怨大王与诸人民严华种种珍宝以……兼复以……衣覆于地上请佛而过	

续表

佛传故事画内容	佛传故事画榜题内容	"简子目号"条目录文
屏三 5　城内人众以衣布于道上供养然灯佛	尔时城内无量无边人众……微妙细软拘周摩衣……	十四、众人脱衣铺地处
屏三 6　云童子以鹿皮衣布于道上	漫漶	十五、佛化泥云童子铺发处
屏四 1　然灯佛应云童子要求为其授记	漫漶	第四（卷） 十六、然灯佛为云童子受记处
屏四 2　云童子授记后见十方诸佛	阿难……高七多罗树……胜时然灯佛即告……界时即观见彼……诸……记如此东方南西北四维上下多悉复如是	十七、腾身空中见十方佛处
屏四 3　云童子向然灯佛求索剃发出家修行	尔时童子见十方佛受记已从空而下顶礼然灯世尊佛足却住一面即生此念我今可与然灯佛前求索出家唯愿世尊谛听我出家受具足戒修行梵行佛语我言汝将摩那婆今正是时即得出家剃除须发已无量诸天取于我发供养	十八、云童子求得出家处
屏四 4　诸菩萨天人跪于然灯佛前，天众乘云而来	漫漶	十九、十方天众争发处
		自下比（彼）贤劫王治民蒙有佛无数劫中供养受记事
屏五 1　佛告比丘，贤劫初地建立，有一转轮王种名众集置，应大众请治罚恶人，分给大众稻田稻谷熟后遂分众人。	尔时佛在王舍大城……与大比丘五百……告诸比丘谛听谛受如世尊教诸比丘言……佛告比丘此贤劫初……豪胜富贵转轮圣王种名众集置白大众听……	廿、贤劫初成刹利王分地护（获）粳米处
屏五 2　大众推扶众集置为王	漫漶	廿一、劫初人扶众集置为王处
屏五 3　刹利王守护一切稻田众人种分得稻田	漫漶	廿二、劫初人种稻请刹帝利何□（诃护）处
屏六 1　大茅草王出家修行	漫漶	第五（卷） 廿三、刹利种大茅草王年（年）老舍位修行得王仙处

佛传故事画内容	佛传故事画榜题内容	"简子目号"条目录文
屏六2 王仙被猎师误射，堕两滴血处生二甘蔗，出童男童女	时彼大王既出家已持戒清净得成王仙寿命极长年至衰老不能远行时彼王仙诸弟子欲觅饭食取柔软草置笼盛悬于树上时诸弟子乞食去后有猎师遥见王仙错是白鸟遂即射之既被射已有两滴血出堕于地即便命终后弟子还见彼王被射命终即下彼笼将王置地聚柴烧尸收骨为塔彼血滴处生二甘蔗待熟开剖一出童男一出童女弟子心念收而养之时	廿四、王仙被猎师误射血流二甘蔗出处
屏六3 大臣迎二童子入宫，召相师占相命名，男童灌顶为甘蔗王，女童立为妃	时诸大臣往于彼林迎二童子将还入宫召唤解相大婆罗门教令占相并遣作名彼相师言此童子者既是日炙熟甘蔗开而出生故一名善生二名善贤其善生男幼少年时灌顶为王其善贤女至年长大即为第一之妃其善贤妃生一太子名为长寿端正可喜世间少双然其骨不堪绍上时	廿五、城中迎请甘蔗王入城处
屏六4 甘蔗王摈王妃四子	漫漶	廿六、甘蔗第二妃四子被王殡（摈）出处
屏七1 护明菩萨往生兜率天	尔时护明菩萨从伽叶佛护持禁戒梵行清净命……生兜率陀天时彼菩萨命终之后于愿上生梵……生此天梵兜率陀旧居诸天即唤菩萨名为护明……至于阿迦腻腻咤咸来下天咨受听法下四天王…………护明菩萨听法时	廿七、护明菩萨迦叶处命终上生兜率处
屏七2 护明菩萨降生人间	漫漶	廿八、护明从天降下凡间处
屏七3 摩耶梦护明菩萨托胎，净饭王召国师占梦	是时护明菩萨大士正念从兜率下托净饭王第一大妃摩耶夫人右胁住已是时大王于睡梦中见一六牙大白象王其头朱色七支挂地以金黄色牙乘空而下入于右胁夫人梦已明旦即白净饭大王如是梦大王闻已遂召国师大婆罗门而占吉凶时诸师奏言太子大吉大善	第七（卷）廿九、降下时摩耶夫人梦日轮白象处
		卅、净饭王闻梦召师相处
屏八1 净饭王设无遮会布施供养▲	时净饭王闻此相师占观妃梦云……相之后即……四门之外并衢道头有人行处安以无遮义会之所人来须者尽皆施与所谓饮食衣服香花炊饭舍宅车乘皆悉与之悉为资益于菩萨故设是供养	
屏八2 菩萨在胎摩耶为男女断除诸病	……在……母所……若女被鬼所持若见菩萨母者一切鬼魅悉皆远离还得……若体旧有诸余杂病所侵恼者……摩耶夫人……草树茎花右手摩将……得此……即得断除诸……而受大安乐时	卅一、菩萨在胎时慈母救一切病苦人处

续表

佛传故事画内容	佛传故事画榜题内容	"简子目号"条目录文
屏八 3 善觉长者奏净饭王欲迎摩耶女回家分娩	……菩萨将满十月垂欲生时……怀藏圣胎威德……女摩耶安置住……我家于此生产平安时	卅二、菩萨母十月将满善觉父请来处
屏八 4 净饭王送摩耶回父家提婆陀诃城去	尔时……善觉……迦毗罗城及提婆……摩耶夫人以诸……诸妙宝帐……诣……	卅三、净饭大王送摩耶诣父国处
屏九 1 善觉长者在提婆陀诃城迎摩耶女	尔时净饭大王……出种种…………	卅四、菩萨母入父城处
屏九 2 摩耶于岚毗尼园以右手攀波罗叉树	漫漶	卅五、菩萨诣园诞太子处
屏九 3 摩耶生太子	漫漶	第八（卷） 卅五、大臣奏报大王夫人诞太子处
		第九（卷）（应第八卷）？ 卅六、国臣婆私吒到岚毗尼园逢女人说夫人生处 ※
屏十 1 大臣击欢喜鼓▲	尔时大臣摩诃那摩从……不见大王在先挝打欢喜鼓……系我欢喜……摩婆私吒……下车尽……那婆高声白王言摩耶夫人生太子……摩诃摩那臣说所状时	
屏十 2 净饭王命大臣次第具录吉祥事▲	尔时大臣摩诃那摩报大王……如彼婆私吒臣之所典□国法吉祥次第具录勿令缺减	
屏十 3 六畜同生五百子	漫漶	（应第九卷）？ 卅七、同日五五（百）诸杂物生处
屏十 4 太子行七步，步步生莲花	尔时菩萨无人扶持于四方各行七步步生莲华太虚空中二水注下一冷一暖又请天众持一金钵以太子坐于其上太子金床立……水沐浴已了一手指天一手指地口云天上天下唯我独尊	第八（卷） 卅八、太子生已无人扶持多精异处
		卅九、摩那摩闻女告已走报大王处 ※
		卅、摩诃那摩报已诸臣申贺处 ※

续表

佛传故事画内容	佛传故事画榜题内容	"简子目号"条目录文
屏十一1 净饭王与百官发向岚毗尼园迎太子	尔时净饭王告婆私咤释大臣言汝来我国既……今当为是胜上太子作于生法时净饭王……百官左右围绕犹如半月发向于彼……	卅一、大王以（与）臣驾向岚园处
		卅二、太子从天辟城岚尼园欲入迦毗时路上行李（礼？）处※
屏十一2 净饭王偕摩耶和太子在释种眷属护拥下回迦毗罗城	尔时一切诸释种眷……步兵围绕……充塞遍满迦毗罗……入于迦毗罗城时	卅三、一切释种等将四兵导从太子入迦毗城处
屏十一3 太子入天祠▲	漫漶	
屏十二1 阿私陀仙从忉利天下徒步入迦毗罗城为太子占相	……禅耶尼……尔时仙人……	第九（卷）卅四、大王召诸国师及阿私仙相太子处
屏十二2 太子诞生七日其母命终	尔时太子……满七日其母摩耶……遂便命终或有师言摩耶夫人……出家母见其……观希奇之事……	第十一（卷）卅五、太子生满七日夫人命终处
屏十二3 诸天彩女持供养具乘云下降语净饭王摩耶已往生忉利天宫	尔时夫人命终之后……胜妙无量无边……女左……	卅六、夫人命终生忉利天处
屏十三1 净饭王咐嘱姨母波阇波提养育太子	尔时大王既见夫人命终召诸释种而告之曰今□是婴孩失母付谁养育诸臣答言唯此摩诃波阇波提堪能将息养育时净饭王即将太子付嘱姨母波阇波提应当养育简取三十二女令助养于太子时	卅七、大王令姨母养太子处
屏十三2 净饭王共国师与太子至无垢园	时净饭王……为太子作……大臣各造……供养时净饭以……共将太子至彼一园……往昔以来贵之如塔……有无……	卅八、大王以（与）太子往园游戏处
屏十四1 太子八岁向毗奢婆密多罗师学书	尔时大王见其太子年满八岁即会百僚商议令向毗奢婆密多罗师而教学问尔时太子既初就学将好最妙牛头旃檀作于书板执持至于毗奢密多阿阇梨前而作是言尊者阇梨教我何书汝遂教之	卅九、太子年既八岁大王令遣入书堂处
屏十四2 羼提提婆（忍天）教太子武技	漫漶	五十、太子入武堂处

佛传故事画内容	佛传故事画榜题内容	"简子目号"条目录文
屏十五 1 太子不受武师教习，令忍天教诸释种学习武技	尔时忍天……不须更学……释种……	五十一、太子不受武师教习处
屏十五 2 太子与诸释种腾跳象、车、马	尔时太子于师忍天前共诸释种腾跳白象乃至车马擎钟扑象诸如是等于一切处皆得成就最第一智	五十二、太子于武师处共诸释子腾跳象等处
屏十六 1 太子于武师前作象驼诸技	漫漶	五十三、大（太）子又与武师处骗马等处
屏十六 2 太子于武师前射铁鼓等诸技▲	尔时太子于师忍天之前……射铁……铁瓮铁猪铁狗铁鼓一一□总不如太子十倍过胜诸释子时	
屏十六 3 太子于武师前作车技▲	尔时太子于师之前射瓮了又于车上作种种技所谓或横或纵或立或卧宛转盘旋悉亦第一时	
屏十七 1 提婆达多射着一雁坠落太子勤劬园中	尔时太子悉达多与诸释种于勤劬园优游嬉戏时有群雁行飞虚空……是时提婆达多弯弓而射即着一雁其雁被射带箭而飞来于悉达园中时	第十二（卷）五十四、提婆达多于自园射雁处
屏十七 2 太子捧伤雁拔箭以酥蜜封其疮	尔时太子于毗奢蜜及忍天所……声色共诸释种于勤劬园遨游时忽见一雁被伤而坠地取在膝上即以拔箭封用蜜……	五十五、菩萨在自园见提婆达多所射之雁落地收而诤养诘怨处
屏十七 3 净饭王与太子野游观看农务	复于一时大王与太子及诸释种出外野游观看田种彼时地内所有作人赤体辛苦又见梨牛疲困饥渴加以鞭棒土坡之下皆有虫出人犁过后诸鸟来食太子见已起大忧愁回还时	五十六、太子随大王看耕种见诸辛苦处
屏十八 1 太子树下思惟生老病死因缘	是时太子入到园中详嘱畍处处径（经）行欲求寂静忽见一处有阎浮树荟郁扶疏人所乐见见已即语诸左右曰汝远我去我欲私行是时太子到左右了至彼树下跏趺而坐谛心思惟生老病死因缘当时有五神仙飞腾虚空近至太子过□□时	五十七、太子见已愁烦归园坐于树下思生老病死处
屏十八 2 太子年至十九净饭王为太子造三时殿	尔时太子渐向长成至年十九时父大王为太子造三时殿一者暖殿以拟隆冬第二凉殿以拟夏暑其第三殿以拟于春秋二时寝息复于宫内后园之中堰水流渠造作池沼娱乐太子	五十八、太子年至十九大王为立三时殿处

续表

佛传故事画内容	佛传故事画榜题内容	"简子目号"条目录文
屏十八3 净饭王为使太子不思出家召集群臣商议令太子娱乐嬉戏	时净饭王见太子……受记之语集诸释……诸释……不舍出家	五十九、大王见太子大忆阿私语召诸臣商量处
屏十九1 太子向耶输陀罗施指环	尔时王与大臣商量讫已即遣造作杂宝……城振铎唱言从今已去至七日来我太子欲见……六日过已王宫门前据筌……各严其身……器施诸女过最后摩诃那摩其女……远而来遥见太子即近相视……优器太子……太子从指脱与其女	六十、王臣商量讫即遣造（杂）宝无忧之器集诸释女施与邪输不肯收指环处
屏十九2 净饭王为太子求妃	尔时大王既闻太子共释摩诃那摩大臣之女和颜……日遂遣国师……而作是言知卿有女……大臣……相承如是若有……	六十一、大王闻太子共摩诃那摩大臣女语即遣国师往平章嫌无德不肖处
屏十九3 太子向父王提出与人共试技艺	尔时国师将如是语来白大王闻语怀忧愁心太子见父愁烦再三咨大王遂与如是事说太子知已问父王曰今王颇知城内有人能出共我试技能不时净饭王闻是语已即大欢喜更重审问于太子言实能角诸技艺不太子答言王善听我今实能	六十二、国师回报大王愁烦太子咨王欲夸技能处
		第十三（卷） 六十三、大王敕置场令太子夸技处 ※
屏二十1 太子箭穿七铁鼓▲	尔时净饭大王……振铎唱声从今已去……悉达欲出……者悉来……时至七日于其城中安一铁鼓诸释子……太子遂取祖父师子颊王大弓重安七鼓……逮十拘卢……	
屏二十2 太子箭穿七铁瓮七铁猪等	尔时又立七铁瓮满中盛水立前执火烧赤箭一射过铁瓮已有一大婆罗林一时烧尽又射七铁猪一一穿过其箭落地至于黄泉其箭所穿入地之处即成一井于今人民常称箭井	六十四、太子又夸射铁瓮及骟象马各七个处
屏二十一1 太子与诸释种相扑投壶弈棋	又与释子画于草叶和合……时诸释子作是言……来对于太子欲共相扑……不禁即便倒……太子一种齐等……不急不缓……举其身足不着地三绕试场三于空旋为欲降伏其贡……	六十五、太子闲拳及（围）碁（双）六处

佛传故事画内容	佛传故事画榜题内容	"简子目号"条目录文
屏二十一 2　太子砍断七多罗树	时诸释……作是言……技能太子已腾……有诸释……斫多罗树……乃……已一下斫七多罗树而彼……作如是言……吹彼树倒时	六十六、太子砍树处
屏二十二 1　提婆达多扑白象，太子掷象成坑	时净饭王知其太子踊跃……白象璎珞庄严而作是言我息太子乘此白象……时提婆达多城外而入见此白象少许地走便以左手执……筑额一下而便倒地遂乃命终难陀复即以右手执彼……后次太子来过城外一拘……	六十七、提婆扑象处
屏二十二 2　太子迎娶耶输陀罗为妃	尔时大臣摩诃那摩见于太子一切技艺胜妙智慧最为上首而作是言唯愿太子受我忏悔我于先时谓言太子不能解多技不嫁女与我今知已愿受我女用以为妃即占良日而办具度以迎太子入宫时	六十八、邪输父迎请太子处
屏二十三 1　净饭王立三等宫供奉太子	尔时净饭大王为其太子……以拟安……入第一宫……初夜侍卫太子……第三宫……养太子其第一宫耶输陀罗最为上首以二万彩女时	第十四（卷）六十九、三殿侍奉太子处
屏二十三 2　摩伽陀国王令不可加害太子	尔时南方摩迦陀国有一大王名□连尼名频婆娑罗王畏怨□敌遣二仆人进看境界若过胜者即加除伐时彼二人至释迦……报王说是胜事王闻是已不起恶心而来加害于太子时	七十、频婆娑罗王遣二（人）巡外国处
屏二十三 3　作瓶天子以偈劝喻太子发心出家	……十年宫中受于五欲……察早应捐弃舍……偈喻劝太子时	七十一、作瓶天子惊悟太子处
屏二十四 1　太子出游东门遇见老人	尔时太子被作瓶天子神力出游大王以作游观具办太子欲出城东门是时作瓶天子于街巷前化一老人伛偻低头口齿疏缺须鬓如霜形容黑皱喘息速促乃至行步或倒或扶太子见已即问驭者答言此是老人太子即不向园游于还驾入宫时	七十二、东门见老处
屏二十四 2　太子出游南门遇见病人	尔时太子被作瓶觉悟欲出游观即召驭者严饰车马是时驭者严饰已讫太子即乘从南门出向园欲看尔时作瓶化作病人连骸困苦水注腹肿受大苦痛乃至叩头乞扶太子见已即问驭者以偈而答太子闻已即将不乐回驾入宫思惟而坐	第十五（卷）七十三、南门见病处
屏二十四 3　太子遣使告大王欲出西门▲	尔时太子出城游观既见病人还到宫后烦闷非常忽于一时思欲出于城西游观遂遣使人咨白大王时	

续表

佛传故事画内容	佛传故事画榜题内容	"简子目号"条目录文
屏二十四 4 太子出游西门遇见死人	尔时作瓶天子又觉太子欲令游观太子即召驭者令速驾宝车是时驭者装校车讫进上太子从西门出向于园林尔时作瓶天子化作一尸卧在床上众人舁行复以种种妙色叁衣张施其上作于斗帐别有无量无边姻亲哭泣乃至号酸哽难闻太子见已即问驭者不复更见死人太子闻说即回入宫时	七十四、西门见死处
屏二十四 5 太子出游北门遇见僧人	太子入宫经六日后作瓶又觉念欲游观即召驭者而□之言急严驾乘我欲入园驭者受教进好贤车太子坐车上从北门引驾而去作瓶天子以神通力去车不远于太子前化作一人剃除须发着僧迦梨偏袒右肩手执锡杖左掌擎钵在路而行太子白驭者言此是何人在于我前头面顶礼三匝围绕上车坐即敕驭者回还宫中	七十五、北门见僧处
		七十六、归宫愁烦思愿处※
屏二十四 6 净饭王严加禁卫宫城内外，防范太子出家	时时太子游北门……誓取涅……欲所有……益复于旧……置罗……复置无量兵车……使精牢又置无量百千……怨敌于城四外时	七十七、四门游已大王加娱乐人及守护处
屏二十五 1 迦毗罗城东门外置兵通夜持更	尔时……东门外安置五百勇健……车而自围绕复有宿老诸……守护别又置五百诸释侍官……皆带持铠甲各……	第十六（卷）七十八、五百力士守睡处
屏二十五 2 净饭王梦见帝释幢▲	漫漶	
屏二十五 3 净居天驾云至迦毗罗城使所有人民皆昏睡	漫漶	七十九、夜半出宫处
屏二十五 4 太子乘干陟马王腾空而去	尔时太子□坐于陟鞍上之时一切无量阿修罗众迦楼罗紧那罗摩睺罗刹众毗舍遮地居诸天及首陀会乃至阿迦尼咤天等随逐干陟马王而行是时诸天擎持白盖以众宝真珠罗网悬于其上擎持以覆太子之身导从而从空山去时	第十七（卷）八十、八部天龙迎从太子处

续表

佛传故事画内容	佛传故事画榜题内容	"简子目号"条目录文
屏二十六1 至毗邪罗门夜叉以大威力使开城门无声	尔时太子从宫出已安详而至毗耶罗其城门边有夜叉将名曰善入共五百夜叉眷属既见太子相谓言今此太子夜半非时来向门下必有异事我等可为太子开门随彼称意东西行动是时夜叉急疾开城门其门已前开关之时其声鸣彻至半由旬以大威力此时无声	八十一、至毗邪罗门处
		八十二、波旬为难处 ※
屏二十六2 虚空中诸天引导太子而行▲	漫漶	
屏二十六3 太子至弥尼迦跋伽婆仙人处歇息	漫漶	八十三、至弥尼迦聚落下歇处
屏二十六4 太子解宝冠交车匿还父王干陟马王舐太子足	尔时太子以妙言语告车匿已即以手解天冠头髻无价摩尼之宝付与车匿作如是言汝将此宝还于我父启白令除一切愁苦复好为我以咨启父王尔时车匿闻于太子如是语已即抱太子于两足下遍体热恼满面流泪而啼哭时	第十八（卷） 八十四、太子告车匿交回处
		八十五、干陟太子前悲鸣处
屏二十六5 太子索刀割发	尔时太子从车匿边执取摩尼杂饰庄严七宝把刀以右手执刀左手揽捉螺髻之发右手自持利刀而割以右手掷置于空中时天帝释以稀有心生大欢喜捧太子髻不令堕地以天妙衣承受接取将上天宫烧香散花而供养	八十六、从车匿索刀截发处
屏二十六6 净居天化作净发师为太子净发	尔时净居天众去于太子不近不远于须曼那华下一净发师执利刀不远而立太子见已谓言为我净发已不彼答言能为民之师即剃太子无见顶相绀螺髻发时帝释天所落一髻不令坠地以天衣承之将向三十三天而供养之因立节名即供养菩萨发髻冠节至今不断	八十七、化人来净发处
屏二十七1 太子欲换猎师所着袈裟	尔时太子剃发既讫观于体上犹有天衣念言谁能与我袈裟时净居天作猎师身着袈裟手执弓箭至太子前默然而住太子见已即如是言山野仁者汝能共我相德（得）衣不猎者能尔时太子即脱天衣以德（得）袈裟时	八十八、逢着袈裟猎师处

佛传故事画内容	佛传故事画榜题内容	"简子目号"条目录文
屏二十七 2 太子换袈裟	时猎师报菩萨言善哉仁者我今与汝实不吝惜是时化人即与菩萨袈裟之衣从菩萨取迦尸迦衣价数值于百千金者复以种种栴檀所熏菩萨尔时心大欢喜受袈裟衣深自庆幸即脱身上迦尸迦衣与彼猎师时	八十九、脱天衣换袈裟处
屏二十七 3 猎师取太子衣至梵天供养	尔时所化之人从……取迦尸迦……虚空……菩萨……见已生大欢喜于此袈裟……	九十、化人上腾处
屏二十七 4 车匿与干陟马王泣别太子回城	尔时菩萨遣车匿还流泪满面以送车匿是时车匿啼泣而还时车匿既见菩萨不肯还家号天而哭投身扎地良久乃起以其两手抱干陟项悲咽嚘哽良久哭已观见菩萨心竟不回将诸璎珞并牵马王回还于城时	九十一、太子送别了车匿抱干陟项哭处
屏二十七 5 迦毗罗城人民不见太子回还而悲泣	尔时车匿将马干陟辞别太子回还归至迦毗罗城是时人民遥见车匿及马王来不见太子问言太子今在何处车匿啼哭不能得言是彼人民悉悉悲啼随逐车匿及白马行如是乃至邀问再三车匿啼泪满面太子出家愿作在山修行事	九十二、车匿回见迦毗罗城人处
屏二十七 6 净饭王与姨母波阇波提不见太子回还而惊怖闷绝	尔时干陟马王及车匿等到净饭王宫时彼大王以（与）摩诃波阇波提及瞿多弥既见太子髻裹明珠伞盖横刀并摩尼宝庄严绳拂自余璎珞干陟马王及车匿等不见太子即问车匿悲哽而答太子出家之事 尔时大王及大王后问是语已即举两手心惊怖裂口大唱言呜呼我子流泪满面遍体战栗然忽闷绝身擗倒仆宛转地中犹如鱼出于水在于陆地乃至宫人彩女耶输陀罗等悉复如是	九十三、入到大王前处
屏二十七 7 菩萨至毗耶离跋伽婆仙人处	尔时菩萨从阿尼弥迦聚落渐欲向于……仙居聚名跋伽婆菩萨入……罗门仙行住坐卧或手执持随威……爱乐尊重……远遥闻菩萨……	第二十（卷） 九十四、太子从阿尼弥聚落向毗邪离中路逢山坐处
屏二十八 1 菩萨至阿罗逻仙处听偈	尔时菩萨从跋迦婆仙人居处渐渐来至阿罗逻边其阿罗逻仙人遥见菩萨近来见已不觉大声唱言善来圣子菩萨前至阿罗逻所二人对面相共问讯少病少恼安乐已不相慰问讫其阿罗逻请菩萨坐草铺之上即为菩萨说偈	第二十一（卷） 九十五、从彼山趣阿罗逻处

佛传故事画内容	佛传故事画榜题内容	"简子目号"条目录文
屏二十八 2 菩萨至般茶婆山坐树下思维	尔时菩萨渐渐向至般茶婆山到已于彼山麓间求平正处于一树下跏趺而坐端身住心正念不动譬如有人头上火燃急疾速减而掷于地是时菩萨心求断除烦恼边际亦复如是尔时菩萨内心思惟我于何时当得散此大烦恼聚乃至证成大菩提缘	第二十二（卷）九十六、渐渐至般茶婆山思愿誓证菩提处
屏二十八 3 菩萨至伽耶城六年苦行日日受提婆婆罗门供奉之食以活命	尔时菩萨从般茶婆山……至伽耶……修胜苦行乃至到于提婆……菩萨生欢喜故即于彼边六年之中日……豆等羹持用活命是时菩萨受食	第二十四（卷）九十七、象头山提婆婆罗门所六年间日不受绿赤等豆而食修道处
屏二十八 4 菩萨六年苦行后欲求好食善生村主女为菩萨奉乳糜	尔时菩萨六年既满欲求好食时有一天即告善生村主女二女闻已速疾集聚一千犊牛而构乳取转更将饮五百悖牛更别日构此五百牛乃至构取五百牛乳着子一分净好粳米煮乳糜时彼二女煮乳糜现十八种稀有之相尔时菩萨从善生女边受取乳糜已而从彼处趣尼连河而过时	第二十五（卷）九十八、善生村主女煎乳处
屏二十八 5 菩萨入尼连河澡浴	尔时菩萨……至尼连河岸……得食……澡浴……渡彼水为……菩萨过	九十九、尼连何沐浴处
屏二十八 6 菩萨食毕乳糜掷金钵于河中金翅鸟王从龙王边夺取金钵向忉利天供养	尔时彼河主有一龙女手执妙茎提奉上菩萨坐已取彼二女乳糜而食讫以金钵器弃掷河中时诸龙王生大稀有希特之心执彼金器拟欲向宫释提桓因比作金翅鸟王从海龙王边夺取金钵向忉利天恒自供养三十三天至今不绝置立钵节而供养	一百、海龙王争钵处
屏二十九 1 菩萨受刈草人之草	尔时菩萨食乳女渐向菩提树时思惟我今至此道场欲作何座即自觉知应坐草上白言如是时帝释天化割草人不远不近右边而立菩萨见已至彼问汝名字何彼人报言我名吉利菩萨闻已思惟我今欲求吉利此名吉利我当于彼边受草将向菩提树下行时	第二十六（卷）一、行至刈草人处
屏二十九 2 青雀诸鸟从十方飞来和五百童男童女悉来供养菩萨	尔时菩萨持草行时中路忽有青雀从十方来之菩萨三匝讫已随菩萨行又有五百拘翅罗鸟五百孔雀五百白鹅鸿鹤鸟等……并皆从十方而来乃至右绕讫是时复有五百童男童女悉来供养	二、中路逢鸟雀及天人

续表

佛传故事画内容	佛传故事画榜题内容	"简子目号"条目录文
屏二十九 3 菩提树下夜叉告魔王菩萨入境	尔时菩萨向……见菩萨……来遂告同伴……语汝……我……（魔）王边咨往昔……等……圣今复更有精（进）……	三、菩提树下逢夜叉处
屏二十九 4 菩萨于菩提树下降魔	尔时菩萨临欲至菩提树侧是时其地自然扫除清净严丽可熹端正是时菩萨左手取彼一把草树东面立掷于地上其草自然不乱不倒是时菩萨见是吉祥之瑞相已口作是言如我今日所掷之草应乱不乱此吉祥相表我在于乱世间中必定当证不乱之法菩萨如是掷草铺已地六种震动尔时菩萨绕彼树三匝讫已跏趺而坐身心端直卓然不动口三唱言我证甘露复发誓言我座此座一切诸漏若不除尽一切心不能解脱我终不于此座而起尔时魔王波旬闻赤眼报已及见地动即将眷属及盗种精锐兵众悉令带甲执持□杖复以种种异形别状诸恶鬼神欲拟逼恼于菩萨故来到树下尔时魔王尽其威力胁菩提树不能惊动菩萨一毛如是波旬以诸兵众鬼神皆悉退散失脚东西而驰走时	第二十七、八、九（卷） 四、升座降魔处
屏二十九 5 菩萨现种种神通	……身通受于……出没虚空……如飞鸟或于烟……于梵天时	（应第三十卷） 五、现神通种种处
		（应第三十二卷） 六、四天王献钵处 ※
屏三十 1 神树（树神）劝商主向世尊奉食▲	尔时世尊从（菩）提树去至出乳钵跏趺坐意欲思食尔时从北方有商主共诸商人多有财宝从中天来彼等商主当有……时此树神谓商主曰此处有如来世尊出于世在此树下寂然而坐汝等即将麦酪蜜和奉上所食必成商主奉食	
屏三十 2 娑婆世界主大梵天王劝请世尊为众生转大法轮	尔时娑婆世界主大梵天王在于梵宫遥见世尊发如是心犹如壮士屈申臂顷从彼天宫隐身下来至世尊前顶礼佛足却住一面合掌向佛再三以偈重说请佛为众生转大法轮时	（应第三十三卷） 七、娑婆世界主请转法轮处
屏三十 3 世尊受请为众生开甘露法门	尔时世尊问梵天劝偈已为众生故起慈悲心以佛眼观一切诸世佛观已见诸众生生于世间或有利根或有钝根如是乃至或有易化或易得如是知已即向娑婆世界主大梵天王说欲与开一切众生甘露法门	八、受请思转法轮处

续表

佛传故事画内容	佛传故事画榜题内容	"简子目号"条目录文
屏三十 4 世尊思维阿罗逻迦罗等福薄不闻其法	尔时世尊如是思念谁能不违我意说法而知法体罗迦罗摩子结薄根熟时有一天在空中出声言其命终来已经七日后见优陀摩子如是乃至阿罗逻子所已尔时世尊如是思惟呜呼呜呼汝何薄福不闻我法	九、知阿罗逻等命终经七日处
屏三十 5 世尊寻见五仙	尔时世尊……寻见……遥见……至其边其俱邻……所作是言我等……作是言已俱邻不觉引……时	十、寻得五俱轮（邻）处
屏三十 6 世尊教诲五仙，五仙衣服改成僧衣形如僧人	尔时世尊即以偈教诲彼五仙彼仙所有外道之形及意藏等皆隐不现身上所著之服即成三衣手执钵器头发髭须自然除落犹如剃来经于七日威仪即成形容……犹如百夏大比丘众而无有所别尔时世尊见如是相即便更为再重教诲时	十一、俱轮（邻）等衣服改为僧处
屏三十 7 世尊化现五百师子高座	尔时世尊以俱邻等□□论十二因缘自思念当坐何座实时于地而现五百师子高坐世尊见此五百座已即发敬心以敬过去诸世尊故三匝围绕三高座已至第四座即升其上跏趺而坐譬如师子无所怖畏无所惊动即于……时	第三十四（卷） 十二、化五百师子座处
屏三十 8 世尊思念过去诸佛依四圣谛十二因缘而转无上法轮	尔时世尊座上思念过去诸佛于四圣谛次第三转十二种相因缘而转无上法轮即于箕宿月初十五日内十二日昊过半人影当如是时名难胜北面而坐合于鬼宿及房宿时即转无上清净法轮而渡俱邻等大比丘	十三、得四谛十二因缘处
屏三十一 1 世尊教耶殊陀出家学道	尔时世尊命耶珠陀罗（应删"罗"）善男子汝种善根来于我前于我教自出家学道修其梵行正尽诸漏得出家已受我为僧是时世中得七阿罗汉世尊五俱邻邪殊等	（应第三十五卷） 十四、度邪输出家处
屏三十一 2 伊罗钵离龙王等闻二偈文无人能解	尔时大海之内有一龙王名伊罗钵离释迦如来授记彼龙王于当来有佛出世□释迦……思此□为龙众说□于一□说夜叉言受记之事夜叉答曰我宫之内有二偈不曾……	（应第三十七卷） 十五、见大海龙王处？
屏三十一 3 世尊向龙王夜叉说二偈文	尔时世尊见伊罗钵离王及夜叉王摩那婆已及闻此等偈闻一一与佛解说□□龙王闻佛说法欢喜非常不能自胜说俗往昔受记之事今见世尊愿度于汝作大比丘	（应第三十八卷） 十六、龙王等闻法处？

佛传故事画内容	佛传故事画榜题内容	"简子目号"条目录文
屏三十一4 世尊度千二百阿罗汉	尔时世尊度千二百阿罗汉比丘见有舍卫国臣须达长者及祇陀太子布金买树挂银钱造立伽蓝诸佛说法尔时如来于此寺说三乘教度脱人天今言常住金田由缘因时	（应第四十二卷）十七、度二千五百罗汉处
屏三十一5 世尊在灵鹫山说法	尔时世尊在灵鹫山说法华经等令其听众悟于大得大利益未解脱者而证解脱未出离者而得出利（离）未得乐者而令得乐未发心者悉使发心乃至而发于菩提	十八、灵山说法处
屏三十一6 不详	漫漶	

说明：1.第61窟佛传故事画共由33扇屏风组成。

2."屏一1"表示：屏风画的编号从南壁开始，由"屏一"至"屏九"，接转西壁"屏十"至"屏二十四"，再转北壁"屏二十五"至"屏三十三"；每一扇屏风内有几处榜书，编号为1、2、3……，参见本文附录一。

3."▲"记号表示此壁画内容与《简子目号》不合。

4."※"记号表示此《简子目号》条目没有被佛传故事画采用。

6."()"内的字表示对前面字义的补充。

5."□"内的字表示为未被确认的字。

7.标点为笔者所加。

◈ 从敦煌莫高窟和藏经洞文物看古代中国与日本的（佛教）文化交流

[图1]
日本福冈志贺岛
汉委奴国王 金印

中国和日本交往源远流长。据司马迁《史记·秦始皇本纪》记载："（始皇二十八年）齐人（徐福）等上书，言海中有三神山，名曰蓬莱、方丈、瀛洲，仙人居之。请得斋戒，与童男女求之。于是遣徐福发童男女数千人，入海求仙人。"后人大多认为徐福东渡之地就是日本。约在两汉时期，中日两国开始了正式交往。《后汉书·东夷传》明确记载："光武中元二年倭奴国奉贡朝贺，光武赐以印绶"之事；日本江户时代的天明四年（1784年），在日本福冈附近志贺岛发现的"汉委奴国王"金印也证明了史籍所载的史实[图1]。

据《魏志》《晋书》《宋书》等记载，三国两晋、南北朝时期，中日两国继续相互往来。据记载，早在中国南朝萧梁时期的522年（日本继体天皇时期），司马达等从中国到日本，并在大和国高市郡坂田原安置佛像。538年（日本钦明天皇七年），百济王将金铜释迦佛像、经典等赠送给日本天皇。这一年被学术界公认为是佛教和佛教艺术传入日本的确切年代。隋唐时期，日本曾多次派遣"遣隋使""遣唐使"到中国，特别是630～894年（日本奈良朝和平安朝前期）遣唐的"学问僧"和"还学生""还学僧"等通过入唐学习，将包括唐代佛教经籍和佛教艺术在内的以长安佛教文化为主的各种文化带回日

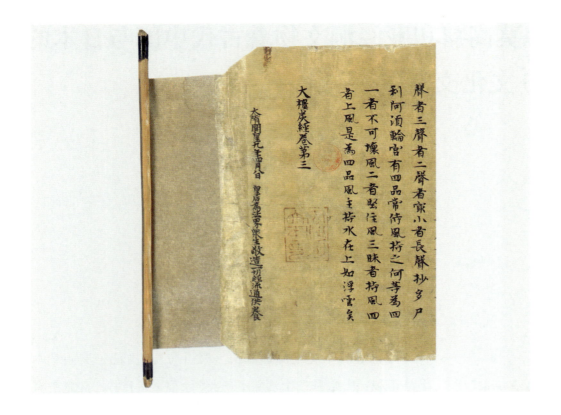

〔图 2〕
P.2413《大楼炭经》
莫高窟藏经洞出土

本，对中日文化交流发挥了极其重要的作用。可以说，唐代进入中日两国文化交流的兴盛期，是以佛教文化的交流为代表的。

中日佛教文化交流进入鼎盛之时，敦煌石窟的营造也进入了黄金时期。隋唐之际，莫高窟已成为丝绸之路上一处重要的佛教圣地。这一时期，敦煌佛教还受到来自中原朝廷的关注和影响。如601年，隋文帝杨坚颁发《立舍利塔诏》；《隋书·高祖纪》载，长安静法寺高僧智嶷奉诏，送舍利至瓜州崇教寺（即莫高窟），之后就此留在敦煌弘法，史载他曾在莫高窟起塔。莫高窟藏经洞还出土了隋唐中央王室传来的写经，如P.2413《大楼炭经》〔图2〕写于隋开皇九年（589年），尾题"皇后为一切法界生敬造一切一切经流通供养"。又如日本大阪杏雨书屋所藏的原天津李盛铎旧藏的敦煌藏经洞出土的咸亨三年（672年）写《金刚般若波罗蜜经》一卷〔图3〕、上元二年（675年）写《妙法莲华经》一卷、上元三年（676年）写《妙法莲华经》三卷、仪凤二年（677年）写《妙法莲华经》一卷，共6件珍贵的有明确题记的唐代宫廷写经。敦煌藏经洞出土的晚唐或五代《沙州乞经状》，说明在晚唐或五代之前中原朝廷曾向沙州（即敦煌）颁赐过《开元录·入藏录》，而《沙州乞经状》是在晚唐或五代时又一次向中原朝廷乞经。不仅仅以上的敦煌的写经来源于中原，而据学者研究，藏经洞出

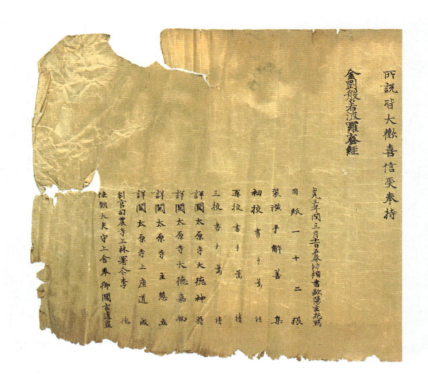

〔图3〕
《金刚般若波罗蜜经》
莫高窟藏经洞出土

土的佛教文献的写本，基本上反映了中国佛教大藏经写本阶段的实际面貌，与中原佛教是一致的。这一事实进一步说明，敦煌的佛教与这一时期的日本佛教一样，也受到了长安佛教文化的影响。这一点，也在敦煌壁画和日本现存的佛教文物上有较为清晰的反映。特别是飞鸟时代以后的奈良时代（710～794年），首都平城京（今奈良）的佛教建筑、彩塑、绘画也呈现出与敦煌莫高窟唐代佛教艺术接近或相似的现象。

　　以下试就敦煌莫高窟彩塑和壁画，与日本奈良朝到平安朝初期文物的比较分析来看中日文化交流。

一、从莫高窟彩塑、壁画艺术看飞鸟、奈良、平安朝时期的中日佛教文化交流

　　（一）日本接受了佛教之后，飞鸟时代（593～694年）的一些佛教艺术与敦煌莫高窟北朝时期佛教艺术之间呈现出了一些相似之处。如：日本法隆寺金堂内释迦三尊像中的主尊释迦像为结跏趺坐，作说法印，通肩袈裟下垂的多层衣摆（这种衣摆样式，在日本被称为"裳悬座"）〔图4〕，与莫高窟北周第428窟

图 4

图 5

图 6

〔图 4〕
日本奈良法隆寺金堂
释迦三尊像

〔图 5〕
敦煌莫高窟第 428 窟
（彩塑）主尊释迦像

〔图 6〕
敦煌莫高窟第 419 窟
（彩塑）主尊释迦像

和隋代第 419 窟彩塑主尊释迦像的坐姿、手印和袈裟下垂的多层衣摆样式接
近〔图 5、6〕；京都广隆寺灵宝殿的半跏坐弥勒菩萨造像〔图 7〕，与莫高窟北魏第
257 窟中心方形塔柱的彩塑弥勒菩萨像〔图 8〕的坐姿、手印和风格相似；法隆寺
五重塔内的彩塑结跏趺坐菩萨像的发式、衣着和面相，与莫高窟唐代第 79 窟
彩塑胁侍菩萨像、第 328 供养菩萨像非常相似；东大寺戒坛院彩塑四天王像的

图7

图8

〔图7〕
京都广隆寺灵宝殿
半跏坐弥勒像

〔图8〕
莫高窟第257窟
弥勒像

造型、头髻、服饰和脚下所踩地神等诸特征，与莫高窟唐代第窟45、46窟的彩塑天王像十分接近。

（二）日本奈良法隆寺金堂壁画的说法图〔图9〕，与莫高窟唐代贞观十六年（642年）第220窟东壁的说法图〔图10〕比较接近；金堂壁画中飞天〔图11〕的轻盈优美的飞舞姿态，与莫高窟盛唐第321窟佛龛龛顶绘画飞天〔图12〕相似；当麻寺的大幅曼陀罗〔图13〕，即观无量寿经变（此经变为奈良时代所画，只有部分被后代重绘），画面以中央阿弥陀佛说法会为中心，两侧对联式条幅上下分格绘画"未生怨""十六观"的内容，下部左右分格绘画"九品往生"的内容，其画面布局、构图和内容，与莫高窟唐代盛唐第171窟的观无量寿经变〔图14〕相一致。著名的法隆寺玉虫厨子，其下部台座的一个侧面有《舍身饲虎》图〔图15〕，尽管此图有较强的装饰性，但萨埵太子站立在山上、纵身跳下、母虎和7只幼虎扑向躺在地上的萨埵太子身上啖食其肉的情节，与莫高窟北魏第254窟的萨埵太子本生壁画〔图16〕的前三个情节相同，而两者内容都没有释迦救母子，也没有国王与王后出游及萨埵升天后劝父母的情节，又都是母虎生产了七只幼虎，说明两者同据《金光明经》绘制。

紧接奈良时代的平安时代（794～1185年），都城为平安京（现京都）。这

图9

图10

图11

图12

时的日本文化逐渐本土化，又不断地吸取中国文化的成就，建于1053年的京都宇治市平等院凤凰堂就是一例。凤凰堂整体建筑的平面似一只展翅飞翔的凤凰。中堂为凤身，面阔三间，进深两间，重檐歇山顶；两翼各为凤翅，各伸出四间重檐的廊子；廊子两端又向前再伸出两间，形成厢房，在折角处加一个攒尖顶；后面为凤尾，建有7间廊子。该建筑三面环水。凤凰堂中堂中央供奉阿弥陀佛主尊；主尊身后的壁画为一幅阿弥陀净土图；中堂前壁扉门，左、右两壁的门和板壁，及净土图之后的板壁，分别绘出观无量寿经变中"九品往生"的九个"品"往生阿弥陀西方极乐世界的内容；进入尾廊的扉门绘有观无量寿经变"十六观"中的"日想观"。凤凰堂整个建筑表现了阿弥陀净土宫殿宝池的意境。凤凰堂建筑"主要在它们布局形制的独创性，至于建筑本身，平行梁架构和以'间'的并列为基本模式的空间组合，依然中国式的"。"九品往生"来迎图，用辽阔的青绿山水作背景，以衬托佛、菩萨等群体来迎时热烈、欢乐

〔图9〕
日本奈良法隆寺金堂
阿弥陀净土 说法图

〔图10〕
莫高窟第220窟
说法图

〔图11〕
日本奈良法隆寺金堂
飞天

〔图12〕
莫高窟第321窟 飞天

图13

图14

〔图13〕
日本奈良当麻寺
曼陀罗

〔图14〕
莫高窟第171窟
观无量寿经变

图15

图16

的气氛，画面的山水与人物相互结合浑然一体。特别是作为背景画的佛、菩萨身后的山水，给人以人在山上行、山在飞云中的感觉。从绘画技法和色彩运用上看，无论是人物描绘还是山水渲染，都显得灵动而娴熟。乍看是承自"唐风"的青绿山水，但仔细再看，又给人以"和风"习习之感。这是日本画的独特创新，而画面的青绿山水和佛、菩萨等人物形象，依然可看到吸取唐画的痕迹。可以说"九品往生"来迎图是日本本土山水画和传自中国唐风佛画的完美结合。敦煌莫高窟初盛唐时期的第431窟和第171窟所绘的"九品往生图"，形象地反映了当时净土信仰描绘的"临终念佛，阿弥陀佛现前来迎和随佛往生"的场景。日本奈良时期的当麻寺和平安时期平等院凤凰堂绘画的"九品来迎图"，也同时表现了"阿弥陀来迎和随佛归去"的场景。另外，被日本尊称为"大和尚"的鉴真和尚东渡日本后，于759年在奈良建立唐招提寺，成为日本律宗的总院，是传戒的中心。现存唐招提寺金堂是一座面阔七间、进深四间、八架椽、四注顶（庑殿顶）的大型佛殿，完全模仿唐代建筑，风格大方平和。与敦煌莫高窟盛唐第217窟北壁、第172窟北壁的大幅壁画观无量寿经变中的佛殿建筑十分接近。

从奈良朝到平安朝初期，学问僧从中国带回的佛教典籍几乎包括了唐代佛教各大宗派的重要经典。进入平安朝时代后，日本流行天台、密宗信仰，出

〔图15〕
日本奈良法隆寺玉虫
厨子
舍身饲虎图

〔图16〕
莫高窟第254窟
萨埵太子本生

现了以创立日本天台、密宗著名的所谓"入唐八大家"——最澄、空海、常晓、圆行、圆仁、惠运、圆珍、宗睿等著名学问僧，他们从中国带回许多天台宗、密教的佛典和佛画。

空海（774～835年），日本真言宗（密宗）创始人，有"弘法大师"的称号。他于贞元二十年（804年）入唐，遍访各地高僧，从长安青龙寺的密宗大师惠果学密教。空海806年回国，从唐带回新译佛经等142部240卷，其中118部150卷，全是密教大师不空三藏的新译本；带回梵文《真言仪轨赞》等42部44卷；论疏章32部170卷。空海在《御请来目录》中写道："真言秘藏，经疏隐密，不假图画不能相传，则唤供奉丹青李真等十余人，图绘胎藏、金刚界等大曼陀罗等十一铺。"他带回了曼陀罗五幅及密教大师开元三大士金刚智、善无畏，及惠果、一行等五位祖师的真影（写真）、真言道具等物。日本学者木宫泰彦认为"这些（指佛画）对于平安朝以后的佛画似乎有很大影响"。据空海的《性灵集》卷七《奉为四恩造二部大曼陀罗愿文》载，弘仁十二年（821年）他将唐朝带回的两界大曼陀罗佛画又请人绘画，藏于京都教王护国寺；又在淳和天皇的天长年间（824～833年）为天皇和国家的安宁，请画家描绘两界大曼陀罗，完全模仿了唐朝的画风，现藏于京都神护寺。而位于京都的仁和寺，由日本第59代宇多天皇于仁和四年（888年）建成，寺号同天皇号，故称仁和寺。有1000千多年历史的仁和寺，现为真言宗御室派总本山，世界文化遗产。该寺收藏有《金刚界九会大曼陀罗》与《大悲胎藏大曼荼罗》佛画。仁和寺收藏的两界曼陀罗佛画，被日本"大正新修大藏经刊行会"编入《大正藏》图像第一卷，昭和八年（1928年）出版发行。

唐大历十一年（776年），涵有《金刚界九会大曼陀罗》与《大悲胎藏大曼荼罗》尊像内容的千手千眼观音菩萨经变壁画，首次绘于莫高窟第148窟前壁门的上部。经变中央主尊画千手千眼观音菩萨，主尊两侧上部画嬉、鬘、歌、舞内四供养菩萨和花、香、灯、涂外四供养菩萨。经变中的内四和外四供养菩萨图像，分别与日本仁和寺版《金刚界九会大曼荼罗·成身会》第26～29图嬉、鬘、歌、舞内四供养菩萨、及第30～33图花、香、灯、涂外四供养菩萨的形貌、动态和印契特征相近。该经变主尊千手千眼观音两侧下部还画婆薮仙和吉祥天两胁侍菩萨，其图像特征分别与日本仁和寺版《大悲胎藏大曼荼罗·虚空藏院》第139、140图相近。该经变主尊两侧下部还画伊舍那天神、水天神、火天神、风天神等四个护法神，其图像特征分别与日本仁和寺版《大悲胎藏大曼荼罗·外金刚部院》第372图、307图、207图、318图相近。上文阐述中引用的仁和寺版《金刚界九会大曼荼罗》和《大悲胎藏大曼荼罗》与空海撰《秘藏记》有关系。在《大正藏·图像》第一卷之《〈金刚界九会大曼荼罗〉仁和寺版》题目之旁有"校者曰，三十七尊、二十尊名依《秘藏记》"记载；《〈大悲胎藏大曼陀罗〉仁和寺版》题目旁有"校者曰，图像尊名依诸说不同记。"《秘藏记》乃空海入唐时记载金刚界和胎藏界两大曼陀罗佛画的著作。《秘藏记》现为京都高山寺藏本。《中日文化交流史》中记载："圆仁在扬州和长安求得胎藏、金刚两部曼陀罗诸尊坛样竟达四十余种。"莫高窟第148窟建于776年前后，此窟之前所开洞窟无这些密教题材，受中原影响，唐王朝扶植三大士的时间和其影响；仁和寺藏金刚·胎藏为888年建成，入唐八大家带回金刚界与胎藏界两大曼陀罗有关。可见，敦煌与仁和均来源中国中原或长安。上述的阐释说明，莫高窟第148窟千手千眼观音菩萨经变与日本空海在仁和寺藏金刚·胎藏曼陀罗之间的联系。

最澄、圆仁可谓日本天台宗的两位"开山祖师"。日本佛教天台宗山门派创始人圆仁（793～864年），15岁登比睿山师从最澄（767～822年）学天台教义。唐开成三年（838年）入唐。本打算赴天台山巡礼，但未得皇帝敕许。在扬州开元寺就宗睿学习梵语，从全雅受金刚界诸尊仪轨等大法。后得机会巡礼五台山，于大华严寺、竹林寺从名僧志远等习天台教义，抄写天台典籍等，后到长安又师从宗颖习天台止观，在大兴善寺元政、青龙寺法全、义真等处习受密法。于宣宗大中元年（847年）携带佛教经疏、仪轨、法器等回国，深得天皇信任。于比睿山设灌顶台，建立总寺院，弘传密宗和天台宗教义。他继最澄之后大力弘扬天台思想，使日本天台宗获得很大发展。在与汾州头陀僧义圆同游五台山，到太原后，义圆请画博士画《五台山化现图》送与圆仁，并说："今画化现图一铺奉上，请将归日本供养……同生文殊大会中。"当时的画样现今已无法知其内容与样式，但敦煌壁画中保存的唐、五代、北宋时期的数幅《五台山图》，特别是五代绘画的第61窟的《五台山图》，不仅展示了其中的一种样式，还保存了有关天台宗的竹林寺、佛光寺、法华寺的形象，以及佛陀波利与文殊菩萨会见的图像，从中也可得知中国《法华经》信仰以及天台宗，对日本古代佛教文化影响与贡献的消息。

（三）奈良正仓院为日本皇室贮存宝物的宝库，创建于圣武天皇逝世之后不久（756年）。其收藏的皇室珍品，多来自中国的唐代和朝鲜半岛的新罗、百济。反映唐代文化的大量实物得以保存至今，弥足珍贵。中日文化交流史学家傅芸子先生，在20世纪30年代曾有机会仔细地考察正仓院，事后参考中日古籍，对所见宝物做了考证和记录，撰写了《正仓院考古记》（以下简称《考古记》），是探讨研究正仓院文物与中日文化交流史的重要参考材料。如《考古记》记载，南仓下西棚存有："'墨画佛像'一帧，最堪注意，此帧通称'麻布墨画菩萨像'〔图17〕，盖于方一米之麻布上白描跌坐菩萨一尊，墨线飞动，用笔至为超妙，而衣带飘举，其势圆转，有如郭若虚所称吴道子'吴带当风'之妙者。"伊势专一郎氏曾据此像质疑"白描之始于吴道子，可见此帧在绘画史上重要"。与图示莫高窟唐代第217窟西壁佛龛顶部所绘菩萨〔图18〕的形态、线条和风格类似。又据《考古记》记载，北仓下北棚，"原粘有鸟毛，今皆剥落，惟遗墨画美人及树石而已。……所画美人，颐丰体硕，俨如周昉所绘之仕女图。翠钿眉间靥上，胭脂红润双颊，尤形浓艳之致"，这种屏风图式，与今陕西省长安县唐墓壁画上的"六屏式侍女"十分相似。莫高窟盛唐第130窟甬道壁画中的都督夫人、第45窟南壁壁画中的妇人、晚唐第17窟北壁壁画中的近事女，也是颐

图17

图18

[图17]
麻布墨画菩萨像
正仓院藏墨绘菩萨像

[图18]
莫高窟第217窟西壁
佛龛顶部菩萨

丰体硕的仕女图。《考古记》中还载，"《最胜王经》帙，帙紫地，黄色唐花草文锦边，左右作二团纹，中为迦陵频伽，缘以葡萄唐草图案"。而正仓院经帙，与莫高窟藏经洞出土的经帙，形式完全相同。同样，据《考古记》记载，北仓北棚保存有"御书凡三卷计……以上三卷俱用白麻纸书，与敦煌发见之古写经用纸相同"。而正仓院保存的色麻纸，与藏经洞出土的唐代P.3788《妙法莲花经》《说苑·反质篇》写经纸几乎一样。又如长柄香炉，据《考古记》记载，南仓中棚"见长柄香炉五点，此种香炉即鹊尾香炉，吾人尝于元魏、北齐诸造像及西陲发见之佛教绘画中见之……敦煌绘画中，如斯坦因所获之引路菩萨图，其菩萨亦执此式香炉，导一妇人归向净土"，正仓院所藏柄香炉和藏经洞出土的引路菩萨手持之柄香炉形制十分相似。正仓院实物还保存有大量的乐器实物。日本学者将其中的乐器分为弦鸣、气鸣、革鸣、体鸣四类，有四弦琵琶、五弦琵琶、阮咸、箜篌、筝、和琴、新罗琴、琴、瑟、七弦乐器；横笛、尺八、箫、笙、竽、腰鼓、方响等18种75件乐器。中国学者将敦煌壁画图绘乐器分为弦鸣、气鸣、打击三类，有四弦琵琶、五弦琵琶、葫芦琴、阮咸、弯头琴、琴、筝、卧箜篌、竖箜篌、凤首箜篌、胡琴；横笛、凤笛、异型笛、竖笛、竽篥、排箫、笙、角、贝、埙；腰鼓、毛员鼓、都昙鼓、答腊鼓、

图19

图20

羯鼓、檐鼓、齐鼓、鸡娄鼓、手鼓、扁鼓、节鼓、鼗鼓、大鼓、军鼓三十五
种6000多件乐器。通过正仓院和敦煌莫高窟两处乐器的比对，其中至少有四
弦琵琶、五弦琵琶、阮咸、竖箜篌、筝、横笛、笙、腰鼓、方响等等有相近特
征。如图示正仓院的螺钿紫檀四弦琵琶〔图19〕、螺钿紫檀阮咸、竖箜篌，分别
与莫高窟第112〔图20〕、172窟壁画乐队中的四弦琵琶、阮咸、竖箜篌较为接近。

〔图19〕
正仓院螺钿紫檀琵琶

〔图20〕
莫高窟第112窟琵琶

二、从敦煌藏经洞发现的艺术品、文献以及奈良朝、平安朝初期 日本学问僧带回的中国佛典和佛画看这一时期的中日文化交流

继圆仁等入唐学习前辈巡礼五台山之后，日本学问僧奝然于北宋雍熙元年
（983年）"渡海入唐，（984年）诣五台山，礼文殊之现瑞"（日本《成算法师
记》）。巡礼五台山时得到骑狮子文殊菩萨像的印本，现存京都清凉寺[1]。敦煌藏
经洞出土了一批印有"五台山中文殊师利大圣真仪"发愿文印本（现分藏于东
京、伦敦、巴黎、圣彼得堡、北京等地）。奝然所得印本与藏经洞出土印本刻
印的中央骑狮文殊菩萨、两侧侍立牵狮的于阗国王和善财童子的图像，几乎完

1　（日）塚本善隆：《奝然请到日本的释迦佛像胎内的北宋文物》，《现代佛学》1957年第11期，15～19页。

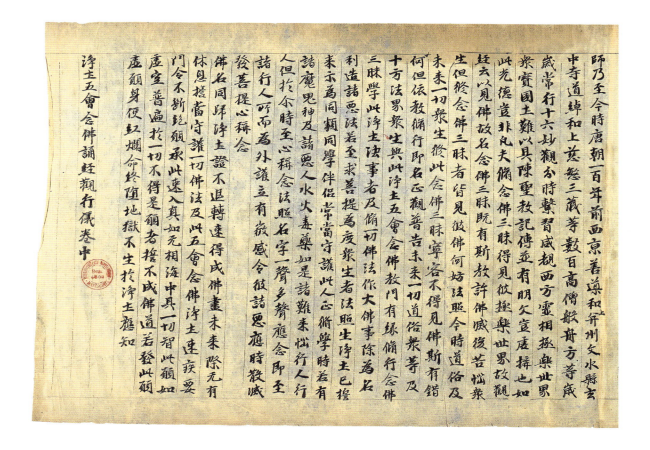

師乃至今時唐朝一百年前西京善導和尚并州文水縣玄
中寺道綽和上慈愍三藏等數百高僧皆方等歲
歲常行十六妙觀此時繁習觀西方靈瑞撝此世界
衆寶國土難以具陳聖教記傳並有明文宣唱斯此如
此先德意非凡夫備念佛三昧得見彼做挺樂此界故觀
經云以見佛故名念佛三昧既有斯教許佛滅後苦悩衆
生但終念佛三昧者皆見彼佛何妨法照今時道俗及
未來一切衆生從此念佛三昧寧容不得見佛斯有錯
何但依教俻行即念佛正觀普告未來一切道俗等及
十方法界衆生與此淨土五會念佛教門有緣俻行念佛
三昧學此淨土法事者已擅念佛故作大佛事除爲名
利造諸惡法著至求菩提爲度衆生者法照生淨土已擅
未末爲同類同學伴侶常當守護此人正循學時若有
諸魔思神及諸惡人水火毒藥如是諸難未悩行人行
人但於余時至心稱念法照名字一聲多聲應念即至
諸行人所而爲外護立有微感令彼諸惡應時殺滅
發菩提心稱念
佛名同歸淨土證不退轉速得成佛盡未來除无有
休息撝當守護一切佛法及此五會念佛淨土速疾要
門令不斷絕願承此速入真如无相海中其一切智頭如
虛空普遍於一切不得是頤者擇不成佛道若登此頤
虛顛身便虹爛命終墮地獄不生於淨土應知

淨土五會念佛誦經觀行儀卷中

[图21]
《净土五会念佛诵经观行仪》
莫高窟藏经洞出土
P.2066b

全相同。上述两者印本的图像，又与后唐同光三年（925年）敦煌著名文人翟奉达在第220窟甬道北壁绘画的"新样文殊"壁画完全一样[2]。

据圆仁《入唐求法巡礼行记》记载[3]，他还在五台山竹林寺学习了中国净土宗第四祖，以及唐代高僧法照（750～838年）创立的"净土五会念佛"法门，回日本后创立了"净土称名念佛法门"。法照编纂的相关经典《净土五会念佛诵经观行仪》（又称《广本》）[图21]、《净土五会念佛略法事仪赞》（又称《略本》）[图22]在中国传世经籍中早已散佚，唯有日本保存了《略本》，其名亦见载于圆仁《入唐新求圣教目录》。20世纪初，敦煌藏经洞出土了约64件《广本》和《略本》的卷子。据此，人们不仅可以了解唐代至北宋期间该法门在中国和敦煌的流传情况，而且还可知道中国"净土五会念佛"法门对日本净土信仰，对日本天台宗与净土信仰结合所产生的影响。

2　荣新江：《归义军史研究——唐宋时代敦煌历史考察》，第八章"曹氏归义军与中原的文化交往"，上海：上海古籍出版社，1996年，第255～256页。

3　白化文等校注：《入唐求法巡礼行记校注》，石家庄：花山文艺出版社，1992年，第322页。

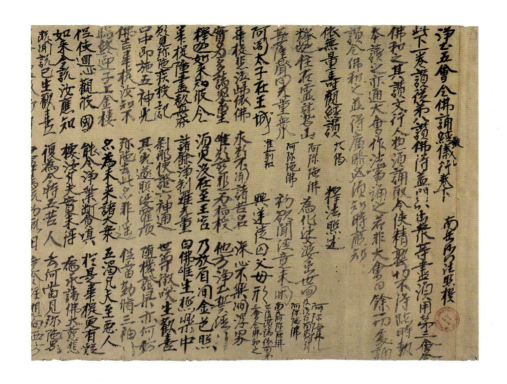

〔图 22〕
《净土五会念佛略法事
仪赞》莫高窟藏经洞
出土
P.2250

三、关于隋唐时代中日文化交流渊源的探讨

中国的正史史料中极少有关于敦煌佛教的记载，也缺乏日本入唐学问僧到敦煌寻求佛法的文献记载和实证，因此没有证据说明隋唐时期的日本与敦煌有关联。但是，中日两国学者经过多年对敦煌和日本文化的研究，已发现两者之间存在一定的联系。在拙文中，笔者进一步比对了敦煌莫高窟艺术和日本现存佛教文物间的许多相似之处，并初步认为也反映了两者之间的某些联系。下面，对敦煌与日本之间为什么有联系再做些粗浅的探讨。

首先，7~9世纪日本政府多次重金派遣学问僧入唐的目的，是为了广泛引进隋唐时期的先进文化和鼎盛佛教的各宗派的佛教典籍和佛教艺术。作为入唐的学问僧，为了寻求佛教典籍和佛教尊像，必然要寻访佛教各宗派的创立中心，拜访名师和巡礼佛教圣地。首都长安亦是当时的佛教中心，日本入唐学问僧必首选到"上都觅法"[4]。关于长安佛教历史地位，方立天先生有精辟的论述，他指出："长安作为隋、唐时代的首都，得天时地利之便，佛教的宗教文化创

---

4 白化文等校注：《入唐求法巡礼行记校注》，石家庄：花山文艺出版社，1992年，第29页。

造，往往首先在长安产生，也在长安聚集。长安佛教自然而然地成为主导中国佛教的中枢，长安地区也自然而然地成为中国佛教的核心地区，成为中国佛教僧才凝聚、经典翻译、佛教弘传、宗派创立和文化交流的五大主要中心。"[5] 如上文介绍的最澄、空海、圆仁等著名高僧入唐寻访的经历和记载，入唐学问僧的记载以及他们带回日本的佛教典籍和佛教艺术等物品，也无不说明他们都到过长安。同样是这些记载表明，他们除到长安及其周边地区如终南山等地外，所到之地都在长安以东的地区，这些地方大致有山东的登州（蓬莱）、莱州、青州、曹州（菏泽）、兖州；河南的洛阳、汴州（开封）；山西五台山及其周边地区；江苏的扬州、苏州、润州（镇江）；安徽楚州（淮安与盐城）；浙江的明州（宁波）、杭州、台州及天台山；福建福州等地。可见，隋、唐时期以长安为中心的中原地区及东部地区，是日本的入唐学问僧到唐巡访求法的必到之地，也是他们求取佛教经籍和佛教艺术品之地。

其次，如上所述，日本入唐学问僧寻访唐代中原和东部地区，并从该地区带回了佛教经籍和佛教艺术。这些地方是隋、唐中原佛教文化中心和佛教圣地，同样也是敦煌佛教经籍和佛教文物的渊源。也正是因为这个原因，历史上与日本并无直接联系的敦煌，莫高窟艺术和藏经洞文物却与日本奈良、平安朝文物之间呈现出诸多的相似性和共同之处。

综上所述，在佛教文化高度发展的隋唐时代，敦煌和日本两者之所以有共同之处，是因为两者的来源都是长安为代表的中原地区的佛教和佛教艺术，都受到长安和中原地区佛教文化的影响，不存在敦煌佛教文化影响日本佛教文化的问题。但为何敦煌莫高窟的佛教和佛教艺术会被认为是日本佛教和佛教艺术之根呢？那是因为隋唐时代长安和中原地区的大多佛教寺庙建筑及其彩塑和壁画佛教艺术已不在的今天，宋代版本已难求的今天，唯有敦煌莫高窟佛教艺术及其藏经洞佛教经籍，被保存下来。莫高窟佛教艺术和藏经洞佛教经籍的保存，为中国和世界保存了不可多得的中华佛教文化之实证，也为我们今天回顾中古时期中日之间曾经有过兴盛的文化交流与往来的历史提供了形象的第一手的宝贵资料。

（本文为2012年在神户大学"敦煌·丝绸之路国际研讨会"上的发言稿）

5　方立天：《长安佛教的历史地位》，《中国宗教》2010年第8期，第30～36页。

◆ 敦煌图像与文献反映的古代波斯文化

　　古代的中国和波斯，都在陆上丝绸之路的沿线，都有悠久的历史，都为人类创造了影响深远的灿烂文明。位于亚洲东部和西部的两国，自公元前2世纪开始，通过丝绸之路，进行了长达1000多年的文明交流和友好交往。文明交流和友好往来是双向的，本文仅就有千年中外文化交流积淀的敦煌莫高窟图像及其藏经洞文献来看古代波斯文化的影响。

　　考古资料证明，10万年前，早有先民在伊朗高原繁衍生息。公元前2000年开始，经过了漫长的时间，陆续有操印欧语系印度伊朗语的一支雅利安部落迁入伊朗高原。伊朗人即雅利安人的异译，现代伊朗国名就得名于雅利安人，意思是雅利安人的国家。迁入伊朗高原的部落中最强大的是米底部落和波斯部落。公元前8世纪，米底部落建立了米底王国，是伊朗历史上伊朗人建立的第一个统一国家。公元前843年，波斯（Parsua）第一次见于文字记载。继米底王国之后，波斯人建立了阿契美尼德王朝（前550～前330年），又称波斯帝国或古波斯帝国。它是地跨欧亚非三大洲的最早的一个大帝国。波斯帝国时期创造的高度发展的波斯文明，一直影响到伊朗地区以后各个王朝[1]。公元前330年，希腊—马其顿亚历山大攻占了波斯帝国。一百多年以后，伊朗东北部一支帕提亚人建立了帕提亚帝国，中国史书以其首领阿萨息斯姓氏称其为安息王朝（前247～226年）。紧接着是萨珊王朝（226～651年）时期，又称萨珊波斯。651年，萨珊王朝被大食阿拉伯人灭亡。

　　中国与波斯的往来由西汉时期开始。此时正值古代波斯的安息王朝时期。公元前138年，汉

---

1 （法）丹尼、法马松主编，芮传明译：《中亚文明史·第一卷》，第十五章"印度–伊朗人的出现：印度–伊朗语"，北京：中国对外翻译出版公司，2002年1月，第266～285页；（匈）雅诺什·哈尔马塔主编著，徐文堪、芮传明译：《中亚文明史·第二卷》，"导言"，第1～3页；叶奕良：《中国和伊朗在古代的文化交往》，《新疆钱币》2004年第3期，第9～20页。

武帝派遣张骞第一次出使西域，虽未到达伊朗，但在途中听说安息是个大国，"天子既闻大宛及大夏、安息之属皆大国"，"其属大小数百城，地方数千里，最大国也"。公元前119年，张骞再次受命出使西域，"骞因分遣副使使大宛、康居、大月氏、大夏、安息、身毒、于阗、扜罙及诸旁国……初，汉使至安息，安息王令将二万骑迎于东界。东界去王都数千里。行比至，过数十城。人民相属甚多。汉使还，而后发使随汉使来观汉广大。以大鸟卵（鸵鸟蛋）及黎轩眩人（罗马耍杂技的艺人）献于汉"[2]。据张星烺先生研究，安息王遣使来观汉土，当时在汉武帝元封五至六年（前106~前105年）之时，也是安息国王米特拉达梯二世（前123~前88年）在位期间[3]。随着张骞两次出使西域，对中西丝绸之路的全线贯通以及在西域（新疆）都护的设置，中西开始建立起政治、经济、文化、宗教全面交往的关系。此后，西汉王朝陆续向葱岭以西的安息、奄蔡、身毒等国派遣使节，有时一年多达十余次。东汉时期（25~220年），丝绸之路进一步畅通，安息王朝继续与中国保持往来。"章帝章和元年（87年），遣使献师子、符拔。符拔形似麟而无角。和帝永元九年（97年），都护班超遣甘英使大秦，经安息，抵条支；十三年（101年），安息王满屈复献师子及条支大鸟。"又"安息国居和椟城，去洛阳二万五千里。北与康居接，南与乌弋山离接。地方数千里，小城数百，户口胜兵最为殷盛。其东界木鹿城号为小安息，去洛阳二万里"[4]。众所周知，佛教在两汉之际已传入我国。第一个来到中国传播佛教和翻译佛经的是安息的高僧安世高，他于东汉后期汉桓帝建和元年（148年）至灵帝建宁（168~171年）中，在中国20余年传播佛教，翻译佛经30余部[5]。根据近年在今土库曼斯坦马里附近的狄亚尔·卡拉区（安息国东界木鹿城号小安息的地方）发现一座公元2世纪前后的佛教寺院遗址，及其残存的佛塔、佛像和若干佛典遗物，说明当时这里曾有过佛教僧人组织在此活动。由此也证明了东汉来华的安世高完全有可能来自伊朗东部木鹿附近擅长翻译佛经的高僧[6]。

北魏统一北方后，丝绸之路畅通。"神龟中（519年），其国（波斯）遣使上书贡物，云：'大国天子，天之所生。愿日出处常为汉中天子。波斯国王居和多千万敬拜。'朝廷嘉纳之。自此每使朝献"。"居和多"者，即波斯萨珊王朝（226~651年）喀瓦特王（488~531年）[7]，仅《魏书》记

2　《史记·大宛列传》《汉书·西域传》。

3　张星烺编注、朱杰勤校订：《中西交通史料汇编·第三册》，北京：中华书局，1977年，第72~73页。

4　《后汉书·西域传》。

5　[梁]僧祐撰：《出三藏记集·安世高传》卷13，载《大正藏》第五十五卷，第95页；[梁]慧皎撰：《高僧传》卷一"安清安世高"条，《大正藏》第五十卷，第323~324页。

6　（匈）雅诺什·哈尔马塔著，徐文堪、芮传明译：《中亚文明史》，第二卷第二十章"萨珊王朝的兴起"之"马尔吉亚那"条，北京：中国对外翻译出版公司，2003年12月，第388~390页；李铁匠：《安世高身世辨析》，《南昌大学学报（社会科学版）》1989年第1期，第63~66页；《剑桥伊朗史》第3卷第2分册（英文版），剑桥大学出版社，2008年，第57页、第957页；张广达：《论隋唐时期中原与西域文化交流的几个特点》，《北京大学学报》1985年第4期。

7　《魏书·西域传》。

载，公元455、461、466、468、476、507、517、518、519、521、522年，波斯使节先后入魏10余次。此时正值萨珊卑路斯王（459～484年）和喀瓦特王（488～531年）在位期间。北魏"朝廷遣使者韩羊皮使波斯，波斯王遣使献驯象及珍物，经于阗……"[8]西魏大统十二年（546年）朝廷派遣张道义为"波斯使主"，张道义在瓜州（敦煌）滞留期间，当地发生动乱，朝廷遣张道义行州事[9]。（西）魏废帝二年（553年），"其王遣使来献方物。"[10]据张星烺"考之中国《周书》及《波斯史》，波斯与中国之宇文周是时互通使节"。但《周书》记载甚少，仅见《异域传》下记载，安息国"东去长安一万七百五十里。天和二年（天和系北周武帝宇文邕年号，二年即公元567年——笔者注）其王使来献。"一例。张星烺据马尔柯姆《波斯史》"记库思老阿奴细尔汪在位时，中国皇帝遣使献假豹一只，全以珍珠络成，两眼以红宝石嵌之。天青色绣锦袍一件，光彩华丽夺目，上有金丝绣群臣朝见波斯王图，袍以金盛之。美人图一幅"[11]西魏（535～556年）和北周（557～581年）正值波斯萨珊库思老一世在位时期（531～579年）。纵观北魏、西魏、北周三朝，中国与波斯使节往来和赠送方物颇多，两国关系比较密切。

隋炀帝在位期间（605～618年），西域各国多到张掖郡与中国进行贸易。黄门侍郎裴矩奉炀帝之令，在张掖举办了有二十七国参加的盛大的交易活动。裴矩知炀帝欲发展西域，向来华的西域商贾详细询问调查每国的习俗、山川、风土、人情，撰写了《西域图记》三卷，上奏炀帝。《西域图记》序文中记述了从敦煌出发到达西海（今地中海）分北道、中道、南道三条道路。三道共记载了20余国，其中中道明确记载了波斯为西去地中海的必经之地：

> 发自敦煌，至于西海，凡为三道，各有襟带。北道从伊吾，经蒲类海铁勒部突厥可汗庭，度北流河水，至拂菻国，达于西海。其中道从高昌、焉耆、龟兹、疏勒、度葱岭，又经钹汗、苏对萨那国、康国、曹国、何国、大小安国、穆国，至波斯，达于西海。其南道从鄯善，于阗，朱俱波、喝盘陀，度葱岭，又经护密、吐火罗、挹怛、忔延、漕国，至北婆罗门，达于西海。其三道诸国，亦各自有路，南北交通。其东女国、南婆罗门国等，并随其所往，诸处得达。故知伊吾、高昌、鄯善，并西域之门户也。总凑敦煌，是其咽喉之地。[12]

《西域图记》所记三道中的北道，是指通过北方草原丝绸之路，也可到达萨珊波斯；其中道

---

8 《魏书·西域·于阗传》。

9 《周书·令狐整传》。

10 《周书·异域传下》。

11 张星烺编注、朱杰勤校订：《中西交通史料汇编·第三册》，北京：中华书局，1977年，第101页。

12 《隋书·裴矩传》。

和南道，是《汉书·西域传》所记西域（现新疆段）原有的北道和南道，同样可到萨珊波斯。炀帝还派遣云骑尉李昱出使波斯，波斯即遣使者随李昱入隋贡方物。此时应是波斯萨珊库思老二世（590～627年）在位[13]，说明隋代继续保持与波斯的往来。

南北朝后期至唐初，西域（即今新疆和中亚）被突厥所控制。唐初贞观四年（630年）唐朝打败东突厥，此后"伊吾（今新疆哈密）之右，波斯以东，职贡不绝，商旅相继"[14]。贞观十四年（640年）消灭了麹氏高昌政权，在高昌设置西州。唐高宗显庆二年（657年）打败了西突厥，唐朝的军队控制了以碎叶为中心的中亚的一大片地区，在碎叶设置军镇。此后，唐王朝将碎叶和龟兹、疏勒、于阗统称"安西四镇"，统属于安西都护府。丝绸之路于唐王朝前期进入了全盛时期[15]。唐初，波斯国王频繁变更或被杀。波斯伊嗣候（632～651年在位）于贞观二十一年（647年）遣使献一兽，为向唐太宗求援。651年，萨珊王朝被大食所灭，伊嗣候被杀。其子卑路斯于龙朔元年（661年）向唐高宗请兵救援。高宗仍以礼相待，"招（诏）遣陇州南由县令王名远充使西域，分置州县。因列其地疾陵城（波斯东境塞斯坦首府）为波斯都督府，授卑路斯为都督。是后数遣使贡献"[16]。后来，卑路斯于"咸亨（670～674年）中，犹入朝，授右武卫将军，死。始，其子泥涅师为（人）质，调露元年（679年），诏裴行俭将兵护还，将复（泥涅师）王其国，以道远，至安西碎叶，行俭还。泥涅师因客吐火罗二十年，部落益离散。景龙初，复来朝，授左威卫将军。病死，西部独存。开元、天宝间，遣使者十辈，献玛瑙床、献火毛绣舞筵……大历时，复来献"[17]。《册府元龟》记载，从唐太宗贞观十三年（639年）开始，经过高宗、中宗、玄宗、肃宗、代宗、至穆宗长庆四年（824年）近200年间，波斯遣使者入唐30次以上[18]。文献记载充分证明，萨珊波斯尽管早已被大食所灭，但是651年以后波斯人还长期保持与唐朝密切往来，这些往来可能是波斯人建立的地方政权或一些波斯商人所为。也说明唐历代统治者与波斯的长期友好交往。

此外，玄奘《大唐西域记》卷十一"波剌斯国"条云："波剌斯国周数万里……天祠甚多。提那跋外道之徒为所宗也。伽蓝二三，僧徒数百，并学小乘教说一切有部法。释迦佛钵，在此王宫。"[19]"波剌斯国"即古代波斯国，今伊朗。此记载说明，7世纪初波斯本土仍存在少量佛教寺庙和佛教僧徒。"提那跋"，被认为来源于梵文Dinapati，意为太阳。提那跋外道，季羡林先生认为

13　《隋书·西域传》。
14　《唐大诏令集·讨高昌王曲文泰诏》。
15　《旧唐书·高宗本纪》。
16　《旧唐书·西域传》。
17　《新唐书·西域传下》。
18　张星烺编注、朱杰勤校订：《中西交通史料汇编·第三册》，北京：中华书局，1977年，第112～116页。
19　季羡林等校：《大唐西域记校注》，北京：中华书局，1985年，第938～939页。

似指古代流行于伊朗的琐罗亚斯德教，即拜火教、祆教[20]。

古代波斯也十分重视丝绸之路交通建设，如阿契美尼德王朝大流士一世时，已建立由巴比伦开始，经哈马丹（哈马丹曾是米底王国的一部分，其中，厄克巴丹为当时米底王国的首都）、帕提亚（今伊朗东部呼罗珊地区）、巴克特里亚（即"大夏"，在咸海阿姆河流域上游南部，今阿富汗北部，乌兹别克斯坦和塔吉克斯坦南部之间）通往中亚、中国和印度的陆上交通道路，这条道路后来成了著名的丝绸之路的主要干线[21]。安息王朝时期，东部马尔吉亚那的木鹿城是古代丝绸之路上的战略重镇和国际贸易中心[22]。通过北高加索丝绸之路，也可西通拜占庭，东通敦煌[23]。另外。除陆上丝绸之路外，萨珊波斯时期还可通过海路与中国进行贸易，波斯从波斯湾出发，经过印度洋到达广州。

从安息王朝开始，波斯与中国汉唐王朝进行了长期的文明交流和友好往来，不仅延续到萨珊波斯，即使651年萨珊王朝被大食阿拉伯人灭亡，一些波斯的地方政权还继续与中国有交流和友好往来，其文化、宗教、艺术等也持续对中国文化产生影响。

从敦煌莫高窟壁画、藏经洞文物以及莫高窟周边考古发现中，即可看出波斯文化的诸多影响。近年来，不少学者也对波斯影响问题做过大量的调查研究，取得了可喜的成果。笔者不揣浅陋，通过考古出土文物、古代文献资料，并参考国内外学者相关的研究成果，对敦煌壁画与文献反映的波斯文化的影响做些简要介绍。

一、具装铠

莫高窟西魏第285窟南壁和北周第296窟南壁均画"五百强盗得眼故事"，两幅画面中骑兵所骑的战马，全身披挂铠甲，表现了古代用于保护骑兵战马的装备。这种保护战马的装备，晋以前称"马铠"，晋以后称"具装""具装铠"或"马具装"。《宋书·仪卫志》记载："甲骑具装，甲，人铠也；具装，马铠也。"莫高窟第285窟的绿色战马，明确显示了战马所披具装以小甲片缀连而成：由马头的"面帘"、马颈的"鸡颈"、马胸的"当胸"、马身的"马身甲"、马屁股的"搭后"、马尾的"寄生"、便于骑兵骑乘和战斗的"鞍具及镫"组成，使战马除耳、目、口、鼻以及四肢外露以外，全身都有铠甲的保护[24]〔图1〕。

20　季羡林等校：《大唐西域记校注》，北京：中华书局，1985年，第941页。

21　李铁匠：《伊朗古代历史与文化》，南昌：江西人民出版社，1993年12月，第98页。

22　刘文鹏：《古代西亚北非文明》，北京：中国社会科学出版社，1999年10月，第416、420、421页。

23　姜伯勤：《敦煌吐鲁番文书与丝绸之路》，北京：文物出版社，1994年，第22页。

24　杨泓：《中国古兵器论丛》，北京：文物出版社，1980年，第40、44页。

[图1]
莫高窟第285窟 具装铠
西魏

具装铠在中国大约出现于3世纪初的东汉末年。曹操在《军策令》里提到马铠。到了西晋时期马铠依然是非常名贵的物品。"大约经过了半个世纪，到了东晋十六国时期，在各个割据政权之间发生的纷争中，在东北、西北和中原地区的广阔原野上，日趋频繁地出现有重装骑兵——甲骑具装的身影，而且数量越来越多。"杨泓先生指出："重装骑兵成长壮大的历史，与鲜卑族军队有着紧密的联系。例如石勒在俘获鲜卑末杯的战斗中，夺得鲜卑军队的铠马5000匹。在石勒大败鲜卑将姬澹（又作箕澹，是归附刘琨的鲜卑猗卢部将）时，俘获的铠马多达万匹。又姚兴击败鲜卑乞伏干归时，收铠马六万匹。以上诸例表明当时鲜卑族军队的主力兵种是战马披铠的重装骑兵。"在东晋与前秦、南燕几次战斗中，也获很多具装铠，并将鲜卑重装骑兵收编入南方军中，利用它作战[25]。杨泓先生说："在各地的田野考古调查发掘中，目前也已获得了大量有关东晋十六国至南北朝时期重装骑兵——甲骑具装的文物资料。特别是在辽宁朝阳、北票等地，不断获得十六国时期前燕、后燕和北燕的铁质马具装实物。"[26]如在东北辽宁朝阳十二台乡砖厂前燕88 M 1出土马具装，其面帘已得到复原[27]。辽宁北票南八家子乡喇嘛洞前燕5号墓出土了一堆铁甲堆积，已做了马

25 杨泓：《古代兵器通论》，北京：紫禁城出版社，2005年12月，第174、175页。

26 杨泓：《古代兵器通论》，北京：紫禁城出版社，2005年12月，第175页。

27 辽宁省文物考古研究所等：《朝阳十二台乡砖厂88 M 1发掘简报》，《文物》1997年第11期；田立坤、张克举：《前燕的甲骑具装》，《文物》1997年第11期。

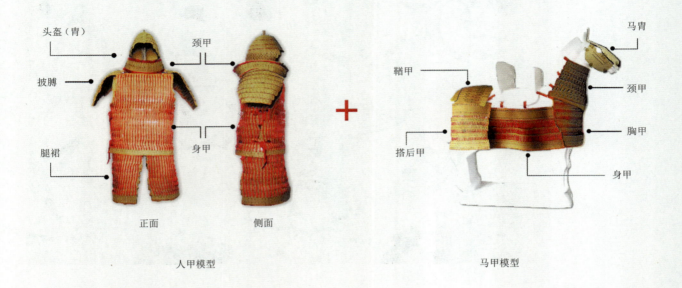

头盔（胄）　　　颈甲

披膊

腿裙　　　　　　身甲

正面　　　　侧面

人甲模型

鞯甲　　　　　　马胄

　　　　　　　颈甲

搭后甲　　　　　胸甲

　　　　　　　身甲

马甲模型

甲骑具装总体复原示意图：沉重的"铁甲"
为脆弱的肉体构筑了一道坚实的"城墙"。

〔图2〕
甲骑具装
根据辽宁北票县南八家子乡喇嘛洞5号墓出土铁甲片整体复原

具装铠的整体复原[28]〔图2〕。辽宁省北票县西官营子北燕冯素弗墓出土大量散乱的马具装铠铁甲片[29]等。

古代波斯早在公元前480年波斯阿契美尼德王朝时期，军队中已经普遍装备有铁质的鱼鳞甲，古希腊的历史学家希罗多德曾经这样描述波斯皇帝泽尔士的波斯军队的装备："他们头上戴着称为阿拉斯的软毡帽，身上穿着五颜六色的带袖内衣，上面有像鱼鳞那样的铁鳞，腿上穿着裤子。"[30]这说明这时的波斯人已经大量使用了以小型铁甲片编缀的鱼鳞甲了。据李铁匠研究，波斯安息王朝密特里达特斯二世（前123~前88年在位），为了提高军队作战能力，对军队进行了全面改革。改革后，他建立了以骑兵为主的军队。主力为重装骑兵，号称"铁骑兵"或"无敌兵"。他们身着金属鱼鳞甲、头戴尖顶盔，胸前有皮护心甲；战马是尼萨塔普勒部落的良马，战马全身披着长长的护甲，还有金属笼头和护胸甲[31]。在丝绸之路上，幼发拉底河畔的杜拉·尤罗波斯（Dura Europos）发现的古波斯安息时期图像中，有一个公元2世纪披着铠甲头戴兜鍪的骑士〔图3〕，他的战马也披着铠甲[32]。这个图像上披着铠甲的战马，与古希腊历史学家希罗多德和我国学者李铁匠研究的古波斯骑兵装备是相符的，也与十六国以来我国流行的甲骑具装极为相似。

古代以游牧经济为主的一些民族，并不受所谓国家疆域边界的限制，他们从东向西或从西向东的流动，常常促进东西方的文化和技术的交流。中国甲骑具装的大量使用，正是伴随着匈奴、鲜卑等民族进入中原而出现的。那么这种军事装备的制造和使用，也就很有可能是北方匈奴、鲜卑等民族吸收了安息的技术而发展起来的[33]。公元前115年的西汉武帝时期已与西亚安息王朝开始往

28　禹斤：《喇嘛洞墓地甲骑具装的考古发现与复原——金戈铁马北方重装骑兵再现》，《大众考古》2013年第1期。

29　黎瑶渤：《辽宁北票县西官营子北燕冯素弗墓》，《文物》1973年第3期。

30　（古希腊）希罗多德著，王嘉隽译：《历史（希腊波斯战争史）》，北京：商务印书馆，1959年。

31　李铁匠：《伊朗古代历史与文化》，南昌：江西人民出版社，1993年12月，第177~178页。

32　杨泓：《中国古兵器论丛》，北京：文物出版社，1980年，第71页，图62 波斯杜拉·尤罗波斯铠马骑士雕像。

33　杨泓：《中国古兵器论丛》，北京：文物出版社，1980年，第71页。

来，两国在往来中有可能波斯安息王朝的具装铠逐渐传入西汉。这从1993年江苏连云港尹湾汉墓群第六号墓中出土了西汉末年的首铠和身甲的马具，说明有可能我国在西汉末年已出现人马全身披挂的甲骑具装。那么，公元6世纪中叶敦煌壁画中的具装铠，显然是古波斯具装铠在中国甲骑具装的大量使用的表现。

二、帕提亚式射箭及狩猎图

敦煌莫高窟西魏第249窟覆斗形窟顶南披，绘一名武士骑马向前疾驰，他从马背上调头转身，向着后面扑过来的猛虎，作拉弓射箭状〔图4〕。

莫高窟第249窟骑马回身射箭的画面，与帕提亚射箭即安息回马箭箭术十分接近。据斯塔凡·罗泽恩著、徐珂译《韩国与丝绸之路》云："安息回马箭"其艺术原型据说来自帕提亚帝国（安息王朝）的士兵在战争中使用的一种作战技术。"安息回马箭"描绘的是战马飞奔疾驰的瞬间马背上的战士回身双手拉弓射杀猎物的场景。希罗多德在《历史》第七卷，记述了公元前490年薛西斯为了入侵希腊，从波斯帝国统治的各民族调集军队，其中就提到了帕提亚人。他们不带盾牌，装备弓、短剑和矛，护耳和护颈的高帽，紧身上衣，裤子，齐脚踝的短靴，腰带左边系着有盖子的箭袋。左手持弓和备用箭支，弓弦上放好一支箭，攻击信号发出后，马匹由走、慢跑而后疾驰，距敌军四五十米进入射程处向右转，沿着敌军战线飞驰同时射箭；另一种是在敌前急停调头，转身向后射箭。这种战术被称为"帕提亚射击术"[34]。

帕提亚射箭的图像，在我国北方一些出土文物中也可见到，如新疆维吾尔自治区博物馆藏出土于吐鲁番阿斯塔那墓地191号墓的唐代烟色地狩猎纹印花绢，夹缬绢印微黄色骑马射狮纹样，骑者双眼圆瞪，右手持弓左手搭箭拉弦，回首作欲射箭状，马四蹄腾空，作快速奔驰状；马后为后肢站立、前肢举起、作欲扑向骑者和马匹状的狮子[35]〔图5〕。此外，在吉林集安高句丽舞俑塚墓室主室左壁壁画就有狩猎者骑马回身射箭的形象，与敦煌壁画一样也是源于波斯文化的影响。

这种与帕提亚射箭相关联的狩猎艺术，本为古代游牧民族所喜爱，这源于古代人类狩猎生活的现实及其对勇武精神的向往。在雕刻和绘画艺术中表现狩猎或人与野兽的搏斗，在古代波斯文化中显得尤其突出，在出土或传世的波斯萨珊王朝时期的浮雕、壁画和银盘〔图6〕等艺术品上的图案上时有表现。在这些艺术品中，狩猎者或徒步搏狮，或骑马猎狮，或骑象猎虎，场面均异常激烈。

34 敦煌研究院信息资料中心编《信息与参考》总第十七期，第193～201页。
35 新疆维吾尔自治区博物馆、新疆百石缘工美有限公司主编：《新疆维吾尔自治区博物馆》画册，"唐代烟色地狩猎纹印花绢"，香港金版文化出版社，2006年10月，第88页。

图4

图5

图6

〔图4〕
骑马回身射虎的骑士
莫高窟第249窟
西魏

〔图5〕
烟色地狩猎纹绢
新疆吐鲁番阿斯塔纳
191号墓出土
新疆维吾尔自治区博
物馆藏

〔图6〕
帝王狩猎纹镀金银盘
伊朗·萨里出土
伊朗·巴斯坦博物馆藏
4世纪

　　莫高窟隋代第420窟佛龛内彩塑菩萨衣裙上绘满了环形联珠狩猎纹样，每枚环形联珠的中心均绘有武士骑象举棒形武器回身打虎的形象〔图7〕。类似，在1999年山西太原郊外发现的隋代虞弘墓石棺的一块浮雕板上也有骑象猎狮的场景 36〔图8〕。这些与传世的萨珊波斯银盘〔图9〕等器物上雕刻的狩猎图像十分相似，显然是受到了波斯狩猎艺术影响。此外我国史书对波斯军队乘象而战也有记载，如《魏书·西域传》和《周书·异域传下》记载，波斯兵器有甲、圆排、剑、弩、弓、箭，"战兼乘象，每象百人随之"。《旧唐书·西戎传》载，波斯国"其国乘象而战，每一象，战士百人。"

36　山西省考古研究所等：《太原隋虞弘墓》，北京：文物出版社，2005年8月，图版46、47，"骑士骑象打狮图"。

图7

图8

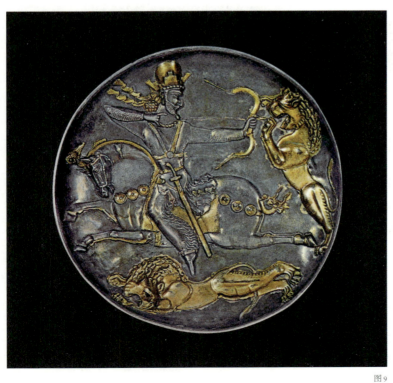

图9

〔图7〕
骑士骑象打虎图
莫高窟第420窟
隋

〔图8〕
骑士骑象打狮图
太原虞弘墓出土
隋

〔图9〕
波斯狩猎纹银盘
艾尔米塔什博物馆藏
公元4世纪

三、萨珊式联珠纹图案及波斯锦

莫高窟第427、420、402等窟都可见联珠纹。有的绘饰于菩萨衣裙上，表现了纺织品中的联珠纹图样，有的则是作为洞窟中龛沿的装饰图案。联珠纹样，呈圆饼形，其周边有环带，环带内饰一周小圆珠，形成一串联珠，如同相联之珠而得名联珠纹。在圆环的中央部分安置主题纹样，主题纹样一般为鸟兽动物、人物、花朵，或只取鸟或兽头部，或对鸟或对兽，也有用狩猎纹绘于联珠圆环中央的。联珠纹是隋唐时代非常流行的一种纹样。联珠纹不仅在敦煌，在中亚地区、中国新疆、甘肃等地壁画或出土的纺织品中也都可见到。其存世时代为6～7世纪，其中7世纪50～80年代达最盛，8世纪逐渐淡出。姜伯勤《敦煌与波斯》一文指出，联珠纹图案比较集中出现在隋代洞窟中并不是偶然的，与当时萨珊波斯文化对中亚昭武九姓壁画、新疆龟兹壁画的巨大影响有关；文中还列举了中亚各地遗址中发现的联珠纹实物，通过将这些图案与敦煌壁画中的图案进行对比，并指出其中的联系；其传播与流行，可能是随中亚善于经商的粟特人传入有关[37]。

1965年在莫高窟第130窟窟内发现一件拓印联珠对禽纹残绢幡〔图10〕，残长13、宽8厘米。幡身仅存土黄色绢一段。幡首心是一种组织稀疏的绢（每厘米经线35根、纬线17根），它们是由一块单面拓印的黑色联珠对禽纹绢折为两层而成的，幡首外镶以淡蓝色绢边[38]。敦煌藏经洞发现了不少带有明显西亚波斯、中亚粟特风格的织锦。如MAS.862红地联珠对羊对鸟纹锦、MAS.863淡红地团窠对鸭纹锦、MAS.858尖瓣团窠对狮纹锦，具有深厚的中亚风格。赵丰等学者对这些丝绸及其图案进行过系统研究〔图11〕[39]。

这些具有波斯图案的织锦是直接来自波斯？还是中国的工匠仿照波斯风格图案而制作的？可能两种情况都存在。《隋书·何稠传》载："（何）稠博览古图，多识旧物。波斯尝献金绵锦袍，组织殊丽，上命稠为之。稠锦既成，逾所献者，上甚悦。"[40]这段文献说明中国已能仿制波斯纹样织锦。

联珠纹图案中，还有一种特别的鸟衔绶带纹，在莫高窟第158窟彩塑卧佛的枕头上可见此图案。"环形联珠鸟衔绶带纹"图案在新疆吐鲁番阿斯塔那古墓出土的唐代织物中亦可见到。联珠圈和鸟的纹样，具有深厚的西亚、中亚风格，构图是在一个个联珠组成的圆环中，兀立着一只大鸟，口衔绶带。这不是中国传统图案，而在波斯萨珊、粟特织物、雕刻和金银器中较流行，显然反映着唐代丝绸之路的兴盛和中西文化的交流。

37　关友惠：《莫高窟隋代图案初探》，《敦煌研究》1983年创刊号；姜伯勤：《敦煌与波斯》，《敦煌研究》1990年第3期，第1～15页；解梅：《敦煌壁画中的联珠纹》，《社科纵横》2005年06期；刘文鹏主编：《古代西亚北非文明》，北京：中国社会科学出版社，1999年，第463页。

38　敦煌文物研究所考古组：《莫高窟发现的唐代丝织物及其他》，《文物》1972年第12期。

39　赵丰主编：《敦煌丝绸艺术全集·英藏卷》，上海：东华大学出版社，2007年3月；赵丰主编：《敦煌丝绸艺术全集·法藏卷》，上海：东华大学出版社，2010年9月。

40　《隋书·何稠传》。

图 10

〔图 10〕
拓印联珠对禽纹残绢幡
敦煌研究院藏
唐

〔图 11〕
左：经帙的团窠尖瓣对
狮纹锦边饰
8世纪下半叶至9世纪
右：团窠尖瓣对狮纹复
原图

图 11

〔图12〕
胡旋舞者及舞筵
莫高窟第220窟北壁
唐

四、舞筵

初唐贞观十六年（642年）兴建的莫高窟第220窟北壁东方药师经变和南壁无量寿经变，均画舞伎在小型圆形毛毯上跳中亚康国女子擅长的胡旋舞。圆毯周边有一条环带白色圆珠纹，圆珠纹内有彩色动物纹样〔图12〕。

《旧唐书·西戎传·波斯》载："自开元十年至天宝六载，凡十遣使来朝，并献方物。四月，遣使献玛瑙床。九年四月，献火毛绣舞筵、长毛绣舞筵、无孔真珠。乾元元年，波斯与大食同寇广州，劫仓库，焚庐舍，浮海而去。大历六年，遣使来朝，献真珠等。"《新唐书·西域传下》载："开元、天宝间，遣使者十辈，献玛瑙床、献火毛绣舞筵。"

五、玻璃器皿

敦煌莫高窟十六国（北凉）、隋、唐、五代、宋、西夏等各代洞窟壁画每每有菩萨、弟子、供养人手持透明的不同形式的器物供养佛陀〔图13～15〕。这些手中能拿、又是透明的器物，应该是绘画的玻璃器皿。中国古代史料中称玻璃为"璆琳（琅玕）""陆离""琉璃（流璃、瑠璃、壁流璃）"等[41]。考古出土实物

---

41 黄振发：《中国古代玻璃的史料》，载干福熹著《中国古代玻璃技术发展史》，上海：上海科学技术出版社，2016年1月，第108～109页。

图 13　　　　　　　　　　　　　　　　　　　　　　图 14

图 15

〔图 13〕

玻璃碗

莫高窟第 272 窟

北凉

〔图 14〕

浅蓝色镶边圆钮玻璃盘

莫高窟第 401 窟

初唐

〔图 15〕

蓝色琉璃灯碗

莫高窟第 61 窟

元

证明，中国在2000多年前的西周开始制造玻璃[42]，而西方在公元前2500年已能制造玻璃，据干福熹院士引用文献记述"公元5世纪从波斯来了玻璃制造工匠，引进了玻璃吹制技术"[43]。

《隋书·何稠传》载："（何）稠博览古图，多识旧物。……时中国久绝琉璃作，匠人无敢厝措意，稠以绿瓷为之，与真不异。"隋唐时期的玻璃大多来自萨珊波斯。早在3～7世纪，伊朗的萨珊王朝就建立了兴旺的玻璃制造业，能够批量生产供贵族使用的精美玻璃器皿，历史上把这一阶段的玻璃称之为萨珊玻璃。萨珊玻璃器皿大多造型浑朴，用连续的圆形作为装饰。萨珊的工匠们，还发明了至今都还在使用的玻璃制作方法——吹制法，就是借助特制工具将玻璃熔液吹成空泡而成型，这样制作出的玻璃制品，形态更多样、更精巧。

中国社会科学院考古研究所的安家瑶先生于1981年对莫高窟隋唐壁画中的玻璃器皿作系统调查研究[44]。根据她的调查，确认了隋唐五代宋西夏不同时代的85件玻璃器皿，它们分属碗、盘、杯、钵、瓶五个类型，其特点是：①透明度高；②呈浅蓝、浅绿、浅棕和透明色；③壁画中的玻璃器皿多持于药师佛、胁侍菩萨、弟子、供养人手中，个别摆放在经变画中佛的供桌上；④根据人物和其手的大小，推算出绘画的玻璃器皿的大致大小；⑤其中有69件壁画玻璃器皿的器形、颜色、大小、纹饰，可与外国或进口玻璃器皿实物中找到参照物。这些壁画玻璃器皿的器形和所呈颜色大都为伊朗（萨珊波斯）玻璃或罗马玻璃。而被调查的壁画玻璃器皿中的绝大多数表现为萨珊、伊斯兰的玻璃器皿。敦煌莫高窟壁画中绘画的许多波斯萨珊玻璃器皿，经过丝绸之路的纽带，是中国与古代伊朗联系的又一证明[45]。

初唐第57窟南壁说法图的佛弟子手中托着浅蓝色玻璃钵、初唐第220窟南壁供养菩萨手中托着天蓝色有圆点纹玻璃钵；第401窟北壁菩萨手里托着透明的玻璃盘，盘的口沿还镶金边，盛唐第217窟北壁经变画中的菩萨手里也托着与之类似的玻璃盘，中唐第159窟西壁普贤菩萨手里托着玻璃盘，盘中有花。这几个玻璃盘的特点都是透明，呈浅蓝色或浅绿色，表现出玻璃的基本特征。中唐第199窟西壁的菩萨手里托着一个玻璃杯，杯子呈浅蓝色，杯中插花。时代较晚的第61窟甬道北壁（西夏）的比丘手里也持有玻璃杯和玻璃瓶。隋唐时期敦煌壁画中大量出现玻璃器皿，反映了玻璃器皿在中国使用的情况，壁画中玻璃制品大多画在菩萨和佛弟子手上，显示其珍贵的意义。

42　杨伯达：《西周玻璃的初步研究》，《故宫博物院院刊》1980年第2期，第14～24页。

43　干福熹：《西方古代玻璃技术的发展》，载氏著《中国古代玻璃技术发展史·第6章》，上海：上海科学技术出版社，2016年1月，第71页。

44　安家瑶：《莫高窟壁画上的玻璃器皿》，载北京大学中国中古史研究中心编《敦煌吐鲁番文献研究论集（第二集）》，北京：北京大学出版社，1983年12月，第425～464页。

45　安家瑶：《中国黄河和长江中下游地区魏晋南北朝时期的玻璃技术》，载干福熹主编《中国古代玻璃技术发展史》，第10章，上海：上海科学技术出版社，2016年1月，第150～167页；黄振发：《中国黄河和长江中下游地区隋、唐、宋时期的玻璃技术》，载干福熹主编《中国古代玻璃技术发展史》，第11章，上海：上海科学技术出版社，2016年1月，第168～182页。

六、波斯银币

莫高窟北区B.222窟出土波斯银币1枚，边缘已不十分规则，径2.90～3.10厘米，厚0.10厘米，重3.88克〔图16〕。银币正面虽磨损严重，但仍隐约可见其基本特征：边缘围绕一圈联珠纹，中间为半身王者像，脸向右，王冠虽残，但尚可辨其后部为一对翼翅，冠顶为一新月抱一圆球，圆球超出联珠纹圈框。在王者像面前有一条由肩上飘起的带状物，与髻后的一条相对称。围绕王者像有模糊难辨的钵罗婆文字；银币背面边缘也围绕一圈联珠纹，中央为柱状祭坛，祭坛上的火焰正熊熊燃烧，火焰左侧为一五角星，右侧为一新月，彼此对称，祭坛两侧各站立一个戴尖顶高帽，足踏高筒靴的祭司，祭司外侧均有铭文，应为铸币的地点和年份，由于磨损过甚无法辨认。有学者研究认为，波斯银币"王冠的后部没有雉堞状饰物，却换上一对翼翅；冠顶后面没有两条细飘带，而在面前却增加一条由肩上飘起的带形物和髻后的一条相对称"，是波斯萨珊朝卑路斯B式银币的特征。据此分析莫高窟北区B.222窟所出银币属波斯萨珊朝第五代王卑路斯（PEROZ，459～484年）时期铸造[46]。

《史记·大宛列传》载："（安息）以银为钱，钱如其王面，王死辄更钱，效王面焉。"此是为我国文献记载波斯银币之始。北魏与波斯关系较好，往来较多。波斯与北朝通使通商，波斯银币流入中国较多，据考古发现，我国在丝绸之路主干道上出土的波斯银币达1500枚。从新疆乌恰、库车、吐鲁番，直至西宁、西安、洛阳、广东都有萨珊朝银币的发现。其中年代与北朝相当的波斯银币主要是沙普尔二世银币、阿尔达希尔二世银币、伊斯泽德二世银币、卑路斯银币〔图17〕等。考察中国出土波斯银币较多的原因，主要是波斯国力强大时打制银币很多，对四周小国政治经济影响大。其银币在中亚诸国普遍使用，得到中亚诸国承认。北朝时期西部受波斯文化影响，乐于接受这种银币。因此北朝时期河西诸郡使用西域诸国金银钱币而官府不禁。《隋书·食货志》云："河西诸郡，或用西域金银之钱，官不能禁。"[47]

波斯银币是古代丝绸之路国际商贸的物证。除上述莫高窟北区洞窟发现北魏时期459～484年的波斯银币外，在公元6世纪前叶西魏时期敦煌文书中亦记载敦煌使用波斯银币。敦煌文书S.4528号《仁王般若经》题记中，北魏建明二年（531年）元荣以银钱布施，其中说："以银钱千文赎，钱一千文赎身及妻子，一千文赎奴婢，一千文赎六畜。"〔图18〕上述波斯银币的实物和敦煌文书使用波斯银币的记载，充分证明北朝时期的敦煌是波斯银钱的流通地区。20世纪初，斯

46 夏鼐：《中国最近发现的波斯萨珊朝银币》，《考古学报》1957年第2期；《综述中国出土的波斯萨珊朝银币》，《考古学报》1974年第1期；《青海西宁出土的波斯萨珊朝银币》，《考古学报》1958年第1期。彭金章、沙武田：《试论敦煌莫高窟北区出土的波斯银币和西夏钱币》，《文物》1998年10期。

47 夏鼐：《综述中国出土的波斯萨珊朝银币》，《考古学报》1974年第1期。

图16

图17

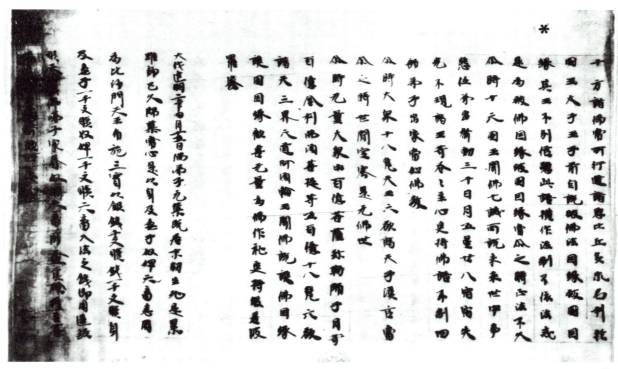

图18

[图16]
卑路斯B式银币
莫高窟北区洞窟出土
波斯萨珊朝卑路斯五世
(459—484年)时期

[图17]
卑路斯银币 西安张
家坡出土
457~484年

[图18]
S.4528《佛说仁王般
若波罗蜜经》

坦因在敦煌北部长城遗址获取4世纪初粟特文信札七件，说明早在公元4世纪初，已有粟特人在敦煌经商，粟特人聚居。既然粟特人早在4世纪已在敦煌地区聚居和经商，便可推测当时波斯银币可能已在敦煌地区流通。

藏经洞出土的唐代（实为766年）《沙州都督府图经》文书是一份唐代地志，沙州即敦煌。该《图经》中记载"兴胡泊"云："东西十九里，南北九里，深五尺。右在州西北一百一十里，其水咸苦，唯泉堪食，胡从玉门关道往还居止，因以为号。"这份文书说明兴胡泊是出入玉门关的西域商人聚居的地方。有许多西域商人在丝绸之路的战略要地敦煌聚居从事商贸交易，唐代"钱帛兼行"。

七、来华安息高僧安世高的神异故事

佛教在两汉之际已传入我国。第一个来到中国传播佛教和翻译佛经的是安息的高僧安世高，他于东汉后期汉桓帝建和元年（148年）至灵帝建宁（168～171年）中，在中国20余年间传播佛教，翻译佛经三十余部[48]。根据近年在今土库曼斯坦的马里附近的狄亚尔·卡拉区（即上引安息国东界木鹿城号小安息的地方）发现一座公元2世纪前后的佛教寺院遗址，及其残存的佛塔、佛像和若干佛典遗物，说明这里2世纪前后曾有过佛教僧人的组织在此活动。由此也证明了东汉来华的安世高有可能来自伊朗东部木鹿附近[49]。

梁僧祐撰《出三藏记集·安世高传》载："世高游化中国，宣经事毕，值灵帝之末，关洛扰乱，乃杖锡江南。云'我当过庐山度昔同学'，行达邔亭湖庙。"此传紧接着详述了安世高到庐山入邔亭湖庙救度昔日因犯"瞋恚"故，变为大蟒蛇形的同学的神异传说。敦煌藏经洞出土有安世高神异故事的文字写本，如法藏P.3033V敦煌文书《诸佛瑞像记》[50]讲东汉灵帝之末，洛阳扰乱，安世高杖锡江南，过庐山，到邔亭湖庙，去超度变为此庙庙神的大蟒之昔日同学，高令庙神现形大蟒，施舍宝物，并取其所施之物，为他在豫章立法修塔，使大蟒脱离丑形，转为人身。英藏S.2113V/8敦煌文书《诸佛瑞像记》[51]亦记有基本相同的文字："后汉恒（桓）帝王，安息国王太子出家，名世高，长大来汉地游化，广度众生"，"世高行至庙所，见同学者，为发愿受戒，令（庙）神施物，施物已，于西（江）南豫章寺造塔"〔图19〕。莫高窟晚唐、五代、北宋的一些洞窟壁画绘有安世高神异故事画。画面之一，一座大殿内伸出一条大蛇的上半身，表现邔亭湖庙，大蛇即庙神大蟒，殿前胡跪一俗装人，手持长柄香炉，可能为商旅，整个画面可能表现"商旅祈祷"的场景〔图20〕。画面之二，一座单层覆钵式石塔，塔顶有相轮及悬铃，塔两侧各立一僧人，一人举莲茎，另一人举幡，塔前跪一僧人，手执香炉，画面表现的塔前礼拜，塔前跪的僧人可能就是安世高〔图21〕。莫高窟壁画和藏经洞保存安世高神异故事的壁画和文字，充分说明安世高作为第一位来华传播佛教和翻译佛经的高僧，对中国佛教发展的重要贡献和重大影响[52]。

48　[梁]僧祐撰：《出三藏记集·安世高传》卷13，《大正藏》第五十五卷；[梁]慧皎撰《高僧传》卷一"安清安世高"条，《大正藏》第五十卷，第323～324页。

49　（匈）雅诺什·哈尔马塔著，徐文堪、芮传明译：《中亚文明史》，第二卷第二十章"萨珊王朝的兴起"之"马尔吉亚那"条，北京：中国对外翻译出版公司，2003年12月，第388～390页；李铁匠：《安世高身世辨析》，《南昌大学学报（人文社会科学版）》1989年第1期，第63～66页；《剑桥伊朗史》第3卷第2分册英文版，第57页、第957页；张广达：《论隋唐时期中原与西域文化交流的几个特点》，《北京大学学报》1985年第4期第5页；《大英百科全书》，"伊朗"条，1974年。

50　法国国家图书馆编：《法藏敦煌西域文献·第21卷》，上海：上海古籍出版社，2002年9月，第127页。

51　中国社会科学院历史研究所、英国国家图书馆编：《英藏敦煌文献》第4卷，成都：四川人民出版社，1991年9月，第10页。

52　孙修身：《敦煌与中西交通研究》，第八章第一节"中国最早的译经僧安世高"，兰州：甘肃教育出版社，2002年9月，第130～134页；张小刚：《敦煌佛教感通画研究》，兰州：甘肃教育出版社，2015年8月，第262～264页。

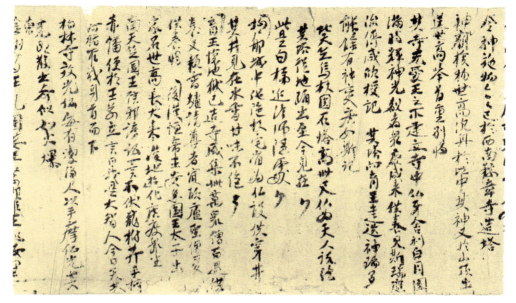

图 19

图 20　　　　　　　　　　　　　　　　　图 21

[图 19]
S.2113V/8 敦煌文书
《诸佛瑞像记》

[图 20]
安世高神异故事画之
大蟒庙神
莫高窟第 98 窟
五代

[图 21]
安世高神异故事画之
造塔
莫高窟第 9 窟
晚唐

八、古代景教相关文物

　　景教是基督教的一支，其元祖为叙利亚人聂斯托尔，故又称聂斯托尔派（Nestorians）。因聂斯托尔及其派别主张基督有神、人"二性二位"说，而遭到猛烈抨击。431 年，在小亚细亚以弗所（Ephesus）召开"以弗所公会议"（Council of Ephesus），聂斯托尔被革除主教职务，受到开除教籍的"绝罚"，其教派亦被判为异端（heresy），遭到排斥。聂斯托尔派的信徒们为逃避迫害，逃到波斯，得到波斯国王保护，成立独立教会——景教，后流行于中亚一带。此后，该教沿着丝绸之路向东传播，于唐贞观九年（635年）传入中国。由于得到多位唐朝皇帝的支持，曾极盛一时。镌于唐德宗二年（781年）的《大秦景教流行中国碑》比较详细地记载了景教在唐代150年间流行经过和传播情况，碑文中"法流十道，寺满百城"描述，反映了景教发展的盛况。

唐贞观九年（635年），以阿罗本为团长的大秦景教宣教师团来到长安，景教开始传入中国。贞观十二年（638年），唐太宗（627~649年）下令在长安义宁坊修建大秦寺，度僧21人，许其传教。唐高宗（650~684年）时，诏令诸州各建景寺。唐代宗（762~779年）、德宗（780~805年）亦弘扬景教，当时教会已遍布全国。在德宗建中年间（780~783年），更立《大秦景教流行中国碑》，记述景教在中国的流行情况，号称"法流十道，寺满百城"。唐武宗会昌年间（841~846年），朝廷实行灭佛政策，这一法难也涉及景教，自此中原景教绝迹，可是边疆地区未受影响，继续流行[53]。王延德《西州使臣记》载："（吐鲁番）复有摩尼寺、波斯僧各持其法，佛经所谓外道也。"[54]马可·波罗在他的行记中也透露出西夏占领地区有景教聂斯脱利派的信徒[55]。

敦煌藏经洞出土法藏P.3847《景教三威蒙度赞》〔图22〕、《尊经》〔图23〕，前者的《大秦景教三威蒙度赞》是教会举行宗教仪式时诵唱的赞美诗[56]；李盛铎旧藏《志玄安乐经》《大秦景教宣元本经》[57]、英藏《粟特—突厥文书札》（编号为Or.8212:86，现藏英国图书馆印度事务部，9~10世纪归义军时期文书）（Hamilton & Sims-Williams, 1990, p.51）、《粟特文基督教占卜书》（时代待考）(Hamilton & Sims-Williams, 1990, p.51)、英藏敦煌藏经洞出土二件景教绢画，其一，画像的头冠上有景教的十字架，胸前衣服上有景教的十字纹，时代为9世纪〔图24〕[58]。另一件英藏画幡上画有景教徒手持法杖共八件[59]。藏经洞出土上述景教遗物时代为9~11世纪，即中唐至宋代。此外，S.1366《归义军史衙内麦油破用历》（980~982年）中有"甘州来波斯僧月面七斗，油一升，廿六日支纳药波斯僧用。"此处波斯僧是指景教教士。

莫高窟北区出土宋、西夏的景教铜十字架和元代叙利亚文《圣经》[60]。莫高窟北区B.105窟出土铜十字架〔图25〕，时代为11世纪或以前的宋代。铜十字架由横竖交叉的十字、方框、圆环及

53　朱谦之：《中国景教》，北京：东方出版社，1993年，第171页。

54　[宋]王延德撰：《使高昌记》，又名《西州使程记》，久佚。今本为近代著名学者王国维从《宋史·高昌传》中辑出。

55　史金波：《西夏文化》，吉林：吉林教育出版社，1986年，第108页。

56　《法藏敦煌西域文献》，第28册，上海：上海古籍出版社，2004年，第356~357页。

57　荣新江：《敦煌景教文献写本的真与伪》文章之三"杏雨书屋新刊李盛铎旧藏景教文书——再论李盛铎藏卷的真伪"，载《林悟殊先生祝寿文集稿》，待刊，罗振玉记《李木斋氏鉴藏燉煌写本目录》。

58　大英博物馆监修、Dr.Roderick Whitfield编集，上野アキ译：《西域美术·大英博物馆スタイン·コレクシヨン》（1-3卷），日本：讲谈社，1982~1984年，图25。朱谦之：《中国景教》，北京：东方出版社，1993年，第194页。

59　陈怀宇：《高昌回鹘景教研究》，图七："敦煌出土景教绘画"，载季羡林主编《敦煌吐鲁番研究·第4卷》，北京：北京大学出版社，1999年。

60　彭金章：《敦煌新近发现的景教遗物——兼论藏经洞所出景教文献与画稿》，《敦煌研究》2013年第3期。

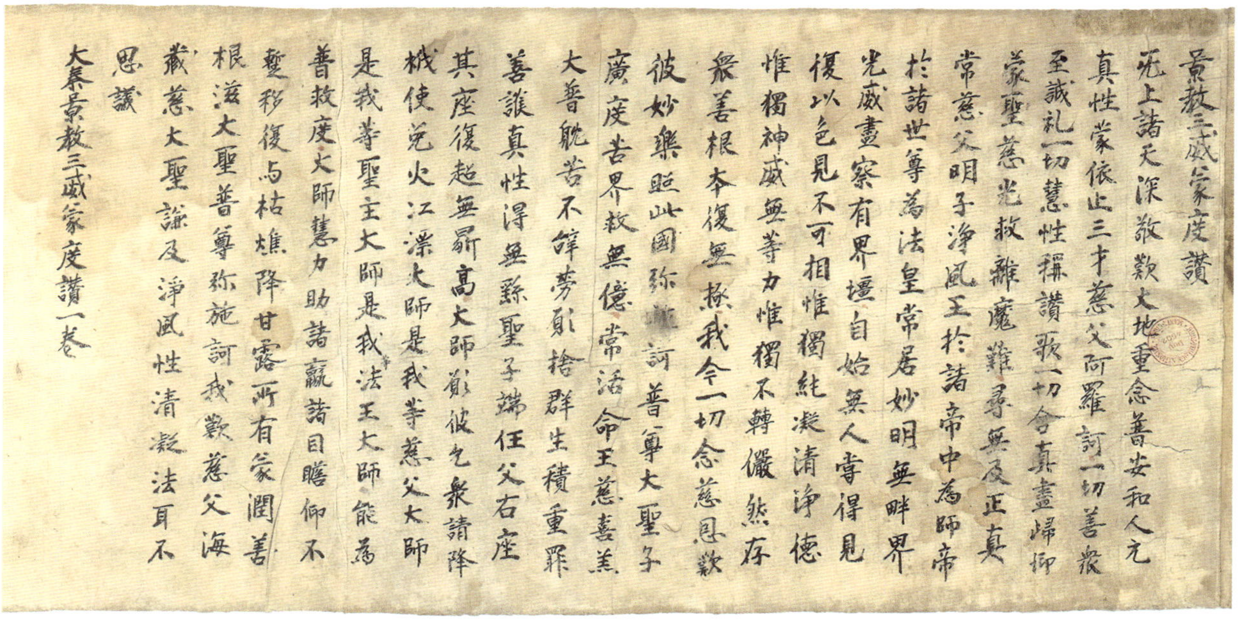

景教三威蒙度讚

無上諸天深敬歎　大地重念善安和人元
真性蒙依止三才慈父阿羅訶一切善衆
至藏礼一切慧性稱讚歎一切含真盡歸仰
蒙聖慈光救離魔難尋無及正真
常慈父明子淨風王於諸帝中為師帝
於諸世尊為法皇常居妙明無畔界
光威盡察有界疆自始無人尊得見
復以色見不可相惟獨純凝清淨德
惟榴神威無等力惟榴不轉儼然存
衆善根本復無極我今一切念慈恩歎
彼妙樂眠此國　訶普尊大聖子
廣度苦界救無億常活
大普航苦不辭勞　捨群生積重罪
善座真性得無　高大師歡彼乞衆請降
機使苊火江漂太師是我等慈父大師
是我等聖主大師是我法王大師能為
普救度大師慧力助諸　目瞻仰不
蕩移復與枯焦降甘露而有　潤善
根滋大聖普尊彌施訶我歎慈父海
藏慈大聖謀及淨風性清凝法耳不
思議

大秦景教三威蒙度讚一卷

图22

尊經

敬礼妙身皇父阿羅訶　應身皇子彌施訶
證身盧訶寧俱沙　已上三身同歸一體

瑜罕難法王　盧伽法王　明泰法王
牟世法王　多惠法王　寶路法王
于眼法王　耶俱逸法王　景通法王
宜和吉思法王　摩沒吉思法王
窣難耶法王　賀薩耶法　岑穩僧法王
孫沙耶法王

敬礼常明皇樂經
天寶藏經　多惠聖王經　阿思瞿利容經
渾元經　通真經　寶明經
傳化經
述略經　三際經　微詰經
藥靈經　寧思經
宣義經　寶路法王經
師利海經　寶路法王經　刪河律經
藝利月思經
三威讚經　牟世法王經　伊利耶經　四門經
報信法王經　寧耶頤經　啟真經
摩薩吉斯經　慈利波經
烏沙那經

謹案諸經目錄　大秦本教經都五百卅部　並是貝葉梵音
唐太宗皇帝貞觀九年西域太德僧阿羅本屆于中夏　並奏
上本音　房玄齡　魏徵宣譯奏言　後召本教大德僧景淨
譯得已上卅部卷　餘大數具在貝皮夾　猶未翻譯

图23

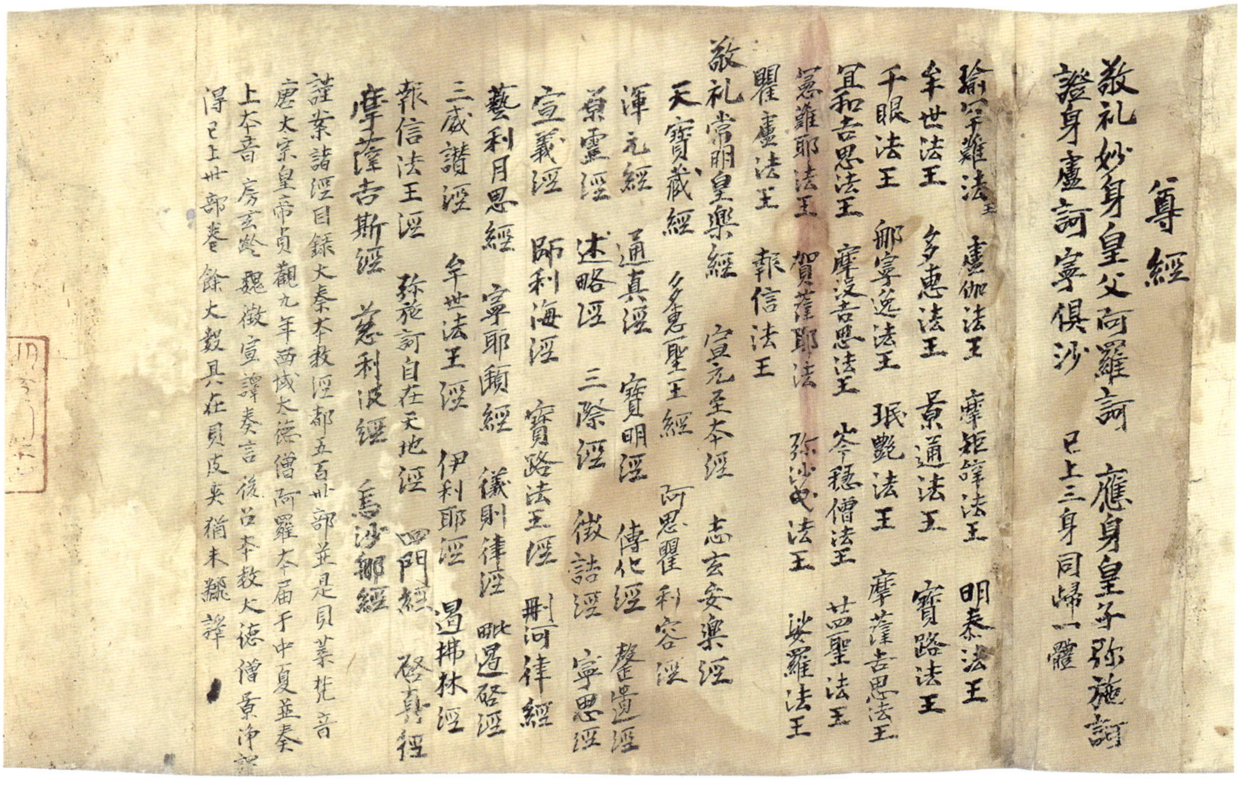

4个鸟头构成。它们是横竖交叉的十字；十字架中心的十字交叉在一个方框之内；方框外为一周圆环；十字的四端伸出圆环之外；十字四端之间的空间在圆环边上各饰一鸟头，共四个鸟头。十字、方框、圆环及鸟头均有凹槽，凹槽说明此铜十字架可能原有镶嵌物，现已不存。推测这个铜十字架原来可能属于佩戴的徽章。

十字架出现圆环，据说象征永生、象征天空、大地。至于鸟头，"在大多数情况下，鸟类象征着神圣、吉祥、光明、正义等，有时作为高级神祇的象征"。"鸟在基督教《圣经》中，是上帝的创造物"，是"上帝创造生命和赐福的象征"[61]。

根据莫高窟北区 B.105 窟所出铜十字架的特征，属"马耳他十字形"（Maltese Cross）纹饰。在我国，除西安《大秦景教流行中国碑》（781年）以及洛阳《大秦景教宣元至本经幢》（814年）[62]有马耳他形十字架外，在敦煌藏经洞发现的景教画幡（9~10世纪）所示节杖[63]、在新疆高昌城外景教遗址出土的景教壁画（9~10世纪）骑士手中节杖上[64]，也发现了与莫高窟北区铜十字架纹饰相同的马耳他形十字架。

莫高窟北区 B.53 窟出土叙利亚文《圣经》，时代为元代〔图26〕。经北京大学教授段晴博士研究，认为"是一件叙利亚文文书——使用的是埃斯特朗哥罗（Estrangelo）字体演化而来的景教体——可以断定，

图 24

图 25

〔图 24〕
景教绢画
英国大英博物馆藏
9世纪

〔图 25〕
景教铜十字架
莫高窟北区出土
10~11世纪

61 姜伯勤：《敦煌莫高窟北区新发现中的景教艺术》，《艺术史研究·第六集》，广州：中山大学出版社，2004年，第338页。
62 罗照：《洛阳新出土〈大秦景教宣元至本经及幢记〉石幢的几个问题》一文的经幢拓片，《文物》2007年第6期；荣新江：《敦煌景教文献写本的真与伪》之二"洛阳新出石本《宣元至本经》"注12~19。
63 陈怀宇：《高昌回鹘景教研究》，载季羡林主编《敦煌吐鲁番研究·第4卷》，北京：北京大学出版社，1999年。
64 陈怀宇：《高昌回鹘景教研究》，载季羡林主编《敦煌吐鲁番研究·第4卷》，北京：北京大学出版社，1999年。

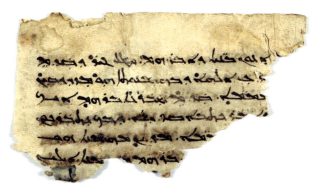

图26　　　　　　　　　　　　　　　　　　　　　　图27

这件文书是曾经在中亚地区和中国流行的景教会所使用的文献"[65]，并指出"敦煌的叙利亚文书属于 Shuray-i 类的《诗篇》节选，它是叙利亚语《前后书》的一部分"。[66] 著名旅法学者吴其昱先生对此文献研究后指出：此次莫高窟出土的叙利亚语《前后书》或课经 Lechonary，"当为中国现存最古之本，亦可能为中国现在残存最古之旧约经文（至迟为元代抄本）"[67]。这件叙利亚文《圣经》的内容为基督教《圣经·诗篇》中节选"颂"的部分，可能是用于教会举行宗教仪式上的赞颂诗。

另一件，为敦煌研究院陈列中心藏 D.0071 "摩尼文经典残片"〔图 27〕。经德国克罗恩（Klein）与土巴奇（Tubach）两位学者研究，纠正了该文献原来定名的错误，应定为叙利亚文基督教《圣经》。他们认为该文献属于叙利亚文的基督教《圣经》，是"使徒保罗给加拉太教会所写书信的一页残片 —— 所写的内容开头就是圣经中的语句 —— 它对礼拜堂圣经规则的发展与传播来说，是为数不很多的早期证据之一"，其撰写的时间最可能是在 1250 年到 1368 年之间[68]。

综上所述，从中唐至元代，长达数百年间的敦煌地区一直有景教存在[69]。

65　段晴：《敦煌新出土叙利亚文文书释读报告》，载彭金章、王建军主编《敦煌莫高窟北区石窟（第一卷）》，北京：文物出版社，2000 年，第 382 页。

66　段晴：《敦煌新出土叙利亚文文书释读报告（续篇）》，《敦煌研究》2000 年第 4 期。

67　吴其昱：《敦煌北窟叙利亚文课经（Lechonary）诗篇残叶考释》，载项楚、郑阿财主编《新世纪敦煌学论集》，成都：巴蜀书社，2003 年，第 191~233 页。

68　克罗恩、土巴奇著，赵崇民、杨富学译：《敦煌出土叙利亚文基督教文献残卷》，载敦煌研究院编《敦煌研究文集·敦煌研究院藏敦煌文献研究篇》，兰州：甘肃教育出版社，2000 年，第 493 页。

69　姜伯勤：《敦煌与波斯》，《敦煌研究》1990 年第 3 期，第 1~15 页。

九、祆教和祆神相关文物与文献

祆教，又称火祆教、拜火教，起源于古代伊朗部落原始宗教祭祀。公元前6世纪由波斯人琐罗亚斯德创立，以其名字命名的琐罗亚斯德教。祆教被波斯的米底王朝、阿契美尼德王朝、安息王朝、萨珊王朝所信奉，萨珊王朝（224～651年）定为国教，并在中亚各国得到广泛传播。粟特地区的昭武九姓也随之奉行此教。约南北朝时期传入中国。

波斯国与北魏通使频繁。北魏灵太后时（516～527年）"废诸淫祀，而胡天神不在其列"，将马兹达教奉为国教[70]。

北齐、北周继续崇信。隋唐祆教开始流传，六七世纪之际，祆教约先后传入焉耆、高昌、疏勒、于阗。隋代并置萨保对祆教加以管理。唐代长安城中祆祠共有5处：布政坊、醴泉坊、普宁坊、靖恭坊和崇化坊。洛阳会节坊、立德坊和南市西坊也有祆祠，凉州亦有祆祠。不论两京或河西诸州的祆祠，都置官管理，每岁定时祭奉，禁止人民祈祭[71]。

1907年斯坦因在敦煌西北长城烽燧发现8封粟特文信件，这些书信是在兰州、武威、敦煌经商的粟特商人写给家乡撒马尔罕贵人和商人的书信，时间为西晋末年的公元312年前后。从书信内容得知，早在4世纪敦煌已有粟特商人，并由粟特商人形成了聚落，在聚落中应由粟特人建立祆祠。说明4世纪时祆教已传入了中国，传入了敦煌。

敦煌藏经洞出土S.2005唐代《沙州都督府图经》"祆神"条载："右在州东一里，立舍，画神主，总有廿龛，其院周回一百步。"〔图28〕因为《图经》记载广泛的内容中也记载名胜、古迹，所以《图经》所记"祆神"条，可能说明敦煌唐代甚至唐代以前已建有祆教祠舍，供奉祆神。根据学者研究，这所祆祠就建在城东粟特人自治聚落的"安城"，藏经洞出土《敦煌廿咏·安城祆咏》（P.6167、P.2690、P.2748、P.2983、P.3870、P.3929）可以为证。这个"安城"在沙州敦煌县十三乡之一的从化乡（P.3559《天宝十载差科簿》载"从化乡"）[72]，祆教传入中国后，只在粟特人为主的胡人中流行，并不翻译经典，没有汉文祆教经典留下，至今也没有资料证明汉唐境内的民族信仰祆教。特别是8世纪后期吐蕃占领敦煌后，粟特聚落很快离散，从化乡的粟特人减少，一些人沦为佛寺的寺户，祆教在缺乏信仰主体的情况下，与敦煌官府的礼仪结合，与当地民俗相融合。敦煌晚唐五代宋的归义军时期（从9世纪后半叶至10世纪末）官民当中都在流行"赛祆"。藏经洞出土P.2748《敦煌廿咏·安城祆咏》诗中写到"更看零祭处，朝夕酒如绳"，诗中"零祭"是说敦煌

---

70 《魏书·宣武灵皇后胡氏列传》。

71 沈福伟：《中西文化交流史》，上海：上海人民出版社，2006年，第163~164页。

72 P.3559《天宝十载差科簿》载"从化乡"；（日）池田温著，辛德勇译：《八世纪中叶敦煌的粟特人聚落》，载刘俊文主编《日本学者研究中国史论著选译》第9卷《民族交通》，北京：中华书局，1993年，第140~220页。

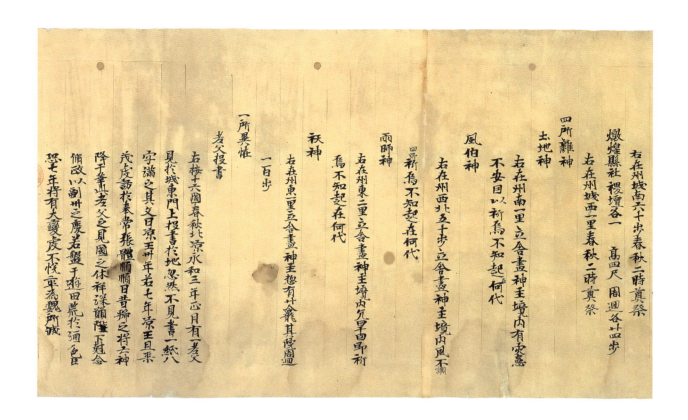

[图28]
敦煌文书《沙州都督府图经》P. 2005

祆祠在当时已参与官府祈雨的祭祀活动，以酒祈雨。藏经洞发现9世纪后期敦煌官府的入破历（收入支出账）中不乏"赛祆"的记载，可以说明[73]。

藏经洞出土过一幅祆教女神图的纸画[图29]。图中两个女神相对而坐，皆着菩萨装，头上有光轮（光环），头戴桃形冠。左边的坐在基座饰有莲瓣的方座上，左手端盘，盘内蹲坐一犬，右手端一盏。右边的坐在犬背上，有四只手臂，上面两手分别持日、月，下面分别持蛇、蝎。在佛教造像中没有以上特征的女神。据日本学者池田温研究，应是祆教的神祇，左边的女神是象征祆教的善神达安纳，右边的女神可能是表现粟特的女神娜娜。荣新江认为，它可能是晚唐五代宋初的归义军官民赛祆活动的遗物。

祆教是产生于两河流域和伊朗高原的宗教，在其发展过程中也融合了波斯艺术、印度艺术及粟特艺术等方面的因素，并不断向东传播，传入了敦煌，又与汉地艺术交融在一起。敦煌石窟中出现的祆教艺术图像，反映了波斯文化与中国文化的交流与融合[74]。

73　荣新江：《华戎交汇 —— 敦煌民族与中西交通》，兰州：甘肃教育出版社，2008年，第79~80页。
74　姜伯勤：《中国祆教艺术史研究》，北京：生活・读书・新知三联书店，2004年4月，第270页。

〔图29〕
祆教二女神
敦煌藏经洞出土
P.4518
五代以前

十、摩尼教及相关文献

　　摩尼教是3世纪中叶由波斯人摩尼创立的宗教。摩尼把明、暗二宗，当作世界的本原。他把光明和黑暗说成是两个相邻的王国，这两个王国自始至终就存在着，并非由谁所创造。摩尼教自创立后便迅速东渐，3世纪末叶已进入中亚地区。延载元年（694年）以前，摩尼教已沿丝绸之路传入中国，延载元年波斯摩尼教献给武后《二宗经》，摩尼教正式得到唐王朝的承认，开始公开传播。会昌初，信奉摩尼教为国教的回鹘败于黠戛斯，国破西迁，唐武宗乘灭佛教之机查禁摩尼教，摩尼教在中国内地遭到毁灭性打击。自此以后，中国内地的摩尼教团便与中亚摩尼教团失去组织上的联系，只是独立地自生自灭。

　　敦煌藏经洞出土文书中既有摩尼教回鹘语译本，也有汉文译本。英藏Or.8212-178（旧编号为ch.0015）《摩尼教徒忏悔文》系用摩尼文回鹘语写就，这篇《忏悔文》是了解摩尼教徒宗教生活很重要的原始资料。这篇残卷极有可能就是摩尼教传播过程中遗留在敦煌的原始经文。发现后，立即引起各国摩尼教专家的关注和研究。此外，藏经洞还发现三篇汉文摩尼经残卷。其一，《摩

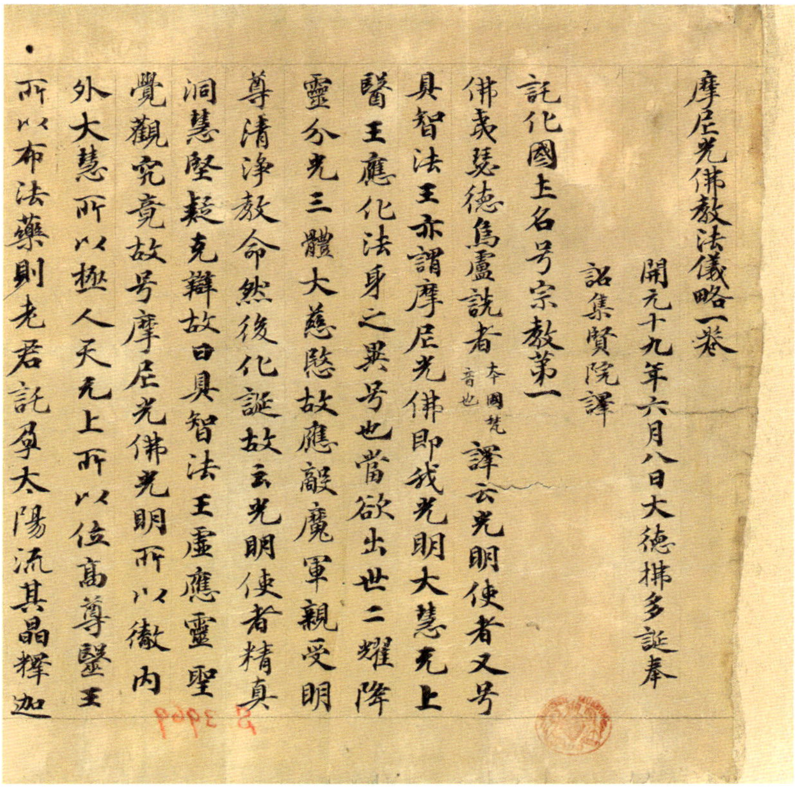

摩尼光佛教法儀略一卷

開元十九年六月八日大德拂多誕奉

詔集賢院譯

託化國土名號宗教第一

佛夷瑟德烏盧詵者（本國梵音也）譯云光明使者又號

具智法王亦謂摩尼光佛即我光明大慧無上

醫王應化法身之異號也當欲出世二耀降

靈分光三體大慈愍故應覩魔軍親受明

尊清淨教命然後化證故玄光明使者精真

洞慧堅疑克辯故曰具智法王靈應靈聖

覺觀究竟故號摩尼光佛光明所以徹内

外大慧所以拯人天无上所以位高尊醫王

所以布法藥則老君託孕太陽流其晶輝迦

[图30]
《摩尼光佛教法仪略》
S.3969

尼光佛教法仪略》唐代写本〔图30〕，分藏英国和法国（英藏S.3969、P.3884），题写有"开元十九年（731年）六月八日大德拂多诞奉诏集贤院译"，是唐玄宗时代在华的摩尼教传教师奉诏撰写的一件关于摩尼教的解释性文件，共分六章，主要内容为简介摩尼教的起源，教主摩尼的主要著作、教团的组织、寺院的制度、教义的核心等，对研究当时中亚地区和中国内地的摩尼教具有重要参考价值。其二，中国藏国家图书馆藏字56号，新编BD.00256号《摩尼教残经》，唐代写本，由于该文书前半部残失，所以具体经名不得而知。该经文以教主对弟子答问的形式，阐发摩尼关于人类自身并存明、暗二性的教义，其行文类似佛经，对于研究摩尼教的基本教义及其在中国之递嬗，具有重要参考价值。其三，英藏S.2659摩尼教《下部赞》，唐代写本，稍有残缺，此经应是中国摩尼教徒举行宗教仪式时诵唱用的赞美诗。虽有残缺，但在现存各种文字的摩尼教赞美诗中，仍不失为保存最为完整、内容最为丰富者。它是研究摩尼教教义、宗教仪式及其在中国变化的重要资料。敦煌及回鹘地区所流行的摩尼教，如林悟殊的研究，它们主要与中亚摩尼教团有关，而中亚摩尼教团中有大批粟特信徒。

十一、小结

古代波斯地控中亚与西亚，连接亚、非、欧三大洲，西与古希腊罗马文明、古埃及文明相邻，南与印度文明，东与中华文明相连。是东西方文明交汇之地。波斯文化对中国的影响不仅仅在于波斯本身，通过波斯也将西方的古希腊罗马文明带到了东方。而敦煌一地是古代丝绸之路的交通要道，同样处于东西方文化交汇的十字路口，多宗教、多民族、多元文化便是敦煌文化的一大特色。早在20世纪90年代初，姜伯勤先生就注意到波斯与敦煌的关系，撰文《敦煌与波斯》，首先从《周书》《北史》等史籍中找到了关于波斯的蛛丝马迹，又探讨了敦煌壁画中萨珊风格的联珠纹以及古代敦煌的景教与波斯僧、敦煌星占与波斯星占等问题。可以说对丝绸之路上波斯与敦煌关系的研究，姜伯勤先生的研究具有发凡起例的意义。其后，荣新江等学者从古代波斯与中国诸多文化交流方面做了探讨。20世纪末以来，丝绸之路研究，特别是对粟特文化的研究成为热门话题，粟特文化中有不少与波斯文化相关联。荣新江、张庆捷等学者根据大量的出土文物，特别是北齐、北周和隋代的文物，深入探讨了粟特民族及其文化在南北朝到隋唐时代对中国的诸多影响。这些研究成果为我们展开了丝绸之路上中亚、西亚文化不断传入中国的图景。近些年来，也不断有学者从具体的波斯图案纹样、纺织物以及工艺品等方面对波斯文化的影响做过探讨。以上诸家的研究对于我们认识波斯文化在中国的传播具有参考价值。

本文在前人研究的基础上，列举敦煌石窟壁画以及相关出土文物等例证，从中可以看出古代波斯文化曾经对中国产生过深远的影响。敦煌石窟本是佛教的石窟，但佛教从印度经中亚传入中国的途中，不断受到丝绸之路沿线各民族文化的影响，波斯文化在敦煌体现得更为丰富，波斯风格的狩猎图、联珠纹、动物纹等在壁画中大量出现，源自波斯的祆教、摩尼教以及经波斯而传来的景教等，均在敦煌留下了痕迹。本文所述仅为抛砖引玉，敦煌文化中包含着极其丰富的中外文化交流的资料，仍有待于学者们继续深入挖掘、研究。

（本文据2016年9月在俄罗斯圣彼得堡"敦煌手书遗产"国际学术会议上的发言内容整理而成）

玖 · 考古发掘与出土文物

IX

Archaeological
Excavations
and
Unearthed
Cultural Relics

莫高窟发现的唐代丝织物及其他

在世界上享有盛誉的我国古代丝绸，自汉以来，沿着著名的丝绸之路源源西运。位于河西走廊西端的敦煌，它是总汇丝绸之路南、北两路，连接河西走廊的"咽喉之地"，在丝绸之路上占有重要位置。近年来，在丝绸之路沿途的许多地点不断有古代丝织物发现，敦煌就是其中的一处。

1965年在莫高窟第130窟窟内和第122、123窟窟前两处，分别发现属于盛唐时期的丝织物一批。

第130窟原为唐开元、天宝年间开凿，晚唐时甬道两侧又曾重绘[1]，窟内四壁现存表层壁画是宋代绘的团花图案。故第130窟甬道壁画为三层，窟内壁画为两层。1965年10月，为加固该窟大面积脱落的壁画，我所保护组同志在窟内南壁西端距西壁约1米、距地面20余米处，钻加固壁画的铆钉孔时，发现底层壁画下有一岩孔，孔内堵塞残幡等丝织物一团，经整理共40件。

又，同年秋，在第122、123窟窟前发掘时发现唐代遗物一批，其中有残幡等丝织物12件。第122、123窟和发现太和十一年北魏刺绣的第125、126窟毗邻[2]，均系盛唐时开凿。发掘范围东西、南北各约2.5米，揭去地表沙石后，在地表下0.4~1.5米出土唐代遗物。这层沙土堆积，细而干松并夹杂炭块、草屑、木片等物。1.5米以下为粗砂石层，没有发现任何遗物。

下面，我们谈谈对丝织物和其他遗物的初步整理情况和一些粗浅认识。

1　《敦煌艺术叙录》谓：130窟甬道两侧有晚唐人画佛传图（此图于20世纪40年代初被张大千剥下），并有题记四行："浙江东道弟子张□□魏博弟子石弘载□咸通七年三月廿八日□□□□□□□耳"。

2　敦煌文物研究所：《新发现的北魏刺绣》，《文物》1972年第2期。

一、丝织物

共60余件（详见附录登记表），保存尚好，绝大部分是各种染缬绢、各色纹绮缀联制成的长条彩幡，现按其特点，分类进行介绍。

（一）发愿文绢幡2件

（1）"开元十三年"发愿文幡（K130：3）〔图1〕。首尾完整，长162、宽15厘米。幡首为双层红色绢，顶缀蓝色绢带环结。幡身七段，由黄、红色绢相间连接而成。各段相接处，内撑以裹着丝棉的芨芨草棍，两侧缀以短带，幡尾为本色绢，质细而薄。幡身第一段有墨书发愿文6行38字：

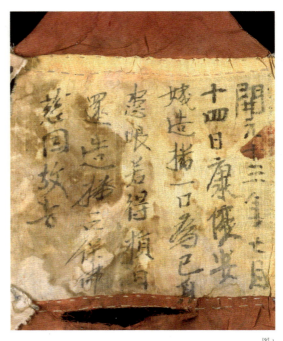

〔图1〕

> 开元十三年七月」十四日康优婆」姨造播
> （幡）一口为己身」患眼若得损（损）日」还造
> 播（幡）一口保佛」慈曰（因＝恩？）故告。

（2）"女阿阴"发愿文幡（K130：11）〔图2〕。残长46、宽13厘米。幡首为黄色绢两层，杏黄色绢，绛地白点绞缬绢镶边，幡身为本色绢三段，第二段墨书发愿文5行30字：

〔图2〕

> 女阿阴为患膂（腰）得」损（损）发愿造番（幡）两口」与弥勒二口为
> 生」身二口为二亡女」敬造

以上二幡由发愿文可以看出是佛教信女为祈佛"消灾免病"而施舍的幡。

〔图1〕
"开元十三年"发愿文幡

〔图2〕
"女阿阴"发愿文幡

（二）染缬绢幡9件

（1）染缬绢幡（K130：1）〔图3、图4〕。完整，长164、宽13.5厘米。幡首为白色双层"印"团花纹纱〔图5〕，镶深红色绢边。纱面上的纬线有两种，一是单

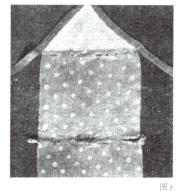 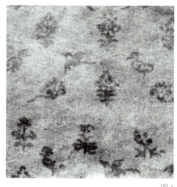 

〔图3〕　　　　　　　　　　　〔图4〕　　　　　　　　　　　　　　　　　　〔图5〕

 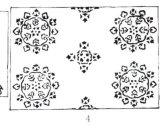 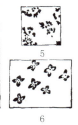 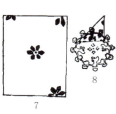

1　　　　2　　　　3　　　　　4　　　　　5　　　　6　　　　7　　　　8

〔图6〕

〔图3〕
团花纹纱和绿地绞
缬绢

〔图4〕
黄地蜡缬绢

〔图5〕
团花纹纱

〔图6〕
蜡缬绢花纹纹样
1.黄地云头花鸟蜡缬绢
2.蓝地云头花鸟蜡缬绢
3.绛地灵芝花鸟蜡缬绢
4.绿地团花蜡缬绢
5.黄地散花蜡缬绢
6.黄地四瓣花蜡缬绢
7.黄地六瓣花蜡缬绢
8.紫地团花蜡缬绢

根，一是三根为一枚，基本上是每种穿梭两次后改用另一种，但是纱面也有用三根为一枚的纬线连续织八梭的情况。纱上有清晰的花纹，纹样为团花。未显花部分的纱面色暗，质硬。显花部分的丝纤维色白而有光泽，质地松散柔软。其显花方法，可能是把花纹部分的丝胶脱掉。纱的组织和显花方法，都可以在新疆吐鲁番1968年发现的丝织物中看到相同的例子[3]。幡身六段，第三段蜡绢，黄地云头花鸟纹〔图6：1〕。第122窟窟前发现的一块湖蓝地蜡缬绢（K122：1）〔图7〕为云头花草禽鸟纹〔图6：2〕。两者纹样都有流云、飞鸟、浮禽、花草，十分相似，均极工致而生动。其余各段绞缬绢，在绿地和紫地上显出成行整齐的白点。幡身各段相接处两侧缀蓝色短丝穗，幡尾为青色绢。这件染缬幡，是幡中缝制最为工细，色彩亦最为鲜丽精美的一件。

（2）绛地灵芝花鸟蜡缬绢残幡（K130：17）〔图8〕。残长62、宽13厘米。存

3　竺敏：《吐鲁番新发现的古代丝绸》，《考古》1972年第2期。

图7   图8

〔图7〕
湖蓝地蜡缬绢

〔图8〕
绛地蜡缬绢

幡身两段，一段淡绿色绢，一段绛色绢地蜡染灵芝花草飞鸟纹样〔图6：3〕，印染精致，幡尾为本色绢。

（3）绿地团花蜡缬绢残幡（K130：33）〔图6：4〕。仅存幡身一段，长47、宽52.5厘米。幡身两侧保存完好的幅边，可知所用绢幅面阔为52.5厘米，折合唐尺一尺七寸，与文献记载大致相符。因经线粗细不同，幡身绢面显呈平行条纹。绢是先染为黄色，再用镂花夹板注蜡凝染出绿地圆形和四出团花[4]。另一残幡（K130：27），幡首为蜡缬绢，其紫地团花〔图6：8〕，纹样与此大同小异。

（4）空首蜡缬绢幡（K122：2）。残长70、宽12厘米。幡首以本色绢带作边，中空，正中缀短绢带联结幡身。幡身蜡缬绢五段，第三、四、五段分别为淡青地小团花、土黄地六瓣花〔图6：7〕和四瓣花〔图6：6〕的散花纹样〔图9〕。另外两件土黄地散花蜡缬绢残幡（K130：28）〔图6：5〕和绿地小团花蜡缬绢带（K130：27）染缬的图案，与此件幡身第三段十分接近，同属小团花类纹样〔图10〕。

（5）夹缬绢幡（K130：12）〔图11〕。完整，长76、宽7厘米。空幡首，幡身四段，第一段为湖蓝色夹缬绢，染作蓝、白套叠菱形纹样，以下各段为绛色、草绿色、本色绢，幡尾为本色绢。

（6）拓印联珠对禽纹绢幡（K130：24）〔图12、图13〕。残长13、宽8厘米。幡身仅存土黄色绢一段。幡首心是一种组织稀疏的绢（每厘米经线35根、纬

4　[宋]周去非：《岭外代答》卷六"瑶斑布"条："瑶人以蓝染布为斑，其纹极细。其法以木板二片，镂成细花，用以夹布而熔蜡灌于镂中，而后乃释板取布投诸蓝中，布既受蓝，则煮布以去其蜡，故能受成极细斑花，炳然可观。"使用镂花夹板的蜡缬方法，与瑶斑布的染法相似。

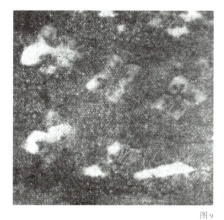

图9　　　　　　　　　　图10　　　　　　　　　　图11

图12　　　　　　　　　　　　　　图13

[图9]
土黄地蜡缬绢

[图10]
土黄地蜡缬绢

[图11]
湖蓝色夹缬绢

[图12]
拓印联珠对禽（鸡）
纹绢幡（背面）

[图13]
拓印联珠和卷草纹绢
幡（正面）

线17根），一面为联珠对禽（鸡）纹，一面是联珠和卷草纹，是由一块单面拓印的黑色联珠对禽（鸡）纹绢折为两层而成的。这类联珠纹图案，在莫高窟隋、初唐的壁画中比较多见。幡首外镶以淡蓝色绢边。

（三）纹绮9件（包括纹绮幡4件）

（1）人字纹绮残幡（K130：9）〔图14、图15〕。仅存幡身四段，残长28.5、宽8.5厘米。第一至三段为本色、紫色、淡绿色绢。第四段为绛色纹绮，质地厚重，织造整齐，平纹地，纬斜纹显连续曲折的人字纹样。幡身两侧缀绛、绿、白短丝穗，顶端缀橘红、绿色夹绢带一条，长52.5厘米，为原绢的幅宽。

（2）各色纹绮幡（K130：14）。长44、宽7厘米。除残幡尾为本色绢外，幡首心红色镶边以及红、绿、黄、紫四段幡身均为纹绮。幡首心和幡身第三段为菱形纹小花，幡身第一段和第四段为宝相花〔图16〕，第二段为柿蒂形小花。

图14

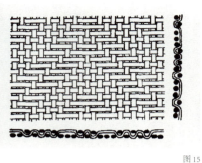

图15

图16

图17

（3）方点纹绮幡首（K130：26）。残长10、宽7厘米。幡首心为茄紫色纹绮，纹样为整齐成行的方点，镶本色绢边。

（4）四瓣花纹绮幡首（K130：25）。幡首长4、宽8厘米。幡首心为双层金黄色纹绮，经斜纹起花。成排的菱形四瓣花中间有小簇的花纹。幡首边为紫色白点绞纈绢。

（5）龟背纹绮带（K130：39）。以绛色和绿色纹绮缝合成双层长带，长50、宽1.5厘米。其一端保存原有的幅边。纹绮质地细密，花纹为连续的龟背纹，内填繁缛多变的几何形纹饰。

（6）菱形纹绮（K122：13）。为擦拭过墨迹的残片，断裂为两块，其尺寸20厘米×7厘米、11厘米×6厘米。花纹为连续几何形菱形纹样。

（四）锦幡1件

晕綢提花锦幡（K130：13）〔图17、图18〕。残长15、宽4厘米。仅有的一段幡身为单层锦，长4厘米。每厘米经线55根，纬线为双线24枚（48根）。以绿、蓝、白、黄、褐五色经线及蓝、白、蓝、褐合丝的经线，织成三枚经斜纹组织的晕色彩条纹。在彩色条纹上又以褐色纬线显出菱形小花。锦的左边是原有的幅边，也是三枚经斜纹组织，幅边与晕色彩条之间以平纹组织过渡。幅边和过渡的平纹组织所用的经线都是褐、蓝两色合并的双丝。

（五）缀花绢幡

缀花绢幡（K130：2）。完整，长78、宽9.5厘米。幡首为双层白色绢，幡

图18

〔图14〕
绛色人字纹绮

〔图15〕
人字纹绮组织图

〔图16〕
紫色宝相花纹绮

〔图17〕
晕綢提花锦组织图

身和幡尾为薄而软的深蓝色绢，是用一块绢分叠三段缝制成。幡上缀饰黄色、绯色绞缬纹绮和白色绢剪成的八角形花8朵。幡上采用缀花装饰，是发现的幡中唯一的一件〔图19〕。

（六）各色绢幡

完整和残破的各色大小绢幡21件。

（1）彩色绢幡（K130：5）。尾残，长132、宽18厘米。幡首为本色平纹纱，纬线以两根一枚的为主，间有用单根纬线的。各梭纬线两两成组，形成方目。幡首边镶以棕褐色回纹绮。幡身四段为红、绿相间的平纹绢，两边以本色绢包边，幡尾为深蓝色绢。

（2）绛色绢小幡（K130：8）。首尾全长31.5、宽7.5厘米，为幡中最小的一个。绢色为绛色与本色相间，身两段。

（3）本色绢长幡尾（K130：22）。是最长的一条幡尾，长264、宽8～15.5厘米。特别长的幡尾，再加上幡首和幡身，幡的大小就很可观了。像这样较长的幡尾还有几件（详见附表）。

（七）其他丝织物

帷帽（K122：3）。残破较甚，残长29厘米。帽和帽下长裙的面子用四块黄绢缝制，帽顶处每块绢又分缝为两块，使其成为八瓣。下垂长裙部分是帽子六瓣的延长，其下缘已残。帽后缀带两条，现存一条。原帽衬里已不存，现存里子上的多块黄麻布和绢是后缀补上去的。这种帽子的形制，在莫高窟初唐、盛唐壁画中可以看到很多例子，它可能就是吐谷浑服装中的"长裙缯帽"。

二、其他遗物

在第122窟窟前，与丝织物同出的还有残文书、捺印佛像、塑像饰物泥模、漆器等。

天宝七载文书（K122：14）〔图20〕。纸高26.5、残宽3～14厘米。纸色白，质柔韧。残存墨书七行：

〔图18〕
晕繝提花锦

〔图19〕
缀花绢幡

（前缺）请改给（缺）」参军抙剢少鸾」史邓
（缺）」天宝七载肆月拾（缺）六月二日东亭守捉
健儿王颌（?）送勘东过六月三日苦水守捉健儿徐
□□□」六月四日常乐勘过守捉官李怀六月五日
悬泉勘过守捉官茷（镇?）将靳崇信」六月八日晋
昌郡（下缺）

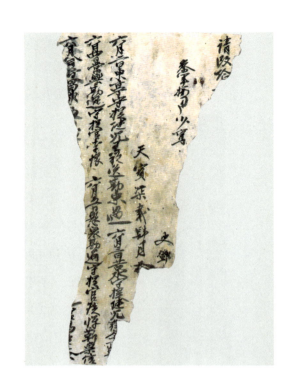

〔图20〕
天宝七载文书

文书所记，系"天宝七载"（748年）从敦煌郡
东行至晋昌郡，行程所经之处和日期。此文书行文
形式与日本三井寺藏唐大中九年的"过所"有相似之
处[5]。文中"参军少鸾"与伯希和盗窃的敦煌卷子编号
P.3348号文书中的"敦煌郡参军武少鸾"或许是同一
个人[6]。东亭守捉、苦水守捉等，《唐书·地理志》均
失载[7]，据敦煌石室遗书《沙州图经》，苦水守捉大约
在常乐县南山南，悬泉守捉在距沙州一百三十里的悬泉水附近[8]。此文书上未见
用印，或许是"录白案记"之类的抄件。

一块包过石绿颜色的残纸（K122∶15），高20、宽14厘米，残存墨书四行：

（前缺）以前得会稽（缺）戊申上件粮料在（缺）」无物可给陆（缺）般
从二月一日以后断（缺）上者都督判付军群检四□百诸色（缺）」衣会（缺）
什数如前者已（下缺）

从断续的文义看，这件残纸似乎是领物账的残页。

5 "过所"之用，始于西汉，止于五代。日人内藤虎次郎《三井寺藏唐过所考》（载《唐文献通考》）、陈直《汉晋过所通
考》（载《历史研究》1962年第6期）、贺昌群《烽燧考》（载《国立北京大学四十周年纪念论文集》乙编上）等文，对
汉、晋、唐"过所"制度均有考证，可参考。

6 《敦煌掇琐》六六·三三四八载："敦煌郡参军武少鸾天宝三载十月十二日充旨支四载和籴壹万段数，其物并给百姓等
和籴直破用并尽。"又《旧唐书》卷四十九《职官志》："仓曹参军二人掌粮廪、公廨、田园、厨膳、过所等事。"按参
军武少鸾掌粮廪，与掌"过所"的少鸾或即为一人。

7 《唐书·地理志》卷四十"沙州敦煌郡"条下，仅记有豆卢军神龙元年置，不见沙州守捉名。而瓜州晋昌郡则有百帐
守捉，豹文山守捉；伊州伊吾郡守捉之名凡三：罗护守捉，赤亭守捉，独山守捉。

8 《沙州图经》见《鸣沙石室佚书》"苦水"条：右源出瓜州东北十五里，名卤洞水。直西流至瓜州城北十余里，西南流
一百廿里至瓜州常乐县南山南号为苦水。又"悬泉水和悬泉驿"条云：右在州东一百卅里。按州系指沙州。

[图21]
雕版捺印佛像

雕版捺印佛像（K122：16）。纸质柔软，纤维细而长，纸高27、残宽23厘米。正面现存部分印有12幅内容相同的一佛二菩萨，上下四排，每排三幅。每幅像高、宽约6厘米，四周有边栏。佛结跏趺坐于莲座上，二菩萨侍立两侧〔图21〕。背面为墨绘坐佛一身，高13、宽10厘米。像正中有贯通上下的细墨线。像上似敷过白粉，右臂、右胸呈粉红色。此画像用笔简练，笔意与捺印佛像相似，与敦煌盛唐洞窟的千佛像相同。捺印佛像与斯坦因盗走的一件捺印佛像完全相同[9]，显然是使用同一块雕版印的。

另一残纸上（K122：17）画有四朵五瓣花的彩墨花卉，显系画工试笔之作。其纹样与第130窟"都督夫人太原王氏"衣服上的花纹极为相似。

漆器5件（K122：18～22），出土于这批遗物的最低处。五件叠放在一起，口朝下。其中漆盘2件，口径15.5～17、高约3厘米。木胎上直接髹漆，内壁黑色、绘棕红色旋纹，外壁红棕色，有光泽。盘底均书一"窟"字。漆碗3件，形制相同，口径19.5～21、高5.5～6.5厘米。圆唇微外卷，假圈足。内壁红棕色，外壁黑色，其上绘有红色的茶花或金色的牡丹花，以金色勾勒叶茎。用笔流畅，纹样生动。碗底亦均书有"窟"字。看来，这些漆器是专为在窟内使用而制作的。

塑像饰物泥模（K122：23）1件。高11、宽6厘米。泥模用夹有麻的细泥制成，纹样为宝相花。这是盛唐时期菩萨臂钏上饰物的泥模，和莫高窟第328窟彩塑菩萨臂钏上的饰物非常相似。可见莫高窟唐代洞窟的塑像，其饰物一类的小件应是采用泥模预制，然后贴上去的。

9 （日）松本荣一：《燉煌畫の研究》，附图一三五a，日本东方文化学院东京研究所，1937年。

此外，还发现有调颜色的陶碟，沾有朱红、石绿、土红等色。一块未经调用的土红色颜料呈圆坨状，放在缀绳的葫芦残片上。同出的陶器残片多不成型，有盆、罐、瓮等。

三、几点认识

（一）关于年代

丝织物大部分出于第130窟第一层壁画下。明确记载第130窟开凿年代的文献，有伯希和盗去的3720号卷子，咸通六年（865年）的《莫高窟记》。莫高窟第156窟前室北壁的墨书《莫高窟记》内容与此相同[10]。《莫高窟记》说："开元中，僧处谚与乡人马思忠等造南大像，高一百二十尺。"这里所说的南大像，就是莫高窟第130窟。

又第130窟甬道北壁第一层壁画男供养人第一身画像题记为："朝议大夫使持节晋昌郡诸军事守晋昌郡太守兼墨离军使赐紫金鱼袋上柱国乐庭瓖供养时。"

《旧唐书·地理志》载，河西道瓜州都督府下，天宝元年（742年）为晋昌郡，乾元元年（758年）复为瓜州。

据此，第130窟的开凿大约是始于开元，竣工于天宝年间。因在此窟底层壁画下的岩洞内发现了"开元十三年"幡，则说明该窟之开凿应在开元十三年之后。并且这批残幡的形制、纹样都与敦煌壁画的盛唐风格一致。故它们应为开元、天宝年间的遗物，当然其中也有个别丝织物的年代或许稍早。

出于第122窟窟前的丝织物，因同出的文书有"天宝七载"的纪年，而塑像饰物泥模、漆碗的纹样都显示出盛唐的特色。因此，我们认为这批遗物和第130窟内的幡同属于开元、天宝年间的遗物。

（二）丝织物的组织和染缬

总结发现的全部丝织物，以绢和彩绢为最多，次为纹绮，纱和锦最少。现就我们观察所及，把这几类织物的组织、花纹及印染技术等问题，试做概括的说明。

纹绮的组织都是平纹地，斜纹显花。提花方法多为纬线起花，少量的是经线起花。其经纬线密度每厘米经线40～60根、纬线20～40根。经纬线密度较高者质地较为轻薄，密度较稀疏者质地较为厚重。纹绮的纹样可分两类：一类是柿蒂纹、菱形纹、方点纹等散点纹样，一类是连续的人字纹、菱形纹、回纹、龟背纹、宝相花纹等。其中人字纹绮是过去没有发现过的。

10　王重民：《莫高窟记》，《历史研究》1954年第2期；宿白：《〈莫高窟记〉跋》，《文物参考资料》1955年第2期。

　　晕繝提花锦是唐代色彩缤纷的织锦中的新品种。这种有晕繝效果的彩条纹提花锦，考古发现的实物，目前仅有莫高窟和新疆出土的两例[11]。

　　仅有的两件纱均为生丝织成。其中一件的组织为较稀疏的平纹方目，采用纬线一梭穿过两根或三根和一梭穿过一根的两种穿梭方法，交替变换。这种加纬的织法，不仅使平纹方目富于变化，同时也增强了纱面的牢度。素面纱上使用脱去丝胶而显花的方法，在考古发现的实物中也是不多见的。

　　发现的丝织物中以平纹组织的绢为最多。绢的经纬线密度，经线一般每厘米40～69根，40根以下的仅两例，70根以上的也很少。纬线一般每厘米30～39根，20～29根、40～49根者亦较少，20根以下和50根以上的各有一例。其中经线在60根以上、纬线在30～48根之间的较细的绢，约占绢总数的三分之一。特别是湖蓝色绢（K130：30）和蓝色绢（K130：19），每厘米经线70～74根、纬线43～46根，质地细密。这种细绢，也许就是"缣"。

　　纹样精美的染缬绢，是甘肃发现的丝织物中比较引人注目的，其印染方法有蜡缬、绞缬、夹缬、拓印四种。唐代丝织物中蜡缬和夹缬的广泛运用，在染缬技术方面开辟了新的天地。虽然莫高窟发现的染缬实物还远远不能反映唐代印染技术的全貌，但从中仍然可以窥见唐代染缬技术之一斑。

　　蜡缬，是运用蜡在丝织物上作排染剂的显花方法。发现的蜡缬织物均染成单色，所显花纹边缘整齐而清晰。纹样的题材有描绘动植物的花鸟纹，图案化的散花和团花〔图6〕。属于花鸟纹一类的黄地蜡缬绢（K130：1）、蓝地蜡缬绢（K122：1）和绛地蜡缬绢（K130：17），在绢面上显出翱翔的飞鸟、浮游的水禽、盛开的花朵和流动的彩云。这种徒手描绘的纹样，在有规律的组织中，具体形象又富于变化，用笔洗练概括，形象栩栩如生，是蜡缬中的佳作。花鸟纹与新疆吐鲁番唐墓出土的绛地花云蜡缬绢的题材和构图很接近[12]。莫高窟初唐第331窟西壁佛龛顶部画的流云、小花及南壁西方净土变中的水禽，与蜡缬织物的纹样也颇有共同之处。图案化的散花有六瓣花、四瓣花、柿蒂花纹样和小簇团花，在莫高窟初盛唐壁画中可以看到很多绘画这类纹样的蜡缬绢服装。同时，其与新疆吐鲁番阿斯塔那开元九年墓出土的棕地散花蜡缬绢、暗绿地蜡缬绢、绛地蜡缬绢也很相似[13]。三件团花和四出团花纹样的绢和纱，花纹结构严谨工整。其中K130：33团花绢，花纹复杂而精致，团花直径达7厘米，这样大而精美的纹样，显然是使用了镂花夹板的蜡染方法。这件绿地团花绢是考古发现中唐蜡染织物的精品。这类团花纹样在莫高窟初唐、盛唐洞窟的藻井、佛、菩萨

11　参见《丝绸之路》一书图版（新疆维吾尔自治区博物馆、出土文物展览工作组：《丝绸之路——汉唐织物》，北京：文物出版社，1972年）。

12　参见《丝绸之路》一书图版。

13　参见《丝绸之路》一书图版。

塑像的服装上都是屡见不鲜的，它和新疆发现的团花锦的纹样结构也有相似之处[14]。

绞缬，发现的实物多为在绢上包以小颗粒物，扎紧后浸染各种颜色，以显出成行的白点纹样和三个白点成一组的纹样。这种绞缬花纹简单易成，是发现的染缬织物中最多的一种，在莫高窟唐代壁画中更是比比皆是。

另一件湖蓝色的夹缬绢，显出蓝白套叠的菱形花纹，十分别致。夹缬纹样仅发现了这一件。

拓印染缬是在考古发掘中第一次发现。拓印联珠纹绢的发现，为我们研究唐代的印染技术提供了一项新的材料。这种一面拓印的染缬方法，似是用木板先雕刻出凸起的阳纹印花版，再把染料涂在印花版的花纹线条上，然后铺上丝织物拓印，于是丝织物上便显出清晰的花纹。我们发现的这件拓印织物，其经纬线极为稀疏，不适于生活实用，或许是专为某种装饰用途而制作的。发现的捺印佛像和拓印染缬物，是用"印"的方法制成的，和雕版印刷术的出现和发展有一定关系。无疑，这两件遗物对研究我国雕版印刷术的发展历史具有重要参考价值。

此外，在整理中发现，提花织物和锦在丝织物中所占比重极小，且用以制作的幡也都较小。这种情况意味着绮、锦这类织物在当地数量不多，比较珍贵。而染缬绢使用比较多。结合当时敦煌壁画中反映出来的绘画水平，我们推测染缬绢中的一部分有可能是在敦煌当地加工的。

（三）关于幡

莫高窟发现的丝织物，就其形制来说大部分是幡。它们是僧尼和世俗佛教信徒进行宗教活动的产物。

佛教用的幡，一类是作为表示佛的"威德"的供具，或悬挂于塔和宝盖的两侧[15]，或执之引路为前导[16]，这些用途在敦煌壁画中都可以清楚看到。如第428窟（北魏晚期）西壁有塔侧悬幡，第305窟（隋）西壁有宝盖侧悬幡，第332窟（初唐）南壁涅槃变中有比丘、菩萨执幡、幢送葬，此外第331窟（初唐）南壁画菩萨执幡和幡插于架上〔图22〕。在壁画中系幡的长竿顶端，多作龙头状[17]或莲花状。另一类幡，则是一些佛教信徒因受佛教思想影响为消灾免病、求福祈寿而施舍的供奉幡[18]，我们所发现的幡多属于这一类。其中两口发愿文幡都写明是为"患眼""患臂"，为"己身""亡女"而发愿造幡的。

14 参见《丝绸之路》一书图版。

15 《大正藏》第四卷本缘部《撰集百缘经》卷七布施佛幡缘："作一长幡，悬着塔上。"

16 《大慈恩寺三藏法师传》卷七："于像前两边各严大车，车上竖长竿悬幡。"

17 《瑜伽经拾古钞》谓："幡竿置龙头云金刚幡。"

18 《法苑珠林》卷四十八谓：阿育王悬幡延寿二十五年；《药师经》谓："悬着五色续命神幡"，病人可以免病延寿；《广普经》谓："悬命过幡"，亡者"必得往生"。云云。

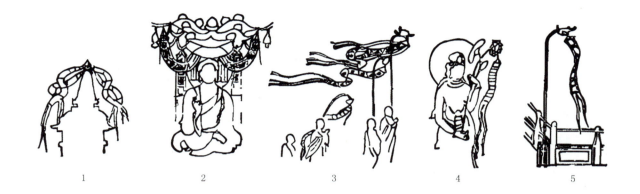

1　　　　　　2　　　　　　3　　　　　4　　　　5

幡的形制，幡首作三角形，多用双层织物缝成。较精致者在三角形幡首外缘另镶包边。比较简陋的是空心幡首，仅缝制出幡首的三角形边框，这类幡首较少。幡身多由多段方形或扁方形织物连接而成。衔接处留出空隙，插以竹棍或芨芨草之类的细棍（有的缠裹丝棉），以使幡身平展。幡身两侧又多缀色丝的短穗或色绢短带。幡尾呈燕尾状。幡，大者长至数米，小者仅30余厘米，有的幡与幡首尾相连接，有的系于长绳之上，表明它们在洞窟内悬挂时是大小缀连在一起的。在莫高窟第290窟、322窟窟内现存的圆头木栓和"挂钩"，可能就是为了悬挂幡、画等物而装设的[19]。

不论供具幡，还是发愿幡，都是宗教活动的产物。佛教在传入我国后，被封建统治阶级作为维护统治的一种工具而大大提倡。随着佛教的传播，开窟、建寺、写经、造幡之风也跟着盛行起来。仅就造幡而言，北魏时有的寺庙竟至"幡幢若林"[20]，"悬采幡盖，亦有万计"[21]。王公贵族有时一次舍幡多达"千口""二千口"[22]。唐代长安慈恩寺建成，迎像送僧入寺也用"金缕绫罗幡五百口"[23]。就敦煌一地来看，藏经洞中所出的绢画、幡、刺绣等，被斯坦因一次盗去的就有五箱之多，其中画幡占有一定的数目。又据敦煌卷子记载，敦煌当时

19　斯坦因劫经显微胶片S.2687《天福十三年浔阳郡夫人翟氏布施疏》写明："敬造五色锦经巾一条，施入宕泉窟。"由此可知当时幡、巾之类的施舍物，是在洞窟内悬挂的。
20　《洛阳伽蓝记》卷三"景明寺"条："于时金花映日，宝盖浮云，幡幢若林。"
21　《洛阳伽蓝记》卷五"宋云与惠生使西域"条："（城）南十五里有一大寺……悬采幡盖，亦有万计。魏国之幡过半矣。"
22　《洛阳伽蓝记》卷五"宋云与惠生使西域"条："惠生初发京师之日，皇太后敕付五色百尺幡千口，锦香袋五百枚，王公卿士幡二千口。"
23　《大慈恩寺三藏法师传》卷七。

除了有职业抄写佛经的写经生外，还有一种书幡人[24]。这种书幡人的存在，表明敦煌的寺庙和石窟用幡的数量必定是十分可观的。

大量造幡，必然消耗大量的丝织物。当时敦煌也许有一定数量的蚕丝生产[25]，但据敦煌卷子记载，大量的丝织物还要仰仗中原的供给[26]。在这种情况下，封建统治阶级挥霍他们从劳动人民身上榨取来的血汗钱，营窟、造幡，广施"功德"，以期死后能够进入"天堂"，乃是极易办到的事。但是对那些衣食无着的劳动人民来说，为了寄托摆脱人间苦难的幻想而奉献一口小幡，则要蒙受高利盘剥[27]，付出高昂的代价[28]。因此，这些幡正是广大的劳动人民深受佛教影响和阶级剥削的实物见证。

还有一点在此应该提及的，即郭鲁柏在《西域考古记举要》中，认为斯坦因从敦煌盗去的画幡是"模仿昔日印度栏杆同窣堵坡上悬挂的旗帜"的看法是不成立的。

在佛教传入之前，我国就已有幡，崔豹《古今注》"信幡"条："信幡，古之徽号也。所以题表官号以为符信。"《汉书》里也讲到"城上立五采幡织"和"举幡"的事[29]。这类幡或作符信，或作旗帜，都与佛教无关。甘肃武威磨咀子汉墓中出土的丝、麻织物的柩铭，或许是已发现的幡状织物的较早的标本[30]。在佛教传入我国之后，魏晋时的信幡仍绘"青龙""白虎""朱雀""玄武"等[31]，显然这是延续了汉代描绘四神的传统，与佛教内容毫不相干。晋时用于传旨和止兵用的"驺虞幡"[32]，也与佛教无关。佛教传入我国之后用的幡，即使在形制上有所改变，但仍然承袭我国幡的一些固有特点。幡在我国可以找到自己发展演变的渊源关系，绝不是什么"模仿昔日印度"的"旗帜"。因此，郭鲁柏的说法完全是唯心主义的臆断。

24　参见许国霖《敦煌石室写经题记与敦煌杂录》下辑《书幡账目》（北京图书馆藏鸟字八十四号）。

25　记载敦煌蚕桑发展情况的文字很少。敦煌卷子宋乾德四年（966年）文书中有"春蚕善熟，夏麦丰登"之句，表明在此之前，敦煌的蚕桑业有一定的发展。参见《燉煌畫の研究》附图二二四。

26　《敦煌掇琐》六六："和籴壹万段数，其物并给百姓。"所领丝织物中有"河南省絁""陕郡絁"。

27　北京图书馆藏殷字四十一号《王勹勹敦贷生绢契》谓："贷生绢壹匹四十尺"，需付利钱"白毡一个长八尺横五尺"。参见《敦煌写经题记与敦煌杂录》下辑。

28　见《敦煌掇琐》《书幡帐目》谓："书幡一口需麦壹硕贰㪷。"按此书幡或应是指画幡而言，即使如此，代价也是很高的。参见《敦煌写经题记与敦煌杂录》下辑。

29　《汉书·陈汤传》："望见单于城上立五采幡织。"《鲍宣传》："博士弟子济南王咸举幡太学下。"

30　《武威汉简》"柩铭考释"：1959年秋出土于磨咀子第二十三号墓的柩铭"长1.15、宽0.38米。篆书两行，墨书于淡黄色麻布上。麻布四周镶有稀疏赭色形薄纱之织品"，"上端用一平常树枝为轴。两行铭文之上各作一圆（径约15厘米），内绘四灵之二，左为朱地黑鸟，右为墨绘回龙而身涂朱者"。"此物之装置如幡幛之形，入葬时或系之竿端，行于柩前，既入墓中，覆盖棺上"。

31　《中华古今注》"信幡"条谓："魏朝有青龙幡、朱雀幡、玄武幡、白虎幡、黄龙幡。""今晋朝唯用白虎幡。"

32　《廿二史札记》卷八"驺虞幡"条："晋制最重驺虞幡。每至危险时，或用以传旨，或用以止兵，见之者辄慑伏而不敢动，亦一朝之令甲也。"

（四）关于联珠纹图案

敦煌是古代我国与中亚、西亚、欧洲各国进行友好往来的必经之地。在这次发现的丝织物中也有反映中外文化交流的材料，如拓印染缬绢上的联珠纹图案，就是波斯风格的纹样。这类联珠纹图案在唐代十分流行，在新疆等地发现的丝织物和敦煌隋唐时期的壁画、塑像上都有较多的反映。这件拓印的对禽联珠纹图案，既有波斯萨珊王朝用联珠纹为图案的特点，又有我国传统图案中习用的卷草纹，两者极为自然地融汇在一起，形成了一种新的图案。

敦煌莫高窟发现的唐代丝织物，说明唐代丝绸的生产在继承汉代丝织工艺技术的基础上又有了进一步的发展。丝织物上的几种印染方法，反映了我国古代劳动人民的智慧和技巧，对于深入研究我国古代丝绸生产和印染技术发展的历史有着重要的意义。敦煌发现的丝绸，也显示了通过著名的丝绸之路，我国人民与中亚、西亚以及欧洲各国人民所建立的深远友好关系和共同为世界文明所做出的重大贡献。

（本文为樊锦诗、马世长合著，原载于《文物》1972年第12期）

附录：莫高窟发现唐代经幡等丝织物登记表

顺序号	原始号	名称	尺寸（厘米）	形制和现状	
1	K130：3	发愿文绢幡	162×15	完整，首两层，缀小结，身七段，各段间撑丝棉茇茇草棍，缀短带，共十五条	
2	K130：2	缀花绢幡	78×9.5	完整，首两层，身、尾一条绢分叠三段制成	
3	K130：1	染缬绢幡	164×13.5	完整，首镶边，缀环结，身六段，各段间撑茇茇草棍，缀丝穗	
4	K130：4	色绢幡	142.5×17	首两层，缀结，身五段，各段两端缀短带，存五条，尾残	
5	K130：5	彩色绢幡	132×18	首镶边，身四段，包边，尾残	
6	K130：6	色绢幡	123×13.5	首无，身存两段，尾长96厘米	
7	K130：7	色绢幡	83×16.5	首两层，缀结，身五段，尾无	
8	K130：8	绛色用小幡	31.5×7.5	完整，身存两段，相接处两端缀短带两条	
9	K130：9	人字纹绮幡	28.5×8.5	无首尾，身四段，各段两端缀丝穗垂长带一条	
10	K130：10	色绢幡	33×13	首两层，镶边，身二段，尾无	
11	K130：11	发愿文绢幡	46×13	首两层，镶边，身残，存三段，尾无	
12	K130：12	夹缬绢幡	76×7	完整，空首，身四段，各段间撑茇茇草棍	
13	K130：13	晕繝提花锦幡	15×4	首无，身存一段，尾残	
14	K130：14	各色纹绮幡	44×7	首镶边，有结，身四段，尾残，首边与身各段间撑以丝棉茇茇草棍	
15	K130：15	残绢幡	112×15.5	首无，身残，存三段，尾稍残	

组织	颜色与纹样	备注
均平纹组织绢，经 58 ～ 64、纬 37 ～ 40	首红，身黄、红相间，尾本色	身第一段墨书发愿文六行三十八字，文见正文
均平纹组织绢，身、尾 42×31	首本色，身、尾深蓝色，缀黄绯色绞缬纹绮和白色绢八角花八朵	
首平纹纱，余平纹组织绢，首边 64×43，身㊀㊄ 48×30、㊂ 50×47、㊁㊃㊅ 55×40，尾 47×32	首本色团花纹，边红，结紫，身㊂黄地云头花鸟蜡缬，余紫地、绿地白点纹绞缬，尾青	
均平纹组织绢，首、身㊁㊃、尾经 46 ～ 49、纬 31 ～ 35，身㊀㊂㊄经 40 ～ 41、纬 32 ～ 33	结绿，首、身㊁㊃、尾淡蓝，身㊀㊂㊄绛色	
首平纹纱 36×29，首边斜纹绮 42×38，身、尾平纹组织绢，身㊀㊂ 68×32、㊁㊃ 46×37，尾 52×48	首本色，首边棕褐色回纹，身红绿相间，边白，尾深蓝	
均平纹组织绢，身㊀ 55×32、㊁ 42×21，尾 40×24	身绛、黄，尾本色	
均平纹组织绢，首 52×26，身㊀㊂㊄ 56×35、㊁㊃ 56×22	首、身㊁㊃淡紫，首结、身㊀㊂㊄本色	
均平纹组织绢，首、身㊁ 60×42，身㊀、尾 58×34	首、身㊁绛色，身㊀、尾本色	
身㊃平纹地纬斜纹绮 42×38，余平纹组织绢，身㊀㊁ 40×34	身㊀㊁㊂本色、紫、淡绿，身㊃绛色人字纹，带橘红、绿	垂带长 52.5 厘米，为原幅宽
均平纹组织绢，首 60×34，身㊀ 58×37、㊁ 48×33	首黄，边紫地扎染白点纹样，身本色	
均平纹组织绢，首 56×43，身㊀ 58×34、㊁ 48×34	首黄，首边杏黄地和绛地孔染白点纹样，身本色	身第二段有墨书发愿文五行三十字，文见正文
均平纹组织绢，身㊀ 66×54、㊁ 63×43、㊂ 62×43、㊃ 65×39，尾 58×31	身㊀湖蓝色扎染菱形纹样，身㊁㊂㊃同绛色、草绿、本色，尾本色	
身三枚经斜纹单层锦 55×24，尾平纹组织绢	身绿、蓝、白、黄、褐经线织成晕色彩条，褐色纬线显菱形小花	
均平纹地、斜纹起花绮，身㊀ 44×25、㊁ 60×33、㊂ 52×25、㊃ 44×36	首本色；身㊂黄，均菱形小花；身㊀红、㊃紫，均宝相花；身㊁绿，柿蒂形小花；首边红，尾本色	
划平纹组织绢，身㊀ 61×34、㊁ 60×36、㊂ 48×25，尾 59×33	均本色	

顺序号	原始号	名称	尺寸（厘米）	形制和现状	
16	K130：16	色绢幡	148×15.5	首无，身残，存四段，各段间撑竹、芨芨草棍，尾长87厘米	
17	K130：17	灵芝花鸟蜡缬绢幡	62×13	首无，身残，存两段，尾残	
18	K130：18	色绢幡	40×20	首镶边，身残，存两段，尾无	
19	K130：19	色绢幡	18.5×17	无首尾，身残，存一段，两角缀带各两条	
20	K130：20	色绢幡	69×12	首无，身残，存一段，身尾间撑以芨芨草棍	
21	K130：21	色绢幡	64×13	首无，身残，存四段，各段间缀带四条，尾残	
22	K130：22	本色绢长幡尾	264×（8～15.5）	无首、身，尾存一条，长264厘米	
23	K130：23	色绢幡	17×50	首无，身残，存一片，尾残，宽50厘米	
24	K130：24	拓印联珠对禽纹绢幡	13×8	首两层，镶边，身残，存一段，无尾	
25	K130：25	纹绮幡首	4×8	首两层，镶边，无身尾	
26	K130：26	方点纹绮幡首	10×7	首镶边，身残，存一片，尾无	
27	K130：27	蜡缬绢幡	18×7	首两层，缀55厘米长绢带，身残，存两段，尾无	
28	K130：28	蜡缬绢幡	25.5×6.5	首无，身残，存一段，尾残	
29	K130：29	丝带	58×2	在58厘米长带上缀两组短带，一组三条31厘米，一组五条18厘米，均剪成锯齿形	
30	K130：30	绢带	40×1.5	折叠成带状	
31	K130：31	绞缬绢带	46×1.5	两层，一端打结	
32	K130：32	本色绢幡尾	163×（26.5～30）	仅存尾一条	
33	K130：33	绿地团花蜡缬绢残幡	47×52.5	无首尾，身残，存二段，其中一段仅存残片	
34	K130：34	本色绢幡尾	159×（10～16）	仅存尾一条	
35	K130：35	本色绢幡身	56×53	仅存幡身一段，无首尾	
36	K122：13	菱纹绮二片	20×7、11×6	残片	

组织	颜色与纹样	备注
均平纹组织绢，身㈠ 61×36、㈡ 63×30、㈢ 50×31、㈣ 62×36，尾 63×33	身㈠、尾本色，身㈡㈢㈣紫、黄、绛	
均平纹组织绢，身㈠ 48×24、㈡ 68×33，尾 53×32	身㈠淡绿、㈡绛地蜡染灵芝花鸟纹，尾本色	
均平纹组织绢，首、身㈡ 60×41，首边、身㈠ 62×41	首、身㈡本色，首边、身㈠紫色	
平纹组织绢 74×43	身蓝，一角带深蓝、土红，一角本色、土红	
均平纹组织绢，身 60×42、尾 38×31	身黄，尾浅蓝	
均平纹组织绢，身㈠ 56×40、㈡ 68×38、㈢ 54×43、㈣ 60×32，尾 52×42	身㈠㈢、尾本色，身㈡㈣紫色	
平纹组织绢 62×37	本色	
平纹组织绢，身 55×44、尾 51×36	身黄绿，尾本色	
平纹组织绢，首 35×17、首边 62×33、身 61×44	首拓印黑色联珠对禽（鸡）纹，首边浅蓝，身黄	
首平纹地、经斜纹绮 35×31，边平纹组织绢	幡首心黄色，四瓣花，边紫色绞缬绢	
首平纹地、纬斜纹绮 54×41，边、身平纹组织绢 57×37	首紫，方点纹，边、身本色	
平纹组织绢，首 41×22、带 40×30、身㈠ 60×31	首黄绢蜡染紫地团花纹样，带淡绿地蜡染小团花，身㈠㈡绛、本色	
平纹组织绢，身 46×29、尾 59×37	身土黄地蜡染小团花纹，尾本色	
长带平纹地、斜纹绮 54×38	长带绿色，几何菱纹；短带一组白、绿、橘红，一组白、绿，橘红、深蓝	
平纹组织绢 70×46	湖蓝	
平纹组织绢 64×48	茄紫地纹染白点纹样	
平纹组织绢 50×29	本色	
平纹组织绢，较完整一段 52×33	较完整一段黄绢染作绿地团花，残片黄绢染作紫地团花	
平纹组织绢 59×33	本色	
平纹组织绢 62×35	本色	
平纹地、纬斜纹绮 41×40	本色，几何菱纹	

顺序号	原始号	名称	尺寸（厘米）	形制和现状	
37	K130：36	色绢幡身	13.5×13.5	无首尾，身残，存一段	
38	K130：37	残绢片	22×15	残片	
39	K130：38	丝带	68×1.8	两层缝合，一端缀结，一端缀短带	
40	K130：39	龟背纹绮带	50×1.5	两层缝合，两端缀丝穗	
41	K122：1	湖蓝地云头花鸟纹蜡缬绢	19×7	残片	
42	K122：2	空首蜡缬绢幡	70×12	首以短带作边，中空，身存五段，尾无	
43	K122：3	帷帽	残长29	由帽和帽裙组成，裙下缘残，帽后缀带两条，存一条，帽面以四块绢缝合，帽顶作八瓣，帽衬里已无，缀补多块麻片和绢片	
44	K122：4	绞缬绢幡	38×7	首以方形绢折叠两角而成三角形，身存五段，尾无	
45	K122：5	土红纹绮	19×8	残破太甚	
46	K122：6	色绢幡	26×10	首两层，身存两段，尾无	
47	K122：7	纹绮幡	19×17 15×17	空幡首，边已残断，身残，断成两块，尚可看出四段，尾无	
48	K122：8	绢幡	16×11	无首，身存一段，尾残	
49	K122：9	残绢片二片	13×13 16×12	残破，有烧灼痕迹	
50	K122：10	色残绢片四片	—	残片	
51	K122：11	残绢片六片	—	残片	
52	K122：12	本色绢幡首	—	首有边，顶端缀环结	

注：表列尺寸为长×宽；表列首、身、尾即幡首、幡身、幡尾的简称；表列身㊀㊁，即幡身第一段、幡身第二段的简称，余类推；表列"组织"中的△△×△△，即丝织物每平方厘米经线、纬线的根数。

组织	颜色与纹样	备注
平纹组织绢 58×32	黄色	
平纹组织绢 51×44	本色	
短带纹罗，残破太甚，余平纹组织绢，紫 62×48、白 62×34	长带两层，紫、白、结绛色，短带绿	长带长 52.51 厘米，为原幅宽
平纹地、纬斜纹显花，绛 56××36、绿 52×36	连续龟背纹，内填几何纹，绛、绿	
平纹组织绢 42×29	湖蓝地蜡染云头禽鸟花草纹	
平纹组织绢	身㊀㊁褪色太甚，㊂淡青地蜡染小团花，㊃㊄等土黄地蜡染六瓣、四瓣花	
均平纹组织	黄色	
平纹组织绢，首、身㊁㊃㊄ 72×46，身㊀㊂ 66×34	首、身㊁㊃㊄本色，身㊀㊂褐色地扎染成组白点纹样	
平纹地、纬斜纹显花 56×28	土红，纹样不清	
平纹组织绢，首 52×25，身㊀ 71×35、㊁ 60×32	首棕色，身本色	
身㊁为平纹地、纬斜纹绮 44×20，余平纹组织绢，身㊀㊃ 54×34	首本色，身㊁蓝、显方点纹，身㊀㊃淡蓝，身㊂红色	
平纹组织绢，身 64×30、尾 48×30	本色	
平纹组织 40×38	本色	
平纹组织	蓝、浅蓝、绿、粉红	
平纹组织	本色	
平纹组织	本色	

◈　敦煌甜水井汉代遗址的调查

　　1964年8月，据群众反映在敦煌甜水井附近发现古代钱币、箭头等遗物。敦煌文物研究所考古组与县文化馆等单位同志，前往该地进行了初步调查。现简介如下。

　　甜水井位于敦煌县（今敦煌市）与安西县（今瓜州县）之间、敦煌城东北约60千米处。遗址在疏勒河以南、甜水井以北的戈壁滩上〔图1〕，居东者编为甜水井I号遗址（下简称I号遗址），居西者编为甜水井II号遗址（下简称II号遗址）。1号遗址在甜水井北约8千米处，II号遗址在甜水井西北约7千米处。II号遗址在I号遗址西南，两者约距3千米。

一、遗址概况

（一）I号遗址

　　遗址地势稍高，四周低平，北约100米外是干涸的河床，在遗址上可隐约看到北面的烽火墩。

　　遗址似一城堡，长方形，东西长约80、南北宽约60米，由大体相连续的沙堆环绕。沙堆内外两层，层间相距约3米，总宽3.5～6.5米不等。沙堆稍高出地面，其上为砾石粗沙覆盖；内为浅黄色细沙土，土质松软。沙堆似为土墙残基（？）。遗址东南角和西南角均作外凸状。在西南角外凸部分的中部，两层沙堆皆中断，形成宽5.5米的豁口，似为一出入口。在遗址其他三角处也有类似的迹象，但不明显。〔图2：左〕

　　遗址中心偏北有一近于圆形的土台，东西长约19.7、南北宽约12.5米。土台中心向下凹陷，四周向上凸起。土质松软，且有深褐色烧土灰烬。此外，在遗址的东北部也有烧土的痕迹。

　　遗址东面紧连平地一片，东西长约80、南北宽约30米，其东、北、南三面略低。边缘较为

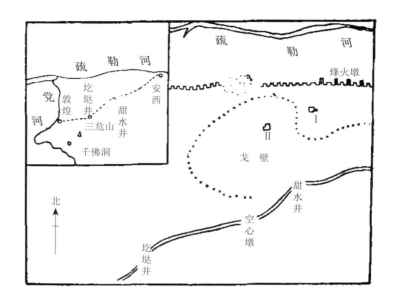

图1

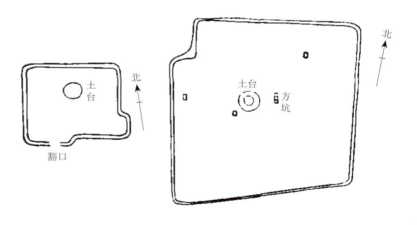

图2

[图1]
敦煌甜水井遗址位置
示意图

[图2]
Ⅰ（左）、Ⅱ（右）号
遗址示意图

整齐，或许古时曾被使用过。

（二）Ⅱ号遗址

　　遗址地势稍高，四周较低。遗址以南，地表为浅黄色澄板土，有明显的被水冲刷的痕迹。遗址亦似为一城堡，近于方形。经初步测量，东面长约120、南面长约133、西面长约110、北面长约120米，西北角处内凹成直角转折，东西长约20、南北长约28米。四周由沙堆环绕，沙堆断续相连，形成内外两层。沙堆表面覆盖砾石粗沙，下为细沙土。〔图2：右〕

遗址近中心处有一近圆形的土台，直径约16米，高出附近地表约70厘米，土台中央有下凹之圆形坑，直径约5米。土台东有三个相连的方形坑，作南北向排列，每坑约3米见方。遗址西南角有三处大体相连的烧土痕迹，以靠西者范围最大，南北约4、东西约3米，烧土厚约10～20厘米。遗址内尚有3～5米见方的小坑，分布在土台的四周。

在遗址外也有烧土痕迹。遗址东南角外约32米处有一长方形烧土坑，长约3.6、宽1.6米，坑形规整，其南端由南向北呈坡状倾斜。坑内为松散的红褐色烧灰，并夹有小树枝和白色木灰。

遗址西北角沙堆有明显的中断，地势向北渐低。类似的现象遗址中还有，这些可能是出入口，是进一步调查时应注意的线索。

二、遗物

（一）Ⅰ号遗址遗物

包括残损铜、铁、陶器等，多为碎片，成型者较少，其中铁块、铁片、陶片最多。主要分布在遗址内土台的四周。残破的陶片和铁片遍地皆是。铜镞大部分在土台的西部，仅有少数是从遗址东部和南部的外边捡到的。五铢钱多在遗址以外发现。

1.铜器

五铢钱　共采集14枚，完好者10枚。钱径2.4、郭径2.6厘米，中心方穿，长、宽各1厘米。钱面无好郭。"五铢"二字篆书。"区"字中间交叉两笔是直的；"铢"字的金旁头作矢状，朱旁头方折。其书体的特点，同《洛阳烧沟汉墓》中第一型五铢。其中一枚，钱面上穿有一圆形小孔。另有一枚为四角决文五铢〔图3〕。

铜镞　共采集21件，依其形制不同，大体可分为三式：

Ⅰ式　17件。三棱形，镞体断面作等边三角形，三刃向前聚成前锋。后锋内收，形成六棱形短柱颈，颈接长圆柱形铤，铤一般皆残断不存。有的镞体三面均有三角形下凹之血槽〔图4:1〕。

Ⅱ式　2件。内凹三棱形，镞体三面形成内收之弧形凹槽。三刃向前聚成前锋，后锋略向内收，形成圆柱形短颈，或六棱形短颈。颈连圆柱形铤〔图4:3〕。

Ⅲ式　2件。圆锥三棱形，镞体作圆锥形，其上隆起三刃。刃似翼，其末端呈弧形向镞体内收。镞体尾端连铤，今尚可看到铤残断之圆形痕迹。其中一种起刃窄，一种起刃较宽〔图4:5、6〕。

铜管　1件。残不成型。管上有由内向外钻之圆形小孔一个。

铜片　7块。呈薄片状，原形状已不可辨。其中一块有钻孔的残迹。

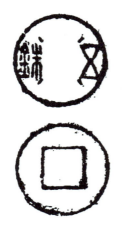

图 3　　　　　　　　　　　　　　　　　　　　　　　　图 4

〔图3〕
I号遗址出土"五铢"
钱拓片

〔图4〕
铜镞
1、2. I式
3、4. II式
5、6. III式
7. IV式
（1、3、5、6出于I号遗址，
2、4、7出于II号遗址）

2.铁器

铁器碎块较多，共采集重约16斤。氧化比较严重，残损较甚，多片状。

残锄形器　残块一端向上弯曲，作半个"凹"字形。

残臿形器　残块3件，似长方形。顶部中空，窄面刃部作锐角。

残釜形器　口部残片1件。直唇，小口，鼓腹。

刀　4件。均残。直背。较完整的一件残长16、宽1.7~2厘米。

穿孔铁片　1件。形状规整，较薄。上宽约2、下宽约3、高约3.3厘米。其上钻有6个小圆孔，中间、左右各两个。据其形状，疑为铠甲片〔图5：10〕。

圆铁棍　1件。残。长约3、径0.8厘米。疑为铜镞脱落的铁铤。

3.陶器

均为碎片，不成型。陶质多为夹细砂灰陶，轮制。

盆　残片3件。方唇，大口，平缘外折。其中一件为尖唇。

罐　残片3件。陶质坚硬、厚重，击之声音清脆，色深灰。其一直领，方唇，平缘，鼓腹。

碗　残片1件。口微敛，方唇，腹微鼓。

绳纹陶片　疑为罐类。其上印有竖行绳纹，中间有横向压抹的痕迹一道。

4.石器

1件。由紫黑色长条形自然加工而成。形状不甚规整，长15厘米，上小下大。中间偏下处有打凿出来的凹陷的把手，底端有椭圆形的使用痕迹。

5.瓷器

仅有两件残片，均为黄白色胎。

碗口缘残片　敞口，尖圆唇，腹斜内收。器腹内壁施有乳白色釉。

碗底残片　腹向下内收，小圈足。器腹内壁施以黑釉，腹外壁有凸起之弦纹。

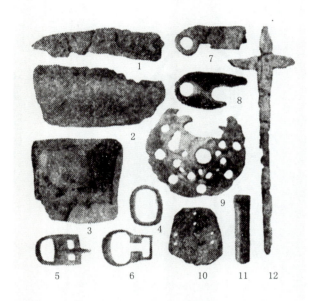

〔图5〕
铜、铁器
1.铁镰
2.铁盍形器
3.铁锛
4.铜环
5、6.铜带扣
7、8、11.弩机零件
9.透雕铜饰
10.铠甲片
12.铁剑

（二）Ⅱ号遗址遗物

包括残损之铜、铁、陶器等，其中铁块、铁片最多。遗物主要是在遗址内采集到的，仅一枚铜镞从遗址东南角外拾得。遗址中心土台处铁器残块和陶片比较集中，铜镞则多集中于遗址东南角。

1.铜器

铜镞　共采集50件，其中12件残甚。依形制不同可分四式。其中Ⅰ～Ⅲ式分别同于Ⅰ号遗址的Ⅰ～Ⅲ式铜镞。

Ⅰ式　39件〔图4：2〕。

Ⅱ式　5件〔图4：4〕。

Ⅲ式　5件。

Ⅳ式　空首三棱镞，1件。镞体中空，其上隆起翼形三刃，三刃向前聚成前锋，尾部向后形成倒刺。镞体每面下陷，形成透空凹槽。颈部内收，形成圆形小孔，无铤。此镞轻而单薄，对于作战似无实用价值〔图4：7〕。

弩机零件　包括悬刀、牙、穿钉等。

悬刀　1件。残长7.5、宽2.7、厚1.3厘米。一端有圆穿，径为1.5厘米〔图5：7〕。

牙　1件。长5.1、宽2.7、厚0.9厘米，圆穿，径1厘米〔图5：8〕。

穿钉　4件。残。为圆柱形，长约5、其径0.8～1厘米不等。其中有两件

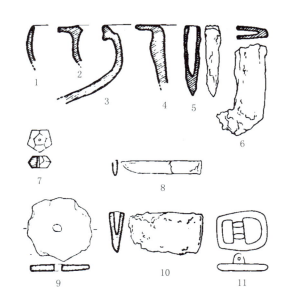

一端作方形钉头，宽均为1.2厘米〔图5: 11〕。

带扣　1件。长2.5、宽1.5～2厘米。为近于椭圆形之环状，中部凸起一对穿孔鼻纽，扣针已不存〔图6: 11〕。

铜片　12件。器形不可辨。其中一件为圆筒形，径2.9厘米。另一件较大，残存半个两面钻的圆孔。

2.铁器

采集的铁残块，重达25斤。均氧化极甚，器形多不可辨。

锄形器　1件。残，为半个"凹"字形。下面刃端为锐角，器体内向下凹陷，形成深槽。通高9.5厘米〔图6: 6〕。

舌形器　10件。皆残，保存最好的一件为长方形，长边上端有銎、下端作对称锐角形

［图6］
陶、铜、铁器
1.陶钵
2、4.陶盆
3.陶罐
5.铁锥形管
6.铁锄形器
7.玛瑙珠
8.铁刀
9.陶纺轮
10.铁舌形器
11.铜带扣

刃。高8、宽14、厚2厘米〔图5: 2、6: 10〕。与1号遗址的舌形器形制相同。

镰　6件。镰体较宽，背作弧形，刃平直。残长17、宽3.7、厚0.5厘米〔图5: 1〕。

刀　2件。皆残，均为直背。其中一件残长7.5、宽1.3厘米〔图6: 8〕。

锥形管　1件。作锥形，中空，残长7厘米〔图6: 5〕。

马衔铁（？）　1件。残，一端为直条形，一端作环状，环上另套一残套环。

铁环　3件。残。

此外，尚有三角形铁块、印有平行叶脉痕迹的铁块等。

3.陶器

陶器残片亦较多，陶质多为夹细砂灰陶，轮制。器形多属盆、罐类。

盆　大口，方唇或圆唇，平缘外折，口微敛，直腹〔图6: 2、4〕。

罐　一种为小口，方唇，口缘外侈上折，直领，鼓腹，其领与口缘交接处作凹槽，似子母口。此器质地坚硬，色深灰〔图6: 3〕。另一种为直口、圆腹。

钵　口微敛，圆唇，腹微凸〔图6: 1〕。

甑底　残。圆底，有7个不规则的圆形孔。泥质灰陶。

纺轮　2件。制作粗糙，用残陶片加工而成。作不规则之圆形，中心穿孔

〔图六：9〕。

（三）其他收集遗物

群众交来的遗物据说大部分是在Ⅱ号遗址拾到的。以铜器最多，铁器次之。

1.铜器

以镞的数量最多，次为铜钱、带具、弩机零件、饰物等。

铜钱 4枚。其中"五铢"2枚，同于Ⅰ号遗址之"五铢"；"开元通宝"2枚，据说出自Ⅱ号遗址。"开元通宝"大小和书体稍有不同，其一郭径为2.6厘米，另一郭径为2.5厘米，前者"元"字第二笔左挑十分明显，后者"元"字第二笔左挑不明显。

铜镞 44件。残损较甚者约占1/3。Ⅰ式镞最多，共39件；余5件均为Ⅲ式镞。

5件铜镞有明显的铁铤。其中一件为Ⅰ式镞，镞体长3厘米，铁铤长2.5厘米；另一件为Ⅲ式镞，镞体长5厘米，镞铤残长4.5厘米。

总观铜镞，镞体与铤的连接有三种情况：一是连接铜铤；二是连接铁铤；三是镞体上有一小段铜铤，铜铤又连接铁铤，如一件Ⅰ式镞，颈上铜铤长约0.8厘米，其上又连铁铤。三种铤，有的插入镞体内，如一件Ⅰ式镞，镞体长3厘米，而颈仅长0.5厘米，但颈上圆柱形孔向内深2厘米；有的则在颈上，铤与镞体连接在一起。此外，从残断的镞体可以看到，有些镞是中空的，并非全为实体。

弩机零件 3件。皆残。两件似为残悬刀，残长6、宽1~2、厚0.7厘米。一件为穿钉，圆柱形，残长4.5、径1.2厘米。一端有径为0.2厘米的穿孔。

带扣 3件。两件同于Ⅱ号遗址的带扣。其中较大者扣针尚存，长3、宽2.2厘米，扣针长2厘米〔图5：5〕。另一件形制较精致，一半作半椭圆形，一半作云形，圆弧形一端厚而向外弧。带扣中部两内侧有相对下凹小圆眼，原为卡扣针处〔图5：6〕。

铜环 长方形，圆抹角。内壁直，外壁弧。长约2.4~2.8厘米〔图5：4〕。

残筒形物 仅存一半，圆底，直壁，底径3.5、壁高4.5、厚0.2厘米。

透雕铜饰 1件。残。作圆形帽状，外径约7厘米，中间部分向上隆起，高约2.5厘米；外围部分作八瓣莲花状（现存不足七瓣），每瓣之间有一径为0.6厘米的圆形穿孔。隆起部分的中央也有同样大小的穿孔一个，此穿孔部分又略向上凸起。这部分与莲瓣之间由镂空之卷云形纹饰联结〔图5：9〕。

2.铁器

锛 1件。残。正视作方形，侧视则为倒等腰三角形。宽7、高7厘米。刃部略窄，宽6.5厘米；顶部为长方形，长7、宽2.5厘米；中空成銎，向下深4.5厘米〔图5：3〕。

矛头（？） 1件。残。锋体断面扁平，宽2.5~3厘米；柄部近于四棱形，径约1厘米；残长

5.5厘米。

铁片　2块。皆宽3.5厘米，一残长5.5、一残长6.5厘米，厚0.6~0.8厘米。两侧边缘规整，铁片向一面略弯，呈弓形。

剑　1件。据说出自Ⅰ号遗址。残长48厘米。剑身断面扁平不见起脊，柄部渐细，剑身宽2~3.5厘米〔图5：12〕。

3.玛瑙珠（？）

1件。淡红色，作扁平状。两面为不规则五角形，上下沿五角形边沿，各斜向凸起又一五角形；五角形共用邻边，犬齿交错，在腰部形成外凸棱线。珠每面宽约0.5厘米，腰部宽约0.8厘米，厚约0.5厘米。珠中心有径为0.15~0.3厘米的穿孔，表面由12个五角形组成〔图6：7〕。

三、结语

通过初步调查和对采集遗物的整理，我们对遗址有以下几点不成熟的看法：

两处遗址有许多相似之处，如大体近于方形；四周均为两层沙堆环绕；遗址中央皆有土台，其上有建筑遗迹；遗址都靠近水源等。而在遗址内采集的遗物也十分相似，如Ⅰ、Ⅱ、Ⅲ式铜镞，可以说完全一样。这种相似，正说明两个遗址的时代、性质是相同的。

遗物的时代绝大部分属于汉代。五铢钱的形式与《洛阳烧沟汉墓》中Ⅰ型相像[1]；铜镞中的Ⅰ式，民国时期曾经在敦煌附近汉代的烽火墩内发现过[2]；铜镞的四种形式与在新疆罗布淖尔发现的铜镞相似[3]；弩机零件中的悬刀、牙等和已发现的汉代弩机有相似之处；铁器中镰、耏的形制与洛阳烧沟汉墓中出土的很为接近[4]；陶器上的细绳纹纹饰、小口鼓腹罐等，也都具有汉代特征。综上所述，遗址的时代应是汉代。

遗址中的某些遗物，与新疆罗布淖尔一带发现的同类器物非常相像。两地四种形式的铜镞都有，且皆为Ⅰ式铜镞比重最大。铜镞中的Ⅳ式，此处仅发现一件，足见它较为罕见，它和《罗布淖尔考古记》中所描述的"空首三棱镞"非常相像，而"空首三棱镞"在罗布淖尔也仅发现一件[5]。甜水井遗址发现的玛瑙珠和罗布淖尔发现的一件也极为相似[6]。两地出土物这样近似并非偶然，表

1　洛阳地区考古发掘队：《洛阳烧沟汉墓》，北京：科学出版社，1959年，第216、218页，第188~189页，图版伍叁。

2　（英）斯坦因著，向达译：《斯坦因西域考古记》，北京：中华书局，1936年，第133页，图柒拾伍：16。

3　黄文弼：《罗布淖尔考古记》，国立北平研究院史学研究所、中国西北科学考察团理事会，1948年，第134~136页，图版九、十一。

4　洛阳地区考古发掘队：《洛阳烧沟汉墓》，北京：科学出版社，1959年，第216、218页，第188~189页，图版伍叁。

5　黄文弼：《罗布淖尔考古记》，国立北平研究院史学研究所、中国西北科学考察团理事会，1948年，第135页，图版九：33、十一：8。

6　黄文弼：《罗布淖尔考古记》，国立北平研究院史学研究所、中国西北科学考察团理事会，1948年，第176页，图版二十九。

明汉代河西的敦煌与新疆的罗布淖尔地区联系是很密切的。

遗物中有大量铜镞、弩机零件等，这些兵器的发现，表明两处遗址都是军事上驻守用的。而在遗址内与武器一起发现了农具，如铁镰、臿头等，表明此遗址兼营农业生产。据此，我们推测这两处遗址可能是屯田戍卒居住的城堡。

汉代在河西一带屯垦的情况，文献已有记载，居延汉简中也有这方面的材料。甜水井遗址正是具体提供汉代军屯情况的新资料。两处遗址的进一步调查或发掘，对我们了解军屯情况是会有帮助的。

关于这两处遗址和文献记载的汉效谷县故址的关系，有人认为汉效谷县故址"当在敦煌东北百余里"[7]。若此说能成立，那么汉效谷县故址和甜水井遗址的位置是大致相近的。至于二者的关系，还有待于今后的考古工作来解决。

遗址中发现了"开元通宝"和近似元代的瓷片等，可知遗址是经过后代扰乱的。前述遗物中也必然还有一部分晚期遗物。如收集遗物中的透雕铜饰以及圆方形的铜带扣、铜环，和吉林省发现的一座辽金墓出土的同类器物有些相似[8]。至于遗址被后代扰乱到何种程度，尚待发掘工作的结果来说明。

（本文为马世长、樊锦诗合著，原载于《考古》1975年第2期）

7　王国维：《流沙坠简后序》，载氏著《观堂集林》卷十七，北京：中华书局，1959年。

8　吉林省博物馆：《吉林省扶余县的一座辽金墓》，《考古》1963年第11期。

敦煌莫高窟北区B228窟出土河西大凉国安乐三年（619年）郭方随葬衣物疏初探

潘重规先生一生为敦煌学的研究和发展做出了极大贡献，受到国际敦煌学界的崇仰与尊敬。潘重规先生生前曾为敦煌研究院荣誉研究员，与敦煌研究院学者多有交谊。在潘先生仙逝周年之际，后学特撰拙文，以表达我们对先生的景仰和哀思之情。

1989年11月，敦煌研究院考古专业人员在对敦煌莫高窟北区瘗窟B228窟进行考古发掘时，于该窟北壁东侧下部接近地面处，发现了一件署有年号的随葬衣物疏[1]〔图1〕。出土时衣物疏呈卷状，从其上沾有尸体腐烂造成的污迹，可知该衣物疏原应在棺床上死者遗体附近。但是否像新疆吐鲁番阿斯塔那第305墓那样把随葬衣物疏置于死者胸前衣内[2]，因该窟曾遭盗扰，已无从考辨。

一

B228窟所出随葬衣物疏为本色麻纸，纸的纤维交织不匀，有的纤维类似麻线头，无规律地在纸中显现，纸中隐约可见横帘纹，有透光，厚薄不匀，纸质较硬，粗糙。保存基本完好，稍有残损。衣物疏宽42.3、高28.3厘米。衣物疏上有手写文字14行，每行字数不一。现将"河西大凉国安乐三年（619年）郭方随葬衣物疏"转录如下，并对其中的部分内容进行试释。

（一）衣物疏疏文转录

第一行：绵脚靡(1)并低靴(2)各一量(3)，帛练五匹(4)，惶（黄）帛练裤(5)衫(6)

---

1 彭金章、王建军：《敦煌莫高窟北区石窟（第三卷）》，第七章第三节，北京：文物出版社，2004年。

2 新疆维吾尔自治区博物馆：《新疆吐鲁番阿斯塔那北区墓葬发掘简报》，《文物》1960年第6期。

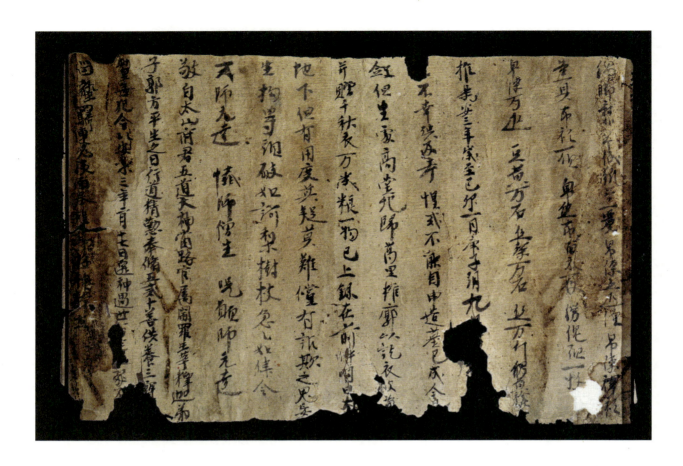

〔图1〕
安乐三年"衣物疏"

第二行：各一具（7），布衫一领（8），帛丝布面衫一枚（9），缦绨一枚（10）

第三行：帛练万匹（11），豆黄万石（12），丝絮万石（13），丝万斤（14），缦黄衿被（15）□

第四行：推乐安三年（16）岁至己卯（17）二月庚子朔九日（18）□□□□

第五行：□不幸，殃及寿惶戒（19），不能自申，造墓已成，今日□

第六行：殁（殓），但生处高堂（20），死归蒿里（21），棺廓以讫，衣被□□

第七行：并赠千秋衣（22），万岁粮（23），一物已上录在前件，明日大□

第八行：地下但有用度（24），莫疑莫难，傥有诈欺之鬼（25），妄

第九行：生拘（拘）导（碍）（26），诅（27）破如诃梨树枝（28），急急（急）如律令（29）。

第十行：戒师（30）元达　忏师（31）僧生　咒愿师（32）元达

第十一行：敬白太山府君（33），五道大神（34），当路官属阎罗王（35）等，释迦弟

第十二行：子郭方，平生之日，行道精勤，奉修五戒（36）十善（37），供养三

宝（38），（毫）

13. 第十三行：氂（厘）无犯。今以安乐三年二月十七日逯（迁）神过世（39）所□之处不（得）

14. 第十四行：留（执）羁（羁）连（40），必须面奉珵（圣）尊，游神静立。

（二）衣物疏疏文内容试释

（1）"脚靡"或书写为"脚蹯""脚蹯"，在新疆吐鲁番地区出土的61件随葬衣物疏中，有19件记载了"脚靡（蹯、蹯）"。有学者认为"脚靡"是"护脚布"，对此笔者提出了不同看法，认为"脚靡（蹯、蹯）"就是"脚袜"，"绵脚靡"即绵袜子。详见《敦煌吐鲁番所出随葬衣物疏中"脚靡（蹯）"新探》[3]。

（2）"低靴"：《玉篇》对靴的解释是："靴，鞍也，亦履也。"在新疆吐鲁番所出高昌重光三年（622年）缺名随葬衣物疏疏文中亦有"靴一两"记载[4]。此处的低靴可能指低腰靴。

（3）一量：量，量词，亦可作俩、两，即双也。早在湖南长沙所出"晋周芳命妻潘氏衣物券"上就有"故练袜一量""故斑头履一量"的记载[5]。另在新疆吐鲁番阿斯塔那305号墓所出随葬衣物疏疏文中，亦有"绛的糸鞭（履）一量"（59 TAM 305：8）、"帛绎袜一量"（59 TAM 305：17）的记载[6]。此处指绵袜子与低腰靴各一双。

（4）帛练五匹：帛练以匹计。"五匹"纯属虚拟数字。这种情况在新疆吐鲁番随葬衣物疏中普遍存在。比如阿斯塔那383号墓所出"北凉承平十六年（458年）武宣王沮渠蒙逊夫人彭氏随葬衣物疏"中（79 TAM 383：1），就有"故杂彩绢九万九千九百九十匹"的记载。但实际上却是"以六十九个小绢卷代表六十九匹绢，象征衣物疏中所记绢多少万、千匹，是当地的一种葬俗"[7]。而这种丧葬习俗在敦煌地区也流行。

（5）黄帛练裈衫：裈，《急就篇注》云："合福谓之裈。"《释名》："裈贯也，贯两脚上系腰中也。"裈即裤子。

（6）衫：《玉篇》解释说："衫，小襦也。禅襦也。"《说文》："襦，短衣也。"

（7）各一具：具，量词。一具即一套。在"晋周芳命妻潘氏衣物券"上有"故臂珠一具""故要糸一具"的记载[8]。又习见于新疆吐鲁番所出随葬衣物疏疏文中。比如阿斯塔那169号墓

---

3 彭金章：《敦煌吐鲁番所出随葬衣物疏中的"脚靡（蹯）"新探》，《敦煌研究》2002年第6期。

4 《西域文化研究第三：敦煌、吐鲁番社会经济资料》（下），大谷文书4917号，东京法藏馆，1960年，第254页。

5 史树青：《晋周芳命妻潘氏衣物券考释》，《考古通讯》1956年第2期。

6 中国文物研究所、新疆维吾尔自治区博物馆、武汉大学历史系编：《吐鲁番出土文书（壹）》，北京：文物出版社，1992年，第3页。

7 柳洪亮：《新出吐鲁番文书及其研究》，乌鲁木齐：新疆人民出版社，1997年，第153页。

8 史树青：《晋周芳命妻潘氏衣物券考释》，《考古通讯》1956年第2期。

（72 TAM 169：42）和 517 号墓（73 TAM 517：24）所出衣物疏中均有"白练禅衫一具"的记载[9]。此处指黄色裤子和短衣各一件组成的一套。

（8）布衫一领："领"在此处是数量词。《释名》："领，颈也，以雍颈也，亦说领衣体为端首也。"在"晋周芳命妻潘氏衣物券"上有"故练衫二领""故帛罗缩两当一领"的记载[10]。另在新疆吐鲁番出土随葬衣物疏疏文书中亦常有"领"的记载。比如"帛练衫一领"（63 TAM 2：1）[11]、"汗衫一领"（73 TAM 116：19）[12]。一领在此处指一件，"布衫一领"即布上衣一件。

（9）帛丝布面衫一枚：指帛丝布上衣一件。衫用"枚"计亦见于新疆吐鲁番所出随葬衣物疏疏文中。比如"故白绫大衫一枚"（72 TAM 170：9）、"汗衫一枚"（72 TAM 170：77）[13]。

（10）缦绳一枚：不知为何物。待考。

（11）帛练万匹：练以匹计。"万匹"显然系虚拟数字。

（12）豆黄万石：此处的豆黄可能指黄豆。粮食以石计，但随葬"万石"黄豆亦为虚拟数字。亦习见于新疆吐鲁番出土随葬衣物疏疏文中。比如阿斯塔那 210 号墓所出随葬衣物疏疏文中就有"小麦及大麦三万石"的记载[14]。

（13）丝絮万石：丝絮应以斤计。此处似有误，丝絮不应以石计。

（14）丝万斤：丝以斤计。但衣物疏中所记"丝万斤"很显然是虚拟数字。

（15）缦黄衿被：《玉篇》对衿的解释是，"衿，亦作衿，禅衣也。"《玉篇》："被，衾也。"此处指缦黄色的衣服和被子。

（16）乐安三年：在"乐安"二字右侧有一标记，以示"乐安"颠倒了，正确书法应为"安乐三年"。安乐纪年为隋末武威鹰扬府司马李轨在凉州所建河西大凉国的纪年。安乐三年为公元 619 年。

（17）岁至己卯：据《资治通鉴》[15]、《中国历史纪年》[16]、《二十史朔闰表》[17]得知，己卯年为唐高祖武德二年（619 年）。

（18）二月庚子朔九日：此朔日与中原传统历稍有差别，详见后。

9　中国文物研究所、新疆维吾尔自治区博物馆、武汉大学历史系编：《吐鲁番出土文书（壹）》，北京：文物出版社，1992 年，第 208、255 页。

10　史树青：《晋周芳命妻潘氏衣物券考释》，《考古通讯》1956 年第 2 期。

11　中国文物研究所、新疆维吾尔自治区博物馆、武汉大学历史系编：《吐鲁番出土文书（壹）》，北京：文物出版社，1992 年，第 85 页。

12　中国文物研究所、新疆维吾尔自治区博物馆、武汉大学历史系编：《吐鲁番出土文书（壹）》，北京：文物出版社，1992 年，第 370 页。

13　中国文物研究所、新疆维吾尔自治区博物馆、武汉大学历史系编：《吐鲁番出土文书（壹）》，北京：文物出版社，1992 年，第 143、144 页。

14　中国文物研究所、新疆维吾尔自治区博物馆、武汉大学历史系编：《吐鲁番出土文书（贰）》，北京：文物出版社，1994 年，第 35 页。

15　《资治通要》卷一百八十七《唐纪二》。

16　荣孟源编：《中国历史纪年表》，北京：生活·读书·新知三联书店，1957 年，第 192 页。

17　陈垣著：《二十史朔闰表》，北京：中华书局，1962 年，第 83 页。

（19）殃及寿惶戒：待考。

（20）生处高堂：泛指生前在世。

（21）死归蒿里：蒿里，本为山名，在泰山之南，为死人墓地。《汉书·广陵厉王传》："蒿里召兮郭门阅，死不得取代庸，身自逝。"师古注："蒿里，死人里。"晋《陶渊明集·从弟敬远文》："长归蒿里，邈无还期。"蒿里又为古挽歌名。晋·崔豹《古今注》云："薤露、蒿里，并丧歌也……蒿里谁家地，聚敛魂魄无贤愚，鬼伯一何相催促，人命不得少踟蹰。"此外，"汉乐府民歌中的《泰山吟》《蒿里曲》（蒿里是泰山南麓之丘陵，古代葬地），均是古人悼念死者的挽歌，内容都涉及到魂归泰山之事"[18]。在山东临朐县发现的"北齐武平四年（573年）七月高侨告神木牌"上有"上辞三光，下归蒿里"一语[19]，亦指死归蒿里。

（22）千秋衣：穿一千年的衣裳。

（23）万岁粮：吃一万年的粮。

（24）地下但有用度：指死者在阴间享用。

（25）傥有诈欺之鬼：鬼怪之一。

（26）拘碍：《说文》："拘，止也。拘碍，阻碍也。"《白居易祭弟文》："岂幽明道殊，莫有拘碍。"此处指诈欺之鬼妄生阻碍。

（27）诅：《广韵》对"诅"是这样解释的："诅，咒诅。"《书·天逸》："民则厥心违怨，否则厥口诅祝。"孔颖达疏："诅祝，谓告神明令加殃咎也，以告神谓之祝，请神加殃谓之诅。"

（28）诃梨树枝：为阿梨树枝之误。北齐武平四年（573年）七月高侨告神木牌有"沙诃楼陀碎汝身首如阿梨树枝"一语。阿梨树为印度的一种树木，梵文Andūka-mañjari，其枝似兰枝，若落时必碎为七。《法华经·陀罗尼品》第二十六有"头破作七分，如阿梨树枝"的记载[20]。本衣物疏疏文大意是，倘若有诈欺之鬼妄生阻碍，将如同阿梨树枝一样"头破作七分"。

（29）急急如律令：道教符咒用语。汉代公文传递常云"如律令"。后为东汉末道教五斗米道的创立者张道陵所借用，并为以后的道士们所仿。因而在"召神拘鬼"时用的符咒末句，往往加"急急如律令"，以示律令急须执行[21]。

18　徐北文：《泰山崇拜与封禅大典》，《文史知识》1987年第10期。

19　详见端方：《陶斋藏石记》卷十三第六至八叶，《石刻史料新编》第1辑第11册，第8103～8104页，山东临朐出土北齐高侨为妻王江妃所造木板上所记"江妃所赍衣资杂物"；龙潜：《揭开〈兰亭序帖〉迷信外衣》，《文物》1965年第10期，图8；史树青主编：《中国历史博物馆藏书法大观》第12卷《战国秦汉唐宋墨迹》，图版三〇，释文见第12页，上海：上海教育出版社，2001年；最新改正录文见余欣：《唐宋敦煌墓葬神煞研究》，《敦煌学辑刊》2003年第1期。

20　《妙法莲华经·陀罗尼品第二十六》，《大正藏》第九卷，第58页。

21　陈国灿：《从葬仪看道教"天神"观在高昌国的流行》，载《魏晋南北朝隋唐史资料》第9、10期，武汉大学学报编辑部出版，1988年；戴春阳、张珑：《敦煌祁家湾》，M320、M321、M328、M340、M364、M208、M302等，北京：文物出版社，1994年。

（30）戒师：即戒律师。

（31）忏师：即忏悔师。

（32）咒愿师：即咒语师。

（33）敬白太山府君：太山府君指泰山神，中国道教神名，俗称东岳大帝。《初学记》引《博物志》云："泰山一曰天孙，言为天帝孙也，主招魂。"晋·干宝《搜神记》载："胡毋班死，往见泰山府君，为之致书于河伯。"《后汉书·乌桓传》谓："中国人死者魂魄归泰山。"[22]此处指敬告主管招魂的泰山神。

（34）五道大神：对于五道大神学术界有多种不同看法。一种看法认为，五道大神是指我国古代民间迷信中普遍信奉的专管阴司道路关津的冥神。"五道"指东、西、南、北、中五道。并用《太平广记》卷二七八《广异记》、卷二九七《冥报录》、卷三二九《玄怪录》中提到五道神的故事来说明[23]。一种看法认为，五道即五趣，佛教用语。众生根据生前善恶有五种轮回转生的趣向，即地狱、饿鬼、畜生、人、天等"五道"，五道大神应指管摄此五道之神[24]。另一种看法认为，"'五道大神'既然称大神，就不应是佛教领域中的概念，而应是道教中的大神，而且是主管'冥关幽路'的神"。并用道经《无上黄箓大斋立成仪》卷八"牒札门"中所载给"冥关幽路主者"的牒文以证明[25]。从郭方随葬衣物疏上下文分析，将"五道大神"看成是道教的大神似更恰当。

（35）阎罗王：原为古印度神话中管理阴间之王。后被佛教所沿用，称其为管理地狱的魔王[26]。

（36）五戒：耆那教、道教、佛教对其信仰者规定的五条戒条。但从衣物疏上记载的是释迦弟子郭方奉修的"五戒"分析，此处应是佛教徒遵守的五条戒条，即不杀生、不偷盗、不邪淫、不妄语、不饮酒。

（37）十善：为佛教用语。指佛教的十项基本道德信条，即不杀生、不偷盗、不邪淫、不妄语、不两舌、不恶语、不绮语、不贪欲、不瞋恚、不邪见。

（38）三宝：佛教称佛、法、僧为三宝。

（39）迁神过世：此处指死亡。

（40）不得留执羁连：与此相类似的记载，如"不得诃留"一语，在"北齐武平四年

22　徐北文：《泰山崇拜与封禅大典》，《文史知识》1987年第10期；杜斗城：《敦煌本佛说十王经校录研究》，兰州：甘肃教育出版社，1989年，第16页。

23　马雍：《略谈有关高昌史的几件新出土文书》，《考古》1972年第4期。

24　（日）小田义久：《吐鲁番出土葬送用文书考察之一——特别是对五道大神》，载《龙谷史坛》47号；侯灿：《吐鲁番晋—唐古墓出土随葬衣物疏综考》，《新疆文物》1988年第4期；杜斗城：《敦煌本佛说十王经校录研究》，兰州：甘肃教育出版社，1989年，第17页。

25　陈国灿：《从葬仪看道教"天神"观在高昌国的流行》，载《魏晋南北朝隋唐史资料》第9、10期，武汉大学学报编辑部出版，1988年；戴春阳、张珑：《敦煌祁家湾》，M320、M321、M328、M340、M364、M208、M302等，北京：文物出版社，1994年。

26　任继愈主编：《宗教大辞典》，上海：上海辞书出版社，1998年，第943页。

七月高侨告神木牌"上就出现过。亦习见于吐鲁番所出随葬衣物疏上。诸如"不得留难"（75 TKM 96：17）、"不得奄遏停留"（72 TAM 170：9、73 TAM 520：4、67 TAM 370：1）、"不得留停"（64 TAM 31：12、64 TAM 15：6）等。此处以命令口气责成地下当路官属，不得呵留、为难死者。

二

通过以上论述，得到如下几点认识。

（一）敦煌首次发现随葬衣物疏

早在20世纪初，在新疆吐鲁番地区的墓葬中就出土了随葬衣物疏[27]，此后的20世纪50年代至80年代，先后在吐鲁番地区的墓葬中又出土了随葬衣物疏数十件[28]。考古表明，吐鲁番地区墓葬中放置随葬衣物疏的习俗来源于中原，因中原地区早在西晋、北齐就有死者入葬衣物单昭告地下的传统。而这种传统在与吐鲁番相距不远的敦煌地区亦应存在。由于以往考古工作所涉及的范围有限，未能发掘到随葬衣物疏。加之敦煌地区许多墓葬深埋地下10米左右，墓葬中即便有纸质随葬衣物疏，由于潮湿原因，亦必腐朽无存。故在敦煌莫高窟北区石窟发掘前，一直未发现随葬衣物疏。就连举世闻名的敦煌藏经洞所出四五万卷文献中，也未见随葬衣物疏之类的文书。原因是"藏经洞的主体文献佛典和供养具，原是三界寺的藏经和资产"[29]，不是来自墓葬中的遗物，故也就不可能有专供死者随葬的衣物疏。这样看来，敦煌莫高窟北区瘗窟B 228窟郭方随葬衣物疏的出土，结束了敦煌地区不出随葬衣物疏的历史，从而为敦煌文献增加了新的类别。

（二）佛教信徒的衣物疏

从B 228窟所出衣物疏疏文可知，死者郭方是释迦弟子，而且是一位"行道精勤，奉修五戒十善，供养三宝，毫厘无犯"的虔诚佛教徒。故此类衣物疏可称之为佛教信徒的衣物疏。与郭方随葬衣物疏相类似，记载死者为佛弟子的文字资料在山东、新疆都曾发现过。例如发现于山东临朐县的"北齐武平四年七月高侨告神木牌"，其上有"释迦文佛弟子高侨……其妻王江妃……命过寿终……江妃生时十善持心，五戒坚志，岁三月六，斋戒不阙。今为戒师藏公、山公等所指，

27　陈国灿：《斯坦因所获吐鲁番出土文书研究》，武汉：武汉大学出版社，1994年；（日）桔瑞超著，柳洪亮译：《中亚探险》，乌鲁木齐：新疆人民出版社，1993年；《大谷文书》4917号、4884号、桔文书。

28　中国文物研究所、新疆维吾尔自治区博物馆、武汉大学历史系编：《吐鲁番出土文书》，北京：文物出版社，1992年、1994年、1996年。

29　荣新江：《敦煌藏经洞的性质及其封闭原因》，载《敦煌吐鲁番研究（第二卷）》，北京：北京大学出版社，1997年。

与佛取花，往之不返"的记载。在新疆吐鲁番地区出土的从543年至655年高昌国时期的30余件随葬衣物疏疏文中，或书写"佛弟子""清信女""比丘果愿"，或书写"持佛五戒，专修十善"等一类与佛教信仰有关的语汇。虽不能证明吐鲁番所出衣物疏疏文中涉及的死者都是释迦弟子，但这些人与佛教传播、信仰关系密切是可以肯定的。由此可见，从中原到新疆所发现的6世纪中叶到7世纪中叶墓葬随葬文字资料中，凡死者是释迦弟子或佛教信徒者，都在墓内相关文字中一一进行了记载，表明这是当时一种通行的习俗。敦煌当然也不例外。

（三）衣物疏疏文中反映的鬼神观念

郭方随葬衣物疏的撰写者相信人死后魂魄不死，只是从阳间到另一个世界——阴间去生活，"生处高堂，死归蒿里"。为了让死者在"地下但有用度"而随葬"千秋衣，万岁粮"。但又怕"诈欺之鬼，妄生拘碍"，于是提出，如果死者魂魄遇到诈欺之鬼的阻碍，诈欺之鬼必将受到"头碎如七分"的惩罚。并敬告阴曹地府的"当路官属"对死者魂魄在前往"死人里"的途中关照、放行，"不得留执羁连"。

除了郭方随葬衣物疏以外，鬼神观念在山东临朐发现的"北齐武平四年七月高侨告神木牌"和新疆吐鲁番出土的"白雀元年衣物疏"上均有描述。"高侨告神木牌"有"上辞三光，下归蒿里"之语。而"白雀元年衣物疏"则有"归蒿里""行不得""留难"等语。意思是说，死者的魂魄将前往太山之南的"死人里"——蒿里，祈告阴间诸神，放任死者魂魄携带衣物疏上所列衣物顺利通行，不得留难、阻拦。由此可知，从中原到新疆的民俗普遍存在鬼神观念，而这种观念甚至渗透到佛弟子的丧葬习俗之中。

（四）道教神祇、道教符咒用语出现于佛教信徒的随葬衣物疏疏文中

在属于佛弟子的随葬衣物疏、告神木牌等文字记载中，出现了道教神祇或道教符咒用语。比如，莫高窟出土的释迦弟子郭方随葬衣物疏疏文中有"太山府君""五道大神"这些道教神仙，以及"急急如律令"这种道教符咒用语。在山东临朐县发现的释迦文佛弟子"高侨告神木牌"上，记载有"敕汝地下女青诏书五道大神"等道教神仙，以及"如律令"这一道教通常用语。类似情况亦见于新疆吐鲁番出土的多件随葬衣物疏文物中。例如，在阿斯塔那170号墓所出高昌章和十三年（543年）佛弟子"孝姿随葬衣物疏"疏文中记载有"敬移五道大神"以及"急急如律令"之语。明明是佛弟子的随葬衣物疏，却清清楚楚地记载了道教神仙和道教符咒用语，其性质与莫高窟第285窟、第249窟等佛教洞窟内出现道教神仙的性质相同。对于在佛的神圣殿堂第285窟、第249窟窟内绘制道教内容的壁画，姜伯勤先生做了精辟的分析，他认为这一现象的出现是"佛教的中国化借助于玄学思想、道家思想和道教观念，这是为了使佛教这种外来观念，适应当时中

土的思想形式"[30]。而这种思想形式反映到丧葬方面，就出现了类似郭方随葬衣物疏上那些赫然醒目的道教神仙以及道教符咒用语。它无疑是佛教向道教学习在丧葬中的反映。

（五）李轨纪年文物的出土

据史籍记载，隋大业十三年（617年）丁丑秋七月壬子，武威鹰扬府司马李轨于武威举兵反，"轨自称河西大凉王，置官属并拟开皇故事……未几，攻张掖、敦煌、西平、枹罕，皆克之，尽有河西五郡之地"（《资治通鉴·隋纪八》）。唐武德元年（618年）戊寅"十一月乙巳，凉王李轨即皇帝位，改元安乐"（《资治通鉴·唐纪二》）。同年八月，唐高祖为了与李轨争夺秦陇之地，"遣使潜诣凉州，招抚之，与之书，谓之从弟。轨大喜，遣其弟懋入贡"（《资治通鉴·唐纪二》）。于是，唐高祖封李轨弟懋为大将军，并命令鸿胪少卿张俟德前往凉州，册拜李轨为凉州总管，封其为凉王。

唐武德二年（己卯，619年）李轨派遣其尚书左丞邓晓随使者入朝上表，表中李轨自称"皇从弟大凉皇帝"，而不接受唐王朝封他为"凉州总管""凉王"的称号。"帝怒，拘晓不遣，始议兴师讨之。"在这种情况下，任职于李轨政权的户部尚书安修仁的哥哥安兴贵（时在唐长安任职）上表唐高祖，提出到凉州劝说李轨归降。得到高祖认可后，安兴贵到了武威，李轨任命他为左右卫大将军。兴贵在劝说李轨去帝号而归唐遭到拒绝后，"与修仁阴结诸胡起兵击轨，轨出战而败，婴城自守。兴贵徇曰：'大唐遣我来诛李轨，敢助之者夷三族！'城中人争出就兴贵。轨计穷，与妻子登玉女台，置酒为别。庚辰，兴贵执之以闻，河西悉平"（《资治通鉴·唐纪三》）。在敦煌藏经洞所出时代从305年至1002年，分别属于六朝、隋、唐、五代和宋代，有确切纪年的1330件汉文文献中[31]，没有发现属于河西大凉国安乐纪年的文献。究其原因，很可能与当时的正统思想有关。即对闹割据的李轨分裂政权的安乐纪年不予承认；亦可能与河西大凉国是一个短命王朝有关。从凉王李轨在武威起事，后又即皇帝位，到他被俘后押解长安伏法，前后时间不过三年，因而在考古学上很难将河西大凉国时期的遗物从隋末唐初的遗物中区分开来，除非有确切的文字记载。故李轨纪年随葬衣物疏不仅是一件极为珍贵的文物，而且具有重要历史价值，它的出土印证了史籍中有关李轨以及河西大凉国的记载可信；证明李轨政权的势力范围曾经到达敦煌地区，并对该地区实施了有效统治；填补了敦煌藏经洞所出数万卷经卷文书中安乐纪年的缺环。

---

30 姜伯勤：《道释相激：道教在敦煌》，载氏著《敦煌艺术宗教与礼乐文明》，北京：中国社会科学出版社，1996年，第266页。
31 蒲小莹：《敦煌遗书汉文纪年卷编年》，长春：长春出版社，1990年。

（六）敦煌地方小历的新资料

在敦煌藏经洞所出数万卷敦煌文献中，属于历法的文献有数十件。经过罗振玉[32]、王重民[33]、薮内清[34]、藤枝晃[35]、施萍婷[36]、席泽宗、邓文宽[37]等中外学者长期不懈的努力，"敦煌残历的定年方法日趋成熟，并逐渐完善起来"[38]。学者们的研究表明，"敦煌地方具注历日的闰月与同一时期中原历的闰月很少相同，朔日也不尽一致，常有一到二日的差别，若遇闰年中则差别更多"[39]。在数十件敦煌所出历日中，现已考知其确切年代的有42件，另有4件年代待考[40]。从《敦煌天文历法文献辑校》附录一所列"中原历、敦煌具注历日比较表"（简称"历日比较表"）和《敦煌三篇具注历日佚文校考》得知，敦煌所出历日文献中，年代最早的是北魏太平真君十一年（450年）、十二年（451年）历日，年代最晚的是宋淳化四年（993年）历日。其中有北魏历日2件，中唐（即吐蕃统治敦煌期间）历日7件，晚唐历日12件，五代历日11件，宋代历日5件。据学者研究，"北魏太平真君时，使用三国曹魏尚书郎杨伟的《景初历》"，敦煌所出北魏时期两件历日的月序大小、朔日干支、闰月位置、中节日序干支等项均与《景初历》完全一样，"其历法依据是《景初历》"[41]。表明敦煌藏经洞所出北魏太平真君十一、十二年历日，是从北魏传入敦煌的。《唐大和八年甲寅岁具注历日》虽为敦煌所出，却是由其他地方流入敦煌的[42]。而《后晋天福十年乙巳岁具注历日》与《敦煌天文历法文献辑校》第460页的历日实为一件历日分存两处[43]。故敦煌所出37件历日中除上述3件是从他处传入外，其余34件历日则为敦煌本地编制并行用的"地方小历"，在这些"地方小历"中，除P.2583末（821年）、P.3284背（864年）等3件历日外，绝大多数敦煌历日的朔日干支，或比中原历日早一日，或迟两日，或比中原历迟一日，或早两日。从敦煌藏经洞所出由敦煌编制的"小历"最早出现于中唐时期（唐元和三年，808年，戊子岁历日），一直沿用到宋代。因而有学者认为，敦煌地方"小历"的出现与吐蕃占领敦煌有关：由于吐蕃占领，中原历无法在敦

32 罗振玉：《贞松堂藏西陲秘籍丛残》。

33 王重民：《敦煌本历日之研究》，载氏著《敦煌遗书论文集》，北京：中华书局，1984年。

34 （日）薮内清著，朴宽哲译：《研讨推定斯坦因收集的敦煌遗书中的历书年代的方法》，《西北史地》1985年第2期。

35 （日）藤枝晃：《敦煌历日谱》，《东方学报》京都版第45期。

36 施萍婷：《敦煌历日研究》，载敦煌文物研究所《1983年全国敦煌学术讨论会文集：文史·遗书编》上册，兰州：甘肃人民出版社，1987年，第305页。

37 席泽宗、邓文宽：《敦煌残历定年》，《中国历史博物馆馆刊》1989年第12期。

38 邓文宽：《敦煌古历丛识》，《敦煌学辑刊》1989年第1期；邓文宽辑校：《敦煌天文历法文献辑校》，"前言"，南京：江苏古籍出版社，1996年。

39 邓文宽：《敦煌古历丛识》，《敦煌学辑刊》1989年第1期；邓文宽辑校：《敦煌天文历法文献辑校》，"前言"，南京：江苏古籍出版社，1996年。

40 邓文宽：《敦煌三篇具注历日佚文校考》，《敦煌研究》2000年第3期。

41 张培瑜：《试论新发现的四种古历残卷》，载《中国天文学史文集（第五集）》，北京：科学出版社，1989年，第104～125页。

42 邓文宽：《敦煌三篇具注历日佚文校考》，《敦煌研究》2000年第3期。

43 邓文宽：《敦煌三篇具注历日佚文校考》，《敦煌研究》2000年第3期。

煌颁行，于是就出现了地方自编"小历"，而在此之前的敦煌则一直颁行的是中原历法。莫高窟北区出土的这件衣物疏上所记的朔日资料，很可能属于"地方小历"的朔日资料。

莫高窟 B 228 窟所出郭方随葬衣物疏上有"安乐三年岁至己卯二月庚子朔九日"的记载。"安乐"为李轨所建河西大凉国的纪年（详见前述）。从荣孟源先生编《中国历史纪年·唐纪年表》可以查到"公元619年，干支己卯，凉李轨安乐三年"[44]。据此可知，安乐三年为中原历己卯年，即619年，唐高祖武德二年。此时的敦煌历亦称"己卯岁"。表明初唐时期的敦煌历同《敦煌天文历法文献辑校》附录一所列敦煌历一样，与中原历干支纪年相同。至于衣物疏中的"二月庚子朔九日"与同年中原历月建、朔日干支情况分析如下：从陈垣先生所著《二十史朔闰表》第83页可知，己卯年中原历正月大，朔日辛丑；二月小，朔日辛未；闰二月大，朔日辛丑；三月小，朔日庚午。根据施萍婷先生"敦煌历的置闰与中原历不是同月就是前后月的论断"[45]，以及"朔日也不尽一致，常有一到二日的差别"的研究结论[46]，笔者判断己卯岁敦煌地方历肯定有闰月，但到底是闰正月，闰二月，还是闰三月？再从衣物疏上的朔日干支与己卯年中原历朔日干支对应关系分析，敦煌历己卯岁的闰月应在正月，因为只有敦煌历闰正月才会出现"二月庚子朔"，才可能有敦煌历的"二月庚子朔"与中原历的"闰二月辛丑朔"相比差一日的结果，而这一结果与诸位学者对《敦煌历日研究》所得结论完全相同。据此，笔者又推算出己卯岁敦煌地方历的正月（月建大小？）庚子朔，闰正月（月建大小？）庚午朔，三月（月建大小？）己巳朔。

总之，敦煌莫高窟北区 B 228 窟发现的"安乐三年郭方随葬衣物疏"，为敦煌历日研究增加了一件十分珍贵的实物资料。它的出现，表明早在隋末唐初，敦煌就曾经出现过本地自编的小历。而这种"地方小历"出现的原因，可能与隋末农民大起义后河西出现的割据政权有关。

附记：本文在撰写过程中，曾得到敦煌研究院研究员施萍婷先生、武汉大学历史系教授陈国灿先生的帮助，深表谢意。

本文系"教育部人文社会科学重点研究基地——兰州大学敦煌学研究所2002～2003年度重大研究项目'敦煌石窟个案研究'阶段性研究成果之一"，并获"教育部人文社会科学重点研究基地研究基金"资助。

（本文为樊锦诗、彭金章合著，原载于《敦煌学》2004年第25辑）

44 荣孟源编：《中国历史纪年表》，北京：生活·诗书·新知三联书店，1957年，第192页。

45 施萍婷：《敦煌历日研究》，载敦煌文物研究所编《1983年全国敦煌学术讨论会文集：文史·遗书编》上册，兰州：甘肃人民出版社，1987年，第305页。

46 邓文宽：《敦煌古历丛识》，《敦煌学辑刊》1989年第1期；邓文宽辑校：《敦煌天文历法文献辑校》，"前言"，南京：江苏古籍出版社，1996年。

附录："安乐三年己卯岁"与《二十史朔闰表》"唐高祖武德二年己卯岁"朔日比较表

月序	中原历		敦煌历		二历相比	备注
	月建大小	朔日干支	月建大小	朔日干支		
正月	大	辛丑	？	庚子		（ ）内为推算闰月和朔日干支，系据 B228 窟提供的条件推算而得
月	小	辛未	？（闰一月）	（庚午）		
闰月	大	辛丑	？	庚子	敦早 1	
三月	小	庚午	？	（己巳）		

敦煌莫高窟南区窟前考古发现的颜料、调色碗残留颜料及相关问题

1963年7月~1966年5月，为配合莫高窟南区中段危崖加固工程，敦煌文物研究所考古专业人员，在莫高窟第129窟以北至第21窟窟前长约380米、宽约6~15米范围内进行大面积考古清理发掘。发掘中发现在该区段底层洞窟中的一些大、中型洞窟前面，有与洞窟相接的五代、宋、西夏、元修建的建筑遗址22个。与此同时，还发现了现底层洞窟以下的北魏或西魏建第487窟、隋或初唐建第488窟、时代不明的第489窟和3个小龛。20年后，上述考古发掘资料，以及"文化大革命"后清理发掘的莫高窟南区南段第130窟窟前殿堂建筑遗址发掘资料，一并发表于《莫高窟窟前殿堂遗址》考古报告[1]。第487、488窟出土遗物略多而集中，窟前建筑遗址的遗物较零散而多为采集。现将莫高窟第487、488窟以及窟前采集的颜料和调色碗残留颜料介绍如下。

一、第487、488窟出土的调色碗残留颜料

第487窟与第488窟相连，均位于莫高窟南区中段，在现底层洞窟第467、53、54窟之下层，也即开凿在现地面以下的洞窟。

根据遗迹，第487窟原建时有前、后室。后室（即主室）平面呈长方形，约52.8平方米，高约4米多。地面中部偏西凿出平面约7.5平方米、高0.3米左右的方形砾石低坛。窟顶前部为两面斜坡的人字披形顶，后部为平顶。在人字披形窟顶正下方地面上，有窟顶坍塌掉落的断面呈半圆形的泥塑椽子和椽间壁画，以及断面呈梯形的泥塑横枋和横枋上绘画的菱形方格纹图案壁画遗

1　潘玉闪、马世长：《莫高窟窟前殿堂遗址》，北京：文物出版社，1985年。

迹。四壁的正壁无龛，南北两侧壁对称地各凿四个平面1平方米左右、等人高的小禅室，前壁开门通向前室，四壁未发现壁画痕迹。前室横长方形，宽6.2、进深2米。正壁中央开门，通后室，门两侧上部有梁孔、下部两侧有地栿孔，两侧壁下部外端有地梁槽。

我们注意到，第487窟窟顶人字披形顶部掉落的泥塑椽子，以及泥塑横枋上的菱形方格纹图案壁画遗迹，与莫高窟第257、254等北魏洞窟人字披形窟顶的制作方法和纹样相同；此窟后室地面凿有方形低坛，南北两侧壁相对各开凿四个小禅窟，与莫高窟西魏大统四至五年（538～539年）前后建造的第285窟的结构形制相近，故此窟可能开凿于北魏或西魏时期，其功能应属供修行者禅修之用。前室无前壁，而正壁有梁孔和地栿孔，两侧壁外端有地梁槽遗迹，说明前室原来似有木构建筑。

第487窟创建后，其后室不知什么时候被改造加工，痕迹有：①南侧壁原有小禅室4个，现只存3个，西侧的一个小禅室相当于东侧两个小禅室大，显然是将西侧两个小禅室打通扩大而成。②南侧壁东侧两个小禅室内的两侧壁上凿出凹槽，推测可能是为装木板置物品而凿。③北侧壁东侧三个小禅室之间隔墙均被破坏，使三个小禅室连成一片，北侧壁西侧两小禅室之间虽尚存隔墙，但被凿了穿洞并放置石块。④北侧壁的东侧小禅室北壁被凿破，与其北侧第488窟相通。此外，地面上有烧土和烧灰痕迹。烧土层上出土一批遗物：①南侧壁东侧小禅室内出土圜底带流坩埚1件，平底陶钵1件，陶质小型油灯碗5件；②北侧壁西侧两小禅室之间穿洞下垫土中出土水波垂帐纹直腹双耳陶罐1件；③后室（主室）地面上出土陶质调色碗14件，碗内残留红、绿、蓝、黄、白色颜料，残留红色颜料的石质研磨杵2件，陶质油灯碗24件，"乾元重宝"1枚，小口陶罐、陶质造像头部残块、四瓣花纹样瓦当、木雕花蕾等各1件。

第488窟也大体保存了原建时的结构，平面呈长方形，约17平方米，高约2.5米。地面中部偏西处挖有直径约0.90米的椭圆形坑，深约0.50米。窟顶为两面斜坡的人字披形。四壁未见壁画痕迹，东壁偏南处开一窟门。此窟大小和窟顶结构与莫高窟隋代、初唐洞窟相近，窟门开在东壁偏南处，用途不明。

第488窟也有被改造的痕迹：南壁被凿破，开两个门，分别通向其南侧第487窟后室和前室之北壁，成了两窟相接的通道。窟顶东北处还凿了"天窗"，以供采光。此窟地面与北侧第487窟地面高度接近，是在原地面上垫高近0.4米厚沙石之后形成的。地面上也有烧灰痕迹。此窟出土有陶质小型油灯碗7件，小陶盆1件，碎陶片30片。

综上所述，第487、488两窟都有烧土层遗迹和烧土层上出土遗物的迹象，说明两窟改造后互相连接，合为一体使用。从烧土层分析，两窟在改造之后、火灾之前曾经被使用过。因为无人活动不会引发火情，只有人的活动才会引发火情。在烧土层上留下的遗物并无被烧的痕迹，说明两窟大火之后仍被继续使用。第487窟烧土层上出土的"乾元重宝"（758年铸造），说明该窟被继续使用的时代是在唐后期，至迟在晚唐时期。根据出土遗物一类为残留不同颜料的陶质调色碗和石质研磨杵、铜坩埚、陶制油灯碗、直腹双耳陶罐、小口陶罐等制作颜料工具，而另一类为陶像头部残块、木雕花蕾、四瓣花纹样瓦当等艺术品部件分析，两窟发生火情后，使用者为从事塑像和绘画的塑匠、画工。唐后期或晚唐的这些画工、塑匠们把这两个曾经废弃的洞窟重新加以改造利用，可能是作为加工制备颜料和加工艺术品部件，并存放绘画材料和工具的"作坊"。因为第487、488窟改造后并无绘制壁画遗迹，在此"作坊"加工制备颜料，显然不是供本窟使用，而是为了其他洞窟制作壁画，或加工零部件。第488窟没有发现更多制作颜料工具的遗物，有可能兼作住宿用[2]。

二、窟前采集的颜料和调色碗残留颜料

据笔者在敦煌研究院陈列中心文物库房调查，本院收藏有莫高窟窟前采集的遗物包括：①1951年在莫高窟第55～61窟区间清沙中采集的遗物：青金石颜料1块，残留绿、红、黑色颜料的陶质调色碗5件。②1963～1966年窟前发掘清理时在窟前建筑遗址范围外采集的遗物：第126窟前裂缝中采集残留红、白、绿、土红、石绿、黄、粉色颜料的陶质调色碗11件，外涂土红颜料陶罐1件，绿釉盘1件[3]；第43窟前采集石绿颜料1块；第15窟前砖面遗址下的沙层中采集残留绿、红色石质研磨杵3件；第29窟前采集黄色颜料1块；窟前地点不明处采集的残留红色颜料石质研磨杵1件。③1963～1966年窟前建筑遗址中发掘的遗物：第44窟前五代建筑遗址地基下的烧土层下发现有唐代土红颜料1块[4]；第25窟前宋代建筑遗址下发现残留红色颜料的陶质调色碗1件。因《莫高窟窟前殿堂遗址》考古报告未发表第44、25窟遗物，又无记录，故均作为采集的遗物。

三、窟前发现的颜料与洞窟壁画颜料之比较

敦煌研究院的保护科技人员运用便携式X荧光光谱仪、X衍射光谱仪和显微镜，对本院藏窟前出土和采集的颜料以及调色碗残留颜料做了科学分析，确定了上述颜料的主要元素和矿物组成，归纳附表的分析结果如下：

红色颜料：朱砂、土红、朱砂和土红混合，单一朱砂结果较多，仅有一个样品是朱砂和铅丹混合。

2　潘玉闪、马世长：《莫高窟窟前殿堂遗址》，北京：文物出版社，1985年，第81～98页。

3　1965年3月，配合莫高窟加固工程，在第125～126窟前拆除敦煌文物研究所原垒砌修建的通道时，在两窟前露出了与崖壁平行的裂缝。在清除裂缝中的沙土时，除发现北魏刺绣残块外，还采集了陶质调色碗11件和绿釉盘1件。参见敦煌文物研究所：《新发现的北魏刺绣》，《文物》1972年第2期，第54～60页。

4　潘玉闪、马世长：《莫高窟窟前殿堂遗址》，北京：文物出版社，1985年，第69～72页。

绿色颜料：石绿、氯铜矿、石绿和氯铜矿混合。

蓝色颜料：青金石、石青。

黄色颜料：雄黄、雌黄。

白色颜料：方解石、方解石和云母混合、方解石和石膏混合。

黑色颜料：墨。

1983年，徐位业等人使用X衍射光谱仪对莫高窟洞窟壁画的颜料进行过系统的分析[5]。20世纪80年代以来，敦煌研究院在对洞窟历次保护修复的同时，都要对保护修复洞窟的颜料做调查和分析，积累了较多的洞窟颜料分析资料，如李最雄等人也对敦煌壁画的颜料做过系统分析和研究[6]。这些分析结果可归纳如下：

红色颜料：朱砂、土红、铅丹、朱砂和铅丹混合，土红和铅丹混合，朱砂和土红混合。

绿色颜料：氯铜矿、石绿、石绿和氯铜矿混合。

蓝色颜料：青金石、石青、人造群青（清代）。

黄色颜料：雄黄、雌黄。

白色颜料：滑石、方解石、石膏、云母等。

黑色颜料：墨、二氧化铅（铅丹的变色产物）。

我们将窟前出土、采集的颜料分析结果与洞窟壁画颜料的分析结果做了对照比较，发现出土、采集的颜料与调色碗残留的颜料，以及洞窟壁画的颜料基本一致。出土和采集的红色颜料主要以朱砂和土红为主，但个别样品（Z0902）中也发现有少量铅元素，这说明有铅丹存在。调色碗残留的红色颜料中发现有朱砂、土红或铅丹并存的现象，说明画工在调制颜料时，常常将颜色相近的红色颜料放在同一个调色碗中调制。在洞窟壁画红色颜料分析结果中也同样发现了大量三种红色颜料混合使用的现象[7]。出土和采集的绿色颜料主要是氯铜矿和少量的石绿。洞窟壁画的颜料分析结果证明，敦煌壁画从北魏至五代使用的绿色颜料以氯铜矿为主，石绿使用的相对较少[8]。第55～61窟窟前采集的蓝色颜料为珍贵的青金石，敦煌壁画从北魏到元代都使用青金石作为蓝色颜料，新疆克孜尔石窟和丝绸之路沿线的其他石窟的壁画中也多发现蓝色的青金石颜料[9]。莫高

5 徐位业、周国信、李云鹤：《莫高窟壁画、彩塑无机颜料的X射线剖析报告》，《敦煌研究》1983年第3期，第187～197页。

6 李最雄：《敦煌莫高窟唐代绘画颜料分析研究》，《敦煌研究》2002年第4期，第11～18页。

7 苏伯民、李最雄、胡之德：《敦煌壁画混合红色颜料的稳定性研究》，《敦煌研究》1996年第3期，第149～162页。

8 王进玉、王进聪：《敦煌石窟铜绿颜料的应用和来源》，《敦煌研究》2002年第4期，第23～27页。

9 苏伯民、李最雄、马赞峰、李实、马清林：《克孜尔石窟壁画颜料研究》，《敦煌研究》2000年第1期，第149～152页；周国信：《麦积山石窟壁画、彩塑无机颜料的X射线衍射分析》，《考古》1991年第8期，第744～755页；于宗仁、赵林毅、李燕飞、李最雄：《马蹄寺、天梯山和炳灵寺石窟壁画颜料分析》，《敦煌研究》2005年第4期，第67～70页；王进玉：《敦煌、麦积山、炳灵寺石窟青金石颜料的研究》，《考古》1996年第10期，第77～92页。

窟出土和采集的颜料还发现了黄色颜料，主要为雄黄和雌黄，在个别调色碗的红色颜料中也发现了雄黄的存在。与红、绿、蓝三种颜料的使用相比，黄色颜料并非构成壁画的主要颜料，但在一些洞窟中也发现了雄黄或雌黄的存在。出土和采集的调色碗中残留的白色颜料主要为方解石，或方解石与云母，或方解石与石膏混合，也与洞窟壁画的白色颜料分析结果相合。通过以上对比分析，证明了窟前出土和采集的颜料与洞窟壁画颜料基本一致，而两者的这种一致性，说明窟前出土、采集的颜料和调色碗均为古代画匠绘制敦煌壁画所使用。

四、敦煌文献记载的颜料与窟前发现的颜料、洞窟壁画颜料之比较

据敦煌藏经洞文献记载，古代敦煌，除城东的莫高窟、城西的西千佛洞外，还有众多佛寺、佛堂和兰若（私家建小寺庙）。石窟、佛寺、佛堂和兰若等佛教建筑内都应有供人膜拜的佛教塑像和展示佛教内容的壁画。敦煌在佛教兴盛的时代，有名目繁多的专门从事制作彩塑和壁画的机构和工匠，如官办画院，民间画行，寺院画僧，画匠、塑匠、泥匠和打窟人等。而颜料是制作彩塑和壁画的重要材料，因此也成为敦煌市场贸易的主要商品。敦煌藏经洞文献中也不乏颜料的相关记载。现举例说明。

S.3553v《咨和尚启》，是一封带给石窟上某和尚的书信，信中提到了绘制敦煌壁画所需的丹（铅丹）、马牙珠（蛤粉）、金青（青金石）等颜料。现全文录下：

> 今月十三日，于牧驼人手上赴将丹贰斤半、马牙珠两阿果、金/青壹阿果。咨和尚，其窟乃繁好画著，所要色泽多少，在此/觅者，其色泽阿果在面褐袋内，在此取窟上来。缘是东/头消息，兼算畜生，不到窟上。咨启和尚，莫捉其过。[10]

敦煌文献还保存了有关红色、绿色、青色、白色、黑色等颜料的记载。如P.2032v《后晋时代净土寺诸色入破历算会稿》云："白面三斗，油贰升，粟四斗，福子面上卖录（绿）、丹、青用"，"粟三斗，愿果买金青用"，"粟五斗，邓住子边买炭用"[11]。P.3763《十世纪中期净土寺诸色入破历算会稿》云："粟二斗，于画匠安铁子所卖（买）同（铜）绿用。"[12]这类颜料的记载还有很多，不再一一枚举。

敦煌文献中也有关于买卖白色颜料——胡粉的记载。如S.4642《年代不明（公元十世纪）某寺诸色斛斗入破历算牒残卷》云："麸壹硕伍斗，买胡粉用。麸叁硕，买胡粉画幡用"[13]。胡粉学

10　中国社会科学院历史研究所等编：《英藏敦煌文献》第五卷，成都：四川人民出版社，1992年，第122页。

11　唐耕耦、陆宏基编：《敦煌社会经济文献真迹释录（第三辑）》，北京：全国图书馆文献缩微复制中心，1990年，第465、464、464页。

12　唐耕耦、陆宏基编：《敦煌社会经济文献真迹释录（第三辑）》，北京：全国图书馆文献缩微复制中心，1990年，第519页。

13　唐耕耦、陆宏基编：《敦煌社会经济文献真迹释录（第三辑）》，北京：全国图书馆文献缩微复制中心，1990年，第553页。

名为铅白，在敦煌壁画中亦有发现。S.5448《敦煌录一卷》还记载，敦煌当地出产石膏。其文云："石膏山在州北二百五十六里。乌山烽，山石间出其膏"[14]。

除上述有关记载颜料的文献外，还有一份关于记录壁画颜料、颜色的珍贵文献，即李木斋藏《壁画图像记》[15]。《壁画图像记》是对壁画中多身藏传密教神像的肤色和衣饰颜色所做的详细记录。其记录方式主要有两种：一为颜料。如丹、珠、丹红、紫、绿、同绿、青、白、黑；二为同种颜色的色彩浓淡。如深紫、淡紫、大绿、二绿、深绿、淡绿等。

以现代矿物颜料的名称来看，《壁画图像记》中记录的颜料"丹"指铅丹，"珠"为朱砂，"丹红"为密陀僧（一氧化铅），"紫"应为某种植物颜料，"绿"为石绿，"同绿"为氯铜矿，"青"为石青，"白"为某种白色矿物颜料，"黑"为墨或碳。同种颜色呈现出色彩浓淡差别，是由于同种颜料颗粒大小差异所致。

《壁画图像记》可能是当时画工在记录壁画色彩时常用的一种记录方法，描述了壁画所表现画像各个部位所用的颜料和颜料的色彩浓淡。

总之，文献中记录的矿物颜料种类有铅丹、朱砂、密陀僧（一氧化铅）、石绿、氯铜矿、青金石、蛤粉（碳酸钙）、铅白和墨。这些颜料与我们多年科学分析的敦煌壁画颜料是一致的，而且也与莫高窟窟前出土和采集的颜料相一致。

五、结语

莫高窟窟前出土和采集的颜料种类，与敦煌壁画颜料、敦煌文献中所记载的颜料有高度的一致性，反映出敦煌壁画颜料使用的鲜明特点。这些颜料色彩艳丽、性质稳定，不仅构成了独特的佛教壁画艺术，也为我们保存下了珍贵的佛教绘画遗产。在营造敦煌壁画的千年历史岁月中，颜料作为重要的贸易商品和艺术创作材料，是我们研究莫高窟佛教艺术、文化交流、贸易路线等方面问题最重要的素材。

（本文为2013年《亚洲艺术》杂志约稿）

14 中国社会科学院历史研究所等编：《英藏敦煌文献》第七卷，成都：四川人民出版社，1992年，第95页。
15 李木斋藏《壁画图像记》中有"上表录金统二年纪讫"之记载。"金统二年"为唐代黄巢起义称帝年号，即公元882年。但多位专家已指出，此"金统二年"似为后来补写，不能作为写本的年代。录文详见金维诺：《吐蕃佛教图像与敦煌的藏传绘画遗存》，载中山大学艺术学研究中心编《艺术史研究（第二辑）》，广州：中山大学出版社，2000年，第10～15页。

〔附录〕

樊锦诗论著目录

一 | 著作

著作

1. 《敦煌彩塑》（段文杰、樊锦诗合著），北京：文物出版社，1978年。

2. 《敦煌艺术小丛书·莫高窟壁画艺术（北凉）》，兰州：甘肃人民出版社，1985年。

3. 《安西榆林窟》，兰州：甘肃民族出版社，1999年。

4. 《敦煌鉴赏·精选50窟》（樊锦诗、刘永增合著），南京：江苏美术出版社，2003年。

5. 《敦煌石窟——精選50窟鑑賞ガイド（莫高窟·榆林窟·西千仏洞）》（樊锦诗、刘永增合著），东京：文化出版局，2003年。

6. 《灿烂佛宫：敦煌莫高窟考古大发现》（樊锦诗、赵声良合著），杭州：浙江文艺出版社，2004年。

7. 《从王子走向神坛——释迦牟尼的传奇人生》，上海：上海人民出版社，2007年。

8. *Appreciation of Dunhuang grottoes : a selection of 50 caves*（樊锦诗、刘永增合著），Nanjing: Jiangsu Fine Arts Publishing House, 2007.

9. 《敦煌石窟》（日语版），香港：伦敦出版（香港）有限公司，2008年。

10. *The Art of Mogao Grottoes in Dunhuang* (Fan Jinshi, Zhao Shengliang)，Paramus, New Jersey: Homa & Sekey Books, Hangzhou: Zhejiang Literature and Arts Publishing House, 2009.

11. 《敦煌石窟》，伦敦出版（香港）有限公司，2010年。

12. *The Caves of Dunhuang,* Dunhuang Academy, Hong Kong: London Editions, 2010.

13. 《敦煌石窟全集·第一卷：莫高窟第266～275窟考古报告》（樊锦诗、蔡伟堂、黄文昆合著），北京：文物出版社，2011年。

14. 《陇上学人文存·樊锦诗卷》，兰州：甘肃人民出版社，2014年。

15. 《我心归处是敦煌——樊锦诗自述》（樊锦诗口述、顾春芳撰写），南京：译林出版社，2019年。

16. 《我心归处是敦煌——樊锦诗自述（青少版）》（樊锦诗口述、顾春芳撰写），南京：译林出版社，2021年。

主编

17. 《中国壁画全集·敦煌5（初唐）》（段文杰主编，赵敏、樊锦诗副主编），沈阳：辽宁美术出版社，1989年。
18. 《中国壁画全集·敦煌6（盛唐）》（段文杰主编，清白音、樊锦诗副主编），天津：天津人民美术出版社，1989年。
19. 《中国壁画全集·敦煌9（五代·宋）》（段文杰主编，赵敏、樊锦诗副主编），沈阳：辽宁美术出版社、天津：天津人民美术出版社，1990年。
20. 《1987年敦煌石窟研究国际讨论会文集·石窟艺术编》（段文杰主编，赵敏、樊锦诗副主编），沈阳：辽宁美术出版社，1990年。
21. 《1987年敦煌石窟研究国际讨论会文集·石窟考古编》（段文杰主编，赵敏、樊锦诗副主编），沈阳：辽宁美术出版社，1990年。
22. 《中国壁画全集·敦煌17（隋）》（段文杰主编，清白音、樊锦诗副主编），天津：天津人民美术出版社，1991年。
23. 《敦煌研究文集·石窟保护篇》（段文杰主编，樊锦诗、李最雄、梁尉英副主编），兰州：甘肃民族出版社，1993年。
24. 《丝路胜迹——吴健摄影作品集》（段文杰主编，何富麟、樊锦诗副主编），乌鲁木齐：新疆人民出版社1996年。
25. 《心系敦煌五十春——段文杰临摹敦煌壁画》，天津：天津人民美术出版社，1996年。
26. 《敦煌石窟》，兰州：甘肃文化出版社，1998年。
27. 《中国敦煌学百年文库·考古卷（1～4）》（樊锦诗、刘玉权主编），兰州：甘肃文化出版社，1999年。
28. 《敦煌图史》，上海：上海古籍出版社，2000年。
29. 《中国敦煌》，南京：江苏美术出版社，2000年。
30. 《敦煌图案摹本》，南京：江苏古籍出版社，2000年。
31. 《发现敦煌》（樊锦诗、陈万雄主编），香港：商务印书馆（香港）有限公司，2000年。
32. 《敦煌——纪念敦煌藏经洞发现一百周年》（张文彬主编，郑欣淼、马文治、樊锦诗、孔祥星副主编），北京：朝华出版社，2000年。
33. 《中国敦煌壁画全集·8（晚唐）》（段文杰主编，刘建平、樊锦诗副主编），天津：天津人民美术出版社，2001年。
34. 《中国敦煌壁画全集·2（西魏）》（段文杰主编，刘建平、樊锦诗副主编），天津：天津人民美术出版社，2002年。
35. 《敦煌：真实与虚拟》（潘云鹤、樊锦诗主编），杭州：浙江大学出版社，2003年。
36. 《敦煌石窟》，北京：中国旅游出版社，2004年。
37. 《敦煌石窟全集·佛传故事画卷》，香港：商务印书馆（香港）有限公司，2004年。
38. 《敦煌石窟全集·再现敦煌》（段文杰、樊锦诗主编），香港：商务印书馆（香港）有限公司，2005年。
39. 《敦煌石窟全集·藏经洞珍品卷》，香港：商务印书馆（香港）有限公司，2005年。
40. 《中国敦煌壁画全集·1（北凉·北魏）》（段文杰、樊锦诗主编），天津：天津人民美术出版社、沈阳：辽宁美术出版社，2006年。
41. 《中国敦煌壁画全集·3（北周）》（段文杰、樊锦诗主编），天津：天津人民美术出版社、沈阳：辽宁美术出版社，2006年。
42. 《中国敦煌壁画全集·5（初唐）》（段文杰主编，赵敏、樊锦诗副主编），沈阳：辽宁美术出版社、天津：天津人民美术出版社，2006年。
43. 《中国敦煌壁画全集·7（中唐）》（段文杰、樊锦诗主编），沈阳：辽宁美术出版社、天津：天津人民美术出版社，2006年。
44. 《敦煌研究院美术创作集》，上海：上海古籍出版社，2006年。
45. 《万庚育临摹敦煌壁画选集》，上海：上海古籍出版社，2006年。
46. 《2004年石窟研究国际学术会议论文集》，上海：上海古籍出版社，2006年。
47. 《敦煌学专题研究丛书》，兰州：甘肃教育出版社，2006年、2011年。

48.《敦煌学博士文库》(郑炳林、樊锦诗主编),北京:民族出版社,2006~2016年。

49. *CHINA DUNHUANG*,南京:江苏美术出版社,2006年。

50.《敦煌艺术精品》,北京:中国画报出版社,2006年。

51.《敦煌学研究文库》(郑炳林、樊锦诗主编),北京:民族出版社,2006年。

52.《敦煌佛教与禅宗学术讨论会文集》(郑炳林、樊锦诗、杨富学主编),西安:三秦出版社,2007年。

53.《丝绸之路民族古文字与文化学术讨论会文集》(郑炳林、樊锦诗、杨富学主编),西安:三秦出版社,2007年。

54.《解读敦煌系列·从王子走向神坛》,上海:上海人民出版社,2007年。

55.《敦煌研究院年鉴2005~2006》,上海:上海辞书出版社,2007年。

56.《敦煌学研究文库》(郑炳林、樊锦诗主编),北京:民族出版社,2007~2019年。

57.《敦煌壁画艺术继承与创新国际学术研讨会论文集》,上海:上海辞书出版社,2008年。

58.《盛世和光·敦煌艺术》(樊锦诗、范迪安主编),北京:人民教育出版社,2008年。

59.《古韵新风:敦煌研究院美术作品展》(樊锦诗、范迪安主编),北京:人民教育出版社,2008年。

60.《莫高窟史话》,南京:江苏美术出版社,2009年。

61.《敦煌与隋唐城市文明》,上海:上海教育出版社,2010年。

62.《敦煌》(樊锦诗、高小平、梁建增主编),北京:中国传媒大学出版社,2010年。

63.《解读敦煌》(全13册),上海:华东师范大学出版社,2010年、2016年。

64.《中国敦煌学论著总目》(樊锦诗、李国、杨富学合编),兰州:甘肃人民出版社,2010年。

65.《走近敦煌》,北京:中国文联出版社,2010年。

66.《榆林窟研究论文集》,上海:上海辞书出版社,2011年。

67.《敦煌文献·考古·艺术综合研究:纪念向达先生诞辰110周年国际学术研讨会论文集》(樊锦诗、荣新江、林世田主编),北京:中华书局,2011年。

68.《敦煌旧影:晚清民国老照片》,上海:上海古籍出版社,2011年。

69.《庆贺饶宗颐先生95华诞敦煌学国际学术研讨会论文集》(袁行霈、李焯芬、樊锦诗主编),北京:中华书局,2012年。

70.《甘肃石窟志》(苏国庆、杨惠福、樊锦诗主编),兰州:甘肃人民出版社,2012年。

71.《敦煌吐蕃统治时期石窟与藏传佛教艺术研究》,兰州:读者出版集团、甘肃教育出版社,2012年。

72.《敦煌研究院年鉴2007~2008》,兰州:甘肃人民出版社,2012年。

73.《敦煌:丝路佛光》(樊锦诗、海蔚蓝主编),敦煌研究院、华美协进社中国美术馆,2013年。

74.《敦煌研究院年鉴2009~2010》,兰州:甘肃人民出版社,2013年。

75.《煌煌大观——敦煌艺术》(樊锦诗、马锋辉主编),杭州:浙江美术馆,2013年。

76.《敦煌:丝绸之路明珠佛教文化宝藏》,北京:中国旅游出版社,2014年。

77.《敦煌研究院年鉴2011~2012》,兰州:甘肃人民出版社,2014年。

78.《专家讲敦煌》(樊锦诗、陈湘波主编),南京:江苏凤凰美术出版社,2014年。

79.《榆林窟艺术》,南京:江苏凤凰美术出版社,2014年。

80.《中国石窟艺术:榆林窟》,南京:江苏美术出版社,2014年。

81.《中国石窟艺术:莫高窟》,南京:江苏美术出版社,2015年。

82.《敦煌研究院年鉴2013》,兰州:甘肃人民出版社,2015年。

83.《丝绸之路民族文献与文化研究》(樊锦诗、才让、杨富学主编),兰州:甘肃教育出版社,2015年。

84.《敦煌研究院年鉴2014》,兰州:甘肃人民出版社,2016年。

85.《敦煌艺术大辞典》,上海:上海辞书出版社,2019年。

二 | 论文

86.《莫高窟发现的唐代丝织物及其它》（樊锦诗、马世长著），《文物》1972年第12期。

87.《敦煌甜水井汉代遗址的调查》（马世长、樊锦诗著），《考古》1975年第2期。

88.《近五年来敦煌文物研究所的研究工作》，《中国历史研究动态》1981年第9期。

89.《敦煌莫高窟北朝洞窟的分期》（樊锦诗、马世长、关友惠著），载于《中国石窟·敦煌莫高窟（一）》，北京：文物出版社、东京：平凡社，1982年，第199～215页。

90.《月光王施头的故事》，《飞天》1982年第3期，第93～94页。

91.《莫高窟第290窟的佛传故事画》（樊锦诗、马世长著），《敦煌研究》1983年创刊号，第56～82页。

92.《莫高窟隋代石窟分期》（樊锦诗、关友惠、刘玉权著），载于敦煌文物研究所编《中国石窟·敦煌莫高窟（二）》，北京：文物出版社、东京：平凡社，1984年，第186～205页。

93.《莫高窟北朝洞窟本生、因缘故事画补考》（樊锦诗、马世长著），《敦煌研究》1986年第1期，第27～38页。

94.《莫高窟唐前期石窟的洞窟形制和题材布局——敦煌莫高窟唐代洞窟研究之一（摘要）》，《敦煌研究》1988年第2期，第8页。

95.《敦煌壁画的保护》，《文史知识》1988年第8期，第6～8页。

96.《丝路古道话沧桑》，《人民日报》（海外版）1988年9月2日。

97.《从敦煌壁画图像的研究到制作——敦煌壁画乐器仿制成功》，《敦煌研究》1992年第3期，第23～26页。

98.《从敦煌莫高窟看人权问题》（段文杰、樊锦诗、史苇湘著），《人民日报》1992年3月18日；《中国文物报》1992年3月29日第1版。

99.《敦煌莫高窟的保存、维修和展望》，载于敦煌研究院编《敦煌研究文集·石窟保护篇》，兰州：甘肃民族出版社，1993年，第4～12页。

100.《敦煌莫高窟崖顶风沙危害的研究》[凌裕泉、屈建军、樊锦诗、李云鹤、（美）阿格纽、（美）林博明著]，载于敦煌研究院编《敦煌研究文集·石窟保护篇》，兰州：甘肃民族出版社，1993年，第134～145页。

101.《中国石窟遗址保护的里程碑——评"丝绸之路古遗址保护国际学术会议"的学术特点》（樊锦诗、李实著），《敦煌研究》1994年第1期，第1～4页。

102.《敦煌石窟保护五十年》，《敦煌研究》1994年第2期，第7～13页。

103.《忆常老》，《敦煌研究》1994年第4期，第5～6页。

104.《吐蕃占领时期莫高窟洞窟的分期研究》（樊锦诗、赵青兰著），《敦煌研究》1994年第4期，第76～94页。

105.《简谈佛教故事画的民族化特色》，《敦煌研究》1995年第1期，第1～6页。

106.《敦煌瑰宝谱新篇》，《中外文化交流》1995年第2期，第24～27页。

107.《莫高窟崖顶防沙工程的效益分析》[凌裕泉、屈建军、樊锦诗、李云鹤、（美）林博明著]，《中国沙漠》1996年第1期，第13～18页。

108.《莫高窟第112窟图像杂考》（樊锦诗、梅林著），《敦煌研究》1996年第4期，第5～7页。

109.《榆林窟第19窟目连变相考释》（樊锦诗、梅林著），载于敦煌研究院编《段文杰敦煌研究五十年纪念文集》，北京：世界图书出版公司北京公司，1996年，第46～55页。

110.《敦煌——中国佛教宝藏》（*China's Buddhist Treasures at Dunhuang*）[樊锦诗、（美）Neville Agnew]，SCIENTIFIC AMERICAN（《科学美国人》杂志），1997年7月，第277卷第1期，第40~45页。

111.《敦煌学的由来和发展》，载于政协甘肃省敦煌市委员会编《敦煌文史资料选辑（第四辑）》，敦煌：政协甘肃省敦煌市委员会，1997年，第9～11页。

112.《丝绸之路上又一明珠——安西榆林窟》，《旅游天地》1998年第1期。

113. 《〈文物〉月刊出刊 500 期纪念笔谈》，《文物》1998 年第 1 期，第 16～17 页。

114. 《莫高窟北周石窟的造像与南朝影响》，载于饶宗颐《敦煌文献》，台北：新文丰出版公司，1999 年，第 173～178 页。

115. 《我国二十世纪敦煌石窟考古研究概述》，载于王维梅主编《"二十一世纪敦煌文献研究回顾与展望"研讨会论文集》，台中：中华自然文化学会，1999 年，第 11～21 页。

116. 《平山郁夫先生的敦煌情结》，《丝绸之路》1999 年第 29 期。

117. 《丝绸之路上的敦煌莫高窟（一）》，《近畿化学工业界》1999 年第 8 期。

118. 《丝绸之路上的敦煌莫高窟（二）· 敦煌艺术的创造和它的创造者》，《近畿化学工业界》1999 年第 10 期。

119. 《丝绸之路上的敦煌莫高窟（三）· 敦煌莫高窟的保护》，《近畿化学工业界》2000 年第 4 期。

120. 《中国敦煌研究院与平山郁夫画伯》，《平山郁夫画集》，香港：大道文化有限公司出版，2001 年。

121. 《敦煌石窟保护的世纪思考》，《中华英才》2000 年。

122. 《20 世纪的敦煌石窟考古研究》（樊锦诗、彭金章著），《光明日报》2000 年 6 月 23 日 C4 版。

123. 《敦煌莫高窟的保护与管理》，《敦煌研究》2000 年第 1 期，第 1～4 页。

124. 《锚索新技术在榆林窟岩体加固工程上的应用》（樊锦诗、李传珠著），《敦煌研究》2000 年第 1 期，第 119～122 页。

125. 《敦煌石窟研究百年回顾与瞻望》，《敦煌研究》2000 年第 2 期，第 40～51 页；后收入（日）佛教艺术学会编《佛教艺术〈2000 年敦煌学百年特集〉》，东京：每日新闻社，2000 年。

126. 《敦煌莫高窟唐前期洞窟分期》（樊锦诗、刘玉权著），载于敦煌研究院编《敦煌研究文集 · 敦煌石窟考古篇》，兰州：甘肃民族出版社，2000 年，第 143～181 页。

127. 《百年敦煌学　百年辉煌 —— 敦煌藏经洞发现暨敦煌学百年纪念》，《人民日报（海外版）》2000 年 7 月 13 日第 12 版；后收入寒声主编《黄河文化论坛（第五辑）》，北京：中国戏剧出版社，2000 年，第 47～55 页。

128. 《回眸百年敦煌学　再创千年新辉煌》，《群言》2000 年第 7 期，第 37～41 页；《新华文摘》2000 年 10 期。

129. 《灿烂的敦煌石窟艺术》，载于敦煌研究院编《中国敦煌》，南京：江苏美术出版社，2000 年，1～148 页。

130. 《关于敦煌石窟研究的几点思考》，《光明日报》2000 年 9 月 5 日 C2 版。

131. 《辉煌灿烂的敦煌石窟》，载于敦煌研究院编《敦煌：纪念敦煌藏经洞发现一百周年》，北京：朝华出版社，2000 年，第 7～17 页。

132. 《藏经洞发现 100 年来的敦煌石窟》，载于樊锦诗、陈万雄主编《发现敦煌》，香港：商务印书馆（香港）有限公司，2000 年，第 1～4 页。

133. 《奥登堡考察队拍摄的莫高窟历史照片 ——《俄藏敦煌艺术品》第三卷序言》（樊锦诗、蔡伟堂著），载于俄罗斯国立艾尔米塔什博物馆、上海古籍出版社编《俄藏敦煌艺术品 III》，上海：上海古籍出版社，2000 年，第 1～2 页；《敦煌研究》2001 年第 1 期，第 5～7 页。

134. 《〈敦煌图案摹本〉序言》，载于樊锦诗主编，敦煌研究院、江苏古籍出版社编《敦煌图案摹本》，南京：江苏古籍出版社，2000 年。

135. 《敦煌研究院藏敦煌文献研究概述（代序）》，载于敦煌研究院编《敦煌研究文集 · 敦煌研究院藏敦煌文献研究篇》，兰州：甘肃民族出版社，2000 年。

136. 《莫高窟出土的丝织物与壁画中的丝织物形象》，敦煌石窟と絹の道の染織展，日本文化园服饰博物馆主办、敦煌研究院等协办，2001 年 8 月 25 日～10 月 13 日。

137. 《开拓进取　再创辉煌》，《人大研究》2002 年第 1、2 期，第 110～112 页。

138. 《〈敦煌莫高窟保护与管理总体规划〉的制定与收获》，《敦煌研究》2002 年第 4 期，第 1～8 页。

139. 《中美合作研制敦煌数字图像档案》[（美）William G. Bowen、樊锦诗著]，《敦煌研究》2002 年第 4 期，第 9～10 页。

140. 《从莫高窟的历史遗迹探讨莫高窟崖体的稳定性》（樊锦诗、彭金章、王旭东著），载于《宿白先生八秩华诞纪念文集》编辑委员会编《宿白先生八秩华诞纪念文集》下册，北京：文物出版社，2002 年，第 635～660 页。

141. 《建设世界一流的遗址博物馆》，载于徐嵩龄、张晓明、章建刚编《文化遗产的保护与经营 —— 中国实践与理论进展》，北京：社会科学文献出版社，2003 年，第 231～247 页。

142.《奥登堡敦煌莫高窟资料的价值》(樊锦诗、蔡伟堂著)，载于敦煌研究院编《2000 年敦煌学国际学术讨论会文
　　集 —— 纪念敦煌藏经洞发现暨敦煌学百年·石窟考古卷》，兰州：甘肃民族出版社，2003 年，第 326～339 页。

143.《让高新技术为石窟考古服务》[樊锦诗、(美)胡素馨著]，载于 (美) 胡素馨主编《佛教物质文化：寺院财富与
　　世俗供养国际学术研讨会论文集》，上海：上海书画出版社，2003 年，第 454～462 页。

144.《漫话敦煌》，载于樊锦诗、刘永增编著《敦煌鉴赏·精选 50 窟》，南京：江苏美术出版社，2003 年，第 14～19 页。

145.《数字化时代的敦煌 —— 探索保存和利用敦煌文化遗产的新途径》，日本数字情报研究所主办"丝绸之路数字化
　　国际学术讨论会"，2003 年。

146.《依靠法制与科技，做好敦煌石窟的保护管理工作》，联合国教科文组织、中国联合国教科文组织全委会、国家
　　文物局、河北省政府主办"承德世界文化遗产国际论坛"，2003 年。

147.《面向未来　促进国际合作保护迈上新台阶》，2004 年全国文物外事工作会议，《文物工作》2004 年第 8 期，第
　　22～24 页。

148.《认真学习贯彻〈条例〉，依法保护敦煌莫高窟》，《敦煌研究》2004 年第 1 期，第 5～6 页。

149.《建设面向未来的莫高窟》，《西部论丛》2004 年第 2 期，第 12～14 页。

150.《我们为什么保护敦煌》，《人与自然》2004 年第 12 期，第 50～53 页。

151.《玄奘译经和敦煌壁画》，《敦煌研究》2004 年第 2 期，第 1～12 页；后收入浙江省博物馆、浙江省敦煌学研究会、
　　浙江大学古籍研究所编《浙江与敦煌学：常书鸿先生诞辰一百周年纪念文集》，杭州：浙江古籍出版社，2004 年。

152.《为了敦煌的久远长存 —— 敦煌石窟保护的探索历程》，《人民政协报》2004 年 3 月 8 日；《敦煌研究》2004 年第
　　3 期，第 5～9 页。

153.《纪念常书鸿先生》，《敦煌研究》2004 年第 3 期，第 41～44 页；后收入浙江省博物馆、浙江省敦煌学研究会、
　　浙江大学古籍研究所编《浙江与敦煌学：常书鸿先生诞辰一百周年纪念文集》，杭州：浙江古籍出版社，2004 年。

154.《敦煌莫高窟北区洞窟及崖面崩塌原因探讨》(樊锦诗、彭金章、王旭东著)，《敦煌研究》2004 年第 3 期，第
　　74～82 页。

155.《敦煌莫高窟北区 B228 窟出土河西大凉国安乐三年 (619) 郭方随葬衣物疏初探》(樊锦诗、彭金章著)，《敦煌
　　学》2004 年第 25 期，第 515～528 页。

156.《根据〈准则〉进行莫高窟第 85 窟保护项目》，《中国文物报》2004 年 10 月 15 日。

157.《新世纪敦煌石窟研究的方向》，《敦煌研究》2004 年特刊，第 79～83 页。

158.《〈常书鸿文集〉序》，载于敦煌研究院编《常书鸿文集》，兰州：甘肃民族出版社，2004 年。

159.《〈敦煌石窟论稿〉序》，载于敦煌研究院编、贺世哲著《敦煌石窟论稿》，兰州：甘肃民族出版社，2004 年。

160.《〈敦煌习学集〉序》，载于敦煌研究院编、施萍婷著《敦煌习学集》，兰州：甘肃民族出版社，2004 年。

161.《莫高窟保护和旅游的矛盾以及对策》，《敦煌研究》2005 年第 4 期，第 1～3 页。

162.《敦煌莫高窟顶尼龙网栅栏防护效应研究》[汪万福、王涛、樊锦诗、张伟民、屈建军、(美) Nevile Agnew、(美)
　　林博明著]，《中国沙漠》2005 年第 5 期，第 640～648 页。

163.《敦煌石窟如意轮观音经变研究》(樊锦诗、彭金章著)，载于古正美主编《唐代佛教与佛教艺术》，台北：觉风
　　佛教艺术文化基金会，2006 年，第 131～150 页。

164.《21 世纪敦煌学研究面临的问题与对策》(郑炳林、樊锦诗著)，载于中国史学会秘书处、陕西师范大学历史文
　　化学院编《中国历史学研究现状和发展趋势 —— 中国史学界第七次代表大会学术研讨文集》，北京：中国社会
　　科学出版社，2006 年，第 43～51 页。

165.《关于"敦煌知识库"的构想》(樊锦诗、张元林著)，载于郝春文主编《敦煌学知识库国际学术研讨会论文集》，
　　上海：上海古籍出版社，2006 年，第 15～18 页。

166.《中国案例研究 —— 敦煌莫高窟旅游开放的效益、挑战与对策》，载于中国古迹遗址保护协会秘书处编《中国古
　　迹遗址保护协会通讯 (第二届文化遗产保护与可持续发展国际会议专辑)》，2006 年第 4 期，第 39～46 页。

167.《纪念〈敦煌研究〉出版 100 期》，《敦煌研究》2006 年第 6 期，第 1～4 页。

168.《北周时期的敦煌壁画艺术》，载于段文杰、樊锦诗主编《中国敦煌壁画全集·3（北周）》，天津：天津人民美术出版社，2006年，第1～19页。

169.《敦煌莫高窟旅游开放的效益、挑战与对策》，绍兴：第二届文化遗产保护与可持续发展国际会议，2006年。

170.《关于敦煌莫高窟南区洞窟补编窟号的说明》（樊锦诗、蔡伟堂著），《敦煌研究》2007年第2期，第44～50页。

171.《慕法情深，忘身为道——段文杰先生从事敦煌艺术研究60周年》，《敦煌研究》2007年第4期，第1～4页。

172.《敦煌西千佛洞各家编号说明》（樊锦诗、蔡伟堂著），《敦煌研究》2007年第4期，第34～35页。

173.《〈中国文物古迹保护准则〉在莫高窟项目中的应用——以〈敦煌莫高窟保护总体规划〉和〈莫高窟第85窟保护研究〉为例》，《敦煌研究》2007年第5期，第1～5页。

174.《为探索敦煌艺术而不断努力》，载于穆纪光著《敦煌艺术哲学》，北京：商务印书馆，2007年，第1～3页。

175.《丝绸之路沿线石窟寺总体价值评估的思考》，西安：丝绸之路申遗培训班，国家文物局，2007年。

176.《敦煌文化遗产保护工作应在"新"字上求发展》，《发展》2008年第1期，第26～27页。

177.《敦煌莫高窟旅游开放的效益、挑战与对策》，《艺术》2008年第4期，第4～9页。

178.《为了敦煌久远长存——敦煌石窟保护的探索》，《装饰》2008年第6期，第16～21页。

179.《基于世界文化遗产价值的世界文化遗产地的管理与监测——以敦煌莫高窟为例》，《敦煌研究》2008年第6期，第1～5页。

180.《P.3317号敦煌文书及其与莫高窟第61窟佛传故事画关系之研究》，载于饶宗颐主编《华学》第九、十辑（三），上海：上海古籍出版社，2008年，第980～1004页。

181.《建设数字化的莫高窟游客中心，有效应对旅游开放的挑战——敦煌莫高窟保护利用设施建设项目介绍》，载于郝春文主编《2008敦煌学国际联络委员会通讯》，上海：上海古籍出版社，2008年，第181～184页。

182.《盛世和光——敦煌艺术大展》，《中国美术馆》2008年第1期，第51页。

183.《蓦然回首　轻舟已过万重山——写在改革开放30年之际》，《发展》2009年第2期，第34～35页。

184.《关于敦煌石窟研究的一些思考》，《中国史研究》2009年第3期，第91～94页。

185.《沉痛悼念一代学术宗师任继愈先生》，《敦煌研究》2009年第4期，第1页。

186.《沉痛悼念一代学术宗师季羡林先生》，《敦煌研究》2009年第4期，第2页。

187.《追忆季老》，《敦煌研究》2009年第4期，第3～4页。

188.《敦煌石窟保护与展示工作中的数字技术应用》，《敦煌研究》2009年第6期，第1～3页。

189.《横亘在文明交融中的莫高窟》，《光明日报》2010年02月05日。

190.《现代文明与历史文明的辉映》，《中国经济导报》2010年4月29日。

191.《春风化雨润敦煌——记几代中央领导对莫高窟的关怀与勉励》，《中华书画家》2010年第2期，第6～10页。

192.《发挥文化软实力　促进甘肃大发展》，《发展》2011年第1期，第17～18页。

193.《段文杰先生对敦煌研究事业的贡献》，《敦煌研究》2011年第3期，第1～3页。

194.《跨时空对话——写在"中日岩彩画展"开幕之际》，《上海艺术家》2011年第5期，第62～67页。

195.《缅怀前贤，激励来者——向达先生对敦煌学研究的贡献》，载于樊锦诗、荣新江、林世田主编《敦煌文献·考古·艺术综合研究：纪念向达先生诞辰110周年国际学术研讨会论文集》，北京：中华书局，2011年，第3～7页。

196.《心通造化　神寄山水——饶宗颐先生首创的山水画西北宗之说》，载于中央文史研究馆、敦煌研究院、香港大学饶宗颐学术馆《庆贺饶宗颐先生95华诞敦煌学国际学术研讨会论文集》，北京：中华书局，2012年。

197.《〈曾有西风半点香——敦煌艺术名物丛考〉序言》，载于扬之水著《曾有西风半点香——敦煌艺术名物丛考》，北京：生活·读书·新知三联书店，2012年。

198.《〈敦煌石窟全集〉考古报告编撰的探索》，《敦煌研究》2013年第3期，第40～46页。

199.《段文杰：敦煌文物事业的开创者和推动者》，《丝绸之路》2013年第20期，第11～12页。

200.《敦煌莫高窟南区窟前考古发现的颜料、调色碗残留颜料及相关问题》，《亚洲艺术》，2013年。

201.《由敦煌认识中国传统文化——简评冯骥才〈人类的敦煌〉》，《中国艺术报》2014年5月5日。

202.《守护敦煌艺术宝藏，传承人类文化遗产 —— 敦煌研究院七十年》，《敦煌研究》2014年第3期，第1~5页。

203.《敦煌莫高窟》，《世界遗产》2015年第Z1期，第26~31页。

204.《坚持敦煌莫高窟文物管理体制不动摇》，《瞭望》2015年第24期；《敦煌研究》2015年第4期，第1~4页。

205.《敦煌学的历史、传承和突破发展》，《光明日报》2016年6月28日。

206.《文化科技融合在文化遗产保护中的运用 —— 以敦煌莫高窟数字化为例》（陈振旺、樊锦诗著），《敦煌研究》2016年第2期，第100~107页。

207.《简述敦煌莫高窟保护管理工作的探索和实践》，《敦煌研究》2016年第5期，第1~5页。

208.《莫高窟坚守者：保护传承世界遗产的文化自觉与担当》，《光明日报》，2016年3月8日。

209.《推动敦煌学发展为"一带一路"做贡献》，《新湘评论》2016年第11期，第16页。

210.《文化交流融会，文明共存共荣》，《丝绸之路》2016年第19期，第31页。

211.《永远的敦煌》，《求是》2016年第16期，第47~49页。

212.《学习〈谢辰生先生往来书札〉感悟》，载于李经国编《谢辰生先生往来书札续编》，北京：国家图书馆出版社，2017年。

213.《莫高精神的杰出代表 —— 纪念段文杰先生诞辰一百周年》，载于段文杰著《段文杰画集》，北京：朝华出版社，2017年。

214.《追忆饶宗颐先生的敦煌缘》，《佛学研究》2018年第1期。

215.《石窟春风香柳绿　他生愿作写经生 —— 饶宗颐先生的敦煌缘》，《光明日报》2018年5月28日第16版。

216.《从北大到敦煌》，载于蒋朗朗主编《精神的魅力2018》（一），北京：北京大学出版社，2018年。

217.《平山郁夫先生的广阔丝路世界》，载于敦煌研究院编《平山郁夫的丝路世界 —— 来自平山郁夫丝绸之路美术馆的文物精品》，北京：朝华出版社，2018年。

218.《敦煌石窟与香港敦煌之友的情缘》，《明报月刊》2018年第8期。

219.《〈选堂集林·敦煌学〉序言》，载于饶宗颐著《选堂集林·敦煌学》，山东画报出版社，2019年。

220.《不忘初心，新起点上再出发》，《光明日报》2019年3月6日第10版。

221.《厮守，一眼千年》，《人民日报》2019年4月10日20版；《西部大开发》2019年第4期，第112~113页；后收入中央文史研究馆编《清言集 —— 文史馆馆员随笔集》，北京：国家图书馆出版社，2021年。

222.《唐代莫高窟藻井宝相花的形成及类型》（陈振旺、樊锦诗著），《创意与设计》2019年第1期，第40~47页。

223.《盛世华章 —— 初唐后期和盛唐前期莫高窟藻井图案》（陈振旺、樊锦诗著），《艺术设计研究》2019年第1期，第16~23页。

224.《如果没有顾春芳出现 ——〈我心归处是敦煌〉前言》，《博览群书》2020年第1期，第41~43页。

225.《保护传承敦煌文化 增强中华文化自信》，《求是》2020年第4期，第60~69页。

226.《初心始终在敦煌》，《世纪》2020年第5期，第41~43页。

227.《我心归处是敦煌 —— 樊锦诗自述》（樊锦诗口述，顾春芳撰写），《山东干部函授大学学报（理论学习）》2020年第5期，第64页。

228.《守护文化之根　弘扬莫高精神 —— 团结一心把敦煌研究院建设成为世界文化遗产保护的典范和敦煌学研究的高地》，《敦煌研究》2020年第6期，第1~3页。

229.《"敦煌的女儿"樊锦诗：我的老彭，走了》（樊锦诗、顾春芳著），《党员文摘》2020年第10期，第51~53页。

230.《法兰西学院金石美文学院第二届"汪德迈中国学奖"答谢词》，载于乐黛云、（法）李比雄主编《跨文化对话》（第42辑），商务印书馆，2020年。

231.《千年莫高窟》，《传记文学》2021年第5期，第8~21页。

◆ ■ 编后记

为庆祝敦煌研究院名誉院长樊锦诗先生八十五华诞暨从事敦煌文物的保护和研究事业六十周年，敦煌研究院决定编辑出版《樊锦诗文集》，使樊锦诗先生的学术研究以及文物保护管理思想得到广泛传播，推动中国文化遗产保护研究弘扬事业更加深入地发展。

2022年秋，我们开始了文集的整理和编选工作。由敦煌研究院党委书记赵声良总负责，成立了编辑小组。敦煌学信息中心副主任宋焰朋率领信息中心的部分工作人员进行文稿收集、整理和编辑工作，院办公室许强也参与了相关工作。樊锦诗先生的文章大部分刊发于各类书刊（共约146篇），也有部分是在一些会议上的报告或发言以及讲演的录音，往往未曾单独发表，又具有重要价值，我们通过整理把这类文章也收入文集。通过收集、整理、校对，最后大体编选出了文集的雏形，经樊锦诗先生本人审定，选定106篇文章。这些文章主要包括三个方面的内容：一是敦煌石窟价值与保护开放管理研究，具体包括敦煌文化的价值，敦煌石窟保护研究的历程，敦煌石窟的保护、管理与开放；二是敦煌石窟及相关文物考古研究，具体包括石窟考古与敦煌学，洞窟分期与石窟考古报告，壁画内容考释，考古发掘与出土文物；三是前贤纪念文及序言。全书编辑完成时，决定分为上、下两册出版，考虑到两册篇幅的平衡等问题，我们把第一、三方面的文章编为上册，第二方面（考古学相关内容）的文章编为下册。每篇文章均在文末注明发表情况。文中插图尽可能采用全彩高清图版，包括敦煌石窟照片、洞窟测绘图及线描图等，由敦煌研究院文物数字化研究所、考古研究所等部门提供。由于水平有限，在编选和校订过程中可能会出现一些舛讹，未能真实反映樊锦诗先生的研究成果，概由编辑小组负责。

文集的出版得到文物出版社总编辑刘铁巍及责任编辑许海意、王媛、张晓曦、安艳娇等同志的大力支持，克服了内容庞杂、体例多样、出版时间紧等诸多困难，使文集能够按期高质量地出版。在此谨向文物出版社的领导和编辑同志们致谢！

希望《樊锦诗文集》能使读者深入了解樊锦诗先生在石窟考古研究、文化遗产管理和保护研究等方面的巨大贡献，学习樊锦诗先生"择一事，终一生"、为敦煌事业的奉献精神，弘扬传承中华优秀文化。

《樊锦诗文集》编辑组

2023 年 6 月